ONDE OS HOMENS
CONQUISTAM A GLÓRIA

A marca FSC é a garantia de que a madeira utilizada na fabricação do papel deste livro provém de florestas que foram gerenciadas de maneira ambientalmente correta, socialmente justa e economicamente viável, além de outras fontes de origem controlada.

JON KRAKAUER

Onde os homens conquistam a glória

A odisseia de um soldado americano no Iraque e no Afeganistão

Tradução
Ivo Korytowski

Companhia Das Letras

Tradução publicada mediante acordo com The Doubleday Broadway Publishing Group, uma divisão da Random House, Inc.

Grafia atualizada segundo o Acordo Ortográfico da Língua Portuguesa de 1990, que entrou em vigor no Brasil em 2009.

Título original
Where men win glory: the odyssey of Pat Tillman

Capa
Retina_78

Preparação
Otacílio Nunes

Revisão
Carmen S. da Costa
Márcia Moura

Índice remissivo
Luciano Marchiori

Dados Internacionais de Catalogação na Publicação (CIP)
(Câmara Brasileira do Livro, SP, Brasil)

Krakauer, Jon
Onde os homens conquistam a glória : a odisseia de um soldado americano no Iraque e no Afeganistão / Jon Krakauer ; tradução Ivo Korytowski — São Paulo : Companhia das Letras, 2011.

Título original : Where men win glory ; the odyssey of Pat Tillman
Bibliografia
ISBN 978-85-359-1809-0

1. Futebol e guerra - Estados Unidos, 2. Guerras afegãs, 2001 - Casualidades 3. Guerras afegãs, 2001 - Estados Unidos 4. Jogadores de futebol - Estados Unidos - Biografia 5. Soldados - Estados Unidos - Biografia 6. Tillman, Pat, 1976-2004 I. Título.

11-00163 CDD-958.1041

Índice para catálogo sistemático:
1. Soldado americano : Guerras afegãs : Biografia 958.1041

[2011]

EDITORA SCHWARCZ LTDA.
Rua Bandeira Paulista 702 cj. 32
04532-002 — São Paulo — SP
Telefone (11) 3707-3500
Fax (11) 3707-3501
www.companhiadasletras.com.br

Para Linda;
e em memória do primeiro-sargento Jared C. Monti, morto em combate em 21 de junho de 2006, perto de Gowardesh, Afeganistão

Quem entre os mortais és, homem bravíssimo, a quem
nunca vi no conflito onde os homens conquistam a glória?
Tu excedes a todos de longe em teu grande coração.

— Homero, *Ilíada*

Sumário

Lista de mapas

Dramatis personae

22 de abril de 2004

Comboio de Magarah para Mana, Distrito de Spera, Província de Khost, Segundo Pelotão do Afeganistão, Companhia Alfa, Segundo Batalhão, 75º Regimento de Rangers

UNIDADE DE MARCHA 1

Veículo 1: Humvee (GMV) com Mk 19 montado na torre de tiro superior

Tenente David Uthlaut, líder de pelotão, banco dianteiro direito
Segundo-sargento Matt Weeks, líder do Terceiro Esquadrão, motorista
Especialista Ryan Mansfield, atirador na torre de tiro superior
Especialista Jade Lane, operador de rádio, banco do meio direito
Especialista Donald Lee, observador avançado, banco do meio esquerdo
Segundo-cabo Bryan O'Neal, fuzileiro de M4, banco traseiro
Especialista Mark, atirador de Carl Gustav 84 milímetros, banco traseiro esquerdo
Especialista Jay Lamell, atirador auxiliar, banco traseiro direito

Veículo 2: Toyota Hilux King Cab

Especialista Brandon Farmer, mecânico, motorista
Especialista Kilpatrick, fuzileiro de M4, banco dianteiro direito
Especialista Pat Tillman, líder de equipe interino, atirador de SAW, banco traseiro esquerdo

Veículo 3: Humvee com blindagem reforçada, nenhuma arma montada na torre de tiro superior

Sargento Mel Ward, líder de equipe, motorista
Especialista Will Aker, fuzileiro de M4, banco dianteiro direito
Especialista John Tafoya, banco do meio direito
Especialista Douglas Ping, banco do meio esquerdo

Veículo 4: Toyota Hilux King Cab

Sargento Bradley Shepherd, líder de equipe, motorista
Especialista Russell Baer, atirador de SAW, banco dianteiro direito
Segundo-cabo Josey Boatright, banco traseiro
Especialista Jean-Claude Suhl, atirador de metralhadora Bravo 240
Especialista Alvin Fudge, observador avançado

Veículo 5: Toyota Hilux King Cab

Sayed Farhad, soldado das Forças da Milícia Afegã
Três outros soldados das Forças da Milícia Afegã (nomes desconhecidos)

Veículo 6: Toyota Hilux King Cab

Três soldados das Forças da Milícia Afegã (nomes desconhecidos)

UNIDADE DE MARCHA 2

Veículo 1: Caminhão *jinga* afegão, rebocando o Humvee avariado

Motorista afegão (nome desconhecido)
Jamal, intérprete afegão
Primeiro-sargento Jeffrey Jackson, segundo líder de esquadrão
Segundo-sargento Jonathan Owens, líder do esquadrão de armas

Veículo 2: Humvee (GMV) com M2 calibre 50 na torre de tiro superior, M240B na traseira direita

Segundo-sargento Greg Baker, líder do Primeiro Esquadrão, banco dianteiro direito
Sargento Kellett Sayre, fuzileiro de M4, motorista
Especialista Stephen Ashpole, atirador na torre de tiro superior
Especialista Chad Johnson, M4/203 fuzileiro e granadeiro, banco do meio direito
Especialista Trevor Alders, atirador de SAW, banco do meio esquerdo
Especialista Steve Elliott, atirador de metralhadora Bravo 240, banco traseiro direito
Segundo-cabo James Roberts, M4/203 fuzileiro e granadeiro, banco traseiro esquerdo
Wallid, intérprete afegão, banco traseiro

Veículo 3: Humvee de carga

Especialista Stephen McLendon, motorista
Primeiro-sargento Steven Walter, sargento do pelotão de morteiros, banco dianteiro direito
Especialista Miltiades Harrison Houpis, atirador de elite, banco traseiro esquerdo
Especialista Josh Reeves, atirador de elite, banco traseiro direito

Veículo 4: Humvee de carga

Sargento Brad Jacobson, atirador de morteiro, motorista
Sargento-mestre John Horney, banco dianteiro direito
Sargento Major Alfred Birch, sargento-mor do regimento, banco traseiro direito
Especialista Dunabach, banco traseiro esquerdo

Veículo 5: Humvee (GMV) com Mk 19 montado na torre de tiro superior

Sargento Jason Parsons, líder de equipe, motorista
Primeiro-sargento Eric Godec, sargento do pelotão, banco dianteiro direito
Especialista Kevin Tillman, atirador na torre de tiro superior
Especialista Pedro Arreola, banco do meio direito

Segundo-cabo Kyle Jones, banco do meio esquerdo
Sargento Jason Bailey, banco traseiro
Segundo-cabo Marc Denton, banco traseiro
Especialista James Anderson, paramédico, banco traseiro

Prólogo

Se David Uthlaut ainda estava zangado quando o comboio finalmente saiu de Magarah, Afeganistão, o jovem tenente escondeu suas emoções dos 44 Rangers do Exército que estavam sob seu comando. Com certeza tinha motivos para estar furioso. Nas seis horas anteriores, seu pelotão havia sido detido em meio ao território talibã, enquanto ele discutia com o quartel-general o que fazer com um Humvee avariado. Quando a discussão enfim se encerrou, Uthlaut estava do lado perdedor do debate, e recebeu ordens de executar uma série de tarefas problemáticas antes do anoitecer — embora não houvesse tempo suficiente para cumprir o prazo sem correr riscos.

A data era 22 de abril de 2004. Por oito dias seguidos, Uthlaut e seus homens haviam vasculhado o interior acidentado da província de Khost em busca de insurgentes talibãs. Os Rangers haviam dormido na lama, molhado-se na chuva gélida, subido e descido escarpas altas sem rações adequadas. A certa altura, a fome foi tamanha que um dos atiradores de metralhadora do pelotão chegou a fuçar um depósito de lixo em busca de restos de comida. Mas nenhuma dessas tribulações impedira a unidade de Operações Especiais de executar sua missão.

Às onze e meia daquela manhã, porém, o terreno irregular impingiu um golpe terminal a um dos onze veículos do pelotão, paralisando os Rangers em

Magarah, uma aldeia decrépita dominada pelo Talibã. Ambas as barras de direção do Humvee haviam quebrado, fazendo com que suas rodas dianteiras trepidassem descontroladas em direções opostas. Depois que o mecânico do pelotão constatou que consertar o defeito no local seria impossível, Uthlaut enviou uma mensagem de rádio ao quartel-general solicitando um helicóptero para enganchar o veículo e transportá-lo de volta à base, uma operação considerada rotineira para um Chinook CH-47 — um gigantesco helicóptero bimotor movido a jatopropulsão que mais parece um imenso inseto de titânio.

Naquele mesmo dia os Rangers haviam observado Chinooks do Exército avançando resolutamente pelo céu, mas o quartel-general informou a Uthlaut que nenhum helicóptero estaria disponível para apanhar o Humvee avariado, ao menos nas próximas 96 horas.

Com uma operação de resgate por helicóptero descartada, alguém no pelotão sugeriu que simplesmente removessem a metralhadora calibre 50 da torre do Humvee, arrancassem os rádios, explodissem aquela coisa maldita com explosivos C-4 para que o Talibã não pudesse recuperá-la e abandonassem os destroços ali mesmo. Uthlaut sabia, com base numa missão anterior no Afeganistão, que destruir um veículo, ainda que um *fubar*,* sem a aprovação do comandante do 75º Regimento de Rangers era rigorosamente proibido. Como o coronel em questão por acaso estava do outro lado do planeta, em Fort Benning, Geórgia, tal aprovação dificilmente seria concedida em tempo hábil, se é que seria concedida. Era necessário encontrar outra solução para o problema.

Às 16h00, o quartel-general apresentou uma solução. Uthlaut recebeu ordem de dividir seu pelotão em dois elementos. Metade da sua unidade deveria começar imediatamente a rebocar o Humvee danificado até a única estrada pavimentada em toda a província de Khost, que ficava do lado oposto de um maciço elevado. Ao mesmo tempo, a outra metade do pelotão deveria prosseguir na direção oposta até uma aldeia chamada Mana, a 6,4 quilômetros de Magarah, sem nenhuma estrada de acesso, a fim de completar a missão do dia: revistar todas as casas do povoado em busca de esconderijos de armas do inimigo. Além disso, pela cadeia de comando veio a mensagem: "É melhor que

* Acrônimo militar que remonta à Segunda Guerra Mundial, frequentemente usado no Exército norte-americano moderno. Significa "*fucked-up beyond all recognition*": tão fodido que nem se reconhece. (N. T.)

esse problema do veículo não nos atrase ainda mais". O líder do pelotão foi exortado a não perder mais tempo e pôr os pés em Mana antes do anoitecer.

A província de Khost era o campo de ação de Jalaluddin Haqqani, um homem baixo e esquelético, com óculos de fundo de garrafa e uma barba com aparência de palha de aço preta, que chegava até a barriga. Embora não impressionasse pela estatura física, tornara-se famoso em todo o Afeganistão por sua coragem e argúcia militar. Comandante das forças talibãs em grande parte da região leste do país, Haqqani era um dos companheiros em quem Bin Laden mais confiava. Os combatentes inimigos que os Rangers vinham caçando faziam parte da chamada Rede de Haqqani — um amálgama impreciso de milícias talibãs e insurgentes tribais. Mana era a última aldeia da área que os Rangers precisavam revistar em busca das forças de Haqqani, e o quartel-general foi inflexível na ordem de que agissem o mais rápido possível a fim de cumprir um cronograma estabelecido semanas antes por oficiais burocratas numa base distante.

Uthlaut e seus homens não estavam menos ansiosos do que o quartel-general por cumprir sua missão em Mana, já que, assim que ela fosse encerrada, seria possível retornarem à Base de Operação Avançada Salerno, onde poderiam remover o fedor e a sujeira, reparar seus veículos desgastados, dar descanso às armas e passar uma ou duas noites em bons catres antes de saírem em nova incursão. Mas os Rangers em ação não estavam dispostos a correr riscos desnecessários apenas para cumprir um cronograma burocrático e arbitrário, definido por oficiais que raras vezes se aventuravam fora da segurança da base de operação avançada e que, portanto, da perspectiva dos soldados de infantaria, não tinham nenhuma ideia do que era realmente travar uma guerra naquele país implacável.

Uthlaut enviou uma série de e-mails que, em termos respeitosos mas vigorosos, registraram suas objeções às ordens que havia recebido. O líder do pelotão, com 24 anos, observou, entre outras deficiências, que a topografia montanhosa tornaria problemática a comunicação entre os elementos divididos, e que embarcar para Mana com apenas metade do pelotão, do seu ponto de vista, "não era seguro".

Um dos jovens oficiais mais conceituados do Exército, Uthlaut se graduara, com as melhores notas da classe, na Academia West Point como primeiro capitão do Corpo de Cadetes. Quando George W. Bush tomou posse como presidente em 2001, Uthlaut foi escolhido para liderar o desfile do Exército pela Pennsylvania Avenue, na parada da posse. Após deixar a academia e se tornar líder de pelotão no Segundo Batalhão de Rangers, ele logo granjeou a admiração dos soldados e suboficiais que serviam sob seu comando. Uthlaut era um soldado disciplinado que raramente questionava as ordens, e nunca o fazia sem uma forte razão. Mas seus pedidos prementes de que reconsiderassem a ordem de dividir o pelotão gerou uma resposta brusca do quartel-general: "Reconsideração negada".

"Ninguém em ação em Magarah achou uma boa ideia dividir o pelotão", recorda o especialista Jade Lane, que, como operador de rádio de Uthlaut, acompanhou todo o extenso debate entre o quartel-general e o líder do pelotão. "O LP não queria fazer aquilo. Mas no Exército você obedece às ordens. Se alguém de patente mais alta manda você fazer algo, você faz. Portanto Uthlaut dividiu o pelotão."

Restava menos de uma hora de luz do sol no momento em que Uthlaut terminou de dividir seu pelotão em dois. Após se colocar no comando do grupo destinado a Mana (designado Unidade de Marcha 1 e constituído de dois Humvees e quatro picapes Toyota transportando vinte Rangers e sete membros das Forças da Milícia Afegã), ele saiu célere de Magarah no Humvee dianteiro às 18h00. Como não havia estrada, o comboio de Uthlaut desceu por um leito de rio intermitentemente seco, seguido de perto pelo comboio do segundo grupo, a Unidade de Marcha 2. Poucos minutos após deixarem a aldeia, atingiram uma bifurcação no leito de rio. O comboio de Uthlaut seguiu rio abaixo, à esquerda. A Unidade 2, rebocando o Humvee quebrado, seguiu rio acima, à direita.

Um soldado britânico chamado Francis Leeson, que combateu uma insurreição tribal violenta nessa mesma área no final da década de 1940, escreveu um livro em que caracterizou o terreno como "morros de fronteira que são difíceis de acessar e fáceis de defender. Quando se fala deles, não se está falando de colinas onduladas onde tanques e cavalaria podem operar, e sim do pior terreno imaginável para o combate em solo montanhoso — precipícios íngremes e vales sinuosos e estreitos". Seis décadas após o serviço militar de Leeson, esta continua sendo uma descrição assustadoramente exata da paisagem que os Rangers de Uthlaut enfrentaram.

Oitocentos metros a oeste da bifurcação onde os comboios se separaram e tomaram direções opostas, a Unidade 1 adentrou a boca de um cânion espetacularmente estreito. Eram 18h10, e os flancos inferiores da garganta já estavam em sombras. O calor da tarde havia sido suplantado pelo frio da noite que começava, levando os Rangers a vestirem jaquetas Gore-Tex sob seus coletes à prova de balas. O ar recendia a sálvia, poeira e fumaça da lenha que subia dos fogos de cozinha da aldeia próxima.

À frente, o caminho serpenteava por uma fenda profunda e tortuosa que o rio escavara na rocha das montanhas circundantes. Em alguns locais a passagem era apenas trinta ou sessenta centímetros mais larga do que os Humvees, sendo comprimida por penhascos de calcário verticais que reduziam o céu acima a uma faixa de azul-claro. Só se esticassem o pescoço os soldados conseguiam ver a borda do cânion. Nas alturas, bem acima da penumbra do chão do vale, as encostas em geral áridas estavam pontilhadas de graciosos pinheiros ainda banhados pela luz solar, a casca prateada e as folhas verdejantes brilhando nos raios fugazes.

A magnificência do cenário não passou despercebida aos Rangers, enquanto seus veículos trepidavam sobre bermas de cascalho e saliências de calcário. Aquele cânion era o acidente geográfico mais impressionante que viam desde a chegada em Khost: o tipo de maravilha geológica que se espera encontrar no Parque Nacional Zion, de Utah, ou no Mogollon Rim, no norte do Arizona. Um soldado observou que aquele seria "um local espetacular para escalada". Mas a maioria dos Rangers estava menos concentrada nos esplendores naturais do que nos riscos não naturais que poderiam estar espreitando em algum lugar acima deles.

O especialista Russell Baer viajava no quarto veículo do comboio, uma picape Toyota Hilux. Voltando-se ao sargento Bradley Shepherd, que dirigia a picape, Baer declarou: "Parece aqueles filmes que nos mostraram antes de partirmos. Nos anos 80, os afegãos armavam emboscadas contra os russos em lugares como este. Eles os assassinavam nesses cânions, do alto. Foi assim que venceram a guerra". Shepherd refletiu sobre as implicações óbvias daquele comentário, assentiu com a cabeça seriamente, depois apanhou sua câmera e documentou a passagem através do para-brisa sujo enquanto dirigia.

Nos vinte minutos seguintes, o comboio se arrastou pela fenda claustrofóbica, o terreno irregular forçando-o a avançar numa velocidade torturantemente lenta. O estreito era tão apertado que os para-lamas dos Humvees às vezes arranhavam os paredões íngremes. Os Rangers permaneceram nervosos e ansiosos, esperando ser atacados do alto a qualquer momento. De acordo com o soldado raso Bryan O'Neal, um fuzileiro, "o cânion era muito escarpado, havia grandes penedos por toda parte, e os paredões tinham no mínimo trinta metros de altura em cada lado. Na verdade, tive que ficar em cima do veículo para conseguir montar guarda" — os penhascos se erguiam tão abruptamente que O'Neal teve que se deitar de costas para sondar as saliências do cânion em busca de talibãs através da mira de sua carabina M4.*

Após vinte minutos, o Humvee de Uthlaut emergiu na extremidade oeste da fenda. O vale se abriu, e o chão do cânion se alargou num canal de cascalho relativamente plano com uns 27 metros de diâmetro. Milho e papoula cresciam em terraços cultivados dos dois lados do leito de rio. Agrupadas numa encosta de cor parda logo depois da boca do estreito, oito ou nove casas com paredes de barro erguiam-se acima dos campos de ópio. Meninos *pashtuns* em roupas encardidas correram em direção ao comboio em movimento, acenando e rindo. O perigo de uma emboscada parecia ter passado.

Um momento depois, uma série de explosões ruidosas ecoou do estreito atrás deles. "Virei-me para o lugar de onde acabáramos de vir", conta Baer, "e de repente aquilo pareceu *Guerra nas estrelas*. Balas traçantes vermelhas subiam do cânion, iluminando o céu." As traçantes são balas especiais fabricadas com uma carga pirotécnica que se acende quando cada projétil sai do cano de uma arma, fazendo com que a trajetória da bala pareça um raio vermelho brilhante, o que permite ao atirador ajustar mais facilmente sua rajada contra o alvo visado. Cada quinta bala carregada nas metralhadoras das forças americanas no Afeganistão era um projétil traçante. O Talibã não usava munições traçantes naquela área. Baer entendeu instantaneamente que os raios vermelhos brilhando pelas sombras do cânion eram balas de soldados americanos defendendo-se de uma emboscada inimiga. "Eu sabia que era nosso pessoal sendo atingido", ele diz. "Era a outra metade do pelotão."

* A M4 é uma versão mais leve e compacta do rifle M16 da era Vietnã.

O outro elemento do pelotão, a Unidade 2, deveria estar a quilômetros de distância àquela altura, rebocando o Humvee imprestável na direção oposta. Uthlaut e seus homens não tinham a menor ideia de por que a Unidade 2 haveria de impulsivamente inverter seu curso e segui-los, mas seus companheiros pareciam ter feito exatamente isso, e estavam agora em meio ao que parecia e soava como um intenso tiroteio a oitocentos metros de distância.

A Unidade 1 parou de repente e os soldados saltaram de suas picapes e Humvees. O Ranger de maior patente abaixo de Uthlaut era um calmo segundo-sargento chamado Matthew Weeks, que havia recebido uma Estrela de Bronze por suas ações intrépidas durante um tiroteio no Iraque. Ele ordenou que meia dúzia de soldados permanecesse junto aos seis veículos e que a maioria dos outros subisse com ele a encosta norte do cânion em direção a um grupo de casas de barro sob as quais tinham acabado de passar. Weeks informou a Uthlaut: "Vou tentar transpor a aldeia e ver se consigo observar a saída [da Unidade 2] da zona da emboscada", explicando que seu esquadrão não iria além de um terreno elevado acima do povoado.

Um pelotão de Rangers costuma ser organizado em três esquadrões, cada um formado por duas "esquadras de tiro" de no máximo seis homens. Quando Uthlaut foi forçado a dividir às pressas seu pelotão em Magarah, colocou o Terceiro Esquadrão (comandado por Weeks) na Unidade 1 e designou o grosso do Primeiro e do Segundo esquadrões para a Unidade 2. Mas como os dois comboios precisavam ter mais ou menos o mesmo tamanho, Uthlaut retirou dois homens do Segundo Esquadrão e acrescentou-os à Unidade 1. Esses dois homens eram o soldado raso O'Neal, com dezoito anos e cara de bebê, o mais jovem e inexperiente de toda a unidade, e o especialista Pat Tillman, o líder da esquadra de tiro de O'Neal.

Tillman — que tinha 27 anos e antes de se alistar fora jogador de futebol americano na Liga Nacional, na posição de *strong safety* — era com certeza o soldado mais famoso no Afeganistão. Quando o World Trade Center desmoronou em 11 de setembro de 2001, ele era um astro do Arizona Cardinals, conhecido por patrulhar a zona de defesa com uma intensidade impressionante. Mas Tillman vinha de uma família com uma tradição de várias gerações de serviço militar, e acreditava que, sendo um americano fisicamente apto, tinha a obrigação moral de servir a seu país durante um período de guerra. Ele não achava que deveria ser dispensado de seu dever de cidadão só porque jogava futebol americano profissional. Assim, após a temporada de 2001 da Liga Nacional, ele abriu mão de um contrato de 3,6 milhões de dólares e se apresentou espontaneamente para passar os próximos três anos de sua vida como um soldado de infantaria no Exército norte-americano. Seu irmão Kevin, catorze meses mais novo que ele, alistara-se na mesma época e também era membro do pelotão de Uthlaut.

Quando o pelotão se dividiu em Magarah, Kevin foi escalado para a Unidade de Marcha 2. Agora, enquanto Pat ouvia os projéteis de morteiro explodindo e o pipocar dos tiros de rifle, sabia muito bem que seu irmão mais novo estava em algum lugar nos limites do cânion que era atacado. No momento em que o sargento Weeks ordenou que os Rangers subissem o morro, Tillman entrou em ação. "Pat era como um trem de carga", conta o soldado raso Josey Boatright, recordando como Tillman passou correndo por ele. "Zuuuum. Um pit-bull lutando para escapar da coleira. Ele partiu para a posição elevada berrando: 'O'Neal! Comigo! O'Neal! Fique comigo!'."

De acordo com O'Neal, Pat lhe disse: "'Vamos lá ajudar nossos rapazes', e pôs-se em movimento. E, aonde ele ia, eu ia atrás".

O caminho até a aldeia subia por uma ravina íngreme, cujo fundo ficava 1800 metros acima do nível do mar. Computando-se as armas, colete à prova de balas, dispositivo óptico de visão noturna, bolsas d'água CamelBak, granadas e munição extra, cada Ranger carregava mais de 27 quilos de peso morto. Assim sobrecarregados, poucos segundos após terem deixado seus veículos, todos estavam ofegantes, mas os sons da batalha próxima — chegando claramente mais perto a cada minuto — fizeram com que os Rangers continuassem subindo apesar do esforço. Quando atingiram a aldeia, eles a transpuseram às pressas sem parar para revistar o interior das casas, depois correram rumo ao topo de um contraforte que se erguia sobre ela.

Tillman foi um dos primeiros a chegar no alto do contraforte, desprovido de árvores ou qualquer outra cobertura. Após parar por uns segundos para avaliar a situação do terreno, ele continuou sobre o topo e desceu correndo do outro lado até um par de penedos baixos, acompanhado por O'Neal e um soldado afegão de 27 anos chamado Sayed Farhad. Aquelas rochas forneciam uma proteção mínima contra o fogo inimigo, mas proporcionavam uma visão excelente do leito de rio onde Tillman esperava que a Unidade 2 emergisse da boca da garganta.

Alguns minutos depois, dois veículos saíram céleres do cânion e pararam oitenta metros abaixo dos penedos. Vários Rangers saltaram de um Humvee e ergueram o olhar para Tillman e O'Neal, que acenaram para que seus colegas soubessem que estavam lá em cima dando cobertura. Parecia que a Unidade 2 havia escapado da emboscada e que tudo estava nos conformes. Mas eis que, sem aviso prévio, centenas de balas começaram a pulverizar a encosta ao redor de Tillman, O'Neal e Farhad.

Desde que o *Homo sapiens* se aglutinou em tribos, a guerra faz parte da condição humana. Inevitavelmente, as sociedades guerreiras retratam suas campanhas como lutas virtuosas, e apresentam seus guerreiros tombados como heróis que fizeram o supremo sacrifício por uma causa nobre. Mas a morte pelo chamado fogo amigo, um aspecto inevitável do conflito armado na era moderna, não se enquadra nessa narrativa mítica. Ela remove o verniz heroico da guerra para revelar o que jaz por baixo. Trata-se de um lembrete perturbador de que o barbarismo, a violência insensata e as mortes aleatórias constituem lugares-comuns mesmo na mais "justa" e "honrosa" das guerras. Por conseguinte, e de forma previsível, quando soldados matam acidentalmente um colega, há uma tremenda relutância em confrontar a verdade dentro das fileiras das forças armadas. Há uma inclinação irresistível a manter os detalhes impalatáveis ocultos da visão pública, a fingir que a calamidade nunca ocorreu. Sempre foi assim, e provavelmente sempre será. Como Ésquilo, o sublime autor grego de tragédias, observou no século v a.C.: "Na guerra, a primeira vítima é a verdade".

Quando Pat Tillman foi morto no Afeganistão, seu regimento de Rangers reagiu com um coro de evasivas e negação. Um cínico encobrimento da verdade aprovado pelos mais altos escalões do governo, seguido de uma série de investigações oficiais ineptas, lançou uma nuvem de perplexidade e vergonha sobre a tragédia, aumentando o sofrimento da morte de Tillman.

Entre as milhares de páginas de documentos geradas pelos investigadores militares, surgiram alguns depoimentos desconcertantes do Ranger que se acredita ter disparado as balas que ceifaram a vida de Tillman. Em declaração juramentada, esse soldado explicou que, enquanto disparava uma rajada de dez projéteis de sua metralhadora na encosta onde Tillman e O'Neal estavam posicionados, "identificou dois pares de braços levantados" através da mira de sua arma. "Vi os braços acenando", ele reconheceu, "mas não achei que estivessem tentando sinalizar um cessar-fogo." Assim, ele apertou o gatilho de novo e disparou outra rajada de dez projéteis. Qual o sentido disso?

Mais ainda: em julho de 2007, a Associated Press publicou um artigo informando que o patologista da Marinha que realizou a autópsia de Tillman testemunhou que a perícia forense indicava que ele havia sido atingido três vezes na cabeça de uma distância de uns dez metros. O artigo desencadeou uma onda de especulação na internet e na imprensa de que Pat havia sido deliberadamente assassinado.

Muitos outros detalhes sobre o tiroteio fatal que vieram a público foram igualmente desconcertantes. Todavia, o maior mistério talvez envolvesse não as circunstâncias da morte de Tillman, mas os fatos essenciais de sua vida. Antes de se alistar, ele era conhecido pelos fãs de esportes como um jogador de futebol americano de baixa estatura e alto desempenho, cujo virtuosismo na zona de defesa era de tirar o fôlego. Mas durante os quatro anos que passou na NFL, a Liga Nacional de Futebol Americano, Tillman jogou para os Arizona Cardinals — um time medíocre, com pouca cobertura da mídia, que quase nunca estava em evidência —, de modo que seu nome não era muito reconhecido além da esfera dos torcedores mais fanáticos.

Embora não tivesse aquela intenção, ao deixar os Cardinals para ingressar no Exército, Tillman se transformou da noite para o dia num ícone do patriotismo pós-11 de setembro. Aproveitando a chance de explorar sua celebridade, o governo Bush procurou usar o nome e a imagem dele para promover o que havia batizado de Guerra Global contra o Terrorismo. Tillman abominou esse papel. Assim que decidiu se alistar, parou de dar entrevistas à imprensa, embora seu silêncio em nada diminuísse o fascínio dos norte-americanos pelo astro do esporte que trocara o brilho e as riquezas da Liga Nacional pelo campo de treinamento e o cabelo à escovinha. Após sua morte no campo de batalha, o interesse do público em Tillman disparou. O frenesi póstumo da mídia pouca luz lançou sobre quem ele realmente foi. O mosaico intricado de sua história pessoal foi obscurecido pela badalação.

Sem estarem comprometidas com a exatidão biográfica, as pessoas se sentiram encorajadas a inventar todos os tipos de personalidade para Tillman após seu falecimento. A maioria dessas versões se baseava em pouco mais que rumores e fantasia. A rancorosa direitista Ann Coulter fez dele um modelo dos valores políticos republicanos. O cartunista de esquerda Ted Rall o denegriu numa tira de quatro quadrinhos como um "idiota" que entrou no Exército para "matar árabes".

Nem Coulter nem Rall tinham noção da motivação de Pat Tillman. Além de sua família e de um círculo reduzido de amigos próximos, poucas pessoas tinham.

PARTE UM

Épocas anteriores podem não tê-la compreendido melhor do que nós, mas não se sentiam tão constrangidas em nomeá-la: a força vital ou centelha, considerada próxima do divino. Mas não é. Pelo contrário, é algo que torna seus detentores plenamente humanos, e quem não a possui se parece com um sonâmbulo. [...] Não é suficiente para tornar alguém heroico, mas sem ela qualquer herói será esquecido. Rousseau denominou-a força da alma; Arendt chamou-a de amor pelo mundo. É a base de eros; você pode chamá-la de carisma. Será uma dádiva dos deuses ou algo que precisa ser conquistado? Observando tais pessoas, você sentirá que é ambas as coisas: concedida como um lance perfeito, ou graça, que ninguém pode conquistar ou lutar para adquirir; e capturada como a maior das recompensas. Possuí-la faz as pessoas pensarem mais, verem mais, sentirem mais. Mais intensamente, mais agudamente, mais ruidosamente caso queira; mas não mais à maneira dos deuses. Pelo contrário, comparados com heróis como Ulisses e Penélope, os deuses se afiguram estranhamente insípidos. Eles são maiores, é claro, e vivem para sempre, mas sua presença parece diminuída. [...] Os deuses da Odisseia não são vivos, apenas imortais; e com a imortalidade a maioria das qualidades que prezamos tornam-se inúteis. Sem nada pelo qual se arriscar, os deuses não precisam de coragem.

— SUSAN NEIMAN, *Moral clarity*

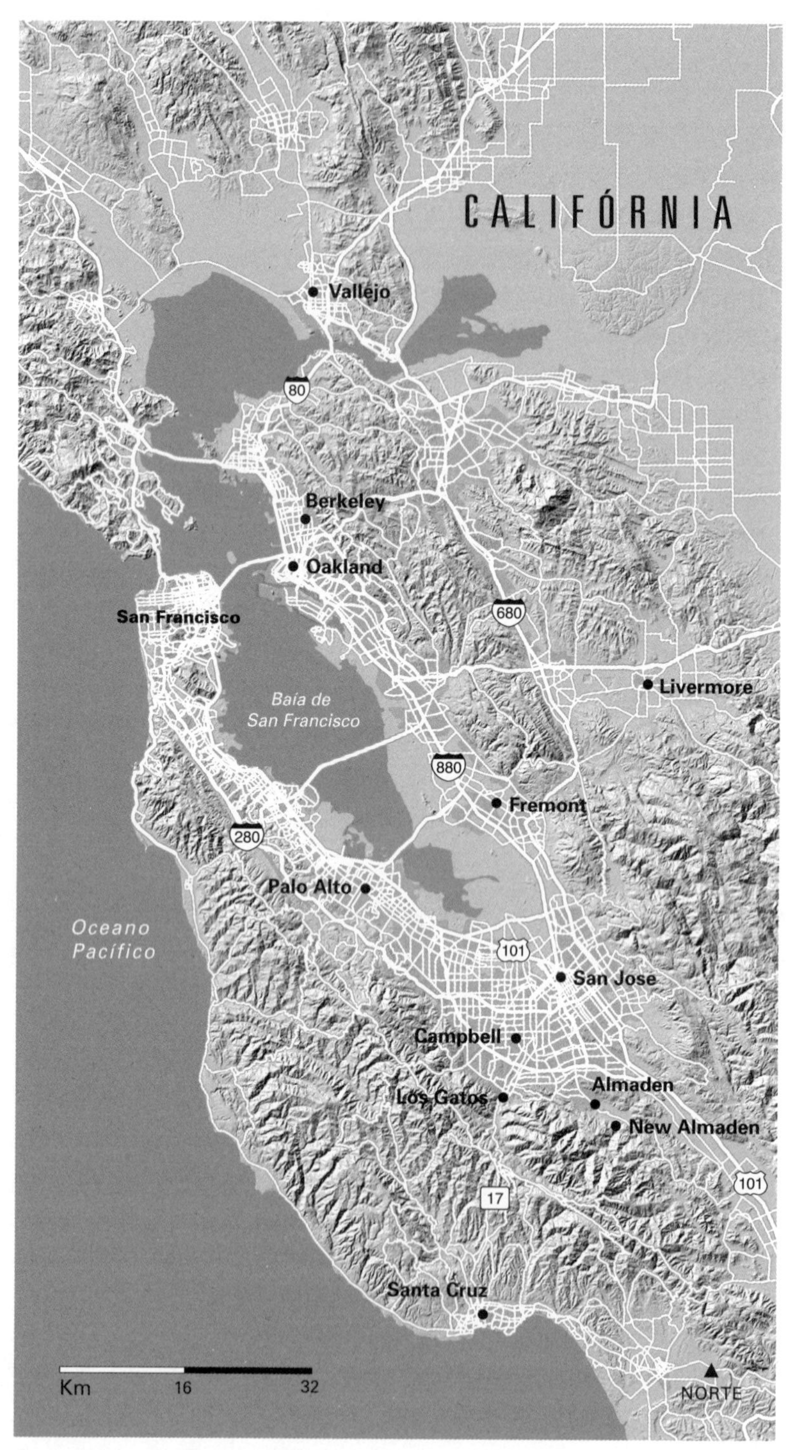

Área da baía de San Francisco

Um

Durante o período que Pat Tillman passou no Exército ele escreveu de forma intermitente um diário. Em anotação datada de 28 de julho de 2002 — três meses depois de chegar ao campo de treinamento — ele registrou: "Incríveis as reviravoltas que a vida pode dar. Eventos ou decisões importantes que mudam completamente uma vida. Em minha vida houve várias". Ele então catalogou diversas. Seria de esperar que a decisão de ingressar nas forças armadas estivesse em primeiro lugar em sua mente na época. Mas o incidente colocado no topo da lista, ocorrido quando tinha onze anos, surpreende. "Por mais estranho que pareça", o diário revelou, "um passe que agarrei espetacularmente no time *all-stars* de 11-12 anos foi o ponto de partida. Eu me destaquei pelo resto do torneio e adquiri uma confiança incrível. Parece uma ninharia, mas foi ótimo."

Pat começara a jogar beisebol aos sete anos, quando vivia em Almaden, Califórnia (um subúrbio afluente de San Jose). Logo ficou claro para os adultos que o viam lançar uma bola e manejar um taco que ele possuía um talento extraordinário, mas Pat não parece ter tido muita consciência de seus próprios dons atléticos até ser selecionado, no verão de 1988, para o time *all-star* mencionado. No desenrolar do torneio contra equipes de outros atletas de destaque, ele quase sempre ocupou o banco de reservas. Quando o treinador enfim escalou Pat para um jogo, ele conseguiu um *home run* e agarrou uma bola rebatida no campo externo de forma espetacular. Catorze anos depois, ao contemplar a vida da perspectiva de um quartel do Exército, ele considerou aquele passe agarrado como um momento fundamental — um impulsionador de confiança que contribuiu muito para um de seus traços definidores: uma autoconfiança inabalável.

Em 1990, Pat matriculou-se na Leland High School, de Almaden, uma das melhores escolas públicas da área da baía de San Francisco, tanto do ponto de vista acadêmico como do atlético. Quando ingressou na Leland ele pretendia ser o recebedor do time principal de beisebol da escola, mas o treinador titular, Paul Ugenti, informou que Pat não estava preparado para isso e teria que se contentar com uma posição na turma dos calouros e alunos do segundo ano. Contrariado e talvez insultado pela incapacidade de Ugenti de reconhecer seu potencial, Pat resolveu abandonar o beisebol e se concentrar no futebol americano, embora tivesse se iniciado neste esporte apenas um ano antes e tivesse fraturado gravemente a tíbia direita nessa temporada inicial, quando um colega de time bem maior caíra sobre sua perna durante um treino.

Pat, que fazia aniversário em novembro, estava entre os rapazes mais novos do 1º ano da Leland, e quando começou o ensino médio tinha apenas treze anos. Além disso, era pequeno para sua idade, com 1,65 metro de altura, e pesava apenas 54 quilos. Quando informou que trocaria o beisebol pelo futebol americano, um treinador assistente chamado Terry Hardtke explicou que Pat não tinha uma "constituição de jogador de futebol" e insistiu em que ele permanecesse no beisebol. Entretanto, uma vez que Tillman tivesse em mira um objetivo, dificilmente mudava de ideia. Ele disse ao treinador que pretendia começar a levantar pesos para desenvolver os músculos. Depois assegurou a Hardtke que não só ingressaria no time de futebol americano da Leland, como pretendia jogar futebol universitário após concluir a escola. Hardtke respondeu que Pat estava cometendo um grave erro — que com seu tamanho ele teria muita dificuldade de obter uma posição de titular no time da Leland, e que praticamente não tinha chance de jogar futebol universitário.

Pat, porém, preferiu confiar na própria percepção de suas habilidades do que nas previsões sombrias do treinador, e tentou jogar no time de futebol americano da Leland. Seis anos depois, seria um astro *linebacker* disputando no estádio Rose Bowl o campeonato universitário nacional. E vinte meses depois disso, começou uma carreira de destaque na Liga Nacional de Futebol Americano.

Na metade do caminho entre San Jose e Oakland, o município de Fremont ergue-se acima da costa leste da baía de San Francisco, uma cidade de 240 mil habitantes que sempre existiu à sombra de suas vizinhas mais badaladas. Foi lá que Patrick Daniel Tillman nasceu, em 6 de novembro de 1976. Perto do hospital onde Pat veio ao mundo fica um centro comercial de farmácias, clínicas de quiroprática e restaurantes de fast-food, dividido ao meio por uma estrada de quatro pistas. Ao longo de três ou quatro quarteirões desse trecho normalmente corriqueiro do Freemont Boulevar, encontra-se uma destoante concentração de estabelecimentos exóticos: o restaurante Salang Pass, uma loja de tapetes afegãos, um cinema sul-asiático, uma loja que vende roupas afegãs, a De Afghanan Kabob House, o Maiwand Market. Dentro deste último, as prateleiras estão repletas de homus, azeitonas, sementes de romã, cúrcuma, sacos de arroz e latas de óleo de semente de uva. Uma mulher impressionante, trajando um véu e um vestido todo bordado e incrustado de dezenas de espelhinhos, aguarda no balcão quase no fundo da loja para comprar fatias de pão indiano recém-assado. A Pequena Cabul, como essa área é chamada, constitui o centro do que é supostamente a maior concentração de afegãos nos Estados Unidos, uma comunidade que ficou famosa por causa do best-seller *O caçador de pipas*.

Por uma estatística aproximada, cerca de 10 mil afegãos residem na área de Fremont, e há mais 50 mil espalhados pelo resto da área da baía. Eles começaram a aparecer em 1978, quando sua terra natal explodiu numa violência que persiste três décadas depois. O caos foi desencadeado pelo atrito crescente entre grupos políticos dentro do Afeganistão, mas o combustível da conflagração foi suprido em abundância e com grande entusiasmo pelos governos dos Estados Unidos e da União Soviética em suas manobras pelo predomínio na Guerra Fria.

Os soviéticos vinham dissipando bilhões de rublos em ajuda militar e econômica ao Afeganistão desde a década de 1950, e haviam cultivado vínculos estreitos com os líderes da nação. Apesar da injeção de capital estrangeiro, na década de 1970 o Afeganistão permanecia uma sociedade tribal, de caráter essencialmente medieval. De sua população de 17 milhões, 90% eram analfabetos. Oitenta e cinco por cento da população vivia no interior montanhoso e quase sem estradas, subsistindo como agricultores, pastores ou comerciantes nômades. A maioria esmagadora desses moradores pobres e sem instrução do interior obedecia não ao governo central de Cabul, com o qual tinha pouco contato e do qual quase não recebia ajuda tangível, e sim a mulás locais e anciões tribais. Mas, graças à influência gradual de Moscou, um tipo nitidamente marxista de modernização começara a estabelecer uma cabeça de ponte em algumas das maiores cidades da nação.

O relacionamento íntimo do Afeganistão com os soviéticos originou-se sob a liderança do primeiro-ministro Mohammed Daoud Khan, um *pashtun* com bochechas carnudas e cabeça raspada, nomeado em 1953 por seu primo e cunhado, o rei Mohammed Zahir Shah. Dez anos depois, Daoud viu-se forçado a renunciar ao governo, após empreender uma breve mas desastrosa guerra contra o Paquistão. Em 1973 ele recuperou o poder por meio de um golpe de Estado não violento, depondo o rei Zahir e declarando-se o primeiro presidente da República do Afeganistão.

Uma subcultura fervorosa de intelectuais, profissionais e estudantes marxistas havia àquela altura se enraizado em Cabul, determinada a conduzir o país ao século XX, fazendo alvoroço se necessário, e o presidente Daoud — que trajava ternos italianos feitos sob medida — apoiava a mudança para a modernidade secular, contanto que não ameaçasse seu poder. Sob Daoud, as mulheres adquiriram o direito de estudar e integrar a força de trabalho profissional. Nas cidades, elas começaram a aparecer em público sem burcas ou mesmo sem véus. Muitos homens urbanos trocaram seus tradicionais *shalwar kameezes* por ternos ocidentais. Esses moradores seculares das cidades engrossaram as fileiras de uma organização política marxista conhecida como Partido Democrático Popular do Afeganistão (PDPA).

Os soviéticos foram aliados de Daoud em sua tentativa de modernizar o Afeganistão, ao menos no início. A ajuda de Moscou continuou fortalecendo a economia e as forças armadas, e, sob um acordo assinado por Daoud, todo oficial do Exército afegão recebia treinamento militar na União Soviética. Mas ele estava andando numa corda bamba política perigosa. Embora acolhesse os rublos soviéticos, Daoud era um nacionalista afegão ardente, sem o menor desejo de se tornar um títere do presidente soviético, Leonid Brezhnev. E conquanto comprometido em modernizar a nação, Daoud queria avançar num ritmo suficientemente lento para não provocar os mulás islâmicos que controlavam o interior. No final, infelizmente, suas políticas apaziguaram pouca gente e conseguiram contrariar quase todos os demais — de forma mais significativa os soviéticos, os esquerdistas urbanos e os fundamentalistas barbudos do interior.

No início de sua presidência, Daoud havia prometido reformar o governo e promover as liberdades civis. Mas, pouco depois de assumir o poder, começou a reprimir quem quer que resistisse às suas ordens. Centenas de rivais de todos os lados do espectro político foram presos e executados, de anciões tribais antimodernistas em províncias remotas a comunistas urbanos do PDPA que haviam apoiado a subida ao poder de Daoud.

Durante milênios, a expressão política no Afeganistão quase sempre se confundira com a desordem. Em 19 de abril de 1978, o funeral de um líder comunista popular supostamente assassinado por ordens de Daoud transformou-se numa marcha de protesto turbulenta. Organizada pelo PDPA, 30 mil afegãos saíram às ruas de Cabul para mostrar seu desprezo pelo presidente Daoud. De forma típica, ele reagiu à manifestação com força excessiva, o que incitou ainda mais os manifestantes. Pressentindo uma virada importante na maré política, a maioria das unidades do Exército afegão rompeu com Daoud, aliando-se ao PDPA. Em 27 de abril de 1978, jatos MiG-21 da Força Aérea Afegã bombardearam o Palácio Presidencial, onde Daoud estava entrincheirado com 1800 membros de sua guarda pessoal. Naquela noite, forças da oposição invadiram o palácio em meio a saraivadas de balas. Quando o sol se levantou e os tiroteios cessaram, o presidente e toda a sua família estavam mortos, e as ruas circundantes estavam coalhadas com os corpos de 2 mil afegãos.

O PDPA imediatamente assumiu o poder e renomeou a nação como República Democrática do Afeganistão. Apoiado pela União Soviética, o novo governo foi implacável em estabelecer o controle sobre o país. Durante os vinte primeiros meses de governo do partido, 27 mil dissidentes políticos foram capturados, transportados para a abjeta prisão Pul-e-Charkhi na periferia de Cabul e sumariamente executados.

Àquela altura, a violência havia instigado um êxodo em massa de afegãos para terras estrangeiras. Como aqueles ameaçados de eliminação pelo PDPA com frequência eram mulás influentes ou membros das classes intelectuais e profissionais, muitos dos refugiados que procuraram abrigo provinham da elite da sociedade afegã. Dois anos após o nascimento de Pat Tillman em Fremont, Califórnia, afegãos começaram a acorrer à cidade onde ele nasceu.

No Afeganistão, a brutalidade do PDPA inspirou uma insurreição popular que logo degenerou em guerra civil total. Na vanguarda da rebelião estavam os guerreiros sagrados muçulmanos, os mujahidin afegãos, que combateram os infiéis comunistas com tamanha ferocidade que, em dezembro de 1979, os soviéticos despacharam 100 mil soldados para o Afeganistão a fim de sufocar a rebelião, fortalecer o PDPA e promover seus interesses da Guerra Fria na região.

Nações do mundo inteiro manifestaram críticas severas aos soviéticos pela incursão. O protesto mais forte veio dos Estados Unidos. Expressando choque e indignação com a invasão, o presidente Jimmy Carter tachou-a de "a mais séria ameaça à paz desde a Segunda Guerra Mundial" e promoveu primeiro um embargo comercial e depois um boicote às Olimpíadas de Moscou de 1980.

Mas a indignação de Carter não foi lá muito sincera. Apesar de o governo norte-americano negar em declarações oficiais, a CIA havia começado a comprar armas para os mujahidin ao menos seis meses *antes* da invasão soviética, e esse apoio clandestino visava não apenas deter os soviéticos, mas provocá-los. De acordo com o assessor de segurança nacional de Carter, Zbigniew Brzezinski, o fornecimento de armas aos afegãos visava estimular uma desordem no país suficiente "para induzir uma intervenção militar soviética". Brzezinski, o combatente mais fervoroso da Guerra Fria no governo Carter, vangloriou-se em entrevista de 1998 de que fornecer armas aos mujahidin tinha por objetivo específico atrair "os soviéticos à armadilha afegã" e lançá-los numa debacle debilitante como a do Vietnã.

Se esse era o plano, funcionou. Quase imediatamente após ocupar o país, o lendário 40º Exército Soviético viu-se mergulhado em uma guerra de guerrilha inesperadamente violenta que manteria suas forças envolvidas no Afeganistão pelos próximos nove anos.

Antes da invasão soviética, o Afeganistão estava dilacerado por tantas facções políticas e tribais intransigentes que a nação era na prática ingovernável. Em oposição automática à ocupação soviética, quase todo o país se uniu espontaneamente — um grau de coesão que nenhum líder afegão moderno jamais chegara perto de alcançar.

A oposição recém-unificada caracterizou-se por uma violência extraordinária. Em suas escaramuças com os invasores, os mujahidin quase nunca faziam prisioneiros. Eles tinham o hábito de mutilar os soviéticos mortos com uma criatividade horripilante, para aterrorizar os soldados enviados para resgatar os corpos. De acordo com sobreviventes soviéticos, quando os mujahidin faziam prisioneiros, os soldados infiéis costumavam ser estuprados e torturados.

Os afegãos logo descobriram que combater os soviéticos por meios convencionais constituía uma receita certa de derrota. Em vez de enfrentar as forças soviéticas diretamente com grande número de combatentes, os mujahidin adotaram os estratagemas clássicos da guerra de insurreição, empregando grupos pequenos de dez ou quinze homens para atacar de surpresa o inimigo e depois desaparecer na paisagem antes que os soviéticos conseguissem lançar contra-ataques. Os soldados soviéticos começaram a se referir aos mujahidin como *dukhi*, "fantasmas" em russo. Os afegãos tiraram uma brilhante vantagem do terreno montanhoso, desferindo devastadores ataques-surpresa das partes elevadas, enquanto os comboios soviéticos avançavam pelos terrenos confinados dos fundos dos vales. A causa soviética foi também prejudicada por uma política designada de "Contingente Limitado": Moscou decidiu manter o número de soldados do 40º Exército no Afeganistão em 115 mil, embora antes da invasão os generais soviéticos houvessem alertado que até 650 mil soldados seriam necessários para assegurar o país.*

O estilo implacável da guerra de guerrilha travada pelos afegãos exerceu um efeito intimidante sobre os soviéticos enviados para combatê-los. O moral despencou, em especial com o prolongamento do conflito entra ano, sai ano. Como era possível obter ópio e haxixe em toda parte, muitos soldados se tornaram toxicômanos. Suas fileiras ainda foram devastadas por malária, disenteria, hepatite, tétano e meningite. Ainda que em nenhum momento as tropas soviéticas no Afeganistão ultrapassassem 120 mil, um total de 642 mil soldados

* O secretário da Defesa Donald Rumsfeld recebeu advertências muito semelhantes dos generais norte-americanos durante o planejamento das invasões do Afeganistão em 2001 e do Iraque em 2003.

serviu ali no decorrer da guerra — 470 mil dos quais foram debilitados por doenças, se viciaram em heroína, foram feridos em combate ou morreram.

A tenacidade e brutalidade dos mujahidin levou os soviéticos a também adotar táticas implacáveis. À medida que perceberam que era bem mais fácil matar civis desarmados do que perseguir os terríveis e esquivos mujahidin, os soviéticos concentraram seus ataques cada vez mais nas tribos rurais que às vezes abrigavam combatentes mas que não se defendiam, em vez de atacar diretamente os mujahidin. Jatos bombardearam vales inteiros com napalm, destruindo fazendas, pomares e povoados. Helicópteros armados não apenas alvejavam os aldeões, mas também massacravam seus rebanhos. Esses atos calculados de genocídio passaram praticamente despercebidos fora do Afeganistão.

A mudança para as táticas de terra arrasada se intensificou depois que Konstantin Chernenko tornou-se o secretário-geral soviético, em fevereiro de 1984, e iniciou uma campanha de bombardeio de saturação de grandes altitudes. Decolando de bases na União Soviética e voando a até 12 mil metros, bem além do alcance das armas antiaéreas dos mujahidin, esquadrões de Tu-16 Badgers com asas em flecha e dois motores aniquilavam cidades inteiras.

Sob o regime de Chernenko, os soviéticos também aumentaram o uso de minas antipessoais. Bombardeiros salpicavam o interior com dezenas de milhares de armadilhas explosivas semelhantes a brinquedos reluzentes. Aquelas minas foram criadas especificamente para atrair afegãos muito jovens. Apanhadas por crianças, elas explodiam, aleijando-as ou matando-as. Com essa mesma finalidade, Badgers soviéticos também lançaram aleatoriamente centenas de milhares — alguns relatos se referem a milhões — das chamadas minas de borboleta sobre vastas áreas. Projetados para esvoaçar suavemente em direção à terra e depois se armar com o impacto, esses dispositivos de plástico camuflados só detonavam quando pastores afegãos por acaso pisavam neles. O tamanho relativamente pequeno das minas visava arrancar os membros sem necessariamente causar ferimentos fatais, na crença de que forçar os aldeões afegãos a cuidar de camponeses gravemente feridos causaria mais estragos do que matá-los de cara.

A estratégia genocida dos soviéticos infligiu baixas terríveis ao povo afegão, mas também aumentou sua determinação. Apesar de todos os sofrimentos, os mujahidin não mostraram nenhum sinal de abandonar sua luta, o que deve ter dado o que pensar aos soviéticos. No momento em que o *politburo* soviético elegeu Mikhail Gorbachev secretário-geral, em 11 de março de 1985, após a morte de Chernenko, a guerra no Afeganistão degenerara em um impasse. É possível que o novo líder soviético tenha refletido no princípio famoso expresso dezesseis anos antes por Henry Kissinger em referência à experiência americana no Vietnã: "Perdemos de vista uma das máximas essenciais da guerra de guerrilha: a guerrilha vence se não perder. O exército convencional perde se não vencer".

Embora fossem os mujahidin que estivessem derramando seu sangue contra os soviéticos, a CIA, sob o presidente Ronald Reagan, vinha apoiando os guerreiros sagrados afegãos com bilhões de dólares em armamentos e dinheiro (a Arábia Saudita não ficou atrás em termos de apoio financeiro, e o dinheiro era entregue aos mujahidin pelo Serviço de Inteligência do Paquistão — o misterioso ISI). Uma soma desproporcional daquelas doações foi direcionada para Jalaluddin Haqqani — um homem que exerceria um impacto notável sobre os assuntos mundiais nas décadas seguintes. No início da Guerra Soviético-Afegã, Haqqani emergira como um combatente destemido e um líder brilhante, razão pela qual veio a receber quantias generosas dos americanos. Com a intensificação da guerra na década de 1980 e a incrível firmeza demonstrada pelos mujahidin, muitos na CIA passaram a vê-lo como o comandante mais eficaz de toda a resistência afegã. Os americanos o tinham em tão alta conta que a certa altura dizem que foi trazido aos Estados Unidos e festejado na Casa Branca.

A base de operações de Haqqani e dos combatentes sob seu comando era o terreno montanhoso do que agora constitui a província de Khost.* Em 1984, um jovem e rico engenheiro da Arábia Saudita chamado Osama bin Laden foi até Khost auxiliar as forças de Haqqani. Quando os soviéticos invadiram o Afeganistão, em 1979, Bin Laden era um estudante universitário idealista que recebia uma mesada anual de 1 milhão de dólares de sua família. Na época em que chegou em Khost, sua vocação ainda não se revelara, mas aquele árabe magro e sério estava prestes a assumir um papel bem maior no cenário mundial, em parte graças ao que experimentou no Afeganistão.

* Khost fez parte de Paktia até 1995, quando se tornou uma província separada.

Inicialmente, o papel de Bin Laden em Khost limitou-se a fornecer dinheiro aos mujahidin e supervisionar a construção de estradas de abastecimento, campos de treinamento e casamatas subterrâneas fortificadas. Ele logo desenvolveu um relacionamento incomumente estreito com Haqqani, que dominava a língua árabe e tinha uma mulher árabe. Em pouco tempo, sob a proteção de Haqqani, Bin Laden convenceu-se a empunhar armas e engajar-se pessoalmente no combate contra os soviéticos. Embora fosse um soldado de infantaria canhestro, participou de diversos combates armados, exibiu coragem sob tiroteio e a certa altura chegou a se ferir — fatos que promoveram tremendamente o seu prestígio entre os muçulmanos mundo afora quando, pouco depois, ele começou a defender com ardor a jihad global.

Antes de sua visita inicial ao Afeganistão, de acordo com o livro de Lawrence Wright *O vulto das torres*, "Bin Laden não impressionava muito como líder carismático. [...] 'Ele tinha um sorriso pequeno no rosto e mãos suaves', recordou um endurecido *mujahid* paquistanês. 'Parecia que você estava dando a mão a uma moça'".* Após a exposição de Bin Laden ao combate, Wright informa, "Pôde-se ouvir pela primeira vez o tom épico que passou a caracterizar seu discurso: o som de um homem no controle do destino". No verão de 1988, Bin Laden e Ayman al-Zawahri fundaram a Al-Qaeda. Significativamente, quando Bin Laden criou os primeiros campos de treinamento da organização, situou vários deles nas montanhas de Khost, a terra natal de Haqqani. De acordo com uma entrevista concedida por Bin Laden a um jornalista da Al Jazeera em 2001, o nome Al-Qaeda — que significa "a base de treinamento" em árabe — na verdade deve sua origem àqueles campos em Khost. "O nome 'Al-Qaeda' foi criado muito tempo atrás por mero acaso", Bin Laden explicou. "Costumávamos chamar o campo de treinamento de 'Al-Qaeda'. O nome permaneceu."

Dois anos antes do surgimento da organização, a CIA forneceu aos mujahidin uma arma que começou a mudar a seu favor o equilíbrio da guerra: um míssil antiaéreo portátil de dezesseis quilos lançado do ombro conhecido como FIM-92 Stinger, que custava cerca de 65 mil dólares. Os Stingers guiados pelo calor, que interceptavam automaticamente um alvo aerotransportado em rá-

* Os trechos de *O vulto das torres* reproduzidos neste livro são da tradução de Ivo Korytowski, publicada pela Companhia das Letras (São Paulo, 2007). (N. E.)

pido movimento, mostraram-se tremendamente eficazes. Mais de 2 mil Stingers foram fornecidos aos afegãos, e muitos deles foram para Haqqani. Quando os mujahidin descobriram como usá-los, o medo se espalhou entre as forças soviéticas. Em 1987, seus outrora invulneráveis helicópteros de ataque Hind eram derrubados quase diariamente. O domínio soviético dos céus do Afeganistão — sua grande vantagem — chegara ao fim.

Em 1988, Moscou reconheceu tardiamente que a vitória contra os insurgentes não seria obtida por dinheiro algum, e Gorbachev começou a retirar sistematicamente as forças soviéticas do Afeganistão. Em 15 de fevereiro de 1989, quando o último soldado soviético transpôs o Amu Darya — o amplo rio, alimentado por geleiras, que delineava a fronteira entre o Afeganistão e as repúblicas soviéticas do Uzbequistão e do Tajiquistão —, estimou-se que a guerra custara as vidas de 25 mil soldados soviéticos e mais de 1 milhão de afegãos, 90% dos quais eram civis não combatentes. Mais 5 milhões de afegãos — quase um terço da população anterior à guerra — haviam fugido da nação devastada, a maioria para campos de refugiados precários nos vizinhos Paquistão e Irã, embora alguns fugissem para lugares tão distantes como a Califórnia.

A julgar pelas aparências, a armadilha preparada contra os soviéticos pelo governo Carter em 1979 funcionou. Nove meses depois que Gorbachev retirou suas tropas do Afeganistão, o Muro de Berlim veio abaixo, anunciando a dissolução iminente do império soviético — um colapso sem dúvida acelerado pelo custo impressionante do conflito afegão. A batalha culminante da Guerra Fria havia sido vencida sem que o Exército americano precisasse dar um tiro sequer. Agindo como um braço direito, os mujahidin presentearam os Estados Unidos com uma vitória fácil. Pelo menos foi o que pareceu na época.

No verão de 1989, um jovem funcionário do Departamento de Estado chamado Francis Fukuyama publicou na revista *National Interest* um ensaio intitulado "O fim da história?". O ensaio, que catapultou Fukuyama da obscuridade para a fama instantânea (mais tarde ampliado num livro que teve ainda mais leitores, *O fim da história e o último homem*), sustentou que a história deve ser encarada como a evolução de ideias, e não meramente um registro de eventos humanos, e que o fim da Guerra Fria sinalizou a vitória permanente da modernidade — a apoteose da ideia ocidental de democracia capitalista liberal. "O triunfo do Ocidente, da ideia ocidental", escreveu Fukuyama, "revela-se principalmente no total esgotamento de todas as alternativas viáveis ao liberalismo ocidental. [...] O que podemos estar testemunhando não é apenas o fim da Guerra Fria, ou o encerramento de um período particular da história do pós-guerra, mas o fim da história como tal: ou seja, o ponto final da evolução ideológica da humanidade e a universalização da democracia liberal ocidental como a forma final de governo humano."

A União Soviética conseguiu uma sobrevida de mais dois anos e meio depois que seu exército deixou o Afeganistão, e durante esse intervalo a CIA forneceu centenas de milhões de dólares adicionais aos mujahidin para se certificar de que o Kremlin não voltaria a interferir no sul da Ásia. Mas, no final de 1991, quando o Conselho das Repúblicas do Soviete Supremo dissolveu oficialmente a União Soviética, a CIA concluiu que os combatentes afegãos pró-liberdade não tinham mais utilidade e encerrou todo o apoio. Sem pensar duas vezes, os Estados Unidos esqueceram os mujahidin e voltaram sua atenção para outras aventuras externas, à maneira de um sedutor que obteve o que queria e nem se dá ao trabalho de telefonar na manhã seguinte.

Infelizmente, os homens e mulheres que cuidavam das coisas em Washington também pareceram esquecer que Haqqani e Bin Laden ainda controlavam um grande número de guerreiros sagrados e possuíam estoques imensos de armas que a CIA adquirira para eles como cortesia. Além das fronteiras dos Estados Unidos, um grande número de pessoas — Haqqani e Bin Laden se destacando entre elas — resolveu discordar da afirmação de Fukuyama de que o jogo terminara e a democracia liberal ocidental vencera.

Dois

Embora Pat Tillman tenha nascido em Fremont, durante quase toda a sua infância, com exceção de apenas dois anos, morou a trinta minutos dali pela autoestrada numa região chamada New Almaden — uma comunidade tranquila e coesa ao longo do córrego Los Alamitos, onde a família Tillman ocupava um chalé impecável de 120 metros quadrados cercado de árvores frondosas. As encostas das montanhas Santa Cruz, recendendo a giestas e *manzanita*, erguiam-se direto de seu quintal. Graças à serenidade do ambiente e à proximidade de tanto espaço aberto, até hoje se tem a sensação em New Almaden de estar a grande distância da hipertrofiada San Jose, embora esta comece a uns três quilômetros vale abaixo.

Os morros imediatamente a oeste da moradia dos Tillman estão cheios de poços de mina que outrora forneciam uma abundância de minério de mercúrio. Foi a mina mais valiosa da Califórnia durante a segunda metade do século XIX, mas as atividades de mineração foram encerradas em 1975. O local foi transformado numa área de recreação de 1700 hectares, e 56 quilômetros de trilhas foram abertos através de suas montanhas banhadas pelo sol. Mary Lydanne Tillman — chamada de Dannie pelos amigos e conhecidos — passava muitas horas percorrendo aquelas trilhas com Pat nas costas quando este era um bebê.

Em seu livro *Boots on the ground by dusk: My tribute to Pat Tillman* [Na linha de frente ao anoitecer: Meu tributo a Pat Tillman], Dannie reconheceu que seu filho mais velho "não foi uma criança calminha". Animado e aventureiro desde a infância remota, Pat começou a andar aos oito meses e meio, e quando acordado estava constantemente em movimento. Os Tillman possuíam uma televisão, mas a barreira do desfiladeiro Alamitos limitava a recepção a um só canal, e às vezes sequer isso, de modo que Pat e seus irmãos mais novos, Kevin e Richard, quase não assistiam à TV quando crianças. Em vez disso, passavam grande parte do tempo brincando ao ar livre, escalando as ravinas e afloramentos do Almaden Quicksilver County Park, onde adquiriram um gosto permanente pelas paisagens selvagens. Quando os meninos precisavam ficar dentro de casa, envolviam-se em clamorosas discussões sobre atualidades, história e política com seus pais e entre si. Quase nenhum assunto ficava de fora. Encorajado a pensar criticamente e a ser cético em relação ao pensamento convencional, Pat aprendeu a confiar em si mesmo e a não ter medo de discordar dos outros.

A partir dos dois anos de idade, Pat não parou de falar, tagarelando o tempo todo, e essa loquacidade — seu apetite insaciável pelo diálogo animado —, assim como sua autoconfiança e a imutabilidade de sua vontade, acabaram se transformando em alguns de seus traços característicos. Quando Pat frequentou o ensino fundamental, de acordo com *Boots on the ground by dusk*, estava "consciente da importância do aprendizado e costumava se comportar bem em classe", mas Dannie recebia telefonemas regulares da diretoria da escola preocupados com as brincadeiras violentas de Pat no recreio: "Reclamavam dele por perseguir pessoas, lutar na quadra, trepar nas arquibancadas e conversar quando não devia". Ele era um jovem ruidoso, contente e turbulento, cuja exuberância não podia ser contida.

Pat herdou genes atléticos esplêndidos, à semelhança dos irmãos, e aos quatro anos começou a jogar numa liga de futebol organizada. Dali em diante, a vida da família Tillman girou, em grande parte, em torno dos esportes praticados por Pat, Kevin e Richard. No caso de Pat, o esporte que mais o empolgava na época em que cursava o ensino médio era o futebol americano.

Por razões ligadas a segurança e responsabilidade legal, os estudantes só eram autorizados a jogar no time de futebol americano oficial a partir dos quinze anos. Por isso, Pat ingressou no time em novembro de 1991, quando cursava o segundo ano e foi escalado para a final do torneio. Na temporada de 1992, tornou-se o astro da Leland High School. Apesar do seu tamanho reduzido, o treinador o usou no ataque como corredor e recebedor; na defesa como *linebacker* e *strong safety*; e entre os especialistas* como *punter*, *punt returner* e *kick returner*. Pat destacou-se em todas as posições. Numa partida decisiva no final da temporada, correu com a bola oitenta metros pelo campo e marcou um *touchdown* inesperado que garantiu ao time da Leland uma vaga nos *playoffs*.

Pouco depois da morte de Pat, uma base de artilharia remota do Exército, onze quilômetros ao sul da encosta onde ele perdeu a vida, foi nomeada em sua homenagem Forward Operating Base Tillman. No inverno de 2007, um pequeno contingente de soldados americanos estava estacionado ali, junto com uma companhia de recrutas do Exército Nacional Afegão e um punhado de combatentes da Guarda de Segurança Afegã. Esta última, conhecida como ASG, é uma milícia paramilitar contratada pelo Exército norte-americano para fornecer segurança adicional ao redor da base e acompanhar patrulhas americanas em missões na região rural circundante, ainda controlada por talibãs pertencentes à Rede de Haqqani. A Base Tillman — situada a uns três quilômetros da fronteira do Paquistão, cercada por um muro reforçado com dois metros de espessura, construído com barreiras HESCO de barro e arame farpado em cima — sofre frequentes ataques das forças de Haqqani.

Recrutados e treinados pelas Forças Especiais Americanas, os membros da ASG são combatentes corajosos e extremamente habilidosos que conquistaram a estima de seus companheiros americanos. Como os membros de quase todas as outras forças armadas afegãs — seja o Exército, o Talibã, a Al-Qaeda ou milícias independentes —, a maioria dos milicianos da ASG, do momento em que acordam ao momento em que vão dormir no fim do dia, estão sob a influência narcótica branda de haxixe e/ou *naswar*, um pó marrom pegajoso, colocado entre o lábio e a gengiva, feito de tabaco, cal hidratada, alfazema e ópio. "Ao que me consta, eles estão doidões o tempo todo", confirma um jovem especialista americano enquanto examina uma pilha de DVDs piratas vendidos por um casal de nativos locais na frente do portão da base. "Mas é bom tê-los

* Um time de futebol americano é dividido em ataque, defesa e especialistas. Estes últimos são jogadores que desempenham funções bem específicas, como chutar. (N. E.)

do seu lado. O pessoal da ASG que nos acompanha fora da base em sua maioria daria a vida por nós. Não é verdade, Snoop?"

Snoop, um *pashtun* magro de 27 anos que passa por ele com sua AK-47 a tiracolo no ombro direito, comanda a guarnição da ASG ligada à Base Tillman. Em vez de responder, ele olha com indiferença para o especialista e nada diz, embora entenda inglês razoavelmente. Os soldados americanos na base começaram a chamar o comandante de "Snoop" alguns anos antes devido à incrível semelhança com o rapper Snoop Dogg, mas seu nome real é Abdul Ghani, e naquele momento ele não parece nem um pouco satisfeito por ser abordado tão informalmente por um especialista subalterno — um posto logo acima de soldado raso. Após fitar friamente o soldado por vários segundos, o comandante Ghani encontra alguém que aparentemente estava procurando e sai apressado para falar com ele. O soldado especialista, indiferente ao desdém de Ghani, continua examinando os DVDs piratas. "Veja só", ele exclama para ninguém em particular. "*Rocky Balboa* — o novo filme de Stallone. Acho que ainda nem estreou nos cinemas dos Estados Unidos, mas esses hadjis já estão vendendo aqui neste fim do mundo do Afghaniland."

Após se afastar, Ghani se aproxima de três *pashtuns* que fazem trabalhos braçais na base e, sem avisar, ergue a coronha de seu rifle e bate no lado da cabeça de um deles. O homem dá um berro e cambaleia, mas permanece de pé, o que leva Ghani a agarrá-lo pelos ombros, atirá-lo ao chão lamacento e começar a xingá-lo em pachto. Quando o *pashtun* se levanta, Ghani volta a derrubá-lo e continua berrando com ele. Depois o comandante dá meia-volta e retorna em direção à base, murmurando em inglês: "Juro que eu devia voltar lá agora e realmente chutar a bunda dele". Observando a expressão chocada do jornalista americano que caminha ao seu lado, ele se irrita com a reprovação implícita na reação do repórter: "Esse sujeito fez umas coisas bem ruins contra mim. Se alguém me trata mal, tenho que retribuir. Sabe por quê? Porque se você não agir assim, aquele sujeito vai achar que você é um maricas. Aí ele vai incomodar você o tempo todo. Você tem que reagir, sabia?". Quando o jornalista expressa ceticismo, Ghani torna-se ainda mais enfático: "Estou dizendo a você, se esse sujeito faz algo errado, e você não esboça nenhuma reação, depois disso ele não vai mostrar nenhum respeito por você. Vai achar que você é um merdinha. Aí ele não vai mais dar sossego. Sempre que o vir, vai lhe dar trabalho".

O comandante Ghani* acabara de oferecer uma síntese viva dos princípios dos *pashtun* de *nang* (honra), *ghairat* (orgulho) e *badal* (vingança), os quais — juntamente com um quarto conceito, *melmastia* (hospitalidade) — representam os preceitos mais importantes do código de conduta oral dominante conhecido como *pashtunwali*, que por séculos moldou a cultura e a identidade nessa parte da Ásia Central. Estima-se que 15 milhões de *pashtuns* estejam vivendo nas províncias do sul e do leste do Afeganistão, constituindo o maior grupo étnico da nação. Outros 26 milhões de *pashtuns* vivem do outro lado da fronteira no oeste do Paquistão, e o *pashtunwali* determina em alto grau como esses 41 milhões de pessoas conduzem suas vidas.

Os princípios do *pashtunwali* são flexíveis, muito nuançados e ocasionalmente contraditórios. De acordo com o preceito de *melmastia*, um *pashtun* é obrigado a mostrar hospitalidade a todos os visitantes, em especial estrangeiros. Os hóspedes devem ser alimentados, abrigados e protegidos. Caso solicitem, até inimigos mortais devem receber refúgio. De acordo com o preceito de *badal*, qualquer injustiça — por mais leve que seja — deve ser vingada. Se um homem sofre ainda que o insulto relativamente leve de uma zombaria pessoal, por exemplo, a parte insultada deve derramar o sangue do insultador. Se o insultador fugir antes que a justiça possa ser aplicada, o sangue de seu parente masculino mais próximo deve ser derramado em seu lugar. Procurando cumprir esse mandamento, as famílias às vezes se envolvem em conflitos mortais que se arrastam por décadas. Em sua essência, a maioria dos aspectos do *pashtunwali* envolve preservação da honra e respeito. E na sociedade *pashtun*, o respeito em última análise deriva de demonstrações de força e coragem.

Quando os americanos ou europeus ouvem relatos de famílias inteiras exterminadas em nome de *badal*, ou de um *pashtun* decapitando outro para vingar um insulto aparentemente inconsequente, a reação típica é de choque e repulsa. No entanto, os princípios do *pashtunwali* não são exclusivos da Ásia

* Em 12 de abril de 2007, o capitão do Exército norte-americano Dennis Knowles enviou um e-mail da Base Tillman a este autor no qual relatou: "Hoje foi um dia muito triste, pois Snoop sofreu o impacto de uma mina e não resistiu. Sei que você passou um tempo com ele. Ele era respeitado por todos os lados. [...] Snoop atingiu uma mina antitanques com sua Toyota Hilux. Péssimo. Sua perna direita desapareceu sob a cintura, a perna esquerda era uma massa mutilada e o braço direito sumiu. Não havia nada que pudéssemos fazer além de aliviar sua dor. Todos ficaram muito abalados".

Central. Em cidades americanas, por exemplo, não é incomum adolescentes levarem tiros por desrespeitarem membros de uma gangue. E se um arremessador do time de beisebol Red Sox atinge a cabeça de um rebatedor do New York Yankees, ninguém se surpreende quando o arremessador do Yankee, no próximo tempo, lança uma bola com força total na cabeça de um rebatedor adversário.

Para Pat Tillman, o *pashtunwali* não deve ter parecido um conceito estranho. A ideia de honra pessoal e o imperativo de preservá-la foram coisas que ele aprendeu desde cedo, levando-as muito a sério.

O pai de Pat — também chamado Patrick, embora com um nome do meio diferente — cresceu em Fremont, casou-se alguns anos após concluir a escola e depois cursou a faculdade de direito enquanto trabalhava em horário integral para sustentar sua nova família. Ele havia sido criado de acordo com os valores masculinos tradicionais, e transmitiu aqueles mesmos ideais antiquados aos filhos. O jovem Pat e seus irmãos foram ensinados a dizer a verdade, respeitar os mais velhos, defender os desprotegidos e cumprir suas promessas. O pai de Tillman também enfatizou para os filhos a importância de defenderem sua honra, com os próprios punhos se necessário.

Quando Pat começou a jogar futebol americano na escola aos treze anos, compreendeu que teria que fazer bloqueios e *tackles* com intensidade excepcional para compensar sua baixa estatura, e que não podia se dar ao luxo de mostrar medo ou vulnerabilidade se quisesse conquistar o respeito de treinadores, colegas de time e adversários. Ele portanto adotou uma atitude intimidadora e durona no campo de jogo, embora sob essa carapaça existisse um menino sensível que na esfera privada era facilmente levado às lágrimas.

Pat às vezes achava vantajoso exibir sua dureza também fora do campo. Quando meninos maiores o ameaçavam, ele reagia instintivamente passando para a ofensiva, forçando os agressores a lutar ou recuar. Pegos desprevenidos pela completa falta de medo daquele menino miúdo, às vezes os adversários preferiam recuar, mas quando não o faziam, Pat não hesitava em trocar uns socos. Essa disposição de dar uns murros quando desafiado foi estimulada pela cultura do futebol americano colegial, onde se espera que os membros da tribo demonstrem sua coragem e conquistem seu lugar na hierarquia masculina através da luta. Como consequência, Pat e muitos de seus colegas de time envolveram-se em numerosas escaramuças com meninos de outras escolas, com quem brigavam em centros comerciais e diante de cinemas nas noites dos fins de semana. Nada disso parecia estranho ou anormal aos participantes. Para eles, era assim que jogadores de futebol colegial deviam agir, um rito de passagem consagrado pelo tempo. Eles encaravam as brigas como pouco mais do que uma extensão do jogo fora do campo.

Apesar da rapidez de Pat em recorrer aos punhos, em muitos aspectos ele era a antítese do valentão. Por princípio, só lutava com meninos que fossem maiores do que ele, e em várias ocasiões interveio para salvar colegas nerds que estavam sendo provocados por algozes mais velhos e maiores. Mas quando Pat brigava era para vencer, e nunca capitulava, o que lhe valeu a fama, em Leland e além, de ser um sujeito que não se devia menosprezar. Na turma de que fazia parte, ninguém tinha dúvida de que ele era o “macho dominante”.

Três

Mais de um quarto de século após a invasão soviética, grandes faixas da área central de Cabul ainda são pilhas de escombros bombardeados. Embora os visitantes estrangeiros costumem achar que essa destruição ampla ocorreu durante a Guerra Soviético-Afegã, tal crença é equivocada. Durante grande parte da ocupação soviética, Cabul permaneceu uma metrópole agitada e ativa. As crianças enchiam as escolas. Os negócios floresciam. As artes eram vibrantes. Os serviços básicos, como água e eletricidade, continuaram sendo supridos. Os horrores da guerra eram muitos e selvagemente reais, mas em geral ocorriam no interior. Cabul escapava das piores violências. A vida na capital prosseguia, em grande parte, como tinha sido antes do conflito.

A devastação da cidade só veio a ocorrer bem depois da partida dos infiéis que a ocupavam. E não foi causada pelos soviéticos. A destruição que desfigura a principal cidade do Afeganistão foi o fruto da luta de mujahidin contra mujahidin: afegãos fazendo o máximo para matar outros afegãos.

Durante os anos de escola de Pat, enquanto ele celebrava sua juventude, afirmava sua masculinidade e conquistava admiradores no campo de futebol americano, o Afeganistão afundava em novos abismos de aflição — embora a maioria dos norte-americanos ignorasse o que vinha acontecendo naquela parte do globo. Quando os soviéticos se retiraram, a diáspora afegã, incluindo muitos dos expatriados que moravam perto de Pat em Fremont, tiveram esperanças de que sua nação estivesse na iminência de uma nova era de paz e renovação. Havia razões para acreditar que milhões de refugiados logo poderiam voltar para casa. No entanto, tais esperanças evaporaram com uma velocidade cruel quando a nação mergulhou em anarquia e violência fratricida.

Dois anos antes de começarem a retirar suas tropas, os soviéticos instalaram um *pashtun* de 39 anos chamado Mohammed Najibullah como presidente da República Democrática do Afeganistão (RDA), seu governo títere em Cabul. Antes de ser nomeado presidente, Najibullah havia dirigido a temida polícia secreta do país, um órgão chamado KHAD. Naquele cargo, havia aprisionado, torturado e executado dezenas de milhares de afegãos. Testemunhas oculares atestaram que Najibullah maltratou e assassinou pessoalmente numerosos prisioneiros políticos, em alguns casos pisoteando-os até a morte.

Depois que o último soldado soviético deixou o Afeganistão, em fevereiro de 1989, a CIA previu que o regime de Najibullah seria derrubado pelos mujahidin dentro de três a seis meses. Mas mesmo após sua partida, os soviéticos continuaram suprindo Najibullah com armas sofisticadas e mais de 3 bilhões de dólares anuais em ajuda. Além disso, analistas de inteligência americanos subestimaram por completo Najibullah, um líder sagaz que era tão implacável quanto qualquer dos comandantes mujahidin. Quando ficou claro que sob sua liderança a RDA não iria simplesmente afundar e capitular, a CIA — agindo em conjunto com o serviço de inteligência paquistanês, o ISI — decidiu acelerar o processo pressionando os mujahidin a atacarem a cidade de Jalalabad, um baluarte crucial da RDA perto da fronteira do Paquistão, 130 quilômetros a nordeste da cidade de Khost. Cerca de 10 mil guerreiros sagrados, sob a liderança de noventa comandantes mujahidin diferentes, se reuniram diante de Jalalabad, em março de 1989, para lançar um ataque. Entre eles estava Osama bin Laden, liderando um contingente de duzentos combatentes árabes.

O ataque à cidade começou em 5 de março de 1989. Os mujahidin logo capturaram o campo de aviação de Jalalabad e alguns dos subúrbios circundantes. Mas a RDA contra-atacou com tanques, mísseis Scud-B e bombardeiros, detendo o avanço dos mujahidin. Nos três meses seguintes, os atacantes não conseguiram avançar cidade adentro, e a batalha por Jalalabad degenerou num impasse sangrento. Para piorar a situação dos mujahidin, suas forças eram

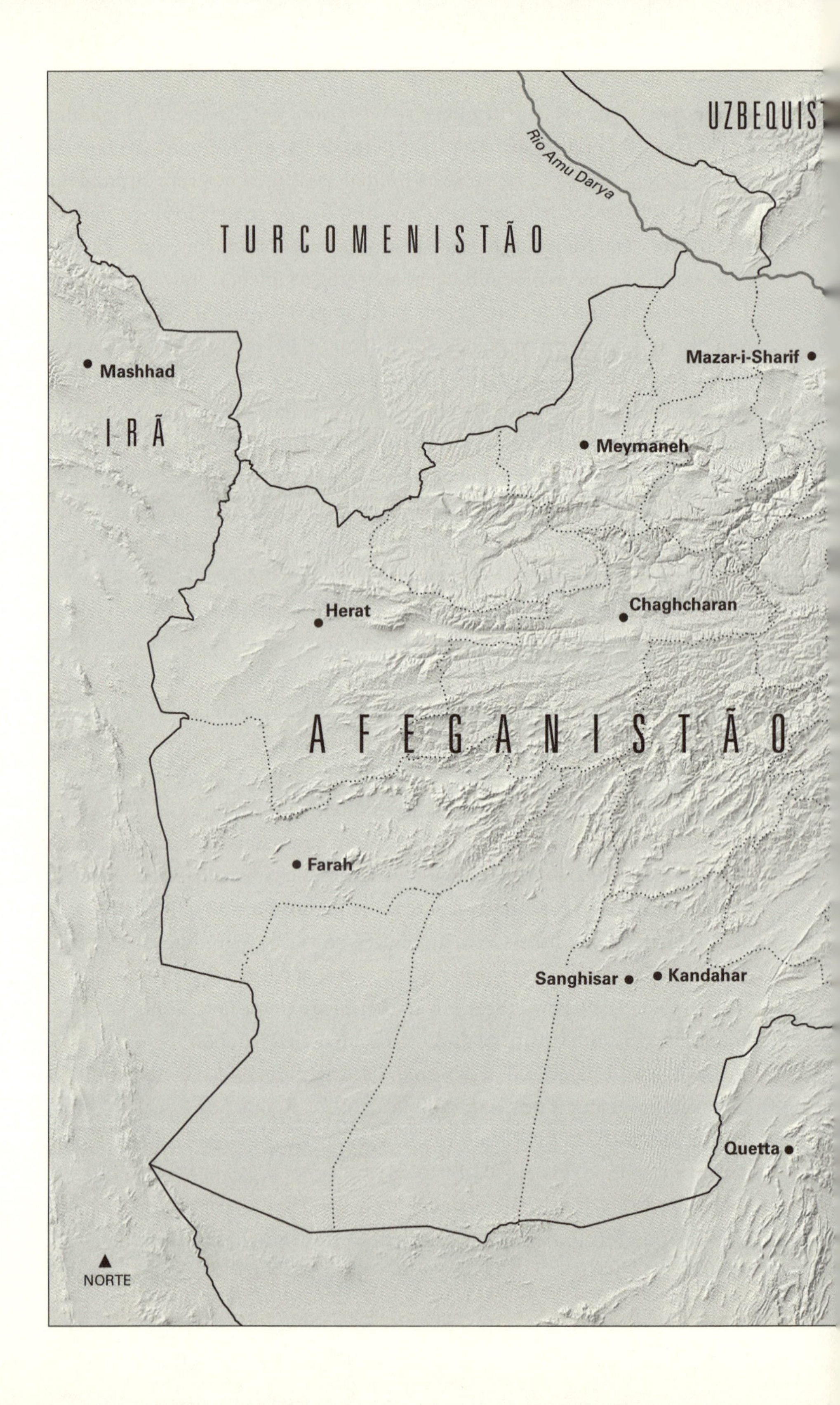
UZBEQUIST
Rio Amu Darya
TURCOMENISTÃO
Mashhad
IRÃ
Mazar-i-Sharif
Meymaneh
Herat
Chaghcharan
AFEGANISTÃO
Farah
Sanghisar
Kandahar
Quetta
NORTE

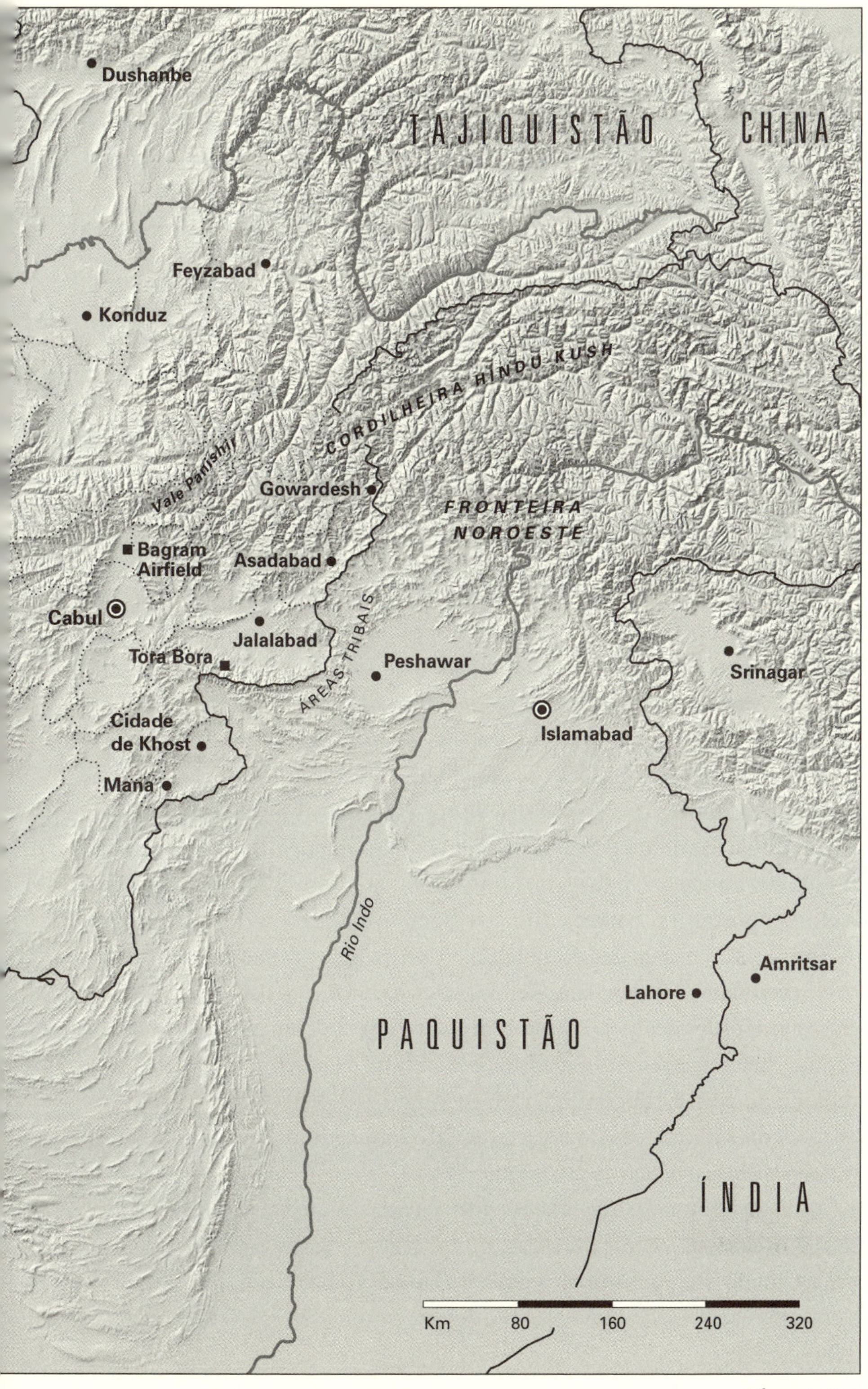

Afeganistão

formadas por facções rivais que se desprezavam mutuamente. Além de incapazes de se unir na luta contra as forças da RDA de Najibullah, os comandantes mujahidin às vezes pareciam solapar intencionalmente os esforços de seus supostos aliados. Em julho, após terem perdido 3 mil combatentes (entre os quais cerca de cem dos soldados de Bin Laden), os mujahidin abandonaram a luta e se retiraram de Jalalabad numa atmosfera de rixas e recriminações. Uma derrota humilhante.

Desde que o Afeganistão emergiu como nação, em 1741, o país é uma colcha de retalhos de feudos teimosamente autônomos. Na sociedade afegã, a fidelidade individual é devida acima de tudo à família e depois — em rápida ordem descendente — ao clã estendido ou tribo, ao grupo étnico e à seita religiosa.

O governo central nunca forneceu grande coisa em termos de apoio ou serviços aos 85% dos afegãos que viviam fora de Cabul ou em outras grandes cidades. No caos da Guerra Soviético-Afegã, com esse apoio reduzido a nada, os camponeses voltaram-se exclusivamente para seus mulás, anciões das aldeias e comandantes mujahidin, em busca de proteção e governança. Com a economia nacional em ruínas, esses comandantes e seus seguidores recorreram ao cultivo da papoula de ópio como fonte básica de receita. No início da década de 1990, o Afeganistão caminhava para se tornar o principal fornecedor de heroína do mundo. Embora continuassem encarando Najibullah e a RDA como seu inimigo principal, as facções dos mujahidin começaram a se digladiar cada vez mais pelo controle do comércio da droga e por armas fornecidas pelo Paquistão, Arábia Saudita, Egito e CIA. Cada vez mais também, pareciam dirigir seus esforços ao saque e pilhagem, tanto quanto à libertação de seu país. Em aspectos importantes, começaram a se parecer com os cartéis de drogas sul-americanos — exceto que os mujahidin tinham uma propensão bem maior para a brutalidade e faziam suas depredações em nome de Deus. Com certa razão, os jornalistas ocidentais passaram a se referir aos comandantes mujahidin como chefes guerreiros. Enquanto isso, embora o Exército soviético tivesse se retirado do país, a CIA continuava fornecendo aos guerreiros sagrados afegãos cerca de 250 milhões de dólares anuais para contrabalançar os bilhões destinados pelos soviéticos para escorar a RDA.

Desencorajado pelas rivalidades entre os mujahidin, em 1990 Bin Laden deixou o Afeganistão e retornou à Arábia Saudita — embora dezenas de milhares de jihadis árabes inspirados por ele afluíssem para o conflito e numerosos campos de treinamento da Al-Qaeda criados por ele continuassem instruindo os jovens fanáticos na arte da guerra de guerrilha.

Najibullah e o exército da RDA conseguiram por quase dois anos resistir aos mujahidin divididos. Mas, em abril de 1991, guerreiros sagrados sob o comando de Jalaluddin Haqqani derrotaram as defesas da RDA e capturaram a cidade de Khost. A vitória custou caro à população local "libertada" por Haqqani. Milhares de moradores tiveram suas casas destruídas pelas bombas indiscriminadas dos mujahidin ou foram mortos no fogo cruzado. Mesmo assim, Khost tornou-se o primeiro grande centro urbano afegão a ser controlado pelos mujahidin desde a invasão soviética.

Seis meses mais tarde, a União Soviética implodiu e deixou de existir, trazendo um fim abrupto à fonte de dinheiro e armas de Najibullah. Sem o apoio soviético, o regime estava condenado. A RDA dispunha de tão pouco combustível que toda a Força Aérea Afegã foi forçada a permanecer em solo. Logo depois o governo sequer conseguia alimentar seus soldados, fazendo com que desertassem aos bandos e se juntassem às milícias dos mujahidin que até então vinham tentando matá-los. Sentindo que as condições eram propícias, os chefes guerreiros mujahidin começaram a tomar posição para capturar Cabul, a sede do governo de Najibullah.

Divisões e alianças étnicas mutáveis desempenharam por muito tempo um papel central na crise crônica do Afeganistão. Conquanto nenhum grupo étnico isolado seja majoritário, os *pashtuns* são o maior deles, com cerca de 40% da população nacional. Depois vêm os tadjiques étnicos, que constituem cerca de 30%; os usbeques, com cerca de 9%; os *hazaras*, uma minoria xiita, também com uns 9%; e uma série de grupos menores, como os turcomanos, baluques, nuristanis e ismailitas.

Os chefes guerreiros mujahidin mais proeminentes eram Abdul Rasul Sayyaf, um *pashtun* muito ligado a Bin Laden; Gulbuddin Hekmatyar, um *pashtun* baseado ao longo da fronteira do Paquistão, que recebera centenas de milhares de dólares da CIA e gozava da fidelidade de Haqqani e de sua rede de combatentes empedernidos; e Ahmad Shah Massoud, um tadjique étnico cuja base de poder residia no vale Panjshir, ao norte da base aérea de Bagram. No início de 1992, enquanto esses aliados desconfiados tramavam a derrubada de Cabul, um comandante importante de um regimento do exército da RDA chamado Abdul Rashid Dostum — um usbeque étnico do norte do Afeganistão que por treze anos combatera ferozmente os mujahidin em nome dos soviéticos e de Najibullah — abruptamente se voltou contra seus benfeitores comunistas. Trazendo consigo tanques, aviões e 40 mil soldados disciplinados da RDA, Dostum uniu forças com os mujahidin de Massoud contra Najibullah e a RDA.

No momento em que Dostum desertou do comunismo, Najibullah reconheceu que seu regime estava condenado. Em entrevista coletiva à imprensa, lançou um apelo desesperado para que os Estados Unidos refreassem as forças da jihad que tanto fizeram para acalentar, temendo que os guerreiros sagrados acabassem se voltando contra seus próprios benfeitores. Como registrou um repórter do *International Herald Tribune*, Najibullah declarou: "Temos uma tarefa em comum — o Afeganistão, os Estados Unidos e o mundo civilizado. Travar uma luta conjunta contra o fundamentalismo. Se dominar o Afeganistão, a guerra prosseguirá por muitos anos. O Afeganistão se tornará um centro de tráfico mundial de narcóticos. O Afeganistão se transformará num centro de terrorismo".

Depois de fazer essas observações, que logo se mostrariam perturbadoramente prescientes, Najibullah propôs renunciar como presidente, oferecendo-se para colaborar com as Nações Unidas na obtenção de uma transição do poder pacífica. Altas autoridades do governo do presidente George W. Bush argumentaram que os Estados Unidos deveriam aproveitar a oportunidade para ajudar a instalar um governo de coalizão moderado que estabelecesse a ordem e impedisse que jihadis virulentos, como Hekmatyar, assumissem o controle do país. Mas uma mentalidade de Guerra Fria ainda predominava em Washington, particularmente na CIA. De acordo com tal pensamento, agora que a União Soviética estava morta, os Estados Unidos não tinham mais motivos para permanecer envolvidos nos assuntos afegãos. Nenhum esforço foi empreendido para impedir uma tomada do poder pelos guerreiros sagrados, e a oportunidade foi perdida. Os Estados Unidos resolveram que chegara a hora de lavar as mãos e se afastar do Afeganistão.

Ao anunciar sua disposição de renunciar, Najibullah havia abdicado do último vestígio de influência e credibilidade. Em consequência, seu governo logo se desintegrou, e Cabul, para todos os efeitos, foi abandonada à própria sorte. As facções mujahidin cercaram a cidade de todos os pontos cardeais, brincando de gato e rato entre si para definir quem capturaria a capital e assumiria o poder. Os antagonistas principais foram Hekmatyar, aproximando-se pelo sul, e Massoud, apoiado por Dostum, aproximando-se pelo norte. Do outro lado da fronteira, em Peshawar, Paquistão, representantes do ISI paquistanês e da Arábia Saudita procuraram freneticamente negociar um acordo de última hora de compartilhamento do poder entre Hekmatyar e Massoud, impedindo assim um confronto violento entre os dois. De acordo com a esplêndida história de Steve Coll desse período, *Ghost wars*,

> até Osama bin Laden fugiu de Peshawar e juntou-se aos esforços para forjar a cooperação entre Hekmatyar e Massoud. Contactou Hekmatyar via rádio de Peshawar e insistiu que ele cogitasse num acordo com Massoud.
>
> Bin Laden e outros mediadores islamitas promoveram uma conversa de rádio de meia hora diretamente entre Massoud e Hekmatyar. A questão essencial era se os dois comandantes controlariam Cabul pacificamente como aliados ou lutariam por ela.

Embora Massoud estivesse disposto a compartilhar o poder, Hekmatyar ignorou os apelos repetidos de Bin Laden nesse sentido, calculando que poderia derrotar Massoud na batalha. Hekmatyar foi dormir naquela noite convicto de que entraria vitorioso em Cabul no dia seguinte. Mas a obstinação dele convenceu Massoud de que negociar era um exercício inútil, de modo que ordenou às forças de Dostum que lançassem um ataque preventivo. Pegando Hekmatyar de surpresa, Massoud e Dostum atacaram a cidade vindo do norte. Quando os combatentes de Hekmatyar chegaram do sul algumas horas depois, travou-se um combate encarniçado quarteirão por quarteirão. Mas Massoud avançara depressa para se apossar de posições estratégicas em Cabul, e Hekmatyar não conseguiu superar essa vantagem. Após um mês de intensos combates, os soldados de Hekmatyar se retiraram da cidade para seu local de origem, embora sem reconhecer a vitória de Massoud. Pelo contrário, Hekmatyar, numa raiva insensata, começou a lançar à distância um bombardeio de foguetes na cidade, infligindo morte e ruína sem se importar com quem ou o que poderiam atingir.

A batalha por Cabul desencadeou uma guerra civil catastrófica. Como escreve Coll:

> Durante o ano de 1993 Cabul mergulhou em violência e privação. Hekmatyar bombardeou indiscriminadamente a cidade com centenas de foguetes de seus

> amplos estoques, matando e ferindo milhares de civis. Os antigos líderes mujahidin se realinharam em parcerias temporárias estranhas. Eles travaram duelos de artilharia pelas avenidas de Cabul, dividindo a cidade num tabuleiro de xadrez de facções étnicas e ideológicas entrincheiradas. Milícias xiitas combateram Hekmatyar ao redor do zoológico de Cabul, depois mudaram de lado e combateram Massoud. As forças de Sayyaf aliaram-se ao seu antigo colega de direito islâmico [Burhanuddin] Rabbani e atacaram os xiitas com uma fúria desenfreada, decapitando velhos, mulheres, crianças e cães. As milícias uzbeques de Dostum empreenderam uma campanha de estupros e execuções na periferia de Cabul. Massoud abrigou-se no destroçado Ministério da Defesa, um ex-palácio real decadente, e movimentou suas tropas para o norte e para o sul em batalhas contínuas. Faltou eletricidade em Cabul. [...] Estradas foram fechadas, os suprimentos de alimentos se reduziram, e doenças se espalharam. No fim do ano, cerca de 10 mil civis afegãos haviam morrido violentamente.

Pelo menos 40% de Cabul foi reduzida a escombros pela luta e por bombardeios, mas os efeitos da guerra civil se estenderam bem além da capital. Como um baluarte contra a anarquia, os habitantes das províncias se refugiaram sob a tirania relativamente benigna de seus clãs, onde os mulás e comandantes de milícias locais proporcionavam uma aparente segurança e ordem. Essa atomização da nação — o entrincheiramento da população em milhares de feudos pré-modernos — forneceu as condições ideais para um tipo singularmente virulento de terrorismo que logo chamaria a atenção do mundo, especialmente dos Estados Unidos.

Às 9h18, horário do Pacífico, da manhã de 26 de fevereiro de 1993, enquanto Pat assistia às aulas na Leland High School, uma bomba de 680 quilos improvisada com fertilizante, óleo combustível, nitroglicerina, ácido sulfúrico e cianeto de sódio, enfiada nos fundos de um furgão Econoline alugado, foi detonada no outro lado do país, a 4800 quilômetros de distância de Almaden, num estacionamento sob a torre norte do World Trade Center, no sul de Manhattan. A explosão abriu uma cavidade de trinta metros de diâmetro através de seis andares do concreto reforçado com aço e criou uma onda de choque sísmica sentida a mais de um quilômetro e meio de distância. Embora mais de mil nova-iorquinos tivessem se ferido, apenas seis pessoas (que tiveram o azar de estar almoçando no restaurante self-service acima da explosão) morreram. Como o número de vítimas mortais foi relativamente baixo e quase não se viam danos no exterior do prédio, o ataque não gerou uma preocupação duradoura entre a maioria dos americanos. Os terroristas foram em geral retratados como amadores ineptos que estiveram muito longe de derrubar a enorme torre. Muito se alardeou a burrice de um dos criminosos, que, após o ataque, foi até a agência da locadora Ryder, em Nova Jersey, tentar recuperar seu depósito pelo furgão destruído.

Um exame atento dos fatos, porém, indica que o ataque por pouco não teve sucesso. O furgão estava parado ao longo da extremidade sul do estacionamento subterrâneo com a intenção de fazer com que a torre norte colidisse com a torre sul ao cair, destruindo o World Trade Center inteiro de um só golpe e aniquilando assim mais de 250 mil pessoas. Embora uma calamidade de tamanha magnitude não tivesse acontecido naquela sexta-feira de 1993, só foi evitada por pouco: o arquiteto do World Trade Center mais tarde declarou que, se o veículo tivesse sido posicionado mais perto das fundações do prédio, a explosão poderia ter derrubado as duas torres.

A bomba havia sido montada, levada até o WTC e detonada por um kuwaitiano chamado Ramzi Yousef, sob a supervisão de seu tio Khalid Sheik Mohammed, que mais tarde seria identificado como "o principal artífice" do ataque contra os mesmos prédios em 11 de setembro de 2001. Yousef aprendera a arte de fazer bombas num manual escrito pela CIA para os mujahidin usarem em sua luta contra os soviéticos. Ele recebeu o livreto de instruções quando esteve num campo de treinamento da Al-Qaeda em Khost, Afeganistão, em 1991 ou 1992.

Quatro

Embora Pat Tillman permanecesse relativamente pequeno para sua idade durante a maior parte do período em que cursou o ensino médio, beneficiou-se de um surto de crescimento tardio ao final do segundo ano. Durante a primavera e o verão de seu décimo sexto ano de vida ele passou por uma rápida transformação, de um menino baixo e magro para um jovem com 1,80 metro de altura e pesando 88 quilos. O novo Pat tinha pernas volumosas, uma cintura estreita e a parte superior do corpo esculpida por um regime de levantamento de pesos praticado com empenho quase obsessivo. Mesmo antes da transformação ele era um jogador de futebol americano excepcional, mas o peso que ganhou permitiu que se distinguisse como um dos melhores da nação no seu último ano na Leland, iniciado em setembro de 1993.

A Califórnia é tão grande que seu programa de futebol americano colegial se divide em catorze seções geográficas, cada uma delas incluindo mais estudantes e mais escolas do que alguns estados inteiros. Leland é uma das 117 escolas da Seção da Costa Central (CCS), uma das mais competitivas de todo o Estado.

Em 3 de setembro, em sua primeira partida da temporada de 1993, a Leland enfrentou o Bellarmine College Preparatory, uma escola jesuíta muito conceituada que vencera o campeonato da CCS em 1990 e havia sido vice-campeã em 1992. Quando o jogo começou, Pat segurou o chute inicial e o devolveu à linha das 35 jardas do Bellarmine. Oito jogadas depois, avançou com a bola até a zona final para marcar o primeiro *touchdown* da partida. No terceiro quarto conduziu a bola num *scramble* estonteante de 62 metros a partir da linha de *scrimmage*, que acabou em um novo *touchdown*. A Leland dominou o Bellarmine do início ao fim, e o placar final foi 33 a 7. Kevin Tillman, um aluno do segundo ano, obteve três pontos extras como *kicker* do time.

Ao final da temporada regular, a Leland vencera nove de dez partidas e conquistara uma vaga nos *playoffs*. Coube a Pat grande parte do mérito pelo sucesso do time. No decorrer do ano, ele agarrou 27 passes, doze dos quais foram para *touchdowns*, com uma média de 23,5 metros por recepção. Ele correu com a bola até a zona final para outros catorze *touchdowns* com uma média de 9,97 metros como corredor. Com três chutes, uma interceptação devolvida para *touchdowns* e um *fumble* recuperado na zona final, ele marcou um total de 31 *touchdowns*. Na defesa foi responsável por 110 *tackles*, dez *sacks* e três interceptações. Num filme dos melhores momentos da Leland na temporada de 1993, Pat parece estar se movendo em câmera acelerada, enquanto os outros jogam na velocidade normal.

No início dos *playoffs*, a Leland enfrentou na primeira rodada a Andrew P. Hill High School, uma instituição pública gigantesca que atraía estudantes da parte mais pobre de San Jose. No primeiro tempo, Pat pôs a mão na bola exatamente seis vezes, e em quatro delas marcou um *touchdown*. No intervalo, a Leland estava vencendo por 55 a 0. Terry Hardtke, que se tornara o treinador titular do time da Leland no início da temporada de 1993, não queria humilhar a Hill aumentando ainda mais a diferença, de modo que, no segundo tempo, decidiu colocar Tillman e a maioria dos outros titulares no banco de reservas. Hardtke explicou o que aconteceu a seguir em seu discurso no funeral de Pat em 2004:

> Dirigi-me a ele e disse: "Pat, você já jogou o bastante por hoje, e não quero você no ataque ou na defesa". Ele olhou para mim com aquele ar realmente intrigado e disse: "Certo".
>
> Quando estou me preparando para o chute inicial do segundo tempo, meu coordenador de ataque vira-se para mim e diz: "Olhe, Pat está de volta pronto para receber o chute inicial". Olhei espantado e o vi lá. Ele recebeu o chute inicial

e claro que o devolveu para um *touchdown*. Ao sair do campo, olhei para ele. [...] Ele se dirigiu a mim muito confiante e disse: "Você não mencionou nada sobre os especialistas".

Para evitar quaisquer novas confusões semânticas que pudessem levar Pat a voltar ao campo para tentar um sexto *touchdown*, o treinador Hardtke imediatamente lhe confiscou o capacete e as ombreiras. Com ele e os outros titulares fora de campo pelo resto do jogo, a Leland venceu por 61 a 14. Em 4 de dezembro, duas semanas depois, a Leland derrotou a Milpitas High School por 35 a 0 e venceu o campeonato da CCA.

Pat Tillman era um jovem boa-pinta, com traços bem definidos e sorriso magnético. Mas sua característica mais impressionante eram os olhos: de cor marrom-esverdeada, angulosos e do tipo mais fechado, estavam enquadrados entre maçãs do rosto altas e uma testa escura e poderosa que enfatizavam sua intensidade. Dependendo de sua disposição, podiam parecer travessos, intimidantes ou exuberantes, mas qualquer que fosse a emoção transmitida pelos olhos, ela era inequívoca. No meio da adolescência, os cabelos louro-claros de Pat escureceram e se tornaram espessos, cor de trigo, com trechos desbotados pelo sol, e ele costumava usá-los aparados nas têmporas, com franjas revoltas caindo até as pálpebras, presos em um longo rabo de cavalo que tremulava nas suas costas quando corria.

Sua boa aparência, o ar convencido e o prestígio como astro do futebol americano levaram algumas pessoas a achar que ele era o estereótipo do atleta: com o rei na barriga, egocêntrico, intelectualmente medíocre, sem nada além de futebol na cabeça. Na verdade, Pat não era nada disso. Um diário que escreveu aos dezesseis anos revela um jovem introspectivo que lamentou a morte de um gato adorado, achava a religião inadequada para elucidar os mistérios da existência e ruminava sobre o lado negativo de sua natureza simpática. "Não posso nem sacanear alguém", registra sardonicamente o diário, "sem me sentir mal. Sou consciente demais de seus sentimentos."

Apesar dessa sensibilidade, Pat só arranjou namorada no último ano na Leland. Mas a moça com quem enfim se relacionou acabou sendo alguém que ele conhecia desde quando ambos tinham quatro anos, época em que começara a jogar numa liga de futebol infantil. Um dos times contra o qual jogou incluía uma menina chamada Marie Ugenti. Ao crescerem, Pat e Marie foram para escolas de ensino fundamental diferentes, conta Marie, "mas Almaden tinha a natureza de uma cidade pequena. Nossas famílias se conheciam, nossos irmãos praticavam esportes juntos e nossas vidas se cruzaram várias vezes ao longo de nossa infância". Pat e Marie permaneceram mais ou menos no radar um do outro, embora passassem pouco tempo interagindo face a face, até setembro de 1990, quando ambos ingressaram como calouros na Leland High School.

Marie era esguia, de traços finos, olhos azuis e cabelos louros compridos. O anuário da Leland registra que ela foi eleita a garota com "o melhor sorriso" pelos colegas de turma. Contrastando com Pat — que era ruidoso e malicioso, criado ao ar livre, para quem a excelência acadêmica não era a máxima prioridade —, Marie se comportava com decoro e tirava notas excepcionais, destacando-se particularmente em ciências. Nas palavras de Benjamin Hill, um amigo inseparável de Pat desde o jardim de infância: "Marie era uma menina muito inteligente, muito boa. Foi um caso clássico de atração entre os opostos". Pat voltou para casa no primeiro dia de aula na Leland com uma queda inabalável por ela, mas não tomou nenhuma iniciativa nos três anos seguintes — em parte, de acordo com certas fontes, porque até o último ano ela era mais alta.

Mesmo assim, conta Marie: "Compartilhávamos o mesmo grupo de amigos, de modo que saímos juntos muitas vezes. E a relação evoluiu a partir dali". Apesar de o pai de Marie por acaso ser Paul Ugenti, o técnico titular de beisebol da Leland — o homem que negara o pedido de Pat para jogar no time principal de beisebol quando calouro, motivando-o a mudar de esporte, o que o levou a e se concentrar no futebol americano. Mas Pat não guardava ressentimentos contra o técnico ou seus filhos, e no outono de 1993 o astro do time de futebol americano da Leland ganhou coragem e enfim pediu Marie em namoro.

Com uma das cidades mais vibrantes do país apenas setenta quilômetros ao norte, seria de se supor que os jovens de Almaden, quando chegassem à idade de dirigir, não perdessem nenhuma oportunidade de visitar San Francisco. Mas na adolescência os jovens da turma de Pat e Marie não pareciam muito inclinados a ir até lá. Quando queriam escapar dos redutos locais e liberar sua energia, iam de carro até Santa Cruz — uma comunidade litorânea famosa pela cultura do surfe e pela política progressista —, que ficava a quase cinquenta quilômetros na outra direção. Foi para lá que Pat levou Marie em sua primeira saída juntos, a um restaurante chamado Crow's Nest, com vista para o oceano Pacífico.

"Sentamo-nos no terraço no andar de cima", Marie recorda. "Era início de outubro, e fazia um pouco de frio lá fora. Pat não tinha experiência em sair com garotas, e dava para ver que estava nervoso. Afora sua mãe, Pat não convivera muito com pessoas do sexo oposto. E Dannie contou que, ao criar os meninos, minimizou seu lado feminino e praticou atividades ao ar livre com eles, ensinando esportes e afins. A ideia que ele tinha de garotas não era típica. Mas isso não foi nenhum grande problema. Todos os três irmãos Tillman sempre tiveram muito respeito pela mãe. Com ela aprenderam como tratar as mulheres."

Apesar da inexperiência de Pat nos assuntos do coração, ele e Marie iniciaram o que se tornaria um vínculo duradouro. Durante a juventude de Pat, sua mãe — uma mulher cordial, expressiva e tolerante — o protegeu com um amor constante e incondicional. Como a maioria dos rapazes, ele considerava aquela devoção maternal normal. Não percebia o grau em que o campo gravitacional de Dannie mantinha sua vida jovem e hiperativa em sua órbita segura. Embora Dannie e Marie difiram em muitos aspectos importantes — Dannie é extrovertida e falante, por exemplo, enquanto Marie é séria e emocionalmente reservada —, em Marie ele encontrou outra mulher inteligente e decidida dotada de uma paciência prodigiosa, e deve ter reconhecido em algum nível inconsciente que ela era sua alma gêmea. Depois da primeira vez que saíram juntos em Santa Cruz, Marie conta que "simplesmente fomos ficando juntos". Na verdade, eles continuariam como parceiros dedicados até a morte de Pat, onze anos depois.

Todos os amigos de Pat do colégio dizem que, depois que ele e Marie formaram um casal, ela exerceu uma influência civilizadora que ajudou a aparar algumas das arestas mais pronunciadas dele. Mesmo assim, ela reconhece: "Pouco depois que começamos a namorar, ele se meteu numa grande confusão". Uma careta de desagrado enruga seu rosto liso: "Ele participou daquela briga na Round Table".

Cinco

O incidente a que Marie se refere ocorreu em 13 de novembro de 1993, exatamente uma semana após o décimo sétimo aniversário de Pat, numa noite de sábado. Naquele mesmo dia, ele jogara a partida final da temporada regular de futebol americano, cuja vitória garantiu uma vaga para a Leland nos *playoffs* da CCS. Após o jogo, ele celebrou a vitória com amigos e colegas de time na festa de aniversário de uma garota cujos pais haviam alugado um salão num hotel elegante do centro de San Jose. "Cheguei atrasada na festa", Marie recorda. "As pessoas haviam bebido, mas não demais." Em torno das nove horas, ou talvez um pouco mais tarde, Pat, Marie e outros partiram discretamente para uma pizzaria da rede Round Table num centro comercial em Almaden. "Fica na saída da Almaden Expressway", conta Marie. "A Round Table é onde todos se encontram nos fins de semana." Entre os rapazes que apareceram na pizzaria estava um dos melhores amigos de Pat, um colega de time chamado Jeff Hechtle.

Pouco depois que os alunos da Leland se sentaram na pizzaria lotada, um rapaz de dezenove anos que se formara em uma escola rival, Mike Bradford, entrou com seis companheiros, constatou que não havia mesas vagas e saiu. Quando o grupo se dirigiu à porta, Hechtle, que estava bêbado, levantou-se da mesa e os seguiu até o lado de fora.

Bradford, sua namorada Erin Clarke, seu melhor amigo Darin Rosas e quatro outros amigos — Ryan Stock, Scott Strong, Kemp Hare e Eric Eastman — estavam todos sentados dentro de seus carros ou de pé se preparando para partir quando Hechtle se aproximou do grupo. "Estou abrindo a porta para entrar na minha caminhonete", Bradford conta, "quando Jeff Hechtle vem por trás e pergunta: 'Ei, você é Mike Bradford?'. Eu me viro e respondo: 'Sim, sou o Mike'." Bradford reconheceu Hechtle vagamente da igreja. Em certa época, ambos haviam sido membros do mesmo grupo mórmon, assim como Clarke, Rosas e Strong. "Eu tinha uma ideia de quem ele era", Bradford diz sobre Hechtle, "mas não consegui realmente situá-lo."

Alguns anos antes, Bradford namorara uma garota chamada Jody que o trocara por outro rapaz. De acordo com diversas testemunhas, Hechtle começou a mexer com Bradford, afirmando ter sido o rapaz que conquistara o coração de Jody. Uma clara tentativa de Hechtle de provocar Bradford, que não mordeu a isca. "Simplesmente comecei a rir", Bradford recorda. "Eu já havia esquecido aquela garota, então os comentários dele não me magoaram. Mas eu contra-ataquei de leve com alguns comentários que o ofenderam. Aí ele disse: 'Então você quer se vingar por causa daquilo?'. Simplesmente olhei para ele como querendo dizer: 'Você que sabe'. Jeff não é muito grande. Para mim, não havia motivo para brigar com ele. [...] Ele fizera uns comentários sobre uma garota que eu tinha namorado anos antes. E daí?"

Ao contrário de Hechtle, Bradford e seus amigos estavam sóbrios. "Era cedo, umas nove e meia da noite", Bradford diz. "Estávamos planejando beber, mas não havíamos começado. Todos nós estávamos sóbrios."

Hechtle, que tem apenas um 1,70 metro de altura, "simplesmente continuou insistindo", recorda Darin Rosas. "Era óbvio que ele não iria embora enquanto não tivesse armado uma confusão. Mike não queria enveredar por aquele caminho, mas todas as provocações acabaram sendo demais para o nosso amigo Ryan, que berrou: 'Dá uma porrada nele, Mike!', ou algo assim." A névoa do tempo obscureceu quem deu o primeiro soco, mas um momento depois a briga corria solta. Bradford agarrou Hechtle pelo braço e o atirou contra uma pilastra de concreto. Hechtle lançou Ryan Stock numa das janelas da frente da pizzaria, deu uma série de socos em seu rosto e imobilizou sua cabeça, enquanto Bradford começou a golpear Hechtle com os punhos. Enquanto a escaramuça se desenrolava diante deles, Rosas, Clarke, Strong, Hare e Eastman se mantiveram a uma distância segura e observaram com um misto de alarme e fascinação.

Não mais do que quinze segundos após o início da briga, um dos colegas de escola de Hechtle olhou pela porta da pizzaria e viu Hechtle apanhando de dois estranhos bem maiores. "Chame o Pat!", Hechtle berrou. "Chame o Pat!" Sem saber que Hechtle provocara a confusão, o rapaz voltou para dentro e gritou para Pat e o resto dos alunos da Leland que ele estava sendo espancado por uma turma em frente à pizzaria.

Pat foi o primeiro de pelo menos dez jogadores de futebol americano da Leland que saíram correndo de dentro da pizzaria Round Table em socorro de Hechtle. No instante em que Rosas, Strong, Hare e Eastman viram a fúria estampada nos rostos de Pat e seus amigos, dispararam pelo estacionamento para salvar a pele.

O círculo de amigos mais próximos de Pat na Leland incluía cerca de uma dúzia de rapazes. Ele era muito amigo de vários, mas ninguém era mais importante para ele do que Jeff Hechtle. Além disso, Hechtle sofria de um grave problema de saúde, o que fazia com que Pat se sentisse especialmente protetor: ele nascera com uma afecção rara e pouco compreendida, chamada nevo peludo, que fazia com que manchas imensas crescessem em grande parte do seu corpo. Quando nasceu, seus pais foram informados de que não sobreviveria. A maior das lesões cobria grande parte de sua cabeça. Hechtle submeteu-se a uma série de cirurgias complexas e dolorosas, que deixaram o lado esquerdo de sua cabeça coberto por tecido de cicatrização, que por ser frágil e carecer da elasticidade da pele normal se lacera facilmente.

Correndo da pizzaria para a noite suburbana, Pat avaliou a situação que se desenrolava à sua frente e chegou à conclusão errônea de que Hechtle estava sendo atacado por um bando de valentões. Instantaneamente tomou a decisão de reparar esse erro atacando o maior dos supostos agressores, que parecia ser um rapaz alto que agora estava fugindo da cena da briga. O rapaz alto era Darin Rosas, e Pat, conta Erin Clarke, "foi direto para cima de Darin".

"Pat viu Darin fugindo", Scott Strong especula, "e deve ter achado que ele estava correndo porque fizera algo contra seu amigo."

"Todos aqueles caras saíram correndo", conta Rosas. "Eu não tinha a menor ideia de quem eram. Só sabia que eram jogadores de futebol americano, e grandões. Eu era surfista. Não praticava esportes de contato. Por isso, saí correndo. Os outros também, mas eu é que fui pego. Dei provavelmente uns seis ou sete passos até alguém me atingir na parte de trás da cabeça e me derrubar." O golpe, que veio de um dos punhos de Tillman, lançou Rosas no asfalto como um saco de batatas.

Grande parte do brilho de Pat no campo de futebol americano derivava de sua capacidade extraordinária de prever os lances dos jogadores oponentes, reagir sem hesitar e atingir o jogador que detinha a posse de bola com uma pancada certeira. Mas Pat acabara de completar dezessete anos e, como acontece com outros rapazes de sua idade, seu córtex pré-frontal lateral dorsal — a região do cérebro que mede as consequências — ainda não estava plenamente desenvolvido. Naquele caso, seu julgamento adolescente duvidoso foi ainda mais distorcido pelo álcool e pela convicção de que um de seus deveres na vida era ser o protetor dos vulneráveis, o guardião de seus amigos e sua família. O resultado foi que Pat derrubou o sujeito errado. Rosas não passava de um espectador que não tinha nada a ver com a briga.

Embora quase oito centímetros mais alto que Pat e mais de dois anos mais velho, Rosas era um magricela de dezenove anos que ainda não se desenvolvera plenamente. Mike Bradford conta: "Ele não costumava brigar, de maneira alguma. E não estou dizendo isto só para defendê-lo. Se fosse de briga, eu diria. Quer dizer, do nosso círculo de amigos, eu era conhecido como o sujeito que sairia na porrada se precisasse, mas Darin não era assim. Ele não era do tipo agressivo".

Pat também não sabia nada disso, e em seu estado frenético não parou para averiguar. Reagindo exageradamente ao que percebeu como uma ameaça a Hechtle, perdeu o controle.

Quando Pat desferiu aquele primeiro soco na cabeça de Rosas, este ficou atordoado, mas só por uns segundos. Ao recuperar uma aparência de consciência, estava deitado de lado no estacionamento sofrendo um ataque total de Tillman. "O que Pat fez com Darin foi mais do que apenas algo como 'Vou derrubar você e depois ir embora'", conta Scott Strong. "Aquilo não parava. Pat estava acabando com ele."

"Senti-me como se estivesse numa máquina de lavar roupa", conta Rosas, "sendo girado e atingido de todas as direções — socos e pontapés e mais socos... Aí Erin interveio e tentou detê-lo. Havia um monte de pessoas de pé vendo

Tillman me espancando, e ela foi a única que teve coragem para fazer alguma coisa. Fiquei muito agradecido a ela."

"Lembro que Pat usava uma camisa branca, calça e sapato social, como se tivesse acabado de chegar de um evento elegante", Erin Clarke recorda. "Darin estava no chão, e Pat estava dando pontapés, portanto saltei entre eles e tentei apartar a briga. Eu tocava no braço de Pat e berrava: 'Ele não fez nada! Ele não fez nada!', mas Pat olhou através de mim como se eu nem estivesse lá. Estava tão concentrado em machucar Darin que parecia que nem me via.

"Darin estava como que enrolado de lado em posição fetal", Clarke continua,

> e Pat não parava de chutá-lo no rosto, no peito e no estômago. Estava enfurecido, absolutamente enfurecido. Tentei me colocar entre eles, e continuei dizendo: "Ele não fez nada!", mas Pat me segurou pelo antebraço e me afastou, e aí um de seus amigos me agarrou e me deteve. Lembro de uma pessoa repetindo várias vezes: "Deixa ele bater. Deixa ele bater". Agora, tantos anos depois, estou disposta a conceder àquele sujeito o benefício da dúvida — ele estava apenas tentando me proteger daquela briga —, mas naquela hora fiquei uma fera. Continuei gritando para aqueles jogadores de futebol americano que me soltassem e parassem de machucar Darin. Eles berraram de volta, me xingando com um palavrão, o que foi muito doloroso.

Como o shopping center Redmond Plaza era um lugar muito frequentado por adolescentes nos fins de semana, um policial de folga fazia a segurança ali nas noites de sexta-feira e sábado. Sua base de operações era uma loja de conveniência 7-Eleven na outra extremidade do shopping, a noventa metros de distância. Minutos depois do início da briga, o policial veio correndo ao estacionamento para acabar com ela, e outros policiais chegaram logo depois.

Pat cessou seu ataque assim que os policiais apareceram. Rosas estava deitado no asfalto, aturdido, sangrando na boca e no olho esquerdo. Mike Bradford ajoelhou-se junto à cabeça dele e tentou confortá-lo. "Ele estava com um aspecto horrível", diz Kemp Hare, que observava de uns metros de distância. "Tinha perdido o equilíbrio. Não conseguia andar."

Ao ver a polícia, Pat saiu de seu transe furioso e imediatamente pareceu reconhecer que havia infligido um sério dano a Rosas. "Ele disse aos policiais que sentia muito", conta Erin. "Pareceu muito preocupado, explicou aos guardas que achou que Darin estava atacando seu amigo, disse que não conseguia acreditar que tivesse cometido tamanho erro de julgamento. Sua aparência mudou completamente. De repente, ele se mostrou bem respeitoso."

Rosas conta: "Alguém acabou me levantando do chão e tentou me fazer andar um pouco, mas eu estava tonto e completamente desorientado, então me sentaram no meio-fio. Lembro que fiquei ali com a cabeça abaixada, cuspindo sangue e pedaços de dente. [...] Tentei falar, mas havia sangue demais e pedacinhos de dente demais. Enquanto estava sentado ali com a cabeça entre os joelhos, Pat Tillman veio até mim. Ele disse: 'Sinto muito. Foi um caso de erro de identidade. Cometi um engano terrível. Nós vamos reparar isso'. Ele não parava de pedir desculpas".

Pat passou seu contato para Rosas, cujos amigos o colocaram no carro de Eric Eastman e o levaram ao Hospital Bom Samaritano, onde foi tratado no pronto-socorro. No domingo bem cedo, depois que Rosas foi liberado do hospital, Eastman o levou de carro à casa dele em Folsom, um subúrbio de Sacramento. Durante o percurso de três horas, tiveram que parar duas vezes para Rosas vomitar — um sintoma da concussão que sofreu. Quando chegou em casa, conta sua mãe, Carol Rosas, "Desci ao térreo, olhei para ele e não consegui acreditar no que vi. Um dos seus olhos estava fechado de tão inchado, e seus dentes haviam sido quebrados. Ele estava tão machucado que o levamos de volta à sala de emergência". Vinte e quatro horas mais tarde, Darin recebeu também cuidados dentários de emergência, na primeira das cinco visitas que faria ao dentista nas semanas seguintes.

Seis

Na manhã do domingo após a briga na Round Table, Bob Rosas, pai de Darin, ligou para o pai de Pat em casa e disse: "Seu filho machucou o meu. Quais providências você vai tomar?". O pai de Pat explicou que não sabia que Darin fora tão gravemente ferido. Pediu então o telefone do sr. Rosas e prometeu ligar de volta.

De acordo com o livro de Dannie Tillman, *Boots on the ground by dusk*, quando ela contou a Pat sobre o telefonema do pai de Darin, o filho ficou visivelmente contrariado, saiu de casa e subiu num eucalipto atrás da casa da família em New Almaden. Dannie o seguiu até o quintal e disse que eles precisavam conversar, então Pat desceu da árvore e explicou aos prantos como batera por engano em Rosas. Dannie sugeriu a Pat que fossem de carro a Sacramento, pedissem desculpas a Rosas e sua família e se oferecessem para pagar as despesas médicas com o dinheiro que ela acabara de herdar da avó. Quando Dannie contou ao marido o que tinham resolvido fazer, ele ficou preocupado. Explicou que, do ponto de vista jurídico, as ações que estavam propondo poderiam ser vistas como uma admissão de culpa, deixando-os vulneráveis não apenas a processos criminais, como também a um processo civil. Desse modo, Dannie concordou, relutante, que ela e Pat não entrariam em contato com Rosas ou sua família. O próximo comunicado que a família Tillman recebeu sobre a questão foi uma notificação da polícia do Condado de Santa Clara de que Pat havia sido acusado de crime doloso: agressão com uma arma mortal.

Agressão dolosa é uma acusação criminal grave. Se Pat fosse considerado culpado, a condenação teria um impacto enorme em seu futuro. Mas, como o primeiro interrogatório só estava marcado para quatro meses depois, em março de 1994, por enquanto não havia muito o que fazer. "Pat reconheceu a gravidade da acusação", Marie recorda, "mas tentou não se preocupar demais com o que poderia acontecer, porque aquele era um processo demorado e ele não era o tipo de pessoa que fica remoendo as coisas. Sua mentalidade era: 'Tudo bem, enfrentarei o processo quando ele acontecer'."

Depois que a Leland venceu o campeonato da CCS em dezembro de 1993, Pat foi eleito um dos dois jogadores do ano da liga. Essa homenagem, refletindo as marcas extraordinárias que ele alcançara durante a temporada, aparentemente garantiria uma bolsa de estudos para jogar futebol americano universitário num dos programas principais da Divisão I-A do país. Ele esperava ganhar uma bolsa para Stanford, a apenas quarenta quilômetros de sua casa, ou para a Universidade de Washington, porque o clima brumoso de Seattle e a cultura do café cativaram sua imaginação. Para melhorar suas chances de obter uma bolsa integral num programa competitivo de futebol americano, ele decidiu apresentar-se como um especialista defensivo, em vez de um pau para toda obra que se destacava no ataque, na defesa e entre os especialistas — ainda que isso fosse precisamente o que fizera na escola.

Apesar da estratégia de Pat, durante o período de recrutamento somente três universidades mostraram interesse real por ele: Arizona State University, San Jose State University e Brigham Young University. O problema era que, no papel, a altura e a velocidade de Pat não eram excepcionais. Por exemplo, ele perfazia a corrida de quarenta jardas (um dos critérios mais importantes na avaliação de recebedores, corredores, *backs* defensivos e *linebackers*) em 4,55 segundos — uma boa velocidade, mas aquém das expectativas do melhor futebol americano nacional.* Os técnicos das faculdades, que nunca haviam testemunhado o poder dos *tackles* de Pat, nem observado a inteligência com que dissecava os esquemas ofensivos de seus oponentes, achavam-no baixo demais para jogar como *linebacker* no nível universitário de elite e lento demais para jogar na defesa como *cornerback* ou *safety*.

Pat ficou arrasado. Mas também foi pragmático. Avaliando as opções restantes, não achou que sua personalidade exuberante combinasse com a cultura mórmon repressora e puritana da Brigham Young University, nem conseguiu se entusiasmar pelo programa de futebol americano relativamente medíocre da San Jose State. Por falta de outra opção, fixou como objetivo a Arizona State University.

De acordo com Marie, se os Sun Devils (os times esportivos da Arizona State University) não lhe oferecessem uma bolsa, "Pat disse que abandonaria definitivamente o futebol americano. Ele apenas passava para a próxima fase de sua vida. Não achava que o futebol americano fosse sua única opção".

Em janeiro de 1994, Tillman viajou até Tempe, Arizona, para visitar o campus da ASU e conhecer o treinador principal, Bruce Snyder. A sinceridade de Pat e sua atitude sem rodeios causaram uma boa impressão nele. Agindo com base em pouco mais do que intuição, ele ofereceu a Pat a última das 25 bolsas de estudo disponíveis para os recrutas de futebol americano da ASU. Em 2 de fevereiro, Pat assinou uma carta de intenções formal comprometendo-se a jogar pela universidade. Ele não mencionou a Snyder, nem a mais ninguém na universidade, que logo estaria sentado no banco dos réus por agressão dolosa.

No entanto, Pat sabia que, se fosse condenado por um crime, a bolsa decerto seria revogada. "Existe sempre uma cláusula de torpeza nesses contratos de bolsa", explica Dan Jensen, o advogado de San Jose contratado pelos Tillman para representar Pat no tribunal de menores. A juíza escalada para o caso de Pat, diz Jensen, "era dura e rigorosa. Mas nós mostramos que ele tinha uma bolsa de estudos e que iria perdê-la se fosse condenado por um crime. Assim, por sua própria conta e ignorando as objeções do promotor público, ela reduziu as acusações de agressão criminosa para delituosa. E Pat não era obrigado

* Em comparação, Randy Moss, o principal recebedor do New England Patriots, da NFL, corre quarenta jardas em 4,25 segundos. O melhor tempo cronometrado oficialmente de Deion Sanders foi 4,17 segundos, e uma vez ele correu um *dash backward* de quarenta jardas em 4,57 segundos.

a revelar um delito à faculdade". A juíza condenou Pat à prisão por trinta dias no reformatório de delinquentes juvenis e a 250 horas de serviços comunitários. Ele seria autorizado a completar o último ano do nível médio antes de se apresentar à prisão.

Darin Rosas, sua família e seus amigos ficaram extremamente contrariados com a redução das acusações pela juíza. "Fiquei zangada", Erin Clarke recorda. "Naquela época, não concordei nem um pouco com a sentença. Parecia que a juíza estava mais preocupada com a perda da bolsa de Pat do que com o que aconteceu com Darin. Minha sensação foi: 'A vítima aqui é Darin. Por que ninguém está preocupado com ele?'. Não parecia que a justiça havia sido cumprida." Todavia, catorze anos após aquele dia no tribunal, Clarke passou a ver as coisas de forma diferente.

Em abril de 2004, ela diz, "eu estava levando a minha filha de carro ao colégio certa manhã quando ouvi no rádio que Pat Tillman havia sido morto. Lembro do ar sendo expulso de meus pulmões. Foi como um soco no estômago. [...] Ele era a primeira pessoa conhecida que havia morrido no combate, e naquela manhã a guerra subitamente se tornou bem real para mim". Mais tarde, com a torrente de notícias sobre Tillman, Clarke soube de sua decisão de ingressar no Exército após o atentado de 11 de setembro e dos sacrifícios que ele fez para isso, e ficou profundamente comovida. Lamentou que seu único conhecimento pessoal de Tillman girasse em torno de um dos incidentes mais lamentáveis da vida dele. "O que aprendi com Pat Tillman é que você não é quem você é no seu pior momento. Depois do que Pat fez com Darin, parece que ele deu uma reviravolta na vida e se tornou uma pessoa bem decente."

Refletindo sobre a briga na Round Table e suas consequências, Clarke pondera: "Aquela juíza teve o futuro de Pat em suas mãos. Ela tinha o poder de enviá-lo por um ou outro caminho, e resolveu tomar uma decisão que se revelou acertada. Ela disse: 'Vou acreditar em você — vou acreditar que você irá agarrar essa oportunidade e tirar o máximo proveito dela'. E sabe da maior? Parece que foi isso que ele fez. Não acredito que existam muitas pessoas no planeta que aproveitariam tão bem esse tipo de segunda chance".

Sete

Sanghisar é uma aldeia de casas com aspecto de fortaleza e paredes de barro que se ergue numa área plana de campos de ópio no distrito Panjwayi da província de Kandahar. Em quase tudo, assemelha-se a centenas de outros vilarejos dilapidados nesse canto árido do sudeste do Afeganistão. Mas, na primavera de 1994, enquanto Pat contemplava sua prisão próxima, essa comunidade específica alterou o curso da história quando o mulá da aldeia — um *pashtun* devoto mas simplório, de 25 anos, chamado Mohammed Omar — criou o Talibã na mesquita de um só aposento de Sanghisar.

A guerra civil corria solta na esteira da retirada soviética. Embora a pior violência se concentrasse em Cabul e nos seus arredores, o caos afligia a nação inteira. Grande parte da luta envolvia grupos étnicos rivais: os tadjiques liderados por Ahmad Shah Massoud e Burhanuddin Rabbani; os *pashtuns* Ghazi liderados por Gulbuddin Hekmatyar e Jalaluddin Haqqani; os usbeques controlados pelo ex-comunista Rashid Dostum; os *hazaras* liderados por Ismail Khan. Mas mesmo nas regiões etnicamente homogêneas — Kandahar, por exemplo, era povoada quase apenas por *pashtuns* Durrani — a paisagem política se dividira numa confusão de domínios tribais governados por chefes guerreiros cujas milícias se enfrentavam violentamente por territórios e despojos.

Antes da invasão soviética, os agricultores de Kandahar produziam uma abundância de figos, melões, pêssegos, uvas e romãs que eram merecidamente famosos por serem os mais deliciosos do mundo. Entretanto, como parte da política de terra arrasada implementada contra os mujahidin, os soviéticos destruíram não apenas aqueles pomares e vinhedos, mas também os elaborados e centenários sistemas de irrigação que haviam permitido que o deserto florescesse. Para sobreviver, os agricultores substituíram aquelas culturas pela papoula, que só precisava ser regada mais ou menos a cada cinco dias. E, com a proliferação dos campos de ópio, as milícias procuraram controlar o lucrativo tráfico de "óleo da flor"— um eufemismo local para a seiva pastosa marrom obtida das cápsulas de sementes da planta para produzir heroína.

O contrabando de narcóticos era um dos vários empreendimentos criminosos dos chefes guerreiros, cujos instintos empresariais faziam com que vivessem em busca de meios de expandir suas fontes de receita. Os chamados postos de controle, por exemplo, brotaram qual ervas daninhas ao longo de todas as estradas do Afeganistão. As principais vias — especialmente a Rodovia A1, que formava um anel enorme em torno da nação inteira ligando suas principais cidades — foram infestadas por centenas, se não milhares, desses postos de controle, que consistiam tipicamente em uma corrente ou um tronco atravessado na estrada, controlados por três ou quatro homens barbudos brandindo seus AK-47. Sempre que um caminhoneiro, agricultor ou outro viajante deparava com uma daquelas barreiras, via-se obrigado sob a mira de armas a pagar uma "taxa rodoviária". Não havia como se recusar a pagar. Às vezes, mulheres eram estupradas.

Sanghisar está ligada à Rodovia A1 por um emaranhado de três quilômetros de estradas de terra. Após o entroncamento com a estrada pavimentada, 37 quilômetros adicionais de macadame esburacado conduzem, para o leste, à cidade de Kandahar — a capital provincial e segunda maior cidade do Afeganistão. Em 1994, durante uma viagem de rotina a Kandahar, o mulá Omar foi parado e obrigado a pagar pedágio em cinco postos de controle diferentes naquele curto trecho de estrada, o que o deixou tão revoltado que organizou um conselho tribal — *jirga* — de mais de cinquenta mulás para erradicarem os bloqueios e acabarem com a extorsão.

Os líderes religiosos decidiram começar modestamente, reunindo suas armas, formando uma milícia própria e removendo à força um posto de controle específico: aquele mais próximo de Sanghisar. Embora esperassem derramamento de sangue, acreditavam que sua causa era justa, e de qualquer modo não viam outra opção. No dia combinado, aproximaram-se cautelosamente do posto de controle com seus rifles carregados, preparando-se para um combate armado, mas ao chegarem perto um fato surpreendente ocorreu: os bandidos que exploravam o posto de controle fugiram sem disparar um tiro sequer. Encorajados, os mulás voltaram sua atenção ao próximo posto de controle, vários quilômetros estrada abaixo, com um resultado semelhante. Antes do fim da semana, conseguiram remover todas as barreiras entre Sanghisar e Kandahar. Assim foi criado o Talibã. O nome — uma palavra em pachto que significa "estudiosos do islã" — foi dado por Omar.

Os chefes guerreiros da época, sem serem restringidos por nenhuma lei ou corpo governante, cometiam impunemente atos repreensíveis. Sequestrar rapazes e moças e transformá-los em escravos sexuais eram ocorrências rotineiras. De acordo com o livro *Taliban*, de Ahmed Rashid, logo depois que o Talibã foi fundado, os moradores de Sanghisar alertaram Omar que um comandante local

> havia raptado duas moças adolescentes, suas cabeças tinham sido raspadas e elas haviam sido levadas a um acampamento militar e repetidamente estupradas. Omar reuniu uns trinta talibês que dispunham de apenas dezesseis rifles no total e atacaram a base, libertando as moças e enforcando o comandante no cano de um tanque. [...]
>
> Alguns meses mais tarde, dois comandantes se enfrentaram em Kandahar, brigando por um rapaz que ambos queriam sodomizar. Na luta subsequente civis foram mortos. O grupo de Omar libertou o rapaz, e começaram a chegar pedidos públicos para que o Talibã ajudasse em outras contendas locais. Omar havia emergido como uma espécie de Robin Hood, ajudando os pobres contra os comandantes vorazes. Seu prestígio aumentou porque ele não pedia recompensa nem reconhecimento das pessoas ajudadas, exigindo tão somente que o seguissem para estabelecer um sistema islâmico justo.

Alto e vigoroso, Omar é um homem tímido e sem carisma que perdeu o olho direito ao ser atingido por estilhaços de bomba quando combatia as forças comunistas de Najibullah, durante o ataque fracassado dos mujahidin a Jalalabad em 1989. Embora tenha sido a vida toda um estudioso do islamismo, ele possui um intelecto lerdo e tacanho, e tem pouco conhecimento ou interesse por assuntos mundanos. Suas interpretações do Alcorão são absolutamente literais. Mas a certa altura durante 1994, o Profeta Maomé veio a esse humilde mulá de aldeia em forma de uma visão, revelando a Omar que Alá o escolhera para realizar a tarefa de trazer a paz ao Afeganistão. Omar, que levava muito a sério os sonhos e aparições, resolveu obedecer ao comando do Profeta. Para isso, passou a recrutar alunos das madrassas — escolas religiosas — para se juntarem à sua causa.

Embora não fosse um orador dinâmico, o mulá Omar compensava a falta de charme pessoal com seriedade e devoção incondicional. Sua mensagem aos estudantes foi bem recebida, em particular nas numerosas madrassas que haviam proliferado nos distritos tribais *pashtuns* situados junto à fronteira do Paquistão. Por quase quinze anos, mais de 2 milhões de refugiados afegãos vinham subsistindo em campos de refugiados precários do lado paquistanês da fronteira, e as madrassas ali pululavam com os filhos daqueles refugiados — homens jovens doutrinados por clérigos sauditas incendiários que pregavam a doutrina fundamentalista wahhabi. Aqueles clérigos instruíam os jovens afegãos a imitar os hábitos virtuosos do Profeta Maomé com o objetivo de reinstalar o califado que ele criara no século VII. Para devolver o mundo ao seu estado de pureza legendário, eles eram instados a mergulhar no espírito sagrado da jihad. Como explica Lawrence Wright em seu livro *O vulto das torres*:

> Aqueles rapazes haviam crescido num mundo exclusivamente masculino, separados de suas famílias por longos períodos. As tradições, costumes e folclore de seu país eram coisas distantes para eles. Estigmatizados como pedintes e maricas, sofriam assédio de homens que viviam isolados das mulheres. Entrincheirados nos estudos, que se concentravam rigidamente no Alcorão, na xariá e na glorificação da jihad, os estudantes imaginavam uma sociedade islâmica perfeita, enquanto a ilegalidade e a barbárie grassavam à sua volta. Viviam à sombra dos pais e irmãos mais velhos, que haviam derrotado a pujante superpotência, e estavam ávidos por alcançar a glória também. Sempre que o exército talibã necessitava de reforços, as madrassas de Peshawar e das Áreas Tribais simplesmente interrompiam as aulas, e os alunos iam à guerra, louvando a Deus nos ônibus em que atravessavam a fronteira.

As fileiras do Talibã se expandiram com uma velocidade espantosa, uma indicação da ânsia entre os afegãos e os refugiados por um líder nacional que viesse a erradicar a corrupção generalizada, acabar com a depravação e restaurar o primado da lei. Mas a rápida ascensão do Talibã muito deveu também ao apoio financeiro clandestino do Diretório para o Serviço de Inteligência do Paquistão — o ISI, equivalente paquistanês da CIA—, embora o Talibã nunca tenha admitido o auxílio substancial recebido do Paquistão durante muitos anos (que continua recebendo, de acordo com fontes confiáveis).

Os motivos de Islamabad para apoiar o Talibã eram complexos. Dentro do ISI, por exemplo, havia (e continua havendo) um grupo influente de islamitas que compartilhavam a teologia fundamentalista do mulá Omar. Muitos no Paquistão viam no Talibã e em outros jihadis fundamentalistas um baluarte eficaz contra a agressão da Índia, o arqui-inimigo e rival nuclear do Paquistão, ao longo da contestada fronteira entre as duas nações na Caxemira. Mas o Paquistão também foi motivado a financiar o Talibã por razões mais ligadas ao lucro do que à religião ou à defesa nacional: o setor de transporte rodoviário do Paquistão havia muito tempo era monopolizado por uma poderosa máfia dos transportes que pressionou a primeira-ministra Benazir Bhutto a abrir uma rota terrestre confiável através do Afeganistão, a fim de reforçar o comércio entre o Paquistão e as repúblicas centro-asiáticas do Turcomenistão, Uzbequistão e Cazaquistão. No entanto, para que os caminhoneiros paquistaneses pudessem começar a transportar mercadorias entre o Paquistão e esses países pela Rodovia A1, os chefes guerreiros precisavam ser dominados, e o Talibã parecia oferecer as melhores perspectivas para isso.

Em 29 de outubro de 1994, um comboio de trinta caminhões, organizado pelo ministro do Interior do Paquistão, rumou para oeste Afeganistão adentro a fim de avaliar a segurança da rota através de Kandahar. O comboio foi liderado por um coronel fundamentalista do ISI, guiado e assessorado por um par de subcomandantes talibãs. Os caminhões foram dirigidos e protegidos por oitenta ex-soldados bem armados do Exército do Paquistão. Apesar do tamanho daquela força de segurança, uma confederação de chefes guerreiros locais logrou sequestrar o comboio inteiro quando este se aproximava da cidade de Kandahar.

Em Islamabad a indignação foi total, e por algum tempo cogitou-se em enviar uma unidade de assalto paquistanesa de elite para resgatar o comboio, mas o governo Bhutto acabou achando o plano arriscado demais e o rejeitou. Preferiu solicitar ao Talibã que realizasse o resgate, e o mulá Omar concordou. Em 3 de novembro, as forças do Talibã derrotaram a milícia dos chefes guerreiros, executaram seu comandante e libertaram os caminhões. Naquela mesma noite, aproveitando seu ímpeto, atacaram outras milícias que controlavam a cidade de Kandahar, eliminando-as também. Em poucas semanas, o Talibã controlava a província inteira. No final de 1994, suas forças haviam aumentado para 1200 combatentes, na maioria alunos de madrassas, alguns com apenas catorze anos de idade. Em meados de 1995, Omar dispunha de 25 mil jihadis sob seu comando e controlava metade das províncias do Afeganistão, e o Talibã vinha avançando firmemente para o norte, rumo a Cabul.

Os impressionáveis jovens combatentes de Omar acreditavam que, sendo guerreiros sagrados movidos pela vontade de Alá, o Talibã não poderia perder, e essa aura de invencibilidade afetou os mujahidin que estavam combatendo. Confrontados com a aproximação de forças talibãs, em várias ocasiões os combatentes mujahidin simplesmente se renderam em massa, sem disparar um tiro, e depois se uniram ao próprio Talibã. Ao menos foi o que aconteceu com os mujahidin *pashtuns* que o movimento encontrou nas províncias do sul e do leste. Entre os desertores que se juntaram ao Talibã estava Jalaluddin Haqqani, de Khost, considerado talvez o mais talentoso e eficaz dos comandantes mujahidin.

Estimulado pela marcha vitoriosa do Talibã rumo ao norte e inflamado pelo fervor religioso, o mulá Omar impôs sua interpretação singularmente draconiana da xariá, a lei islâmica. Por decreto, todo homem foi obrigado a deixar crescer a barba, que não podia ser mais curta que a extensão de seu punho. As mulheres foram proibidas de trabalhar fora de casa ou aparecer em público sem estar acompanhadas por um parente homem e cobertas da cabeça aos pés por uma burca sufocante. As meninas foram proibidas de frequentar o colégio. Uma proibição rigorosa foi imposta a "impurezas" como antenas parabólicas, filmes, vídeos, instrumentos musicais, gravações de músicas, canto, danças, corridas de cães, pipas, xadrez, bolas de gude, bilhar, bebidas alcoólicas, computadores, televisões, vinho, lagosta, esmalte de unhas, pombos-correios, fogos de artifício, estátuas, fotos e cartões natalinos.

Apesar desse ataque arrepiante contra a educação, os direitos das mulheres e os prazeres do dia a dia, a reação inicial da maioria dos países (entre eles os Estados Unidos) ao domínio do Talibã oscilou da apatia ao otimismo moderado. Qualquer entidade política que conseguisse substituir o estado de anarquia infernal do Afeganistão por algum tipo de ordem era bem-vinda. Ao menos foi o que pareceu na época.

À medida que as forças talibãs continuaram avançando ao norte e a oeste para dentro das regiões *pashtuns*, seu ritmo diminuiu, e chegaram a sofrer algumas derrotas significativas. Na primavera de 1995, 20 mil combatentes talibãs apoiados por tanques e jatos avançaram sobre Herat, junto à fronteira ocidental do Afeganistão com o Irã, o baluarte dos *hazaras* — muçulmanos xiitas que recebiam armas e apoio do Irã. Quando o Talibã atacou, as forças *hazaras* lideradas pelo comandante Ismail Khan assassinaram centenas de jovens alunos de madrassas, forçando o Talibã a recuar de volta a Kandahar.

Omar enviou uma mensagem desesperada às madrassas espalhadas pelas Áreas Tribais do Paquistão solicitando reforços, e milhares de alunos imberbes responderam sem hesitar, ansiosos por servir a Alá, empunhando armas fornecidas pelo ISI. Uma vez reagrupado, o Talibã contra-atacou, desta feita dizimando as forças *hazaras* e forçando Khan a fugir para o Irã. Em setembro, o Talibã capturou Herat, cidade de 5 mil anos, celebrada nos textos de Heródoto e considerada o berço da civilização afegã.

No início de 1996, o Talibã havia alcançado as margens de Cabul, ameaçando invadir a capital da nação. Até então, as facções principais dos mujahidin — lideradas por Massoud, Hekmatyar e Dostum — haviam continuado seu combate mútuo pelo controle de Cabul, trazendo destruição à cidade e seus habitantes. Mas a chegada do exército do mulá Omar na periferia de Cabul assustou os comandantes mujahidin, levando-os a declarar uma trégua súbita e a unir forças contra o Talibã — uma coalizão intitulada Aliança do Norte. Durante grande parte da primavera e do verão, a luta pela capital degenerou num impasse sangrento, em que milhares de civis foram mortos pelos ataques de foguetes do Talibã. Depois, em agosto, Omar persuadiu o Paquistão e a Arábia Saudita a aumentarem o apoio, fornecendo ao Talibã os meios para lançar uma ofensiva decisiva.

Num lance tático sagaz, essa ofensiva não se voltou para a própria Cabul. Em vez disso, o Talibã contornou a capital e atacou bases importantes da Aliança do Norte a norte e a leste, que foram capturadas com facilidade. O Talibã foi reforçado nessas batalhas por enxames de novos recrutas das madrassas do outro lado da fronteira, cuja chegada às linhas de combate foi apressada pelo Paquistão. No fim de setembro, o Talibã havia cercado Cabul e cortado todas as linhas de suprimento à Aliança do Norte. Cedendo ao inevitável, sob a proteção da escuridão, Massoud retornou ao seu reduto distante no vale Panjshir, nas profundezas das montanhas da cordilheira Hindu Kush, deixando Cabul praticamente indefesa.

Na noite de 26 de setembro de 1996, os combatentes do mulá Omar adentraram a capital sem nenhuma resistência, trajando seus turbantes pretos característicos e hasteando sua bandeira branca nas caminhonetes Toyota Hilux. A primeira coisa que fizeram foi procurar o ex-presidente e títere soviético, Mohammed Najibullah. Ele foi encontrado em torno de uma da madrugada em sua residência dentro do complexo diplomático das Nações Unidas, onde cumpria prisão domiciliar desde a sua derrubada do cargo em 1992, e passava os dias levantando pesos, assistindo à televisão por satélite e traduzindo uma história do Afeganistão do inglês para sua língua natal, pachto. Os cinco homens que o encontraram foram liderados pelo comandante do ataque contra Cabul, um talibã chamado Mullah Abdul Razaq. Durante o regime de Najibullah, os soviéticos haviam matado vários membros da família de Razaq, e desde então ele aguardava a vingança.

Após espancarem brutalmente Najibullah e seu irmão, Shahpur, Razaq e seus homens os levaram até o Palácio Presidencial, onde Najibullah foi castrado e depois arrastado por uma caminhonete pelas ruas em torno do palácio, ainda vivo. Finalmente ele foi fuzilado, Shahpur foi estrangulado, e enrolou-se arame no pescoço dos dois irmãos. Eles foram dependurados numa torre de vigia da polícia sobre uma ilha de tráfego no meio de Cabul. Uma multidão se reuniu em torno dos mortos, batendo nos corpos com paus e enfiando cédulas de rúpias enroladas em suas narinas.

Aquele não foi o tipo de "ordem" imaginada pelos governos ocidentais quando expressaram a esperança de que o mulá Omar mostraria ser o equivalente *pashtun* de George Washington e se tornaria o salvador da nação — nação cujo nome Omar mudara recentemente para Emirado Islâmico do Afeganistão. O Talibã agora governava o país. O governo do presidente Bill Clinton emitiu declarações contraditórias sobre aqueles acontecimentos imprevistos, sem deixar claro se os Estados Unidos aprovavam ou se opunham à nova liderança. Mas alguns americanos ficaram empolgados. A Unocal, uma empresa petrolífera americana, acreditou que, com o Talibã no controle, poderia enfim realizar sua ambição de construir um oleoduto lucrativo através do Afeganistão para transportar gás natural da ex-república soviética do Turcomenistão ao Paquistão. Poucas semanas após a captura de Cabul, a Unocal abriu um escritório em Kandahar, próximo ao quartel-general do mulá Omar.

Para o punhado de analistas de inteligência que vinham prestando mais atenção, não faltavam motivos para se amedrontar com a vitória do Talibã, bem como com outros acontecimentos recentes no Afeganistão. Durante a ocupação soviética, a CIA havia entregado cerca de 2300 mísseis antiaéreos Stinger aos afegãos combatentes pela liberdade. O Talibã agora possuía ao menos 53 deles. Ignorava-se o paradeiro de outros quinhentos a seiscentos Stingers, mas se acreditava que estivessem em mãos de chefes guerreiros no país. E o xeique Osama bin Laden, que deixara o Afeganistão em 1990, estava de volta.

Após partir em 1990, Bin Laden voltara a residir em sua terra natal, a Arábia Saudita. Pouco depois, o Iraque invadiu o Kuwait, e Bin Laden se ofereceu à família real saudita para liderar 30 mil veteranos da Guerra Soviético-Afegã na batalha contra Saddam Hussein. O comando saudita simplesmente rejeitou a oferta de Bin Laden, preferindo convidar os Estados Unidos a estacionarem 300 mil soldados na Arábia Saudita, o que para Bin Laden representou um insulto intolerável. Enraivecido, ele se pôs a reunir um exército de guerreiros sagrados, levando sua família — uma das mais proeminentes do mundo árabe — a repudiá-lo e o governo saudita a colocá-lo sob prisão domiciliar.

Em 1992, Bin Laden fugiu para Cartum, a capital do Sudão, onde aumentou suas críticas aos Estados Unidos e à família real saudita e criou campos de treinamento militar onde centenas de combatentes da Al-Qaeda aprenderam a fabricar bombas e conduzir atos de terrorismo. Àquela altura, a CIA havia enfim começado a prestar atenção em Bin Laden, e via suas atividades no Sudão com uma apreensão crescente. O presidente do Sudão, sob forte pressão para expulsar Bin Laden, acabou comunicando a este, com sinceras desculpas, que chegara a hora de ir embora. Furioso, Bin Laden partiu, mas jurou se vingar dos Estados Unidos por desenraizá-lo. Ele então contactou alguns de seus antigos colegas mujahidin em Jalalabad e informou que estava em busca de uma pátria nova. Quando os afegãos responderam que adorariam ter o xeique de volta, Bin Laden começou os preparativos para transferir toda a sua base de operações para o país. Após ficarem sabendo de seus planos, as autoridades americanas presunçosamente se congratularam por tê-lo expulsado do Sudão.

Bin Laden deixou Cartum em 18 de maio de 1996 num jato fretado, que foi reabastecido nos Emirados Árabes Unidos e pousou em Jalalabad. Foram necessárias duas viagens para transportar seu cortejo, que incluía três de suas quatro esposas, vários filhos e cerca de cem guarda-costas. No Afeganistão ele foi calorosamente recebido por três comandantes da Aliança do Norte, que lhe proporcionaram acomodações austeras a poucos quilômetros da cidade.

Na época do retorno de Bin Laden, o mulá Omar e a maioria da liderança talibã ficaram muito preocupados. Um dos numerosos motivos para não confiarem em Bin Laden era o fato de ele ter ido ao Afeganistão como convidado da Aliança do Norte, contra a qual o Talibã vinha lutando encarniçadamente pelo controle do país. Mas o comandante Jalaluddin Haqqani, velho amigo de Bin Laden, havia recentemente se bandeado para o Talibã, e quando as forças de Omar capturaram Cabul quatro meses após a chegada de Bin Laden, este decidiu que seria sensato se aproximar do homem que acabara de expulsar seus antigos hospedeiros de Jalalabad e agora governava a nação. Assim, despachou um confidente para Kandahar e solicitou uma audiência com a liderança talibã.

Um encontro foi marcado para outubro em Cabul entre Bin Laden e um dos homens de confiança de Omar. Ao final do encontro, Bin Laden havia jurado fidelidade ao regime talibã, e o movimento retribuíra prometendo-lhe abrigo. A aproximação pareceu agradar a ambas as partes.

O relacionamento foi selado um mês depois, quando Bin Laden viajou a Kandahar para conhecer Omar pessoalmente. Após ser apresentado, o xeique saudita lisonjeou o outrora humilde mulá de Sanghisar, tratando-o de *Amir al-Mu'minin*, "o Príncipe dos Fiéis" — título honorífico raramente concedido e reservado aos maiores califas do islã. A bajulação funcionou: Omar encantou-se com Bin Laden, convidando-o para se mudar com a família de Jalalabad para Kandahar, onde o Talibã poderia garantir mais facilmente sua segurança. Ele aceitou o convite e tomou posse de três complexos em Kandahar e na periferia durante os primeiros meses de 1997. Com isso, começou a passar muito tempo na companhia de Omar. Ao proferir um sermão da sexta-feira na maior mesquita da cidade, Omar apresentou Bin Laden à multidão de fiéis, louvando o novo amigo como "um dos líderes espirituais mais importantes do islã".

Mas a parceria nascente também tinha suas complicações:

- O Talibã recebeu milhões de dólares da Arábia Saudita. Mas a família real saudita considerava Bin Laden uma séria ameaça. Além disso, os sauditas mantinham vínculos estreitos com os Estados Unidos e estavam colaborando com a CIA para monitorar as atividades de Bin Laden e cercear a Al-Qaeda.
- O ISI, o órgão de espionagem do Paquistão, havia colaborado com Bin Laden desde sua chegada ao Afeganistão, na década de 1980, quando os paquistaneses e o jovem engenheiro saudita se aliaram contra os soviéticos, e ajudou a aproximar Bin Laden do Talibã. Mas o ISI também recebia milhões — talvez bilhões — de dólares de ajuda clandestina dos sauditas, que eram inimigos declarados de Bin Laden.
- O ISI também mantinha um relacionamento de longa data com a CIA. Esta fornecera bilhões de dólares aos mujahidin afegãos de 1978 a 1992, e a maior parte da ajuda norte-americana havia sido canalizada via ISI — um grande aliado do Talibã e de Bin Laden, agora inimigos da América.

Sem dúvida, a política da região era intricada e estava em constante mudança. Mas os Estados Unidos não perceberam bem essa dinâmica cambiante e nuançada e não reconheceram a magnitude da ameaça representada pelo novo relacionamento entre Bin Laden e Omar. Como observaria o jornalista britânico Jason Burke no jornal *Observer* em novembro de 2001 (beneficiando-se da visão retrospectiva), o vínculo entre o chefe da Al-Qaeda e o líder afegão "significou mais do que uma aliança entre o terrorista mais procurado do mundo e o regime mais vilipendiado do mundo. Foi o início da fase final — e mais crítica — do desenvolvimento de Bin Laden. Tendo assegurado a proteção do Talibã, ele estava livre para começar a construir a organização terrorista mais eficiente que o mundo já vira".

Oito

Na primavera de 1994, quando a Suprema Corte do Condado de Santa Clara condenou Pat a trinta dias de prisão depois de se formar na Leland High School, ele se sentiu aturdido e subjugado. Na sexta-feira, 17 de junho, compareceu com seus colegas de turma à cerimônia de entrega de diplomas no colégio. Passou a noite de sábado com Marie e seus amigos mais próximos até o raiar do sol, e na manhã de domingo seus pais o levaram de carro ao reformatório do condado para começar a cumprir a sentença.

Quando o advogado de Pat conseguiu uma atenuação da acusação original, que passou de crime para delito, evitou que a bolsa de estudos de Pat na Arizona State University fosse automaticamente rescindida. Mas não estava claro como a universidade agiria caso Pat não terminasse de cumprir sua sentença antes do início do treinamento de verão do time de futebol americano. Se Pat chegasse atrasado ou não comparecesse, começaria mal a sua carreira de futebol americano universitário. Por bem menos que isso, jogadores calouros já haviam sido eliminados de times.

Pat teria que chegar em Tempe na primeira semana de agosto. O problema não era passar os trinta dias atrás das grades, e sim cumprir as 250 horas de serviço comunitário. Cada dia útil de sua detenção seria dedicado a esses serviços e deduzido dessas horas, mas um funcionário encarregado de supervisionar o cumprimento da sentença explicou à mãe de Pat que se este dependesse dos ônibus do reformatório para levá-lo aos compromissos, dificilmente completaria as horas requeridas antes de agosto. E a juíza fazia questão de que ele cumprisse todas as 250 horas da sentença. Para que Pat conseguisse chegar no horário, sua mãe foi autorizada a pegá-lo no reformatório e levá-lo de carro para seu compromisso diário num abrigo de sem-tetos chamado Julian Street Inn. Um benefício colateral dessa permissão foi que, em várias ocasiões, Dannie levou Marie, um dos irmãos de Pat ou um dos seus amigos para conversar com ele durante o percurso, o que lhe trouxe um grande conforto.

Uma das coisas que os pais de Pat enfatizaram para os filhos quando estavam crescendo foi que se lamuriar não era uma conduta aceitável. Fiel ao espírito da família, Pat nunca se queixou da permanência atrás das grades. Ao ser libertado do reformatório no fim de julho, ele admitiu que ficar preso havia sido duro, pondo-o à prova. Insistiu, porém, que aprendera com toda aquela experiência lamentável mais do que com "todas as boas decisões que já havia tomado", como contou mais tarde à revista *Sports Illustrated*.

De acordo com Marie, "ele observou os jovens com quem estava preso e não se identificou com aquele tipo de pessoa. Pat não era um jovem que vivia se metendo em confusão e acabara se dando mal. Ele jamais fora preso antes ou mesmo suspenso da escola. E agora estava passando um mês no reformatório com um bando de jovens que tinham um histórico criminal bem sinistro. Foi definitivamente um brado de alerta para Pat". Embora a lição tivesse custado caro, ele aprendeu que boas intenções não bastavam para assegurar um desenlace positivo. Aprendeu também sobre o perigo de agir impulsivamente sem antes refletir nas possíveis consequências.

A julgar por seu comportamento subsequente, ficar preso por trinta dias foi um divisor de águas na vida de Pat. A transformação se revelaria um processo longo e persistente, e não uma remodelação da personalidade da noite para o dia, mas mesmo assim foi profunda, e começou a se revelar antes mesmo que ele fosse para a prisão: Pat passou a abordar seu desenvolvimento intelectual com o mesmo tipo de disciplina que havia muito aplicava ao desenvolvimento atlético. Na escola, Pat recebera notas B e C, com um A ocasional nos boletins. Ele não lia muito. Quando foi para o reformatório, porém, sua mãe começou a levar livros para passar o tempo, o que iniciou uma paixão pela leitura que persistiu pelo resto de sua vida.

Após ser libertado da cadeia, Pat teve apenas uma semana para se apresentar na Arizona State University e ir para o treinamento. Em 2 de agosto, viajou de avião ao Arizona, acompanhado de Marie, seus pais e o irmão Richard. Quando eles saíram do aeroporto de Phoenix, a temperatura beirava os quarenta graus. O calor de meados do verão pairava sobre a cidade como um peso maciço que parecia suprimir a vitalidade de tudo que tocasse. Ser capaz de suportar tamanho calor por mais de alguns minutos era difícil de imaginar, e a família inteira foi pega de surpresa. Mesmo assim, Pat aceitou aquilo como um fato da vida do Arizona e resolveu se adaptar.

O calor acabou sendo fácil de suportar. Bem piores foram as saudades de casa nos primeiros meses distante de New Almaden. "Foi uma transição atípica para ele", Marie explica, "porque dois dias após se formar ele foi para a prisão, e ao sair teve que ir direto para a faculdade. Foi pego de surpresa pela falta que sentiu da família e de todos os seus amigos de Almaden. A maioria das pessoas não percebia isso, porque Pat parecia muito durão, mas ele era uma pessoa caseira. Ele *realmente* depende dos amigos e da família."

A intensidade das saudades de Pat foi exacerbada pelo fato de Marie ter se matriculado na Universidade da Califórnia, em Santa Barbara, a oitocentos quilômetros de distância. "Candidatei-me à Arizona State University", conta Marie, "mas na verdade não gostei de lá. Achei que seria um erro tomar uma decisão tão importante por causa de um namorado. Portanto, troquei-a por Santa Barbara. Ambos achamos que continuaríamos juntos, ainda que fôssemos para faculdades diferentes. Mas também sabíamos que, quando se é jovem, muita coisa pode mudar, e teríamos que ver o que aconteceria. Sempre demos espaço para o outro crescer. Havia uma compreensão de que você tem que fazer o que acha certo, e se a outra pessoa discordar... bem, então talvez vocês tenham que trilhar caminhos separados."

Pouco depois que Marie e os Tillman se despediram emocionados de Pat e retornaram à Califórnia, ele foi com o time de futebol americano para as instalações de treinamento dos Sun Devils no Campo Tontozona, 130 quilômetros a nordeste de Tempe, perto da cidade de Payson, em meio às florestas de pinheiros de Mogollon Rim. Ali, num ar relativamente fresco mais de 1600 metros acima do nível do mar, o time realizou sua pré-temporada. Pat sentiu tanta falta de Marie e de sua família durante esse período que às vezes se viu banhado de lágrimas, e ligava para casa quase todos os dias.

Durante a pré-temporada, Bruce Snyder, o treinador de futebol americano dos Sun Devils, fez questão de conhecer um por um os jogadores novos. Durante seu encontro com Pat, explicou que os calouros que chegavam usavam a "camisa vermelha" — o que significava que, em sua primeira temporada, ficariam apenas treinando, e disputariam partidas nas quatro temporadas seguintes. Ao saberem pelo treinador titular que teriam que passar um ano sem jogar, os calouros na maioria humildemente faziam que sim com a cabeça. Mas não Tillman. Quando Snyder informou Pat de que ele provavelmente não teria nenhuma oportunidade de participar das partidas no primeiro ano, Pat educadamente respondeu: "Treinador, você pode me escalar ou não, mas eu só vou ficar aqui quatro anos. Depois tenho outras coisas para fazer da minha vida". Embora Pat sentisse uma falta desesperadora de Marie, de sua mãe e do ambiente reconfortante de New Almaden, a solidão não diminuiu sua autoconfiança. Com saudade ou não, ele não hesitou em dizer a Snyder o que sentia.

Após sete dias de dois cansativos treinos diários, culminando com uma partida amistosa que atraiu 4 mil torcedores do Sun Devils ao Campo Tontozona, o time retornou a Tempe pouco antes do início das aulas. A ASU era a quarta maior universidade pública do país na época, com mais de 50 mil alunos, e seu campus era colossal. Como Pat foi morar no alojamento dos atletas, longe do centro do campus, e não possuía carro, sua mãe e seu tio Mike Spalding vieram de carro da Califórnia ao Arizona para trazer sua bicicleta. Quando chegaram, Pat ficou eufórico ao vê-los. Dormiu no quarto de hotel de Dannie e Mike durante os vários dias em que permaneceram em Tempe, e quando o ano acadêmico começou, eles o acompanharam até sua primeira aula na faculdade.

Quando eles se preparavam para se despedir e começar o percurso de dez horas de volta à área da baía, Pat implorou que adiassem a partida até o fim da aula. Vendo quão triste ele estava, Dannie e Mike concordaram. Quando enfim subiram no carro para partir, Pat, quase chorando, entregou à mãe uma cartinha que escrevera para ambos. Enquanto Mike conduzia o carro para oeste no calor escaldante do deserto de Sonora, Dannie leu a carta em voz alta:

Mãe e Mike,

Eu deveria ter dito estas palavras pessoalmente, mas sei que meus olhos teriam se enchido de lágrimas e eu não conseguiria falar. Gostaria de dizer que estou muito feliz por vocês terem vindo me ver. Acho que vocês não percebem quanto isso significa para mim. Esse negócio todo é bem mais difícil de enfrentar do que eu esperava. Me sinto um covarde cada vez que começo a chorar. Mas não posso fazer nada para mudar isso. Estou certo de que logo estarei me sentindo bem. Meu humor oscila agora constantemente de o.k. para triste e para realmente triste. A vinda de vocês realmente ajudou. É confortador saber que alguém se importa.

Vou telefonar muito e se algum de vocês ficar entediado por favor telefone, adorarei a companhia. Provavelmente não vou sair e conhecer pessoas por algum tempo. [...] Obrigado por tudo.

Pat

A justaposição da vulnerabilidade de Pat com sua intrepidez e autoconfiança não é fácil de entender, mas constituía um aspecto absolutamente central de sua personalidade. A psicanálise tradicional poderia estar inclinada a interpretar sua dureza como uma postura de macho — uma carapaça protetora para disfarçar as inseguranças. Marie discorda com veemência: "Não era uma atitude estereotipada de sujeito durão. Ele realmente tinha esses dois aspectos opostos em sua personalidade. Era uma dicotomia: ele era uma pessoa muito durona, mas também tinha um lado coração mole, e não se importava de mostrá-lo. Ele foi assim desde que o conheci. A explicação está naquele incrível senso que ele tinha de si mesmo — sua autoconfiança. Ele não sentia necessidade de esconder muita coisa, de fingir ser algo que não era. Não se sentia inseguro com seu lado sensível, nem preocupado por não ser durão. Considerava as duas qualidades importantes, e não as via de forma alguma como inconciliáveis".

Nove

À medida que Pat foi se adaptando à vida de estudante da ASU, sua saudade de casa diminuiu. Como as aulas de Marie na UCSB só começariam no fim de setembro, ela viajou até Tempe duas vezes durante aquele período para visitá-lo. Depois que começou a faculdade em Santa Barbara, ela costumava viajar ao Arizona alguns fins de semana a cada mês para ver Pat e falava com ele diariamente por telefone, o que contribuiu para reduzir sua solidão. O tempo dedicado ao futebol americano e às aulas também ajudou, deixando poucos momentos livres para ele se entregar à melancolia. Por estar determinado a se destacar na área acadêmica tanto quanto na atlética (ao contrário do que acontecia na escola), Pat passava quase tanto tempo estudando quanto no ginásio ou no campo — uma mudança significativa que pode ser em grande parte atribuída à sua experiência atrás das grades. "Após o incidente da Round Table", Marie concorda, "Pat sentiu que não podia se dar ao luxo de ser imprudente e arriscar entrar em novas confusões." Preferiu se concentrar nos estudos.

No início do semestre, Pat solicitou o auxílio de um monitor para assegurar um bom desempenho nas aulas de matemática. Duas outras pessoas também foram estudar com aquele monitor: seu colega de quarto e de time B. J. Alford e uma tenista húngara de talento excepcional chamada Réka Cseresnyés. No decorrer do semestre, os três atletas calouros se encontravam com o monitor duas vezes por semana. "Estudávamos juntos", diz Cseresnyés, "e às vezes topávamos um com o outro no campus ou almoçávamos na cantina. Nosso relacionamento se limitava àqueles encontros fortuitos e conversas. Mas sempre que nos encontrávamos, acabávamos tendo conversas profundas. Assim, logo viramos amigos."

Cseresnyés crescera em Budapeste sob um governo comunista repressor, testemunhara a queda da Cortina de Ferro quando adolescente e aproveitara a oportunidade de vir aos Estados Unidos ao ganhar uma bolsa de estudos para jogar pela Arizona State University. Pat ficou fascinado com suas origens exóticas e a bombardeou com perguntas sobre a vida no bloco soviético. "Eu era uma garota da Hungria", ela recorda. "Meu inglês era deficiente na época. Desde cedo, Pat tornou-se um atleta famoso no campus. Ele tinha grande carisma, e todos o reconheciam devido ao seu rosto característico. Eu não conseguia acreditar que ele estivesse conversando comigo, alguém com um sotaque húngaro acentuado. Eu quase pensava: 'O que há de errado com esse rapaz?'."

Cseresnyés ficava surpresa, ela diz, "com quão amigável e simples Pat era. Ele se interessava pelas outras pessoas e lembrava fatos acontecidos com elas. Falava sobre sua namorada com muito carinho. Mostrava interesse pelo mundo além dos esportes. Quase sempre conversávamos sobre política e relações internacionais. Ele era um pensador crítico e sempre me desafiava — era um questionador incrível. O que era a melhor maneira de descobrir o que Pat estava pensando, porque ele não gostava tanto de falar sobre si mesmo. Ele sempre dirigia a conversa de volta ao interlocutor: 'Então, o que anda acontecendo com você?'". Suas discussões e sessões de estudo plantaram as sementes de uma amizade que perdurou, e se fortaleceu, pelo resto da vida de Pat.

No fim de seu primeiro semestre na ASU, tanto Tillman quanto Cseresnyés receberam nota máxima (A) em matemática, e Pat também se destacou nas outras matérias, obtendo uma média de 3,5 pontos (numa escala de 0 a 4). Durante seu segundo semestre, melhorou para 3,81. No semestre subsequente, no outono de 1995, ele recebeu nota A em cada uma de suas cinco matérias, conseguindo a média geral máxima, 4,0. "Depois que adquiriu o hábito de estudar, ele obteve grande sucesso", Marie conta. Parte da motivação daquele sucesso, ela acrescenta, "foi que a maioria das pessoas esperava que os jogadores de futebol americano fossem idiotas. Acho que ele quis contrariar o estereótipo. Ele gostava de desafiar as expectativas".

Pat também desafiou as expectativas daqueles que o julgavam baixo e lento demais para jogar futebol americano por uma universidade de elite da Divisão I-A. Durante seu primeiro ano, foi escalado apenas como especialista, nos chutes de reposição de bola (*punts* ou *kickoffs*), e os Sun Devils tiveram uma temporada fraca, com três vitórias e oito derrotas. Mesmo assim, Pat ganhou o monograma do time pela ótima participação, e o treinador Snyder caracterizou seu jogo como "muito inteligente e muito agressivo". No ano seguinte, Pat iniciou apenas um jogo, mas com frequência saía do banco de reservas para jogar como *linebacker* interno, e no decorrer da temporada de 1995 fez o sexto maior número de *tackles* do time.

Naquele ano o desempenho dos Sun Devils melhorou para 7-4, embora sofressem algumas derrotas embaraçosas no percurso, a mais humilhante delas sendo infligida pelos Cornhuskers, da Universidade de Nebraska. Na primeira partida amistosa, Nebraska correu com a bola sessenta metros para um *touchdown*, e a derrota era certa. Os Cornhuskers haviam marcado nove *touchdowns* até o intervalo, um recorde para a universidade, e o placar final foi de 77 a 28.

A derrota foi especialmente humilhante para a defesa dos Sun Devils. Se um time de futebol americano consegue marcar tantos pontos, é sinal de graves falhas defensivas do adversário. Mesmo assim, quando a temporada de 1996 começou no mês de setembro, os torcedores dos Sun Devils estavam otimistas quanto às suas perspectivas. Muitos dos melhores jogadores do time de 1995 estavam de volta, com destaque para o *quarterback* Jake "a Cobra" Plummer, um forte candidato ao Troféu Heisman. Embora Pat ainda não fosse considerado um jogador do calibre de Plummer, os treinadores da ASU reconheceram que ele havia se tornado um jogador defensivo excepcional, escalando-o como *weakside linebacker* titular na nova temporada. Lyle Setencich, que treinou os *linebackers* dos Sun Devils, contou à *Sports Illustrated* que Pat foi "o melhor jogador que já treinei em interpretar a linguagem corporal. Numa partida, ele percebeu que um *tackle* olhava para dentro sempre que seu time corria num *draw*, e atingiu o *fullback* bem na boca".

Pat ficou empolgado com sua promoção a titular do time, e sua família também. Os Tillman eram um clã incomumente unido. Nada era mais importante para Pat do que Marie, seus pais, seus irmãos e seu tio Mike. O apoio e a companhia deles significavam tudo para ele. Ficou portanto eufórico quando seu irmão Kevin — que havia sido selecionado pelos Houston Astros após terminar a escola e recebido uma oferta para jogar beisebol profissional — preferiu aceitar uma bolsa de estudos de beisebol na Arizona State University e se matriculou no outono de 1996.

Pat e seus colegas da ASU venceram as duas primeiras partidas da temporada de 1996, mas no terceiro jogo teriam que enfrentar de novo o Nebraska. Após a surra nos Sun Devils em 1995, o Nebraska permanecera invicto pelo restante do ano, conquistara seu segundo campeonato nacional consecutivo e era em geral considerado o melhor time da história do futebol americano universitário. Quando os Cornhuskers foram para Tempe jogar contra a ASU em 21 de setembro de 1996, estavam invictos havia 26 jogos (sua última derrota fora em 1993) e ocupavam o primeiro lugar no ranking nacional em todas as pesquisas significativas.

Na noite antes da partida, os jogadores da ASU pediram aos treinadores que se retirassem e se prepararam psicologicamente para a revanche gritando, batendo nas paredes, virando mesas, saltando nos móveis e atirando cadeiras pelo aposento onde estavam. Quando saíram, de acordo com um relato, pareciam animais ensandecidos. No dia seguinte, jogaram com um foco e uma intensidade sem precedentes.

Naquela tarde de sábado fazia 33 graus à sombra, embora não houvesse nenhuma sombra no campo do Estádio dos Sun Devils, onde 74 mil torcedores ruidosos lotavam os assentos. A ASU ficou com o chute inicial e depois levou a bola 64 metros na direção do campo adversário em suas cinco primeiras jogadas de *scrimmage*. Na sexta jogada, Plummer sofreu um *sack*. Sem se deixar abater, após obter o próximo *snap*, ele recuou para obter um passe, mas um *defensive end* de Nebraska havia previsto a jogada e veio correndo à zona de defesa desimpedido na direção dele; parecia que o *quarterback* da ASU seria derrubado novamente. Plummer, porém, deu uma demonstração surpreendente de por que era apelidado de "a Cobra": conseguiu escapar do atacante, fazer um *scramble* para a esquerda e lançar a bola 23 metros para o recebedor Keith Poole, que estava sozinho na zona final, colocando a ASU na frente por 7 a 0.

A abertura do placar pela ASU foi surpreendente. Mas todos esperavam que Nebraska contra-atacasse: no decorrer da temporada anterior, a defesa da ASU havia ficado em último lugar na Conferência Pac-10 e era menosprezada como o ponto fraco do time. Mesmo assim, quando os Sun Devils deram o chute inicial para o Nebraska, Pat e o restante da defesa da ASU resolveram bloquear os Cornhuskers e manter a dianteira.

A principal atribuição dele naquela partida foi impedir que o Nebraska ganhasse muitas jardas em jogadas onde o *quarterback* Scott Frost tentava enganar os *linebackers* da ASU, fazendo com que pensassem que correria com a bola ou lançaria um passe em direção ao campo adversário, e em vez disso fazia um lançamento lateral para Ahman Green, um corredor veloz que mais tarde se tornaria um astro dos Green Bay Packers. Essa jogada enganadora constituía uma das armas mais eficazes do arsenal do Nebraska e era especialmente difícil de defender. Exigiria de Tillman avaliações sagazes e extremamente rápidas para decidir como reagir.

Pouco depois do *touchdown* dos Sun Devils, com os Cornhuskers na linha de sete jardas do Nebraska, Frost tentou esta jogada: correndo para a direita, lançou um *pitchout* sorrateiro para Green que veio com uma força inesperada, fazendo com que Green deixasse a bola cair ao tentar agarrá-la. Embora Green tenha conseguido pegar rapidamente a bola do gramado, pareceu desconcertado com a visão de Pat acelerando em sua direção, e assim não conseguiu lançar a bola da forma apropriada. Ela escapou das mãos de Green pela segunda vez e quicou no chão atrás da linha do gol. Antes que Green pudesse recuperá-la, Tillman e seu colega de time Mitchell Freedman convergiram sobre a bola perdida, tirando-a da zona final e marcando um *safety*. A ASU agora ganhava por 9 a 0. Os aparentemente invencíveis Cornhuskers pareciam aturdidos.

No segundo quarto, a ASU marcou um gol de campo de 25 metros, Tillman fez um *tackle* em Frost na zona final, marcando outro *safety*, e depois a ASU marcou um gol de campo de quarenta metros, o que fez os Sun Devils chegarem ao intervalo com uma vantagem de 17 a 0. No terceiro quarto a ASU marcou outro *safety*. No último quarto o ataque do Nebraska enfim começou a jogar com eficácia e fez uma jogada que aproximava a bola da linha de gol. Um *touchdown* dos Cornhuskers parecia iminente. Restando menos de dois minutos de jogo, Green tentou levar a bola à zona final, mas deixou-a escapar na linha de três jardas da ASU, e Pat mergulhou sobre a bola solta para preservar a vitória incontestável de 19 a 0 — encerrando uma tarde de jogadas brilhantes de Tillman que contribuíram substancialmente para a derrota inesperada dos Cornhuskers. No fim do jogo, milhares de torcedores delirantes invadiram o campo, derrubaram as duas traves e carregaram uma delas por quatro quarteirões até a Mill Avenue de Tempe.

No desenrolar da temporada de 1996, os Sun Devils continuaram vencendo, o que indicava que a surra dada em Nebraska não fora uma casualidade. Em 28 de setembro, a ASU derrotou a Universidade de Oregon por 48 a 27. Uma semana depois, fez 56 a 7 na Boise State, e na semana seguinte ganhou da UCLA por 42 a 34. Em 19 de outubro, quando os Sun Devils venceram os terríveis USC Trojans na prorrogação dupla por 48 a 35, os comentaristas esportivos começaram a mencionar a possibilidade de que o time permanecesse invicto e no fim do ano chegasse ao primeiro lugar no ranking nacional. A lista continuou com vitórias sobre os times das universidades de Stanford, Oregon State, Califórnia e Arizona. No fim da temporada regular, a ASU havia vencido onze jogos e não sofrera nenhuma derrota, e recebeu um convite para jogar no Rose Bowl no Ano-Novo.

O aparelho de vídeo começa a estalar e zumbir, e uma vista aérea de um gigantesco estádio de futebol enche a tela da TV, enquanto uma voz familiar entoa: "A ABC Sports dá as boas-vindas a vocês no Rose Bowl! O vovô dos estádios! Os Buckeyes da Ohio State University contra os Sun Devils da Arizona State University! [...] Feliz Ano-Novo e sejam todos bem-vindos. Sou Brent Musburger e estou com o treinador Dick Vermeil. ASU — eles conseguem vencer todas!".

O vídeo marca 1º de janeiro de 1997 — uma tarde cinzenta e garoenta em Anaheim, Califórnia. A família Tillman inteira está presente em algum lugar no estádio lotado para ver Pat jogar, assim como dezenas de amigos dele. Os Sun Devils estão em segundo lugar no ranking universitário; caso derrotem os Buckeyes hoje, serão os campeões nacionais.

A ASU ganha no cara ou coroa, e o *quarterback* Jack Plummer, um grande amigo de Pat, informa ao juiz que os Sun Devils receberão o chute inicial. O *kicker* da OSU lança a bola na direção do campo adversário enquanto 100 645 pessoas dão gritos de incentivo das arquibancadas. Após devolver o chute inicial à sua própria linha de 33 jardas, os Sun Devils levam a bola ao meio de campo para o primeiro *down*, mas então seu ataque vacila e eles precisam chutar a bola no ar. Pat entra em ação pela primeira vez com os *punters*, seus cabelos caídos nas costas da camiseta atrás do capacete.

O *kicker* da ASU chuta a bola no ar, Pat hesita por um momento para forçar os bloqueadores da OSU a se posicionarem, depois dança em torno de três deles e corre furiosamente na direção do campo adversário enquanto a bola faz um arco bem alto no céu plúmbeo. A linguagem corporal de Tillman é tão característica que não há como confundi-lo, mesmo quando aparece como uma figura minúscula disparando pela tela da televisão, pequeno demais para que o número na camiseta seja visível. David Boston, o jogador dos Buckeyes que espera para receber a bola, pega-a perfeitamente e se esquiva de um adversário com uma rápida finta para o lado. Um momento depois, porém, um segundo jogador da ASU envolve com os braços o jogador dos Buckeyes que tem a posse da bola e o imobiliza, e aí Pat vai de encontro aos dois em velocidade máxima, fazendo com que Boston retroceda três jardas antes de derrubá-lo no chão.

Duas jogadas depois, o *quarterback* dos Buckeyes, Stanley Jackson, recebe o *snap* e tenta correr com a bola, mas Pat penetra na defesa da OSU e ataca Jackson, fazendo-o perder cinco jardas. "Jackson [...] lá na linha das treze jardas", Musburger exclama, "enquanto os Sun Devils botaram pra quebrar no meio: Pat Tillman e Shawn Swayda." Na próxima jogada, Pat de novo chega até Jackson atrás da linha de *scrimmage* e o derruba, forçando os Buckeyes a chutarem a bola no ar, da sua própria zona final. Nos primeiros trinta minutos, o jogo está num impasse defensivo, e quando os times deixam o campo no intervalo, o placar está empatado em 7 a 7.

Na primeira posse do terceiro quarto, a ASU marca um gol de campo, mas a OSU contra-ataca com um passe de *touchdown* de 72 jardas para Demetrious Stanley, e no início do último quarto os Buckeyes estão ganhando de 14 a 10. Restando menos de seis minutos de jogo, as coisas estão pretas para os Sun Devils. A OSU está com a bola na linha de 21 jardas da OSU e ameaça marcar de novo, impossibilitando uma virada. No terceiro *down*, o *quarterback* da OSU lança de novo um passe curto para Stanley, que está sendo coberto por Tillman. A tremenda velocidade de Stanley deveria fazer com que levasse vantagem, mas Pat prevê os lances do recebedor, permanece junto a ele indo para dentro, e lança o passe ao chão quando a bola chega, forçando os Buckeyes a tentar um gol de campo no quarto *down*. A ASU bloqueia o chute, recupera-o e corre com a bola na direção do campo adversário para um *touchdown*. A multidão fica frenética, mas uma penalidade anula o ponto, e a bola é trazida de volta para a linha de 42 jardas da ASU.

Com o tempo se esgotando numa partida em que tiveram dificuldade de movimentar a bola, os Sun Devils precisam de um *touchdown* nesta posse da bola, senão perderão. Plummer foi derrubado cinco vezes. Seus recebedores deixaram oito de seus passes incompletos. Mas os Sun Devils viravam jogos no último minuto nessa temporada, e Plummer orquestra um conjunto de jogadas de ataque emocionantes que levam seu time à linha das nove jardas da OSU. Ali, porém, a defesa endurece e derruba Plummer novamente. No terceiro *down*, restando um minuto e 47 segundos de jogo, o treinador da OSU, Bruce Snyder, pede uma interrupção para descobrir o que fazer.

Depois que os Sun Devils retornam ao campo, Plummer recebe o *snap* e recua para fazer um passe, mas os Buckeyes lançam um ataque feroz, e todos os recebedores da ASU estão firmemente cobertos. À medida que jogadores adversários convergem sobre Plummer de todas as direções, ele se esquiva, avança e corre, primeiro à direita, depois à esquerda, escapulindo do alcance de um Buckeye após o outro. "Plummer em apuros!", Musburger anuncia. "Ele se afasta [...] abre caminho [...] se livra do adversário. [Ele está na] linha de cinco jardas. [...] *Touchdown*, Sun Devils! A Cobra volta a atacar! Este time não vai morrer!" Os jogadores da ASU cercam Plummer na zona final. Musburger e Vermeil começam a cumprimentar o *quarterback* dos Sun Devils por liderar a surpreendente virada. Restando apenas um minuto, a vitória da ASU parece certa.

Mas depois que os Buckeyes recebem o chute inicial subsequente, o *quarterback* Joe Germaine começa a guiar seu time eficientemente pelo campo, e a bola chega à linha de cinco jardas da ASU a apenas 24 segundos do final. Da linha lateral, o treinador da OSU, John Cooper, dá novas instruções. Germaine recebe o *snap* e recua para lançar um passe. David Boston, alinhado como o *split end* dos Buckeyes, arremete contra seu defensor e depois se afasta. Germaine lança um passe suave para ele, Boston o recebe e corre, intocado, pela linha de gol. A Ohio State University vence por 20 a 17.

Chegar tão perto de vencer o Rose Bowl, tornando-se campeão nacional, e ver a vitória escapar nos segundos finais da partida foi um golpe esmagador para os jogadores e torcedores da Arizona State University. Pat, porém, passou pouco tempo lamentando a derrota. Ele desempenhara bem sua tarefa em campo, e de qualquer modo não havia nada que ele ou qualquer outro pudesse fazer para mudar o resultado. Então ele simplesmente aceitou a derrota e seguiu em frente.

Dez

Um dos colegas de alojamento de Pat na Arizona State University era um companheiro de time de 136 quilos chamado Jeremy Staat, que foi considerado o melhor *defensive lineman* na Conferência Pac-10 quando os Sun Devils iniciaram a temporada de 1997, oito meses após sua triste derrota no Rose Bowl. Por ser incomumente rápido para um homem tão grande e também excepcionalmente talentoso, Staat atraía a atenção dos caça-talentos e agentes da Liga Nacional de Futebol Americano. Quando a Universidade de Southern California chegou em Tempe para jogar com a ASU em 11 de outubro, um agente chamado Frank Bauer, que tinha a intenção de representar Staat, estava nas arquibancadas assistindo ao jogo. "Eu tinha vindo ver Jeremy jogar", diz Bauer, "quando de repente vejo um *linebacker* destrambelhado chamado Pat Tillman correndo feito louco pelo campo. Ele pesa apenas 94 quilos mas assusta os adversários, e não tem medo. Pensei: 'Caramba! Tenho que conversar com esse Tillman'. Eu nem sabia quem ele era. Não estava no radar de ninguém na Liga. Ninguém tinha nenhuma informação sobre ele."

Após a partida, que a ASU venceu por 35 a 7, Bauer desceu ao vestiário para cumprimentar Staat e depois procurou Tillman. "Ali estava um rapaz de cabelos longos, vestindo um calção e sandália de dedo", Bauer recorda. "Eu disse a ele: 'Ei, acho que você pode jogar na Liga Nacional de Futebol Americano'. Ele me olhou com aqueles seus olhos e perguntou: 'É mesmo?'." Na verdade, Pat não precisava de Bauer nem de mais ninguém para lhe dizer que poderia jogar na Liga. Ele já havia tomado essa decisão por conta própria. Mas aceitou o cartão de Bauer e concordou em conversar com ele de novo em janeiro, depois do término da temporada dos Sun Devils e da carreira universitária de Pat.

Os torcedores do time haviam aguardado 1997 com grandes esperanças, ainda que Jack Plummer e cinco outros astros tivessem se formado na primavera anterior. No fim da temporada, a ASU contabilizava nove vitórias e três derrotas, encerrando o ano com uma vitória sobre Iowa no Sun Bowl em El Paso, Texas, em 31 de dezembro — um resultado impressionante, mas um claro anticlímax após terem competido no Rose Bowl pelo campeonato nacional no ano anterior. Mesmo assim, o desempenho de Pat era brilhante: liderou o time com 47 *tackles* sem ajuda, foi autor de quatro *sacks* e três interceptações e foi eleito o melhor jogador defensivo do ano na Conferência Pac-10. Tendo feito cursos durante as duas férias de verão anteriores, Pat acumulara créditos suficientes para obter seu título de bacharel em apenas três anos e meio, e em dezembro de 1997 formou-se *cum laude* com uma média de 3,84 pontos. Após receber o diploma, ele permaneceu em Tempe a fim de se preparar para o recrutamento da Liga Nacional de Futebol Americano (NFL).

Se as chances de Pat Tillman jogar na Divisão I-A universitária após a escola foram consideradas baixas, ainda menos pessoas acreditavam que ele conseguisse ingressar na NFL. Os atletas que alcançam esse estrato elevado precisam sobreviver a um processo de seleção implacável: somente 6% dos jovens que jogam futebol americano colegial continuam jogando na faculdade; e somente cerca de 1% desses jogadores universitários avançam para a NFL. Mas Pat nunca dera muita importância às probabilidades, e sua confiança nas próprias capacidades não diminuiu.

Diversos colegas de time de Pat na ASU também aspiravam a jogar profissionalmente. Eles passaram os primeiros meses de 1998 treinando juntos, preparando-se para o NFL Scouting Combine anual, um evento de uma semana promovido todos os anos em fevereiro no estádio RCA Dome, em Indianápolis, onde os candidatos mais promissores são submetidos a uma bateria de testes rigorosos ministrados pelos caça-talentos, treinadores e gerentes gerais da liga. Para participar do evento era preciso ser convidado, e quando os convites se encerraram, Pat não havia recebido nenhum. A afronta definitivamente o incomodou, mas outras vias de ingresso na NFL permaneciam abertas, e para ele a rejeição serviu de estímulo.

Em 1998 o processo de seleção da NFL estava programado para começar em 18 de abril. Em março, a ASU realizou o chamado Pro Day, no estádio Sun Devil, para que caça-talentos e treinadores da NFL avaliassem os jogadores da ASU que não compareceram ao Scouting Combine. Pat viu nisso sua melhor chance de impressionar um time e ser escolhido, então resolveu dar o máximo de si no teste.

Como os Arizona Cardinals tinham sua sede em Phoenix e disputavam suas partidas no Sun Devil, a organização dos Cardinals vinha prestando mais atenção a Tillman do que outros times da Liga, e portanto sabia que ele possuía atributos intangíveis que não figuravam nos relatórios dos observadores. O gerente geral dos Cardinals, Bob Ferguson, o coordenador defensivo, Dave McGinnis, e o treinador dos *backs* defensivos, Larry Marmie, apareceram no Pro Day para pôr Tillman à prova. Já tendo decidido que era baixo demais para jogar como *linebacker* na Liga, pediram que tentasse jogar como *safety*, o que exigia um conjunto bem diferente de habilidades. Depois promoveram uma avaliação em campo programada para durar quinze minutos. No entanto, Pat se recusou a deixar que os treinadores partissem antes de mostrar o melhor desempenho possível em cada exercício, estendendo o teste por trinta minutos extras. No fim da avaliação, ele tinha esperança de que houvessem visto o suficiente para querer escolhê-lo.

O recrutamento de universitários da NFL foi televisionado ao vivo do Madison Square Garden por dois dias consecutivos. No fim do primeiro dia, só duas de sete rodadas haviam sido completadas. Embora já na segunda rodada os Pittsburgh Steelers selecionassem Jeremy Staat (representado, juntamente com Pat, pelo agente Frank Bauer), Pat não foi escolhido por nenhum dos 32 times no primeiro dia, o que não o surpreendeu. Ao final da sexta rodada, porém, quando o recrutamento de 1998 estava chegando ao fim, Pat ainda não havia sido escolhido.

Os Cardinals tinham três escolhas restantes na sétima rodada. Olhando ansiosos para uma televisão na casa dos pais de Marie durante essa rodada final, Pat, Marie e suas famílias os viram selecionarem outros jogadores nas duas primeiras escolhas. O último a ser selecionado foi Pat — o 226º dentre 241 escolhidos. Os Cardinals lhe ofereceram um contrato de um ano pelo salário mínimo da NFL, 158 mil dólares, mais um bônus de 21 mil dólares na assinatura do contrato. À guisa de comparação, o primeiro jogador escolhido naquele ano, Peyton Manning, recebeu uma oferta de seis anos dos Indianapolis Colts no valor de 48 milhões de dólares, com um bônus de 11,6 milhões de dólares na assinatura do contrato.

Além disso, o simples fato de Tillman ter assinado um contrato não garantia que fosse escalado para o time. Ele ainda teria que competir acirradamente com veteranos e outros novatos na pré-temporada dos Cardinals por uma vaga no time. Se Pat não se qualificasse, não receberia um níquel sequer de seu salário.

Apesar de ser um dos alunos mais celebrados da Arizona State University — um astro do futebol americano, boa-pinta e carismático, com quem inúmeras mulheres sonhavam —, Pat permanecera fiel a Marie desde seu primeiro encontro cinco anos antes, e não flertava com outras mulheres. Embora Marie seja por natureza reservada, quando resolve compartilhar seus pensamentos, tende a falar de forma franca e objetiva. Desde o princípio, seu relacionamento com Pat se baseou em tal sinceridade. "Pat era bem direto", ela diz. "Nunca houve tapeação no nosso relacionamento, mesmo quando éramos bem jovens. Sempre fomos muito honestos um com o outro. Acho que foi por isso que conseguimos ficar juntos."

Pat e Marie planejaram viver juntos depois que os dois se formassem na faculdade. Depois que ele foi escolhido pelos Cardinals, ela achou que iriam morar em Phoenix. "Pat tinha confiança de que jogaria em algum time da NFL", Marie recorda. "Mas ele me disse para ir ao Arizona só depois da pré-temporada, quando ele saberia ao certo se jogaria pelos Cardinals."

Os Cardinals fizeram sua pré-temporada em Flagstaff, 190 quilômetros ao norte de Phoenix, no campus da Northern Arizona University. Na faculdade, os colegas de time de Pat o chamavam por uma variedade de apelidos previsíveis, alguns dos quais — como "Cachinhos Dourados" e "Fabio" — inspirados em seus cabelos caídos sobre os ombros. Mas seu apelido mais conhecido era "Hit Man", devido à fúria de suas investidas para derrubar os adversários — não apenas os rivais nas partidas, mas também os colegas de time durante os treinos. Como se esperava que Pat fosse um dos primeiros jogadores eliminados dos Cardinals, ele sabia que, se quisesse permanecer, teria que exibir um desempenho perfeito em todos os treinos e fazer com que os técnicos o observassem desde o momento em que pisasse em campo.

Durante a avaliação de Pat no Pro Day da ASU, os Cardinals informaram que, se ele quisesse jogar como *safety* na NFL, teria que perder mais de dois quilos para aumentar sua velocidade ao cobrir recebedores velozes como Amani Toomer, Jerry Rice e Randy Moss. Os treinadores notaram quando Pat apareceu em Flagstaff três quilos mais leve do que no tempo da faculdade, mas perder um pouco de peso não seria suficiente para conquistar um lugar no time. No segundo dia da pré-temporada, em meio a um exercício para melhorar as habilidades de cobertura de passes dos *backs* defensivos, ele viu uma oportunidade de causar uma impressão mais forte. Depois que um *fullback* veterano de 113 quilos chamado Cedric Smith agarrou um passe curto ao longo das linhas laterais, Pat — que pesava quase 27 quilos a menos que ele — lançou-se como um raio contra Smith, arrebatou-lhe a bola e derrubou o enorme corredor no gramado. Foi um lance absolutamente válido, e a força do *tackle* de Tillman impressionou os treinadores, mas ao cair Smith rompeu o ligamento cruciforme anterior de um dos joelhos, o que encerrou sua carreira no futebol americano. Tillman lamentou ter machucado o colega veterano, mas lesões eram um risco permanente na NFL, e, como um novato, ele contou a um repórter do *Arizona Republic* que "você faz o que tem que fazer para ingressar no time. Tem que chegar ao ponto em que mandem você se acalmar".

Normalmente, os treinadores da NFL procuram desencorajar seus jogadores de usar velocidade máxima e atingir o adversário com toda força durante os treinos, para reduzir as chances de lesões, como aquela que tirou Smith do time dos Cardinals. Mas os Cardinals haviam ganhado apenas quatro das dezesseis partidas em 1997, sendo considerados um dos piores times da liga em muitos anos. Tinham fama de jogar sem paixão. Assim, o treinador titular Vince Tobin decidiu que um novato inspirado que aumentara a intensidade da pré-temporada talvez não fosse ruim, e permitiu que Tillman continuasse jogando agressivamente durante os treinos.

Em agosto os Cardinals disputaram quatro jogos amistosos, nos quais Pat totalizou 25 *tackles*, mais do que qualquer outro membro do time. Em 29 de agosto, no último dos jogos da pré-temporada, o Arizona enfrentou os Oakland

Raiders em Oakland, e dezenas dos amigos e familiares de Pat da área da baía foram vê-lo. Motivado pela presença deles, ele interceptou um passe — pela primeira vez em sua carreira na NFL — que levou a um *touchdown* dos Cardinals, colocando-os na frente (21 a 14) até vencerem o jogo.

Oito dias depois, quando os Cardinals viajaram até Dallas para começar a temporada regular contra os Cowboys, os treinadores do Arizona disseram a Tillman que ele participaria do time titular como *free safety*, surpreendendo a todos, exceto Pat, Marie e sua família. "Eu sempre soube que Patty seria um especialista fantástico na NFL", diz seu agente Frank Bauer, "mas que fosse um *starting safety* em seu primeiro jogo... isso ninguém esperava."

Onze

Durante a escola e a faculdade, Tillman usara a camisa número 42 no futebol americano. Ao ingressar nos Cardinals, esse número já pertencia a Kwamie Lassiter, seu principal rival pela posição de *free safety* no time titular, então Pat recebeu a camisa 40. Jogou com ela pela primeira vez um mês antes do início do campeonato de 1998, durante a primeira partida da pré-temporada, em 7 de agosto, quando os Cardinals viajaram até Michigan para enfrentar os Detroit Lions.

Antes do amanhecer do dia daquela partida, enquanto Pat dormia no quarto do hotel, um caminhão de entregas Toyota apareceu na entrada de um estacionamento atrás da embaixada americana em Nairóbi, Quênia. Um dos dois sauditas na boleia do caminhão saltou e pediu ao guarda que abrisse o portão. Quando este se recusou, o saudita atirou uma granada de luz atordoante, mas inofensiva, contra a embaixada. Vários segundos mais tarde, quando as pessoas lá dentro haviam acorrido às janelas do prédio de seis andares para ver o que tinha causado a explosão, o saudita que permaneceu no caminhão detonou novecentos quilos de explosivos comprimidos na parte de trás do veículo. A hora local no leste da África era 10h30.

A explosão titânica destruiu toda a traseira da embaixada e derrubou por completo um prédio bem mais frágil ao lado, onde funcionava um curso de secretariado. Milhares de vítimas foram soterradas vivas nos escombros ardentes. Seus gritos e gemidos puderam ser ouvidos durante dias. O número de mortos chegou a 213. Cerca de 4500 pessoas ficaram feridas, entre elas mais de 150 cegadas por estilhaços de vidros.

Nove minutos após o ataque em Nairóbi, um caminhão de combustível carregando uma carga de explosivos semelhante chegou à embaixada norte-americana na maior cidade da Tanzânia, Dar es Salaam — que em árabe significa "Morada da Paz" —, e foi detonado por seu motorista egípcio. Onze pessoas foram mortas e 85 feridas na explosão.

Os ataques, a 676 quilômetros de distância um do outro, haviam sido perpetrados por membros da Al-Qaeda sob a direção de Osama bin Laden e seu colaborador Ayman al-Zawahri. Seis meses antes, enquanto Tillman se preparava para o recrutamento de universitários da NFL em Phoenix, os dois líderes da Al-Qaeda, supostamente agindo em nome de uma coalizão que denominaram "Frente Islâmica Mundial para a Jihad Contra os Judeus e Cruzados", haviam remetido por fax do Afeganistão uma *fatwa* a um jornal londrino onde declararam:

> Há mais de sete anos os Estados Unidos ocupam a terra dos Dois Lugares sagrados, a Península Arábica, saqueando suas riquezas, impondo-se aos seus governantes, humilhando seu povo, aterrorizando seus vizinhos e transformando as bases da Península em pontas de lança para atacar muçulmanos vizinhos. [...]
>
> Todos esses crimes e pecados cometidos pela América demonstram claramente uma declaração de guerra contra Deus, seu Mensageiro [o Profeta Maomé] e os Muçulmanos. [...]
>
> Com base nisso, e consoante a ordem de Deus, emitimos a seguinte *fatwa* a todos os muçulmanos:
>
> Por este decreto, constitui um dever individual de cada muçulmano capacitado matar os americanos e seus aliados — civis e militares — em qualquer país onde seja possível fazê-lo. [...]
>
> Com a ajuda de Deus, convocamos todos os muçulmanos que acreditam em Deus e desejam ser recompensados para que cumpram a ordem de Deus de matar americanos e saquear seu dinheiro onde e quando quer que o encontrem. Também convocamos os ulemás [doutores da lei muçulmanos], líderes, jovens e soldados muçulmanos a lançarem ataques contras as tropas americanas de Satã,

e os partidários de Satã que se aliam a elas, para derrubar seus líderes, infligindo-lhes uma lição.

Embora a mídia internacional tivesse disseminado amplamente essa *fatwa* quando emitida, em 23 de fevereiro, poucas pessoas prestaram atenção a ela naquela época. Depois de 7 de agosto, Bin Laden e sua *fatwa* foram encarados de uma forma inteiramente diferente, não apenas pelos norte-americanos, mas também por pessoas em outras partes do mundo — em especial muçulmanos de inclinação fundamentalista. Jovens homens insatisfeitos da península Arábica, da Chechênia, do Norte da África, da Caxemira e de outros lugares começaram a afluir aos campos da Al-Qaeda no leste do Afeganistão, a fim de receber treinamento nas habilidades necessárias para travar a jihad contra os americanos e judeus. "Mas para a maior parte do mundo e mesmo para alguns membros da Al-Qaeda", observou Lawrence Wright em seu livro *O vulto das torres*,

> as agressões pareceram inúteis, atos ostentosos de assassinato em massa sem nenhum efeito concebível sobre a política americana, a não ser provocar uma reação maciça.
>
> Mas essa, pelo que se pôde entender, era exatamente a intenção. Bin Laden queria induzir os Estados Unidos a entrar no Afeganistão, que já vinha sendo chamado de cemitério de impérios.

O presidente Bill Clinton e seus assessores próximos se puseram de imediato a executar operações de resgate em Nairóbi e Dar es Salaam e a pensar em formas de retaliação contra a Al-Qaeda. Uma campanha militar maciça contra Bin Laden e seus aliados talibãs no Afeganistão logo foi descartada. O governo Clinton acreditava que uma represália tão drástica seria desproporcional à escala dos ataques terroristas. Além disso, dificilmente obteria o apoio do Congresso e do povo americano. Clinton estava enrolado com o escândalo crescente de seu caso com a estagiária da Casa Branca Monica Lewinsky. Em consequência disso, seu governo havia se enfraquecido, privando-o da confiança pública e do capital político necessários para lançar uma guerra. Após cogitar em algumas opções práticas restantes, os conselheiros de Clinton concluíram que o melhor rumo seria um ataque aéreo cirúrgico contra Bin Laden.

Em 17 de agosto, enquanto o promotor especial Kenneth Starr interrogava Clinton por cinco horas torturantes sobre suas ligações sexuais com Lewinsky, o diretor da CIA, George Tenet, forneceu à equipe de segurança nacional do presidente uma lista de alvos potenciais da Al-Qaeda. No topo da lista estava um dos refúgios favoritos de Bin Laden, um amplo complexo de treinamento de jihadi na província de Khost, no leste do Afeganistão, conhecido como Zawar Kili, de onde Bin Laden havia emitido sua *fatwa* de 23 de fevereiro. Naquela noite — após insistir por oito meses que "não tive relações sexuais com aquela mulher" — Clinton apareceu em rede nacional de televisão para confessar. "Na verdade, tive uma relação com a senhorita Lewinsky que não foi apropriada. De fato, foi algo errado. Tratou-se de um lapso crítico de julgamento e uma falha pessoal de minha parte, pelos quais sou única e completamente responsável."

As revelações obscenas do dia geraram um fluxo paroxísmico de cobertura da mídia que eclipsou todas as outras notícias durante dias, embora Clinton insistisse em que nada daquilo influenciara seu pensamento de como melhor aplicar retaliações contra Bin Laden. Pouco depois de seu *mea culpa* televisionado, o presidente autorizou um ataque de mísseis de cruzeiro contra dois alvos terroristas: uma indústria farmacêutica no Sudão, que a CIA acreditava ter sido usada pela Al-Qaeda para fabricar armas químicas, e Zawar Kili — onde, de acordo com informações da CIA, uma reunião de cúpula seria realizada em 20 de agosto entre Bin Laden e a alta liderança da Al-Qaeda.

Espalhado por um emaranhado de 26 quilômetros quadrados de ravinas serpenteantes e espinhaços rochosos, Zawar Kili era constituído de mais de cem prédios, suplementados por setenta cavernas de calcário que haviam sido expandidas em elaboradas casamatas subterrâneas, a maior delas se estendendo por mais de um quilômetro e meio dentro do paredão de uma montanha. Na verdade um complexo de aldeias muito fortificadas, o denominado campo de treinamento se localizava ao norte da fronteira com o Paquistão, 23 quilômetros ao sul da cidade de Khost e 32 quilômetros a leste do cânion onde Pat Tillman perderia a vida seis anos depois.

Zawar Kili era bem conhecido pelos analistas de inteligência norte-americanos. Durante a ocupação soviética da década de 1980, funcionara como uma base importante dos mujahidin aliados dos Estados Unidos, e numerosos agentes da CIA, diplomatas e jornalistas ocidentais visitaram o complexo, bem como o congressista texano inconformista Charlie Wilson, o homem que teria persuadido o Congresso a fornecer bilhões de dólares de ajuda aos mujahidin afegãos. Zawar Kili foi construído por um dos principais beneficiários daquela generosidade americana, o comandante Jalaluddin Haqqani, que havia recrutado Bin Laden para ampliar o complexo pouco depois de sua chegada ao Afeganistão. A colaboração na construção de Zawar Kili deu início a uma amizade duradoura, e Haqqani tornou-se um importante modelo para o impressionável saudita.

Duas das batalhas mais famosas entre os soviéticos e os mujahidin foram travadas em Zawar Kili. Cerca de quinhentos combatentes afegãos calejados, conhecidos como o Regimento Zawar, tiveram sua base permanente lá durante o conflito contra os soviéticos, seu baluarte sendo considerado um símbolo potente da invencibilidade dos mujahidin. Ansiosos por destruir essa reputação, em setembro de 1985 os soviéticos lançaram um ataque maciço contra Zawar Kili. A batalha durou 42 dias e matou ou feriu mais de 80% dos combatentes mujahidin. Mas os sobreviventes defenderam seu terreno contra os infiéis, e os soviéticos acabaram forçados a admitir a derrota e recuar.

Na primavera de 1986, os soviéticos conduziram outra campanha contra Zawar Kili com jatos disparando mísseis contra as entradas das maiores casamatas subterrâneas. O comandante Haqqani e 150 de seus combatentes estavam dentro de uma dessas cavernas quando um míssil atingiu exatamente sua entrada, aprisionando os mujahidin atrás de centenas de toneladas de escombros. Outros bombardeios de saturação soviéticos atingiram o complexo logo depois e inadvertidamente removeram os escombros, permitindo que Haqqani e seus homens escapassem ilesos. Mas após dezessete dias de intensos combates, os avançados armamentos soviéticos se mostraram poderosos demais para os mujahidin. Com cerca de trezentos de seus homens mortos e mais de trezentos feridos, eles se viram obrigados a fugir para as montanhas circundantes, permitindo que as forças soviéticas e da RDA tomassem posse do complexo.

Os comunistas ficaram surpresos ao encontrar uma mesquita, padarias, oficinas mecânicas, uma biblioteca bem suprida, que tinha manuais de fabricação de bombas da CIA, e um hotel com mobília confortável e chão atapetado. Havia até um hospital com sofisticados equipamentos médicos americanos. Mas os soviéticos temiam que um contra-ataque fosse iminente, portanto permaneceram em Zawar Kili por apenas cinco horas antes de realizar outra retirada apressada. Ainda que os soviéticos alardeassem sua breve ocupação como uma grande vitória, os combatentes de Haqqani imediatamente reocuparam o reduto lendário e não arredaram pé até o fim da guerra.

Não se deixando impressionar pela fama de invencibilidade de Zawar Kili, em 20 de agosto de 1998 a Marinha dos Estados Unidos lançou contra o complexo 66 mísseis de cruzeiro Tomahawk, de navios de guerra no mar da Arábia, a mais de 1100 quilômetros de distância. Batizado de Operação Alcance Infinito, o ataque destruiu cerca de vinte ou trinta prédios, mas matou apenas seis jihadis: três iemenitas, um usbeque, um egípcio e um saudita. Nem Bin Laden, nem al-Zawahri, nem Haqqani, nem qualquer outro líder da Al-Qaeda se encontrava entre as baixas. Por acaso, Bin Laden estava a caminho de Zawar Kili pouco antes do ataque, e provavelmente teria chegado no momento em que os mísseis atingiram o complexo se a viagem tivesse transcorrido conforme planejado. Ao chegar numa encruzilhada na estrada no meio do percurso, porém, ele subitamente mudou de ideia e pediu ao motorista que o levasse a Cabul em vez de Zawar Kili, um golpe de sorte que talvez lhe tenha salvado a vida.

Presume-se que mais de trinta dos Tomahawks atingiram o solo bem ao sul do campo de treinamento, no lado paquistanês da fronteira, matando dois paquistaneses. De acordo com relatos não confirmados, vários dos mísseis de 5,5 metros de comprimento caíram sem explodir, foram recuperados por Bin Laden e depois vendidos à China por pelo menos 10 milhões de dólares. Ainda mais prejudicial aos interesses norte-americanos, o prestígio de Bin Laden no mundo muçulmano aumentou imensuravelmente com o ataque fracassado. O presidente da nação mais rica e tecnologicamente mais avançada do mundo havia usado seus melhores recursos para matar Bin Laden, mas o líder da Al-Qaeda escapou sem nenhum arranhão. Como um supervilão numa história em quadrinhos, ele parecia dotado da capacidade de absorver os golpes mais poderosos do inimigo, extrair energia deles e em consequência ficar mais poderoso.

Bin Laden regozijou-se após o ataque de mísseis e afirmou que fora uma manobra de Clinton para desviar a atenção do escândalo de Lewinsky. A reação de seu braço direito foi ainda mais terrível: "Digam aos americanos que não temos medo de bombardeios, ameaças e atos de agressão", al-Zawahri advertiu numa entrevista à BBC. "Nós sofremos bombardeios dos soviéticos durante dez anos no Afeganistão, sobrevivemos, e estamos prontos para mais sacrifícios. A guerra apenas começou; os americanos devem agora aguardar a resposta."

Doze

Depois que foi escolhido pelos Cardinals, Pat alugou um apartamento barato de um quarto em Chandler, subúrbio de Phoenix, a pouco mais de um quilômetro das instalações dos Cardinals. No fim de agosto de 1998, mais ou menos na época do ataque fracassado de mísseis no Afeganistão, Pat se sentiu suficientemente confiante de que ingressaria no time para sugerir a Marie que fosse morar com ele no Arizona. "Passei por uma transição difícil ao me mudar para lá", ela diz. "Foi sem dúvida um grande ajuste para mim. O problema não era viver com Pat; nós nos dávamos bem." Suas dificuldades, ela explica, "foram mais do tipo 'pânico com o fim da faculdade'. Eu não conhecia ninguém. Não me agradava particularmente morar em Phoenix. E eu não sabia o que queria fazer profissionalmente".

Cerca de nove meses após a mudança, Marie foi contratada pelo jornal local *Arizona Republic* como designer gráfica. "Foi um bom trabalho", ela diz, "mas do grupo de pessoas com quem trabalhei eu era de longe a mais nova. Foi minha primeira experiência profissional verdadeira. Foi legal, mas fiquei um pouco desiludida. Tipo 'É só isso? Por que tive tanta pressa em terminar a faculdade?'."

Pat não teve essas dúvidas sobre seu trabalho na Liga Nacional de Futebol Americano. Ao ser escalado como *free safety* titular no jogo inicial da temporada de 1998, tornou-se o primeiro novato em dez anos a começar nessa posição nos Cardinals. O Arizona perdeu seus dois primeiros jogos, mas Pat jogou bem em ambos, fazendo dezoito *tackles* e desviando um passe. À medida que a temporada avançou, o time começou a ganhar mais jogos do que perdia — algo que os desesperados torcedores dos Cardinals não experimentavam havia catorze anos.

Aprender a jogar como *free safety* foi um grande desafio para Pat, em especial porque com frequência ele precisava cobrir recebedores velozes em jogadas de passes profundos, algo que não precisava fazer muito como *linebacker*. Embora ele tivesse quase sempre um bom desempenho, ocasionalmente os times oponentes tiravam vantagem de sua inexperiência e relativa falta de velocidade, deixando-o para trás em passes longos na direção do campo adversário. No fim de novembro, restando cinco partidas da temporada regular, os Cardinals totalizavam seis vitórias e cinco derrotas. Se conseguissem vencer três dos cinco jogos restantes, iriam para os *playoffs* pela primeira vez desde 1982, ano cuja temporada foi prejudicada por uma greve de 57 dias. Como Pat havia cometido algumas falhas típicas de um principiante, o treinador Vince Tobin resolveu colocá-lo no banco de reservas e em seu lugar escalar Kwamie Lassiter pelo resto da temporada, esperando que o *free safety* veterano desse ao time uma chance melhor de chegar aos *playoffs*. Quando os repórteres perguntaram a Pat como se sentia ao perder a posição de titular, sua resposta foi breve, mas a decepção era clara: "Agradeço pela preocupação de vocês, mas não tenho nada a dizer".

Os Cardinals acabaram perdendo os dois jogos seguintes, apesar da substituição de Tillman por Lassiter. Mas então, diante do perigo, o time recuperou o pique e venceu os três últimos jogos da temporada — dois deles com gols de campo longos no último momento. E, incrivelmente, o resultado de nove vitórias e sete derrotas foi suficiente para enviar os tão criticados Cardinals para os *playoffs*. Uma semana depois, eles viajaram a Dallas para a partida decisiva contra os Cowboys, derrotando-os por um placar surpreendente de 20 a 7, a primeira vez em que os Cardinals venciam um jogo de *playoff* desde 1947. O sonho chegou a um final abrupto uma semana depois, quando eles perderam para os Minnesota Vikings, mas 1998 marcou uma virada espantosa da sorte para os antes desafortunados Cardinals, e Pat contribuíra muito para o sucesso.

Ele se adaptou bem ao time e se sentia à vontade no Arizona, graças em parte ao seu prestígio junto à comunidade local desde a época em que era jogador dos Sun Devils. Em abril de 1999, Pat e Marie compraram uma casa na West Buffalo Street, em Chandler. Nada luxuoso: uma casinha caprichada de tijolos falsos com 150 metros quadrados de espaço disponível, coberta com telhas, com iúcas e palmeiras no jardim fronteiro e uma garagem para dois carros. Pat pagou por ela 141 400 dólares. "Devido à inconstância da NFL, não sabíamos quanto tempo permaneceríamos em Phoenix", Marie recorda. "O tempo todo em que Pat jogou pelos Cardinals, só lhe ofereceram contratos de um ano. Mas após sua primeira temporada, achamos que ficaríamos ali pelo menos mais um ano, e as casas eram baratas comparadas ao que estávamos acostumados a ver na área da baía, então Pat comprou a casa."

Apesar de Pat ser uma verdadeira celebridade no Arizona, ele e Marie não viviam como a maioria dos outros jogadores da NFL, e suas vidas careciam visivelmente das mordomias habituais. Quando começou a jogar pelos Cardinals, Pat nem possuía um carro. Ia trabalhar todo dia de bicicleta. Acabou comprando um jipe Cherokee usado, que mais tarde trocou por uma caminhonete Volvo de segunda mão, mas isso foi o máximo que ele conseguiu. "Os outros jogadores dos Cardinals achavam hilária a Volvo velha de Pat", recorda Benjamin Hill, amigo de infância dele. "Seus colegas de time todos dirigiam Escalades supermodernos, e ele tinha aquele carro de mãe suburbana."

Embora o salário de Pat fosse o mínimo permitido nos contratos da NFL, "era um dinheirão para ele, recém-saído da faculdade", diz Marie. "Mas Pat sempre havia sido bem conservador com dinheiro. Estava consciente de que o futebol americano não duraria para sempre. Além disso, valorizava o trabalho duro e as pessoas que suavam a camisa para ganhar um salário modesto. Não se sentia à vontade vivendo de forma extravagante."

Pat destacou-se de seus colegas de time da NFL também em outros aspectos. No tocante a animais de estimação, por exemplo, a maioria dos jogadores de futebol americano gostava de cães, mas não Tillman, que teve dois gatos durante o período que passou nos Cardinals e não escondia sua predileção pelos felinos. Ele até tentou convencer seu amigo e colega de time Zack Walz da "superioridade dos gatos em relação às demais espécies". Durante a baixa temporada, Tillman se rematriculara na ASU para um mestrado em história, o que também o distinguia dos demais. "Devido aos compromissos, ele não conseguia assistir às aulas no campus", Marie recorda. "Então Pat se encontrava fora das aulas com um professor do departamento de história que lhe dava tarefas e o orientava on-line."

Alguns dos amigos de faculdade de Pat ainda estavam na área de Phoenix — sendo o principal deles Jack Plummer, que assinara contrato com os Cardinals um ano antes de Pat. Tanto Pat quanto Marie sentiam muita falta dos amigos e da família na Califórnia. "Os amigos que ele fez no colégio foram seus melhores amigos, e permaneceram assim por toda a sua vida. Pat saía com alguns dos outros jogadores dos Cardinals, e havia um grupo de esposas com quem eu saía quando os jogadores estavam fora da cidade. Mas nunca nos adaptamos realmente ao estilo de vida da NFL. Não era típico de Pat ir aos clubes em Scottdale nos fins de semana, ou jogar golfe durante a baixa temporada, que eram as diversões da maioria dos outros jogadores."

Em termos de recreação Pat era mais aventureiro do que seus colegas jogadores, que tendiam a evitar atividades de lazer que pudessem resultar em lesões que encerrassem suas carreiras ou algo pior — em parte porque seus contratos geralmente os proibiam de praticar atividades como esqui e paraquedismo, que punham em risco suas vidas e seus membros. O contrato de Pat também incluía uma cláusula desse tipo, e, como seus colegas de time, ele não queria ser ferido ou morto. Mas gostava demais de desafios físicos para se afastar totalmente deles, com ou sem contrato.

Nas forças armadas, quando os soldados se aventuram além da segurança de suas bases operacionais avançadas, que são cercadas por enormes muros contra explosões encimados por arame concertina, dizem que estão "saindo para fora da cerca". A expressão serviria perfeitamente como um slogan de como Pat vivia grande parte de sua vida. "Acho que você tem que sair de sua zona de conforto", ele certa vez explicou a um jornalista. "Se você se sente confortável o tempo todo, é como esquiar sem nunca cair: você não está ousando. Eu quero ultrapassar os limites. E muito." Ele acreditava que, para ter um crescimento pessoal, precisaria estar disposto a assumir riscos calculados. Ao fazê-lo, confiava que sua força e seu espírito atlético, além do bom-senso, o protegeriam do perigo. Já possuía essa confiança quando ainda nem tinha idade para expressá-la.

Desde os três anos, Pat adorava subir e balançar em árvores. Ao ficar mais velho, seu fascínio por lugares altos o levou a trepar nos penedos e penhascos que abundavam nos morros acima de sua casa. Na escola de nível médio, ele e seus colegas se divertiam mergulhando de pontes altas em rios e lagos. Aos dezessete anos, com saudades de casa, em sua primeira pré-temporada com os Sun Devils em agosto de 1994, Pat aliviava a solidão saltando de um penhasco de doze metros que descobrira nos morros atrás dos campos da ASU. Todas as manhãs e tardes, o time se reunia para treinos cansativos. Durante os intervalos das sessões de treinamento, quando a maioria dos jogadores desabava nas suas beliches para descansar algumas horas, Pat passeava sozinho em um afloramento de rocha e mergulhava repetidamente de sua borda nas águas frígidas do regato que corria abaixo.

Pouco depois do início das aulas na ASU naquele outono, Pat começou a subir semanalmente numa torre de iluminação que se elevava 61 metros acima do Estádio Sun Devil — não em busca de emoções baratas, mas pela tranquilidade que encontrava ali. Bem acima do burburinho da cidade, ele gostava de organizar seus pensamentos e contemplar a ampla vista. O mundo abaixo ganhava uma perspectiva nova. O ponto de observação elevado acalmava sua mente.

Na parede do escritório de Benjamin Hill há uma foto dele junto com Pat e Jeff Hechtle numa saliência de granito em Sierra Nevada, Califórnia, doze metros acima da superfície do lago Tahoe. Todos os verões, desde 1996 até Pat e Kevin ingressarem no Exército em 2002, Hill e sua futura esposa, Jamie; Hechtle e sua futura esposa, Cindy; Pat, Marie e Kevin Tillman; o irmão mais novo de Hill, Brandon; e vários de seus amigos mais próximos passavam juntos uma temporada de cinco ou seis dias em Tahoe. Durante esses encontros animados, praticavam esqui aquático, jogavam rodadas intermináveis de Trivial Pursuit, bebiam muita cerveja, conversavam a noite inteira e se descontraíam. Eles também adoravam mergulhar de penhascos.

A foto em seu escritório, Hill diz, foi tirada pouco antes que ele e Hechtle dessem seu primeiro salto da saliência para onde eles subiram, nervosos. "Pat acabara de saltar lá de cima", Hill recorda. "Jeff e eu estávamos tentando reunir coragem para saltar também. Existe uma saliência no penhasco que você precisa transpor, e é preciso saltar bem longe para não atingir a encosta da rocha na queda." Marie aguardava num bote abaixo. Depois de permanecer na saliência por uns vinte minutos contemplando tudo o que poderia dar errado, ela berrou: "Saltem, seus maricas!". Essas palavras gentis de encorajamento enfim os induziram a saltar.

“Aquele salto particular não foi grande coisa”, diz Brandon Hill. “Não é questão de vida ou morte. É algo mental. Você só precisa se decidir a saltar.” Pat certa vez chegou a dar um salto mortal daquele afloramento. Entretanto, os irmãos Hill deixaram claro que ele também deu uma série de saltos de outros lugares elevados onde qualquer erro poderia ser fatal. Um deles, perto de Sedona, Arizona, 160 quilômetros ao norte de Phoenix, foi “a coisa mais maluca que já vi na minha vida”, Brandon recorda. “Até hoje penso nele. Se não tivesse testemunhado com meus próprios olhos, não teria acreditado.”

A paisagem ao redor de Sedona é uma fantasmagoria de pináculos de arenito vermelho e ravinas cobertas de florestas oferecendo muitas formas de diversão. Pat nunca se fartava do lugar, indo lá muitas vezes durante os sete anos e meio em que viveu no Arizona. Certa tarde, durante o período nos Cardinals, ele e Kevin estavam percorrendo a margem do cânion Oak Creek, quase dez quilômetros ao norte de Sedona, perto do parque estadual Slide Rock. A rota acompanhava a beira de um penhasco íngreme bem acima do riacho. Ao caminharem pela borda do precipício, passaram por um pinheiro que crescia num amontoado de penedos irregulares no fundo do cânion, a uns três ou quatro metros do paredão vertical do penhasco. A saliência onde eles estavam ficava no mesmo nível dos ramos superiores do pinheiro, e Pat achou que seria um desafio interessante saltar para o topo da árvore.

Ele refletiu sobre o salto por um momento, aproximou-se da borda, afastou-se, voltou a se aproximar e recuou outra vez para avaliar um pouco mais o salto. Após vários longos minutos, voltou a se aproximar da borda e se lançou no vazio com toda a energia que conseguiu. A adrenalina na corrente sanguínea foi tamanha que ele saltou com mais força do que necessário, atingindo a árvore em cheio. Conseguiu se firmar, mas a coisa não foi bonita.

Duas semanas mais tarde, Pat repetiu a caminhada ao longo da orla do cânion Oak Creek com Kevin, Brandon Hill e dois outros amigos. Quando chegaram ao local onde havia desafiado a morte com seu salto, Pat decidiu repetir a façanha. Queria ver se dessa vez conseguiria executar a manobra com menos esforço e aterrissar na árvore com mais suavidade.

Quando Brandon viu o que Pat pretendia fazer, achou uma loucura. O recorde mundial de salto em distância parado é de 3,70 metros — só um pouco mais do que a distância da beira do cânion ao topo do pinheiro. Se Pat não conseguisse transpor o fosso, ou saltasse aquela distância mas não conseguisse agarrar a árvore, mergulharia nos penedos do fundo, e a morte seria quase certa.

Pat, porém, estava certo de que aquilo não aconteceria. Levou um momento para avaliar a distância até um galho horizontal aparentemente firme e calcular sua trajetória. Depois, conta Brandon, "ele caminhou até a beira do penhasco, perfeitamente sereno. Sua postura era de um ginasta ou mergulhador, só que mais estável. A maioria das pessoas que fizesse algo como aquilo tremeria um pouco. Mas não Pat. Parecia totalmente no controle. Num movimento harmonioso, ele se agachou, balançou os braços e saltou. Simples assim. Nenhuma hesitação. Ele nem pensou no que estava fazendo. Foi inacreditável".

Pat avaliou o salto perfeitamente. Após voar pelo abismo, Brandon recorda, "ele agarrou com suas grandes mãos aquele galho de vinte centímetros de espessura que tinha visado. Seu corpo balançou bastante devido ao impulso, mas ele não teve nenhum problema para se agarrar. Depois atirou uma perna sobre o galho e simplesmente escorregou tronco abaixo até o chão, como se o salto não fosse grande coisa. Às vezes, quando estou na cama à noite, ainda penso naquilo".

Por mais surpreendente que fosse aquele salto, não tinha nada de mais para Pat. Por toda a vida ele bolou novos desafios para si, muitos deles perigosíssimos. "Pat não fazia esse tipo de coisa para impressionar as pessoas", diz Brandon. "Você nunca o ouvia conversando sobre as coisas incríveis que realizara. A única maneira de saber de alguma coisa que tivesse feito era estar com ele para testemunhá-la. Ele fazia essas coisas para si. Na maioria das vezes, não havia ninguém perto para vê-lo."

Benjamin Hill admite que ocasionalmente, quando via Pat se testando de alguma maneira maluca, não resistia a chamar a atenção do amigo: "Especialmente durante os anos em que jogava para a ASU e os Cardinals, às vezes eu lhe perguntava: 'Por que você está se expondo a essas situações em que poderia facilmente se machucar, quando sabe que neste momento as coisas estão indo bem e que há muita coisa em jogo? Qual é o motivo?'". O motivo, Pat explicava a Hill, era que "ele sentia que precisava de constantes desafios, físicos e mentais, para permanecer em forma. Vinha fazendo isso a vida toda, e acreditava que assim chegara onde chegara. Se ele parasse de procurar desafios com medo de se machucar, sentia que perderia o pique".

Surpreendentemente, considerando-se as imprudências que cometera ao longo dos anos dentro e fora dos campos de futebol americano, Pat sofrera poucos ferimentos. Quase todos que o conheciam passaram a acreditar que ele era praticamente indestrutível.

Treze

Dado o sucesso inesperado dos Cardinals em 1998, os arizonianos esperavam grandes feitos de seu time da NFL em 1999. Infelizmente, ficaram muito decepcionados: a equipe venceu apenas seis de seus dezesseis jogos. Quanto a Tillman, foi relegado a jogar com os especialistas e ocasionalmente a sair do banco de reservas como *safety* — embora tenha jogado como titular a última partida da temporada, depois que o *safety* Tommy Bennett contundiu gravemente o joelho.

Apesar de ter ficado na reserva e não ter aparecido muito, a temporada de 1999 foi uma experiência positiva para Pat, em grande parte porque os treinadores o passaram da posição de *free safety* para a de *strong safety*, mudança adequada aos seus talentos. Como *strong safety* ele não precisou se preocupar tanto em cobrir recebedores super-rápidos em profundidade, podendo se concentrar mais em parar os passes curtos do adversário, o que favorecia os reflexos que havia desenvolvido como *linebacker*. Magoado com o rebaixamento para o banco de reservas, Pat treinou com mais afinco do que nunca. E também se beneficiou tremendamente por ter um ano na NFL no currículo. Um de seus problemas como novato tinha sido o excesso de entusiasmo — sua tendência a tentar participar de todas as jogadas e fazer todos os *tackles*. Como consequência, às vezes ele reagia rápido demais e era enganado por jogadas maliciosas. Durante o segundo ano ele aprendeu a contar mais com sua inteligência, em vez da pura força, o que lhe rendeu enormes dividendos. Após a partida final da temporada — uma derrota esmagadora para o Green Bay em 2 de janeiro de 2000 — Pat já estava ansioso por voltar a jogar no outono, e determinado a recuperar a posição de titular que conquistara no fim de 1999.

A baixa temporada de 2000, como todas as baixas temporadas, "não foi fácil para Pat", diz Marie. "Ele ficava inquieto às vezes. Não era o tipo de pessoa que ia jogar golfe ou ficava vagabundeando em casa. Ele gostava de ser produtivo no seu tempo livre. Acho que em parte foi por isso que participou da maratona. Aquilo lhe deu algo a que se dedicar durante a baixa temporada."

Pat se inscrevera para participar da maratona Avenue of the Giants, realizada na primeira semana de maio no parque estadual Humboldt Redwoods, ao sul de Eureka, no extremo norte da costa da Califórnia. Como nunca tinha participado de uma corrida tão longa, pediu conselhos a Perry Edinger, que havia sido o treinador titular de atletismo na ASU na época em que Pat jogara pelos Sun Devils. Edinger elaborou para ele um programa de treinamento detalhado, sob medida para se encaixar nas férias de cinco semanas pela Europa Ocidental que Pat e Marie haviam planejado para começar em 6 de março.

Pat nunca havia atravessado o Atlântico, e o diário que escreveu durante a viagem revela sua fascinação e puro prazer ao experimentar mesmo os aspectos mais corriqueiros da cultura europeia. Apesar da programação intensa, ele conseguiu sair para correr quase todas as manhãs. Quando partiu para seu exercício matinal em Paris no terceiro dia de viagem, as portas de saída do hotel estavam trancadas, ele escreveu, "então fui forçado a escapar pela janela do segundo andar para fazer meu treino. [...] Meu roteiro me levou ao longo do rio Sena até chegar à Torre Eiffel e voltar. Foi uma senhora experiência absorver tanta coisa de Paris de manhã tão cedo. Quando retornei, o francês no hotel reclamou por causa da história da janela. Eu nem dei bola e voltei ao meu quarto para me preparar para o dia. Nem precisava mais passear por Paris depois de uma corrida tão bonita".

Enquanto Pat e Marie percorreram a Alemanha, ele se atribuiu a missão de experimentar todas as variedades de cervejas e salsichas locais com que topasse, avaliando cada uma em seu diário. Em Munique, vibrou com a condimentada *Bratwurst* e reagiu favoravelmente à *Schweinwurst*, mas após provar a quase crua *Weisswurst*, observou: "A textura era macia e o gosto não era particularmente notável. [...] Antes mesmo que eu deixasse a mesa, meu estômago estava protestando. Marie teve que me carregar de volta ao nosso quarto". A dedicação de Pat à avaliação das comidas e bebidas locais fez com que se sentisse compelido a criticar as ofertas de um McDonald's onde foram na região de Berner Oberland, na Suíça. Após ver no menu um item estranho chamado McFu Burger, ele escreveu: "Tive que provar". Ao que se revelou, não passava de um "hambúrguer comum de cem gramas, sem o queijo, mais molho oriental com alface e pedaços malucos de cenoura e não sei mais o quê. Delicioso. Tiro meu chapéu para o McFu".

Um dia depois, em Interlaken, em sua corrida diária, ele deparou com avisos de que a trilha estava interditada e o acesso era proibido — o que aguçou sua curiosidade. "Havia árvores caídas por todo o percurso", ele escreveu, "me forçando a fazer umas belas manobras para passar. Claro que aquilo só aumentou o prazer da corrida, e logo eu estava fora da trilha, ao longo de um rio turquesa brilhante."

Pat adorava transformar seus encontros com obstáculos naturais — penedos, rios, troncos caídos — em esporte improvisado. "Do nada, ele sempre inventava formas criativas de desafiar a si mesmo", diz seu amigo Alex Garwood, casado com a irmã mais velha de Marie, Christine. Garwood recorda que, certa vez, ao passear com Pat perto de Sedona, este sugeriu que abandonassem a trilha e descessem o riacho Oak Creek pulando de pedra em pedra:

> Pat queria ver até onde conseguia chegar sem molhar os pés. Percorremos alguns quilômetros daquela maneira. Meus pés logo ficaram muito molhados. Eu escorreguei e caí várias vezes. Ele simplesmente não molhou os pés. E foi tão divertido observar. Além de sua habilidade atlética excepcional, ele mostrou grande inteligência. Aquilo foi quase como uma partida de xadrez para ele: refletir, planejar os lances antecipadamente, saltar de pedra em pedra, de uma pedra à margem, da margem a um galho de árvore, a um tronco, a outra pedra. Dando aqueles saltos incrivelmente longos, incrivelmente elegantes. E com a confiança de que era capaz de fazer aquilo. Ele tinha um equilíbrio incrível — havia uma maneira de mover as mãos para se equilibrar que era típica de Pat.

Depois da Suíça, Pat e Marie pararam em Veneza, Florença e Roma. Na costa norte da Itália, visitaram Cinque Terre, onde Pat escalou os penhascos marinhos em Monterosso. "Como fazia algum tempo que eu não subia em rochas", ele admitiu, "fiquei um pouco nervoso." Pararam alguns dias na Riviera Francesa, cuja fama ele achou exagerada. Em Mônaco, ele escreveu, era possível sentir a proximidade de "muito dinheiro, mas você também tem a sensação de que a festa está escondida em algum lugar. [...] Talvez meu espírito de operário esteja prevalecendo aqui". Sobre Cannes, ele observou: "Talvez eu estivesse esperando um pouco demais. [...] Seria errado esperar praias espetaculares? [...] Seria errado esperar gente bonita por toda parte, ou ao menos de vez em quando?".

Em 25 de março, Pat e Marie haviam retornado a Paris para se encontrar com Christine e Alex Garwood, que viajaram de avião da Califórnia para acompanhá-los nas duas semanas finais da viagem. Depois de se perguntar quão cara seria aquela cidade, Pat escreveu: "Cara ou não, Marie e eu devemos desfrutar Paris em companhia de Alex e Chris. Marie e eu conseguimos evitar os atritos, mas os viajantes extras deverão dar a Marie uma trégua tão necessária de mim. [...] Naturalmente, a viagem foi uma forma de nos aproximar, ao mesmo tempo em que nos cansávamos um do outro. É óbvio que realmente curti a companhia e a conversa de Marie. Espero que ela tenha sentido o mesmo".

A próxima anotação no diário começa assim:

> A culpa não foi minha! A culpa é de Alex. [...] A culpa é de Paris. [...] Meu Deus!!! Fiquei completamente bêbado ontem à noite. Mais que bêbado. [...] Como estávamos em Paris, as damas quiseram um bonito jantar. Nem imaginavam o que estava por vir. [...] o restaurante era pequeno e incomum. Tocavam jazz como música ambiente e o serviço era ótimo. Um prato de queijos e uma mistura de cogumelos constituíram nossa entrada [...] o negócio de cogumelos estava incrível. Infelizmente, com a entrada veio o vinho.
>
> Como prato principal comi cordeiro. Maravilha! Toda nossa comida foi excelente, com ótimos molhos. [...] Nossa conversa foi animada e, à medida que serviam o vinho, foi ficando cada vez mais alta. Na sobremesa, as damas pediram *crème brûlée* e Alex, um *brownie*. Eu preferi mais vinho.
>
> Agora as coisas começam a ficar complicadas. Alex e eu estamos ficando inconvenientes à medida que nos embriagamos. Como de hábito, começo a passar dos limites, e Marie diz que as pessoas em torno não estão nada satisfeitas. Não somos expulsos, mas educadamente nos deram uma cortada, e fomos embora.

Eles foram realmente legais e não se aborreceram, mas ficaram contentes quando nos viram sair.

Recordando aquela noite, Christine Garwood suspira, pensativa, e depois explica a cena em detalhes: "Uma amiga de Marie tinha estado em Paris e recomendou aquele restaurante. Era um lugar pequeno. Quando chegamos lá, não havia ninguém além de nós. A garçonete era da Nova Zelândia, eu acho, ou da Austrália. A certa altura, ela disse algo como: 'Ah, sim, os últimos americanos que estiveram aqui beberam duas garrafas de vinho por pessoa'. Claro que Alex e Pat tomaram aquilo como um desafio, e o vinho começou a fluir.

"Ficamos lá muitas horas. Fizemos várias brincadeiras com a garçonete. O chefe de cozinha veio conversar conosco. Foi bem divertido, e o vinho não parava de chegar. Pat e Alex já tinham bebido o suficiente e começaram a ficar ruidosos, e àquela altura o local havia lotado." Dois casais franceses na mesa ao lado deixaram claro que o comportamento cada vez mais ruidoso dos americanos deixara de ser divertido. "A garçonete e o maître foram bem legais conosco", diz Christine, "mas finalmente deram a entender que Pat e Alex estavam passando da conta e que talvez estivesse na hora de Marie e eu levarmos os rapazes embora. Eles foram muito educados conosco. Foi tipo: 'Certo, vocês curtiram um ótimo jantar, por que não vão dar uma caminhada agora?'."

Ao voltarem a pé para o hotel, Pat, de brincadeira, agarrou uma grade de ferro que fechava uma fachada de loja e começou a sacudi-la, fazendo um barulhão que atraiu a atenção de um passante. O francês, furioso, lançou sobre os americanos um olhar de desaprovação. Pat o fitou de volta e, bêbado, exclamou: "Não esqueçam que, se não fosse por nós, vocês todos estariam falando alemão agora". Com seu estereótipo da ignorância americana confirmado, o francês, satisfeito, partiu sem maiores incidentes, e Marie conseguiu fazer com que Pat voltasse a andar em direção às acomodações deles, um quarto minúsculo numa pensão barata.

Quando chegaram, Pat imediatamente desmaiou ao lado de Marie numa das duas camas de solteiro. Mas pouco depois sua cabeça começou a girar, e ele foi dominado por uma súbita necessidade de expelir o conteúdo de seu estômago. Felizmente, conseguiu virar a cabeça para fora do colchão antes de vomitar. Infelizmente, a mochila aberta de Marie jazia no chão ao lado da cabeceira da cama. "Ele vomitou dentro da mochila", conta Christine, "e o vômito era vermelho. Não havia nada no estômago dele além de vinho. Depois ele virou e voltou a dormir. Marie limpou a sujeira. Ela não gostou nem um pouco daquilo. Havia trazido apenas umas poucas camisetas e calças para a viagem inteira. E agora tudo que tinha estava manchado de vermelho. Na verdade, foi meio engraçado. Rimos muito daquilo."

"Pat era uma pessoa difícil de lidar", Christine continua. "Era assim que minha irmã costumava descrevê-lo. Ela morria de amores por ele — todos o adorávamos —, mas Pat era definitivamente uma pessoa difícil. Durante a baixa temporada, a casa deles no Arizona se enchia de visitas — Kevin, meu primo Frank, amigos lá de Almaden — que ficavam acordadas até altas horas. Faziam uma algazarra, embora ela dormisse no quarto ao lado e tivesse que acordar cedo para trabalhar no dia seguinte. Ela berrava e estrilava um pouco, até acabar desistindo: 'Certo, seja o que Deus quiser'. Percebia que a agitação de Pat era uma parte essencial de seu ser, e não havia muita coisa que pudesse fazer, ainda que às vezes desse vontade."

Embora Pat reconhecesse no diário que passara dos limites durante sua *grande soirée parisienne*, não expressou nenhum remorso. "A noite se encerrou com Alex desmaiado na cama e eu vomitando no quarto todo", ele escreveu. "Bem, me diverti a valer, e Alex também. As garotas podiam ter sido poupadas do vômito e dos maus modos, mas elas esquecerão, e sei que no frigir dos ovos se divertiram. O bom compensa o ruim. Para mim, porém, não houve nada de ruim [...] até que a manhã chegou."

Um dos princípios sagrados do código moral de Pat considerava inaceitável deixar uma ressaca interferir em seus deveres e compromissos. Em seu regime de treinos, esses compromissos incluíam uma curta corrida matinal. "Devido às travessuras noturnas", Pat escreveu sobre a corrida, "esta manhã foi mais difícil do que deveria. Alex e eu havíamos planejado uma hora de exercício e não queríamos perdê-la. Graças ao vômito eu estava bem. Mas Alex estava péssimo, só conseguindo correr por teimosia, com o corpo imprestável. Felizmente conseguimos terminar a corrida, iniciando o dia com o pé direito. Teria sido um mau precedente deixar que a bebedeira nos derrubasse."

Bêbado feito um gambá, num porre homérico, pra lá de Bagdá. Independentemente da terminologia, Tillman adorava tomar umas e outras com bons amigos. Gostava de quase tudo no porre: o som da Guiness sendo — *blub-blub-blub* — despejada no copo, a perda da inibição, a sensação maior de ligação interpessoal; a euforia crescente; a música penetrando crânio adentro; o vislumbre vertiginoso e fugaz que parecia sentir dos mistérios mais profundos do cosmo. Quando Pat estava mamado, recorda Alex, "jogava a cabeça para trás, seus olhos se transformavam numas fendas pequenas, e nós nos divertíamos com suas risadas tonitruantes. Depois seus braços se abriam, derrubando cervejas, e ele agia como se aquilo fosse a coisa mais engraçada que já vira. Mas sua risada era tão contagiante que você ria junto. E se você estivesse num restaurante e as pessoas na mesa ao lado estivessem insatisfeitas com o barulho, ele olhava para elas como dizendo 'não consigo entender por que vocês também não estão rindo, porque isto é bem hilário'.

"Estar com Pat era a melhor coisa", Alex continua, sua voz se tornando nostálgica. "A bebedeira ficava melhor, a conversa ficava melhor, as risadas ficavam melhores — tudo na vida ficava melhor quando ele participava."

Embora as libações alcoólicas constituíssem um dos maiores prazeres de Tillman, sua bebida favorita não era alcoólica. Era café, que fluía por sua vida como o Ganges flui pela Índia, conferindo familiaridade a experiências heterogêneas e a pontos afastados da bússola. E, embora Pat curtisse os rituais associados ao café — moer os grãos, manejar a cafeteira, examinar o menu nos quiosques de café expresso —, o café em si era apenas um lubrificante, um catalisador, um meio para um fim particular, que era estimular a conversa.

Marie concorda. "Ele adorava ter pessoas em volta", ela recorda. "Adorava bater papo. Quando nos reuníamos com nossos bons amigos — os amigos que tínhamos desde Almaden — ao final da noite, Pat era o último a parar de falar. Se estivesse cansado, deitava no chão, mas insistia que todos os demais continuassem conversando, não deixassem o papo morrer. Aí ficava deitado, ouvindo as vozes de seus amigos."

Catorze

Um mês depois de Pat e Marie retornarem da Europa, ele foi de carro do Arizona ao norte da Califórnia para competir na maratona Avenue of the Giants, e em 7 de maio percorreu 42,2 quilômetros através das majestosas sequoias canadenses de Humboldt County, terminando em três horas, 48 minutos e 48 segundos, o que lhe valeu o 170º lugar entre 666 concorrentes. Foi o único jogador da NFL a completar uma maratona naquele ano.

Entretanto, treinar para uma corrida de longa distância não ajuda muito no futebol americano, que requer capacidades em grande parte anaeróbicas de arrancar e parar com intensidade máxima. Mas Pat também vinha se esforçando na sala de musculação, tanto quanto nas trilhas de corrida. Ao chegar em Flagstaff em 21 de julho para o início da pré-temporada dos Cardinals, estava mais forte do que nunca, pesando menos do que em qualquer outro período depois da escola, tendo resolvido elevar seu jogo ao nível máximo possível.

Escrevendo a primeira anotação no diário que decidiu manter durante a temporada de futebol americano de 2002, Pat declarou: "Este é um ano importante. Decidirá se sou um titular, contribuindo da forma que desejo, ou se ficarei encalhado num papel de reserva ou de especialista pelo resto da minha carreira. A oportunidade me foi dada, estou preparado física e mentalmente, tudo depende de mim. Um ano do cacete, cara!". Explicando seus motivos para escrever um diário (algo que nunca fizera nas temporadas de futebol americano anteriores), ele acrescentou: "1) Este é um ano crucial para mim, e ao dedicar algum tempo a registrar meus pensamentos talvez eu ajude a mim mesmo. 2) Acho que no futuro será bom ter o diário, para aprender com ele e rir dele. 3) Após escrever o diário na Europa, aprendi a curti-lo. Percebo que não é muito útil, mas mesmo assim é divertido reunir seus pensamentos. [...] Os treinos começam amanhã".

Jogar na posição de *safety*, Pat confidenciou em seu diário, "ainda é uma novidade para mim" e "exige mais da mente" do que jogar como *linebacker*. "Levei algum tempo até acreditar que posso cobrir recebedores (não entendam mal; nunca será meu ponto forte). Como *linebacker* nunca duvidei de minha velocidade ou cobertura porque não tinha razão para isso. Como *safety* tive que aprender como fazer. É um processo permanente, mas me sinto bem mais à vontade do que nos últimos dois anos. Realmente acredito que possa ser um ótimo *safety* nesta liga. [...] Para chegar aonde quero, preciso estar constantemente me testando. Não posso dar aos treinadores nenhuma razão para acharem que uma outra pessoa deveria estar jogando no meu lugar. [...] Todo dia, todo dia, concentração total."

Como quase sempre acontecia, Pat acabou conseguindo o que queria, impressionando os treinadores na pré-temporada de 2000, e na partida final — em San Diego em 25 de agosto — assegurou a posição de *strong safety* titular. Como a maioria dos novatos, não jogou muito tempo naquele último amistoso antes da temporada regular. "A melhor parte do jogo", ele escreveu, "foi aquela que pude passar com mamãe, Nub, Pooh",* e cerca de uma dúzia de outros fãs que tinham vindo de carro da área da baía para vê-lo jogar. "Foi legal ver todo mundo após o jogo, ainda que por pouco tempo. Minhas fontes informam que o bicho pegou nas arquibancadas: vômitos, brigas, berros etc. Meus amigos e minha família trouxeram a emoção pela qual eu esperava. [...]

"A temporada está para começar. Esta semana pretendo passar um tempão vendo filmes e me preparando para o domingo", quando os Cardinals enfren-

* Kevin nasceu em 1978, quando Pat tinha catorze meses. Como não conseguia pronunciar seu nome na época, Pat chamava o irmão de "Nubbin" ou "Nub", e o apelido pegou. O mesmo aconteceu com "Pooh", apelido que os dois deram ao irmão caçula, Richard, nascido em 1981, que achavam parecido com o ursinho gorducho das histórias que a mãe lia para eles.

tariam os Giants em Nova York. "Espero que consigamos forçar os Giants a atirarem a bola, para que eu possa fazer uma interceptação. [...] Vou me concentrar em ficar de olho nas pessoas. Nas últimas partidas não fiz as jogadas que deveria. Domingo vou arrebentar. [...] Estou doido para ver esta temporada acontecer. É incrivelmente importante começar botando pra quebrar."

Ao que se revelou, a temporada de futebol americano de 2000 começou dramaticamente para Tillman, mas não da maneira que ele havia imaginado. Os Giants, que encerrariam aquela temporada com um recorde de catorze vitórias e cinco derrotas e chegaram à partida final, o Super Bowl, eram um dos melhores times da NFL. Os Cardinals estavam entre os piores. O jogo, no mínimo, foi um desencontro. O pior momento para Tillman veio no segundo quarto. Com os Giants atrás na sua linha de 22 jardas, o *running back* de Nova York Tiki Barber tomou o *handoff* do *quarterback* Kerry Collins, saiu correndo por uma brecha do lado direito da linha e acelerou para o campo aberto. Tillman, na posição perfeita para detê-lo, mergulhou para fazer o *tackle*. Mas Barber conseguiu driblá-lo, fazendo com que Tillman caísse de cara no chão, e depois disparou 71 metros conquistando um *touchdown* para os Giants, a maior corrida de sua carreira. O time de Nova York acabou derrotando os Cardinals por 21 a 16.

No dia seguinte ao jogo, Pat escreveu no diário: "Me fodi. Perdi um *tackle* que resultou num *touchdown* de 71 metros. Vaias! Não foi exatamente o que eu tinha planejado. Foda-se. Melhorarei na semana que vem".

Não há mais anotações no diário até 9 de setembro, o sábado antes do jogo seguinte dos Cardinals, contra os Dallas Cowboys. "Que porra de pesadelo", começa a anotação.

> Desde domingo minha carreira esportiva vem sofrendo uma reviravolta para pior. Sofro com aquele *tackle* perdido faz dias, o que me tornou um tanto introvertido e quieto. Mais do que remoendo, estou me empenhando em melhorar. Os treinos têm sido importantes para mim na medida em que me concentro em não cometer erros e em fazer boas jogadas. Entretanto, como tenho estado calado, dou a impressão de que estou desanimado, e o pessoal pergunta se estou bem. Bem, quinta-feira no treino tudo está indo bem. Estou jogando bem, sem cometer erros, interceptei um passe, e me sinto bem após o *7-on-7* [exercício de cobertura de passes], quando passamos para um período de *blitz* [outro tipo de exercí-

cio]. Corri um ótimo *blitz* na primeira jogada, e na segunda levei um *sack*, mas o *running back* me atingiu mais tarde do que achei que deveria. Não com força, mas o suficiente. Agarrei sua máscara, não querendo lutar de verdade, mas ele agarrou a minha (como era de esperar) e eu disse apenas: "Foda-se". Comecei a dar joelhadas nas tripas dele, depois atirei sua bunda no chão quando me cansei.

Após aquele tumulto, Pat escreveu no diário:

O treinador [Vince Tobin] só faltou xingar minha mãe e me fez fazer exercícios até eu quase desmaiar. Mais tarde tive que entrar e falar com o sr. Tobin, que disse que estava "totalmente decepcionado" com minha atuação no domingo; estou "descontrolado"; e ele não acredita que eu serei titular nesta liga. Tudo aquilo que venho lutando para conseguir. Esse episódio foi a gota d'água de uma semana fodida.

A maior decepção é que fiz uma pré-temporada ótima, até o treino da semana passada, para ser tudo estragado por um jogo de abertura medíocre. Daí concluo basicamente que eles escalarão como titular o Tommy [Bennett, o *strong safety* que se machucou no fim de 1999] assim que ele se curar. Para impedir isso tenho que fazer alguma loucura neste fim de semana contra o Dallas. Bem, podia ser pior. Tudo que posso fazer é continuar me esforçando.

Um dia depois de Pat ter escrito esse resumo sombrio de sua semana, os Cardinals jogaram aquela que seria sua melhor partida do ano, contra os Cowboys. Quase ao final do último quarto, estavam perdendo dos Cowboys por cinco pontos e recuaram à sua própria linha de quinze jardas, quando o *quarterback* Jack Plummer lançou a bola para David Boston, ganhando assim 63 jardas. Três jogadas depois, restando apenas dois minutos de partida, Plummer passou a bola para Frank Sanders na zona final para um *touchdown*. Embora os Cowboys precisassem apenas de um gol de campo para vencer o jogo, Pat e a defesa entraram em ação e os detiveram. Ao final da partida, o time do Arizona vencera o de Dallas por 32 a 31. E Tillman jogara de forma brilhante, inclusive fazendo alguns *tackles* decisivos no superastro *running back* Emmitt Smith.

"Domingo foi um grande dia", Pat registrou no diário.

Além de vencermos os Cowboys por um ponto, joguei, segundo minha estimativa, um bolão: 7 *tackles*, 1 lançamento de *quarterback* e 3 intervenções em passes (uma das quais deveria ter sido uma interceptação). [...] Estou bem empolgado com a partida. A semana inteira eu estava na merda. Preocupado com meu futuro, minha capacidade de jogar, coisas com que nunca esquento a cabeça. Ao menos agora, se decidirem me substituir, tenho razões sólidas para dizer que estão errados. O mais importante, porém, é que estou orgulhoso de como dei a volta por cima e joguei bem, apesar da merda do jogo da semana passada, o treinador dizendo que não presto, e minha frustração. Como Nub escreveu tão sabiamente, eu mostrei "a fortaleza e habilidade de um campeão". Quanto a ficar me elogiando descaradamente aqui, mantenho minha palavra. Após o fiasco da semana passada, preciso de todos os elogios do mundo. Minha modéstia voltará quando eu tiver certeza de minha posição de titular. Na próxima semana não temos jogos programados e espero aproveitar o tempo de folga para relaxar. Talvez leve Marie a Sedona ou algo parecido. Normalmente eu iria para casa, mas a semana passou de repente e esquecemos de comprar as passagens de avião que agora devem estar custando quatrocentos dólares.

A partida contra os Dallas Cowboys foi uma mudança da água para o vinho. Além de manter sua posição de titular, Pat continuou melhorando a cada semana que passava. Durante uma derrota dura por 20 a 27 contra os 49ers, de San Francisco, em 1º de outubro, ele fez oito *tackles* e provocou um *fumble*. Após o jogo, escreveu: "Jerry Rice veio até mim e disse que joguei bem". Uma semana depois, contra os Cleveland Browns, ele fez treze *tackles* e interceptou um passe na última jogada da partida, dando aos Arizona Cardinals sua segunda vitória do ano.

Na manhã de 12 de outubro de 2000, quatro dias depois de Tillman ter ajudado os Cardinals a derrotarem os Browns, o USS *Cole* — um destróier de mísseis guiados com 154 metros de comprimento que custara 1 bilhão de dólares — chegou ao porto iemenita de Áden, na ponta sul da península Arábica, para reabastecer seus tanques de combustível num posto de gasolina flutuante. Dois anos antes, alguns dos mísseis de cruzeiro lançados contra o campo de treinamento de Zawar Kili, em Khost, Afeganistão, durante a tentativa malfadada de matar Osama bin Laden haviam sido disparados do *Cole*. Um dos vasos de guerra mais fortemente armados e mais tecnologicamente sofisticados da Marinha norte-americana, seu sistema de radar AEGIS era capaz de defendê-lo contra centenas de mísseis ou caças inimigos atacando simultaneamente num raio de 320 quilômetros. O navio havia sido projetado para ser quase invencível contra os sistemas de armas mais avançados que o Pentágono fora capaz de imaginar.

Às 11h18, quando o *Cole* terminou de reabastecer e estava se preparando para zarpar, um barco de pesca de seis metros de comprimento acionado por um motor de popa — um esquife de fibra de vidro aberto chamado *houri* que era abundante em águas iemenitas — emparelhou com o imenso destróier e parou, como um peixinho nadando até uma baleia. Os dois árabes a bordo do *houri* sorriram e acenaram para os marinheiros americanos postados acima deles na amurada do *Cole*. Os marinheiros pensaram que o barquinho tivesse sido chamado por um oficial na ponte de comando para remover o lixo do destróier. Um momento depois, um dos árabes sorridentes detonou uma bomba, feita de centenas de quilos de explosivo plástico C-4 comprimido numa cápsula de aço moldada para concentrar a força da detonação. A explosão, acompanhada por uma tremenda bola de fogo, abriu um buraco irregular de 10,5 por 11 metros no grosso casco de aço do navio, matando dezessete marinheiros e ferindo outros 39, muitos dos quais perderam membros e/ou ficaram horrivelmente queimados.

Descobriu-se que os terroristas suicidas eram membros da Al-Qaeda. De acordo com o relatório da comissão que investigou o 11 de setembro, a operação havia sido "supervisionada diretamente por Bin Laden. Ele escolheu o alvo e o local do ataque, selecionou os terroristas suicidas e forneceu o dinheiro necessário para comprarem explosivos e equipamentos". Análises da CIA revelaram que a explosão quase afundou o *Cole* e poderia facilmente ter matado até trezentos marinheiros. Como a caminhonete alugada repleta de explosivos detonada sob o World Trade Center em 1993, que por pouco não derrubou as Torres Gêmeas, o ataque ao *Cole* quase destruiu seu alvo. Mas os jihadis que dirigiram os dois ataques estavam aprendendo com seus erros e constantemente refinando seus estratagemas.

De sua parte, Bin Laden esperava que o ataque levasse os Estados Unidos a invadirem o Afeganistão. Esperando a retaliação, fugiu do complexo onde estava, perto de Kandahar, e se escondeu primeiro num complexo fora de Cabul, depois num outro na província de Khost. Os americanos cogitaram num ataque de mísseis retaliatório contra o líder da Al-Qaeda, semelhante ao ataque contra Zawar Kili em 1998, mas acabaram desistindo do plano porque não sabiam de seu paradeiro e não queriam se constranger com outro fracasso. Contrariado com a recusa americana a morder a isca, Bin Laden resolveu continuar atacando símbolos proeminentes da hegemonia norte-americana até que os Estados Unidos enfim não tivessem escolha senão invadir o Afeganistão e se atolar numa guerra invencível, como acontecera com os soviéticos. Conforme citado no relatório da comissão, uma fonte secreta da CIA informou que Bin Laden vinha "se queixando frequentemente de que os Estados Unidos ainda não haviam atacado. De acordo com a fonte, Bin Laden queria que os Estados Unidos atacassem, e se não o fizessem ele lançaria algo maior".

Três dias após o ataque ao USS *Cole*, Tillman fez dezenove *tackles* num jogo em que os Cardinals perderam de 14 a 33 para os Philadelphia Eagles. No domingo seguinte, 22 de outubro, os Cardinals foram derrotados pelos Dallas Cowboys. Dois dias depois da partida, Pat escreveu: "Achamos que tínhamos levamos uma surra na semana passada. [...] Não esperávamos por domingo: 48 a 7. E o placar poderia ter sido ainda pior. [Os Cowboys] nos dominaram completamente. Nossa linha de frente não conseguiu deter os corredores, muito menos fazer um *tackle* neles". Pat se consolou um pouco com o fato de que, quando os corredores adversários chegavam na zona de defesa, não conseguiam passar por ele. Ele fez dezesseis *tackles* naquele dia, o que o levou a escrever: "No mínimo posso me apegar a isso".

Duas semanas depois, Pat disputou a melhor partida de sua carreira profissional, fazendo incríveis 21 *tackles* contra os Washington Redskins. A certa altura, saltou do lado oposto do campo e se lançou nas pernas do jogador adversário que detinha a posse de bola, Stephen Davis, que ganhara 32 jardas na jogada e teria continuado correndo até a zona final, conquistando um *touchdown*, se não tivesse sido torpedeado. O *tackle* de Pat preservou uma rara vitória dos Cardinals — a terceira e última da temporada.

Quinze

Em 7 de novembro, dois dias após a vitória dos Cardinals contra os Redskins, os americanos foram às urnas eleger o novo presidente. Embora Al Gore tivesse recebido 543 816 votos a mais do que George W. Bush (51 003 926 a 50 460 110), o voto popular foi irrelevante. O cargo iria para o candidato que obtivesse a maioria dos votos do colégio eleitoral, e a contagem desses votos permaneceu incerta por mais de um mês após as eleições. Na manhã de 8 de novembro, ficou claro que Gore havia obtido um mínimo de 255 votos do colégio eleitoral e Bush, um mínimo de 246. Mas eram necessários 270 daqueles votos para conquistar a presidência, e não estava muito claro quem tinha direito aos 25 votos da Flórida, porque não dava para saber quem vencera naquele Estado, devido a irregularidades generalizadas na eleição.

Quando os votos da Flórida foram inicialmente apurados, Bush venceu Gore por 1784 votos (de um total de 6 milhões), o que provocou uma recontagem automática. Em 10 de novembro, após a recontagem, a margem da vitória se reduziu a 327 votos, levando Gore a exercer seu direito, nos termos da legislação da Flórida, de exigir que os votos fossem cuidadosamente recontados outra vez, agora a mão, em quatro condados com preponderância de eleitores democratas. O resultado foi uma série de recontagens fortemente contestadas que se arrastaram por semanas, desencadeando uma avalanche correspondente de processos judiciais e muito ranger de dentes.

Uma boa parcela da angústia pós-eleitoral (da parte dos democratas, de qualquer modo) derivou do fato de que 97 421 eleitores haviam votado no candidato independente Ralph Nader. Por toda a sua campanha, Nader apelidara Bush e Gore de "Tweedledum e Tweedledee",* insistindo que não havia uma distinção real entre suas posições. Em entrevista coletiva à imprensa em setembro de 2000, Nader havia proclamado: "Não importa quem está na Casa Branca, Gore ou Bush". E parecia que uma quantidade suficiente de eleitores havia acreditado nele a ponto de distorcer o resultado da eleição. Sondagens após as eleições indicaram que, se ele não tivesse participado da disputa, 38% dos eleitores teriam votado em Gore, 25% teriam votado em Bush, e os 37% restantes não se dariam ao trabalho de ir votar. Em outras palavras, sem Nader na disputa, Gore teria derrotado Bush por quase 13 mil votos e se tornado presidente dos Estados Unidos por uma boa margem.

Só que Nader *estava* na disputa, e em 8 de novembro o resultado da eleição na Flórida ainda era um mistério. Em dezembro, a situação continuou igual, apesar das sucessivas recontagens. Os resultados eram turvados por diversas decisões contraditórias de diferentes tribunais da Flórida, algumas favorecendo Gore, outras favorecendo Bush. Para complicar ainda mais as coisas, a legislação federal estipulava que a contagem de votos do estado teria que ser encerrada e confirmada até a meia-noite de 12 de dezembro. Do contrário, o Congresso poderia questionar a legitimidade dos representantes nomeados pela Flórida para o colégio eleitoral. Mas o descumprimento do prazo acabaria não invalidando os resultados das eleições na Flórida: afinal, mais de um terço dos cinquenta estados não conseguiram cumprir a meta de 12 de dezembro sem que ocorresse qualquer incidente. O prazo crucial para a confirmação dos votos na Flórida seria realmente 6 de janeiro de 2001. Mas embora a data de 12 de dezembro não fosse tão importante, não era essa a percepção do público, o que acrescentava uma dose de tensão ao drama que se desenrolava.

Em 8 de dezembro, Gore parecia ter vencido na arena legal, ao obter uma decisão favorável da Suprema Corte da Flórida que ordenou outra recontagem

* Personagens de *Alice através do espelho*, livro de Lewis Carroll. (N. T.)

manual de cerca de 45 mil votos contestados no estado. Durante a recontagem, a vantagem de Bush rapidamente diminuiu. Em 9 de dezembro, porém, antes que a contagem terminasse, a Suprema Corte norte-americana concedeu por 5 a 4 uma liminar que interrompeu a recontagem em resposta a uma petição emergencial submetida pelos advogados de Bush. Na época em que essa interrupção foi concedida, a liderança de Bush caíra para 154 votos e parecia estar rapidamente desaparecendo.

A liminar de 9 de dezembro provocou protestos furiosos dos democratas e foi ridicularizada pelos juristas como uma tentativa claramente facciosa da Corte de Rehnquist de entregar a presidência a Bush. Indiferentes à saraivada de críticas, os juízes da Suprema Corte divulgaram sua importante decisão no processo *Bush versus Gore* três dias depois, às dez da noite de 12 de dezembro. De novo por 5 a 4, a Corte decidiu que o prazo de 12 de dezembro para a confirmação da contagem de votos estava valendo, e como completar uma recontagem constitucionalmente válida seria impossível nas duas horas que restavam antes que os relógios batessem a meia-noite, não haveria nenhuma nova decisão sobre os votos contestados da Flórida.

Partidários enfurecidos de Gore rapidamente mostraram que apenas seis parágrafos antes no texto da mesma liminar a Corte havia declarado: "A pressão do tempo não diminui a preocupação constitucional. Um desejo de velocidade não serve como desculpa para ignorar garantias de proteção igualitária". Além do mais, o lado de Gore argumentou, o único motivo por que uma recontagem não poderia ser completada no prazo determinado pela Corte era que aquela mesma maioria de cinco juízes havia interrompido a recontagem três dias antes com sua liminar de 9 de dezembro, predeterminando o resultado de sua liminar de 12 de dezembro.

Os críticos encontraram várias outras razões para protestar contra a decisão precipitada da Corte. Entre as mais convincentes estavam alegações de que dois dos cinco juízes que votaram com a maioria a favor de Bush — Antonin Scalia e Sandra Day O'Conner — sem dúvida violaram a lei federal do conflito de interesses ao participar da decisão *Bush versus Gore*. No caso de Scalia, dois de seus filhos eram sócios do escritório de advocacia que por acaso representava Bush na época. Já O'Connor, com setenta anos e a saúde abalada, afirmara claramente em várias ocasiões que pretendia se aposentar da Corte e não queria que um democrata nomeasse seu sucessor. Se Scalia e O'Connor se declarassem impedidos, como exigia claramente a lei, o resultado teria sido de 4 a 3 a favor de Gore.

Não foram apenas os partidários de Gore que se indignaram com a decisão da Corte. Num voto discordante num tom anormalmente duro, o ministro John Paul Stevens (um republicano nomeado pelo presidente Gerald Ford) lamentou que o resultado de *Bush versus Gore* "contribui apenas para dar credibilidade às avaliações mais céticas do trabalho dos juízes em todo o país. [...] Embora talvez jamais venhamos a conhecer com absoluta certeza a identidade do vencedor das eleições presidenciais deste ano, a identidade do perdedor está perfeitamente clara. É a confiança da nação no juiz como um guardião imparcial do primado da lei".

Seja como for, a suprema instância judicial do país transmitiu sua decisão, o que permitiu à secretária de Estado da Flórida, Katherine Harris, confirmar a eleição com a liderança ínfima de Bush ainda intacta, o que por sua vez concedeu os 25 votos da Flórida no colégio eleitoral ao candidato republicano. Vinte e quatro horas depois que a Suprema Corte divulgou sua decisão, Gore dirigiu-se à nação, declarando: "Que não paire nenhuma dúvida: apesar de discordar fortemente da decisão da Corte, eu a aceito. Aceito a definitibilidade desse resultado que será ratificado na próxima segunda-feira pelo Colégio Eleitoral. [...] Embora ainda conservemos e não abramos mão de nossas crenças oposicionistas, existe um dever mais alto do que aquele que temos com o partido político. Estamos nos Estados Unidos e colocamos o país na frente do partido. Vamos nos manter unidos apoiando o nosso novo presidente". Assim Bush tornou-se o 43º presidente dos Estados Unidos, uma reviravolta que exerceria um grande impacto na vida de Pat Tillman.

Em 27 de abril de 2008, quatro anos após a morte de Tillman, o ministro Scalia foi entrevistado pela correspondente da CBS Lesley Stahl no programa de televisão *60 Minutes*. "Relata-se que ele [Scalia] desempenhou um papel-chave ao insistir que os demais ministros da Suprema Corte encerrassem a recontagem da Flórida, entregando assim as eleições de 2000 a George Bush", Stahl observou, e depois confrontou Scalia face a face: "As pessoas comentam que essa decisão não se baseou na filosofia judicial, e sim na política".

"Isto é um absurdo", ele respondeu, rechaçando a acusação com um sorriso arrogante. Quando Stahl insistiu na pergunta, ele falou irritado: "Esqueça isso. Já faz muito tempo".

* * *

Doze dias após a decisão da Suprema Corte que levaria Bush à Casa Branca, Tillman e os Cardinals estavam de volta à capital nacional para disputar sua última partida do ano, que perderam feio para os Redskins. Mesmo assim, Tillman jogou bem, coroando uma temporada de desempenho excepcional. Pat foi responsável por 224 *tackles*, batendo um novo recorde dos Cardinals. Se tivesse feito tantos *tackles* assim num time melhor, quase certamente teria obtido votos suficientes para jogar no Pro Bowl, a partida só de astros da NFL, mas como os Arizona Cardinals acabaram a temporada com apenas três vitórias e treze derrotas, ele foi ignorado no processo de votação.

Contudo, Tillman não foi ignorado por Paul Zimmerman, o estimado comentarista de futebol americano conhecido por seus leitores como "Dr. Z", que ao final de cada temporada publica na *Sports Illustrated* uma lista dos melhores jogadores da NFL. Após analisar meticulosamente cada jogada de Tillman naquele ano, Zimmerman o elegeu o mais perfeito *strong safety* da liga em 2000. Entre os jogadores da lista em outras posições estavam luminares como Donovan McNabb, Marshall Faulk, Randy Moss, Ray Lewis e Warren Sapp. Numa coluna intitulada "Meu time de craques", Zimmerman reconheceu que a elevação de Tillman ao círculo de elite surpreenderia muitos leitores. Os fãs do futebol americano, ele escreveu, provavelmente iriam "olhar minha lista de craques e questionar: 'Pat Tillman! Quem é este sujeito? O Dr. Z está ficando pinel'".

Mas Zimmerman explicou por que tinha Tillman em tão alta conta. Começou sua avaliação de Pat com um exame, durante três dias, de suas jogadas na temporada de 2000, quando Zimmerman tivera uma "ligeira ideia" de que Tillman jogara várias partidas boas e deveria ser analisado melhor. "E depois", ele continuou,

> reunindo todos os seus números, eu descubro, vejam, que ele derrotou a concorrência. [...] Não consegui acreditar na margem pela qual ele superou todo mundo no meu painel, por isso comecei a ligar para conhecidos cujas opiniões eu respeito. [...] Se quiser rir de mim, tudo bem. Mas eu lhe mostrarei, por exemplo, meu diagrama do desempenho de Tillman contra o New Orleans, quando ele estava botando pra quebrar e os Cardinals deram trabalho aos campeões da NFL West

por algum tempo, ou minha documentação de seu trabalho na vitória de setembro contra os Cowboys, quando ele foi responsável por seis grandes defesas de passes e dez bloqueios perto da linha de *scrimmage*, ambos números altos para um *strong safety* nesta temporada.

Zimmerman mais tarde reconheceu que, depois que sua matéria foi publicada, alguns anunciantes esportivos das grandes redes de televisão ridicularizaram sua escolha de Tillman para a lista de craques, observando que ele não foi "o melhor em cobertura etc. Mas o que eu tinha visto era uma máquina selvagem e punitiva de fazer *tackles*, um sujeito que elevava o desempenho de todos à sua volta. Dava para ver a vibração em toda a unidade defensiva quando ele liderava a investida na direção da bola". Na análise final, acabava-se acreditando que o Dr. Z estava absolutamente certo: encerrada a temporada de 2000, Tillman merecia ser considerado um dos melhores jogadores do futebol americano profissional.

O artigo de Zimmerman foi postado na internet em 3 de janeiro de 2001. Na capital do país naquele dia, Richard Clarke — o coordenador nacional para segurança, proteção da infraestrutura e contraterrorismo do governo Clinton — alertou a nova assessora de segurança nacional do governo Bush, Condoleezza Rice, da terrível ameaça que os Estados Unidos enfrentavam de Osama bin Laden e da Al-Qaeda. Clarke escreve em seu livro *Contra todos os inimigos: Por dentro da guerra dos EUA contra o terror*: "Minha mensagem foi direta: a Al-Qaeda está em guerra contra nós, trata-se de uma organização altamente capaz, provavelmente com células adormecidas nos Estados Unidos, que está claramente planejando uma grande série de ataques contra nós; precisamos agir de forma resoluta e rápida, decidindo sobre as questões suscitadas após o ataque ao *Cole*, passando para a ofensiva".

Em 25 de janeiro, Clarke alertou Rice de que seis relatórios recentes do serviço secreto revelavam pronunciamentos de membros da Al-Qaeda se vangloriando de um ataque iminente. Nas semanas seguintes, ele repetidamente implorou que ela persuadisse o presidente Bush a dar uma prioridade bem maior ao terrorismo em geral e a Bin Laden em particular, mas seus e-mails e memorandos foram recebidos com apatia e contrariedade.

* * *

O time dos Cardinals havia pagado a Tillman um salário de 361 500 dólares por seus serviços em 2000 em um contrato que durou apenas um ano. Com base no seu desempenho na temporada recém-encerrada, o St. Louis Rams — um time extraordinário que vencera a Super Bowl um ano antes — achou que Tillman valia bem mais do que isso. Em 13 de abril de 2001, a direção do Rams ofereceu-lhe um contrato de cinco anos por 9,6 milhões de dólares, dos quais 2,6 milhões de dólares seriam pagos na assinatura. Frank Bauer, o agente de Tillman, imediatamente ligou para transmitir a boa notícia. "Falo com Patty ao telefone", Bauer recorda, "e digo: 'Ouça. Os Rams querem muito você, e não creio que o Arizona vá igualar a oferta. Vou mandar por fax a oferta. Você tem que assinar'."

Bauer acreditou que Pat pularia de alegria pelo convite, como faria praticamente qualquer jogador. Mas Tillman respondeu: "Preciso pensar a respeito".

"Patty!", Bauer replicou. "O que você está fazendo comigo? Você vai me matar!" Tillman respondeu que Bauer ficaria sabendo de sua decisão dentro de um ou dois dias. "Então Pat liga de volta", segundo Bauer, "e me diz: 'Olha, Frank, os Cardinals me recrutaram no último minuto. Eles acreditaram em mim. Eu adoro os treinadores aqui. Não consigo aceitar a oferta dos Rams'. Eu retruquei: 'Patty, você está biruta? Você enlouqueceu? Os Rams querem lhe pagar nove milhões e seiscentos mil! Se você continuar nos Cardinals, não é preciso ser um cientista espacial para descobrir que jogará por quinhentos e doze mil'. Pat responde: 'Minha decisão está tomada, Frank. Vou continuar nos Cardinals'.

"Em vinte e sete anos", Bauer continua, "nunca tive um jogador que recusasse tamanho dinheirão na Liga Nacional de Futebol Americano. Tive jogadores que aceitaram vinte mil dólares a menos por ano para permanecer nos clubes onde preferiam jogar, mas recusar nove milhões e meio? Isto é inédito. Você simplesmente não vê uma fidelidade dessas nos esportes hoje em dia. Pat Tillman era especial. Um homem de princípios. Você vê alguém assim uma vez na vida."

Depois que ele recusou a oferta dos Rams, os Cardinals ofereceram a Tillman mais um ano de contrato para a temporada de 2001 que lhe renderia o mínimo da liga para um jogador no quarto ano: 512 mil dólares, exatamente o que Bauer previra. Pat assinou o contrato, provocando expressões de assombro nos jogadores, treinadores e torcedores por toda a liga. De sua parte, porém, Tillman não se arrependeu.

Ele era um desses raros indivíduos que simplesmente não podem ser comprados por preço algum. Embora não hesitasse em ganhar montes de dinheiro se não fosse fugir de seu plano principal, Pat era impermeável à ganância. Ele nunca vacilou em sua crença de que havia coisas na vida mais prioritárias do que ficar rico. Mas se Tillman era incomumente resistente às tentações dos apetites humanos mais primitivos, defendendo-se assim das tentativas de manipulação por parte dos outros, achava quase impossível resistir aos apelos à sua noção de decência e justiça. Paradoxalmente, este último traço acabaria provocando sua ruína.

Dezesseis

Embora Pat fosse autodepreciativo em relação à sua inteligência, e alegasse que seu sucesso acadêmico na faculdade adviera do trabalho duro, e não da capacidade cerebral, sua curiosidade intelectual era ilimitada, e ele era um leitor compulsivo que não ia a lugar algum sem um livro. Pat Murphy, o célebre treinador de beisebol da Arizona State University, lembra que via Pat nas arquibancadas durante grande parte dos jogos de beisebol dos Sun Devils, quando Kevin estava no time. "Estava sempre acompanhado de um livro", diz Murphy. "Nos intervalos do jogo, ou sempre que houvesse um período de calma, ele abria o livro e lia algo."

Por adorar se envolver em debates inteligentes, Pat esforçou-se para estudar história, teoria econômica e acontecimentos mundiais de uma variedade de perspectivas. Com este fito, leu a Bíblia, o Livro dos Mórmons, o Alcorão, e as obras de autores que iam de Adolf Hitler a Henry David Thoreau. Apesar de suas opiniões firmes sobre vários assuntos, Tillman tinha a mente aberta e admitia prontamente estar errado quando confrontado com fatos e argumentos persuasivos.

Com seus cabelos até os ombros e seus pontos de vista sinceros, Tillman era considerado um espírito independente desde que chegou em Tempe para estudar na ASU, e várias atitudes que ele tomou nos anos seguintes confirmaram para os arizonianos sua fama de anticonvencional. Ele era um defensor ardente dos direitos dos homossexuais, por exemplo, e certa vez perguntou a Lyle Setencich, um treinador de futebol americano da ASU por quem nutria grande respeito: "Você seria capaz de treinar gays?". Quando Setencich respondeu que não apenas seria capaz, como já havia treinado, a estima de Tillman pelo treinador aumentou ainda mais.

Curiosamente, porém, nada pareceu aumentar mais sua fama de inconformista do que a decisão de participar de um triatlo no verão de 2001. Dois meses após ter recusado a oferta dos Rams e renovado contrato com os Cardinals, Pat foi de avião a Cambridge, Maryland, para competir contra 1600 pessoas no triatlo Blackwater EagleMan. Quando um repórter da ESPN perguntou a ele o que o levara a participar do triatlo (após sugerir que ele devia ser um "masoquista patológico, clinicamente calibrado"), Pat respondeu: "Temos uma longa baixa temporada. Fazer coisas assim me proporciona um objetivo. Sinto-me um vagabundo se não faço nada na baixa temporada. O triatlo força você a manter-se nos horários, a não sair todas as noites para beber, a não fazer besteira".

Mas sua decisão envolvia mais do que ele contou à ESPN. Pat era agnóstico, talvez até ateu, mas a religiosidade da família Tillman lhe transmitiu uma sensação de valores abrangente que incluía a crença na importância transcendental de continuar se esforçando para melhorar — intelectual, moral e fisicamente. Eventos de resistência como maratonas e triatlos, que favorecem as pessoas longilíneas e magras, não eram o ponto forte de Tillman — daí sua atratividade: eles eram especialmente desafiadores para alguém com o físico pesadão de um jogador de futebol americano profissional.

Pat não esperava derrotar muitos triatletas experientes, mas queria demonstrar para si mesmo que conseguiria chegar ao final do 1,9 quilômetro de natação, dos noventa quilômetros de pedaladas e dos 21 quilômetros de corrida. Sendo competitivo por natureza, também queria disputar consigo mesmo — com o tempo limitado de que dispunha para se preparar para a corrida, tinha curiosidade de saber qual seria seu desempenho como triatleta. Durante suas duas sessões diárias de corrida, bicicleta e natação, era com prazer que se forçava a ignorar o ácido láctico que queimava seus braços e pernas, a aguentar a dor e a cobrir a distância fixada naquele dia alguns segundos mais rápido do que na semana anterior. Aquilo o tornava fisicamente mais forte, é claro, mas ele acreditava que o mais importante era o desenvolvimento de algo que se poderia denominar caráter.

Em 3 de junho, após se submeter a três meses de treinamento rigoroso, Pat completou o evento EagleMan de 113 quilômetros em seis horas, dez minutos e oito segundos. Isso foi quase duas horas a mais do que o vencedor, colocando-o na 956ª posição entre 1278 finalistas, mas a corrida e o treinamento que a precedeu foram muito gratificantes. Em vários aspectos, Tillman encarou aquele triatlo como encarava o futebol americano — com a diferença de que tinha genes que o tornavam exímio neste último esporte, mas não no primeiro.

Em 30 de junho de 2001, a CIA emitiu um relatório ultrassecreto conhecido como Senior Executive Intelligence Brief que incluía um artigo intitulado "As ameaças de Bin Laden são reais". No fim de julho, "o sistema estava piscando a luz vermelha", de acordo com o diretor da CIA, George Tenet, e "pior do que aquilo não dava para ficar". No entanto, os membros mais graduados do governo Bush — inclusive a assessora de Segurança Nacional Condoleezza Rice, o secretário da Defesa Donald Rumsfeld, o subsecretário da Defesa Paul Wolfowitz, o vice-presidente Dick Cheney e o próprio presidente Bush — continuaram expressando dúvidas quanto à gravidade da ameaça representada por Bin Laden. Dois altos funcionários do Centro de Contraterrorismo da CIA, de tão desapontados com a insensibilidade da Casa Branca às suas advertências veementes, pensaram em pedir demissão e levar suas preocupações à mídia.

Em 27 de julho, o dia em que Tillman e seus colegas de time chegaram em Flagstaff para o início da pré-temporada de 2001 dos Cardinals, o tsar do contraterrorismo, Richard Clarke, informou a Rice que o perigo de um ataque iminente da Al-Qaeda provavelmente passara. Ele advertiu, porém, que novas informações indicavam que o ataque havia sido apenas adiado por alguns meses e "ainda vai acontecer".

Dez dias depois, na segunda-feira, 6 de agosto, George W. Bush recebeu um documento confidencial conhecido como o President's Daily Brief enquanto descansava em seu rancho em Crawford, Texas. O memorando, um sumário de informações importantes reunidas pela CIA, incluía uma avaliação de duas páginas da ameaça então representada por terroristas. O título em negrito no alto do relatório dizia: "Bin Laden determinado a atacar nos EUA". Em seus parágrafos finais, o relatório alertava que informações coletadas pelo FBI

> indicam padrões de atividade suspeita neste país compatíveis com preparativos para sequestros de aviões e outros tipos de ataques, incluindo a vigilância recente de prédios federais em Nova York.
>
> O FBI está conduzindo cerca de setenta investigações de campo completas através dos EUA que considera relacionadas a Bin Laden. A CIA e o FBI estão investigando um telefonema para a nossa embaixada nos Emirados Árabes Unidos em maio informando que um grupo de partidários de Bin Laden estava nos EUA planejando ataques com explosivos.

O memorando era a trigésima sexta ocasião durante os oito meses precedentes em que a CIA havia alertado a Casa Branca para a ameaça representada pela Al-Qaeda ou Bin Laden. Depois que o funcionário da CIA terminou de resumir o memorando para o presidente Bush, de acordo com o livro de Ron Suskind *The one percent doctrine* [A doutrina do 1%], o presidente mostrou desdém pelo aviso que ele continha. "Tudo bem", Bush disse ao funcionário num tom de voz sarcástico, "você tirou o seu da reta", dispensando-o em seguida. (Três anos depois, quando o memorando deixou de ser confidencial e foi divulgado ao público, a assessora de segurança nacional do presidente, Condoleezza Rice, insistiu que o memorando confidencial nada continha além de "informações históricas baseadas em informes desatualizados. Não havia nenhuma informação sobre ameaças novas".)

Cada vez mais desesperado para convencer Rice, Rumsfeld, Cheney e Bush da necessidade de tomar medidas decisivas para impedir o grande ataque que, ao que acreditava, Bin Laden estava prestes a lançar dentro das fronteiras dos Estados Unidos, Richard Clarke enviou a Rice um e-mail sarcástico desafiando-a a imaginar como ela e seus colegas da Casa Branca se sentiriam "quando no futuro próximo a Al-Qaeda tivesse matado centenas de americanos: 'O que você desejará então que tivesse feito?'.". Clark fez aquela chamada à ação urgente no princípio de setembro de 2001, exatamente uma semana antes dos ataques de 11 de setembro.

Concluída a pré-temporada dos Cardinals no fim de agosto, Pat sentia-se seguro quanto à sua vaga como titular, e aguardava com ansiedade o primeiro jogo oficial do time. A maioria das equipes da NFL disputavam sua partida inicial em 9 de setembro, mas devido às excentricidades do calendário da liga o primeiro jogo dos Arizona Cardinals foi no domingo, 16 de setembro.

Na terça-feira antes da primeira partida dos Cardinals, os jogadores receberam um dia de folga, como costumava acontecer nas terças-feiras. Pat pretendia dormir até tarde naquela manhã, mas pouco depois das sete horas foi acordado pelo telefone. Era seu irmão Kevin, soando nervoso: "Sai dessa porra de cama e liga a TV!".

Quando Pat correu para a sala de estar e ligou a televisão, a primeira coisa que viu foi um trecho da filmagem de um Boeing 767 chocando-se contra o World Trade Center a 950 quilômetros por hora, fazendo com que os andares superiores da torre sul ardessem em chamas. O locutor explicava que as imagens mostravam o voo 175 da United Airlines atingindo a torre uma hora antes, às 9h03 pelo horário de verão do leste dos Estados Unidos, e que o prédio inteiro acabara de desabar com milhares de pessoas ainda dentro. Outro Boeing 767, o voo 11 da American Airlines, de acordo com o repórter, voara de encontro à torre norte às 8h46, e o incêndio naquele prédio estava fora de controle. Vinte minutos depois, Pat ainda estava grudado à TV quando a torre norte desabou diante de seus olhos. "Eu saí para o trabalho", diz Marie, "mas ele ficou ali sentado assistindo a manhã inteira, e aquilo teve um impacto grande nele."

Pouco depois de a primeira torre ser atingida pelo norte, testemunhas oculares informaram que o jato havia tentado se desviar do prédio antes da colisão, o que levou muitas pessoas a acharem que se tratava de um terrível acidente. Mas quando o segundo jato atingiu a torre sul da direção oposta, não houve dúvida de que um ataque sofisticado contra Nova York estava em andamento. Como a maioria dos americanos, Pat teve dificuldade de acreditar naquilo. Parecia inconcebível.

Como Marie estava trabalhando, ele acabou saindo de casa e indo às instalações dos Cardinals, onde retomou sua vigília em frente a uma televisão entre seus colegas de time. Filmagens de figuras humanas minúsculas saltando dos andares superiores das torres ardentes e se precipitando pelo espaço deixaram uma impressão indelével nele. Pat foi afetado em especial por imagens de pessoas pulando dos prédios de mãos dadas.

Vários dias depois, a pedido do departamento de relações públicas dos Cardinals, Pat deu uma entrevista que foi gravada em vídeo para distribuição na mídia noticiosa. Quando pediram que dissesse como a tragédia nacional o havia afetado, ele refletiu: "Vocês não percebem que vida maravilhosa temos por aqui. [...] Em épocas como esta você para e pensa quão... não apenas quão bem vivemos aqui, mas em que tipo de sistema vivemos. De que liberdades desfrutamos. Isto não surgiu da noite para o dia. E a bandeira é um símbolo disso tudo. Um símbolo de... meu avô estava em Pearl Harbor. E grande parte da minha família saiu para lutar em guerras. E eu realmente não me expus a nenhum risco desses. Portanto tenho um enorme respeito pelos que se expuseram. E pelo que a bandeira representa".

A liga cancelou todos os jogos que haviam sido programados para o domingo e a segunda-feira após o 11 de setembro, mas anunciou que a temporada recomeçaria no dia 23, quando os Cardinals enfrentariam os Denver Broncos. Durante a filmagem do vídeo, o entrevistador tentou extrair uma declaração de Pat de que ele e os demais jogadores estavam ansiosos por recomeçar os jogos, apesar dos ataques que haviam matado quase 3 mil pessoas. Tillman se esforçou por seguir esse roteiro otimista. "Quero jogar agora", ele começou a murmurar, parecendo pouco à vontade, "até porque este ataque já causou estragos suficientes. Bola pra frente. Bola pra frente, vamos sair e cantar o hino nacional." Era dolorosamente óbvio, porém, que aquelas palavras não saíam do seu coração. "Eu não sei", ele gaguejou, tentando continuar. Depois suspirou, organizou seus pensamentos e declarou: "É difícil porque... eu jogo um bolão. Jogamos futebol, vocês sabem. Parece tão legal... Mas é tão trivial comparado com tudo que aconteceu".

Na época, ninguém que viu a entrevista deu grande importância a essa declaração ou à profundidade da emoção com que foi proferida. À luz dos acontecimentos subsequentes, porém, parece óbvio que Tillman já havia começado a pensar seriamente em fazer mudanças em sua vida — mudanças que, no contexto dos ataques da Al-Qaeda a Nova York e Washington, implicariam fazer algo que ele julgava mais importante do que jogar futebol americano.

Dezessete

Como a liga suspendeu os jogos após os ataques de 11 de setembro, quando os Denver Broncos foram para Tempe no dia 23, os Cardinals não haviam disputado nenhuma partida desde seu amistoso final em 30 de agosto, mais de três semanas antes. Pat e seus colegas estavam compreensivelmente enferrujados, embora de início não deixassem isso transparecer. Jack Plummer completou seus cinco primeiros passes para ganhar 109 jardas, e os Cardinals marcaram um gol de campo e conquistaram um *touchdown* no início do jogo, liderando-o por 10 a 0. Mas depois os Cardinals desperdiçaram seu ímpeto cometendo três *turnovers*, e o ataque dos Broncos, reenergizado, atropelou a defesa deles. O time de Denver venceu por 38 a 17.

Pat jogou mal. Seu pior momento ocorreu quando faltavam seis minutos e cinco segundos para o fim do terceiro quarto. Os Broncos detinham a bola na linha de 36 jardas dos Cardinals quando o *quarterback* de Denver, Brian Griese, lançou um passe em direção ao recebedor Eddie Kennison, que vinha sendo coberto por Tillman. Mas Kennison havia se desvencilhado de Pat e estava livre na zona final, de modo que Pat o agarrou ilegalmente para impedir que pegasse a bola. Embora o passe não se completasse, um juiz viu a infração e puniu Pat por interferência no passe, o que deu aos Broncos um primeiro *down* na linha de uma jarda dos Cardinals. Na jogada seguinte, Griese lançou a bola ao *fullback* Patrick Hape, que conquistou um *touchdown* fácil, colocando os Broncos na frente por 31 a 10.

Pat ficou furioso consigo mesmo durante o resto do dia, mas na hora em que foi para a cama naquela noite já havia recuperado sua perspectiva otimista, e estava ansioso por usar o episódio como um aprendizado para melhorar seu desempenho no futuro. "Quase sempre", Marie explica, "Pat punha o futebol americano em seu devido lugar. Caso jogasse mal, ficava preocupado. Era seu emprego, e ele o levava a sério. Mas foram poucas as vezes, ao que me lembro, em que ele ficou realmente muito aborrecido com aquilo."

No domingo seguinte, 30 de setembro, os Cardinals perderam em casa novamente, desta feita para os Atlanta Falcons, por 34 a 14. Apenas 23 790 espectadores haviam comparecido para testemunhar a derrota, a menor torcida do Arizona numa partida em casa em muitos anos. No domingo seguinte àquele, os Cardinals foram até Filadélfia para enfrentar Donovan McNabb e os velozes Eagles no Veterans Stadium. Para apoiar os adorados Eagles, 66 360 torcedores lotaram o estádio. O início da partida foi adiado por nove minutos, para que um discurso do presidente dos Estados Unidos pudesse ser transmitido ao vivo à multidão. À uma da tarde, com os jogadores dos dois times postados no campo antes do chute inicial, uma imagem surreal de George W. Bush se materializou sobre eles no telão do estádio.

Trajando terno escuro com gravata vermelha, sentado na Sala dos Tratados da Casa Branca com uma bandeira norte-americana atrás do ombro direito, o presidente pronunciou: "Boa tarde".

> Por ordem minha, as Forças Armadas dos Estados Unidos começaram os ataques contra os campos de treinamento de terroristas da Al-Qaeda e as instalações militares do regime talibã no Afeganistão. Essas ações cuidadosamente direcionadas foram planejadas para acabar com o uso do Afeganistão como base de operações terroristas e para atacar a capacidade militar do regime talibã. [...]
>
> Há mais de duas semanas, fiz aos líderes talibãs uma série de exigências claras e específicas: fechem os campos de treinamento terroristas; entreguem os líderes da rede Al-Qaeda e devolvam todos os cidadãos estrangeiros, inclusive americanos, detidos injustamente no país. Nenhuma dessas exigências foi atendida. Agora os talibãs pagarão um preço. Ao destruir campos e interromper as comunica-

ções, tornaremos mais difícil para a rede de terror treinar recrutas novos e coordenar seus planos maléficos.

Inicialmente, os terroristas podem se esconder em cavernas e outros esconderijos entrincheirados. Nossa ação militar também é planejada para abrir caminho para operações sustentadas, amplas e implacáveis de modo a retirá-los de seus esconderijos e submetê-los à Justiça. [...]

Não pedimos essa missão, mas não fugiremos dela. O nome da operação militar de hoje é Liberdade Duradoura. Defendemos não apenas nossas liberdades preciosas, como também a liberdade de pessoas em todos os lugares de viverem e verem seus filhos crescerem sem medo. [...]

Nos próximos meses, nossa paciência será uma de nossas forças — paciência com as longas esperas que resultarão de uma segurança mais rigorosa; paciência e compreensão de que levará tempo para atingirmos os nossos objetivos; paciência em todos os sacrifícios que possam advir.

Atualmente esses sacrifícios estão sendo feitos por membros de nossas forças armadas que agora nos defendem tão longe de casa, e por suas famílias orgulhosas e preocupadas. Um chefe de Estado envia os filhos e filhas dos Estados Unidos para uma batalha em terra estrangeira somente após o máximo cuidado e inúmeras orações. Pedimos muito daqueles que envergam nosso uniforme. Pedimos que deixem seus entes queridos, que viajem por longas distâncias, que corram o risco de ser feridos, que estejam preparados até para o supremo sacrifício de suas vidas. Eles são dedicados, eles são honrados; eles representam o melhor de nosso país. E somos gratos.

A cada homem ou mulher das nossas Forças Armadas — cada marinheiro, cada soldado, cada piloto, cada membro da guarda costeira, cada fuzileiro naval — eu digo o seguinte: sua missão está definida. Os objetivos são claros. Sua causa é justa. Vocês dispõem de toda a minha confiança, e terão todas as ferramentas de que precisarem para levar a cabo o seu dever.

Recentemente recebi uma carta tocante que falava de muitas coisas que estão acontecendo hoje nos Estados Unidos, nestes tempos difíceis. A carta veio de uma estudante da quarta série cujo pai é militar: "Por mais que eu não deseje que meu pai lute", diz a carta, "estou disposta a oferecê-lo ao senhor".

Este é um presente precioso, o maior que ela poderia dar. Essa jovem saberá do que os Estados Unidos são capazes. Desde 11 de setembro, uma geração inteira de jovens americanos adquiriu uma compreensão nova do valor da liberdade, e de seu custo em termos de dever e sacrifício.

A batalha está sendo travada agora em várias frentes. Não hesitaremos, não nos cansaremos, não esmoreceremos e não falharemos. A paz e a liberdade prevalecerão.

Obrigado. Que Deus continue a abençoar os Estados Unidos.

Tillman ergueu o olhar para a imponente tela de vídeo, ao lado de seus colegas de time, e refletiu sobre as palavras do presidente. Os ataques contra Bin Laden, a Al-Qaeda e o Talibã a que Bush se referira haviam começado exatamente duas horas antes, quando um submarino e quatro navios americanos e um submarino britânico lançaram um bombardeio sincronizado de mísseis de cruzeiro contra o Afeganistão. O primeiro daqueles cinquenta mísseis havia explodido em seus alvos apenas 33 minutos antes de Bush começar seu discurso à nação. Quando imagens da ação militar foram mostradas no telão, a multidão que lotava o estádio emitiu um brado ensurdecedor e catártico. Os ataques de 11 de setembro seriam vingados. Os Estados Unidos estavam agora em guerra.

A partida entre os Cardinals e os Eagles começou logo após o discurso do presidente. Os Arizona Cardinals venceram por 21 a 20, quando Jake Plummer lançou um passe de *touchdown* de 35 jardas para MarTay Jenkins no quarto *down* com apenas nove segundos restantes no relógio. No entanto, Tillman teve de deixar o jogo no primeiro quarto com uma grave distensão no tornozelo direito, depois de receber um bloqueio ilegal de Jon Runyan, um *tackle* ofensivo dos Eagles, com dois metros de altura e 150 quilos. Embora Pat saísse de campo saltando sobre uma perna sem auxílio, o ferimento se mostrou grave. Afora a tíbia que quebrou quando tinha doze anos, aquele era o único ferimento debilitante que Pat já sofrera num campo de futebol americano, apesar de ser um dos jogadores mais poderosos e agressivos da liga.

Assim que retornou ao Arizona, ignorando a dor, Pat começou seus treinamentos físicos para não perder muita força ou velocidade durante a lenta recuperação do tornozelo. Enquanto seus colegas de time treinavam, Pat dava voltas incessantes ao redor do campo com um molde ortopédico no pé. Enquanto continuou se reabilitando do ferimento nas semanas subsequentes, acompanhou atentamente a guerra no Afeganistão.

Em 19 de outubro, os primeiros soldados de infantaria americanos — um contingente pequeno de Rangers do Exército — desembarcaram 130 quilômetros ao sul de Kandahar. Nos primeiros meses da guerra, porém, o governo Bush relutou em envolver mais do que um punhado de Forças de Operações Especiais no conflito, preferindo recorrer a ataques aéreos e milícias de mujahidin, cujos serviços eram comprados com bolsas de pano repletas de notas de cem dólares. A maioria daqueles combatentes mercenários (que ao todo receberam cerca de 70 milhões de dólares) eram tadjiques, usbeques, turcomanos e *hazaras* ligados à Aliança do Norte, que vinha combatendo o Talibã pelo controle do Afeganistão por quase uma década.

Apesar da gravidade da lesão de Pat, ele perdeu apenas quatro partidas antes de retornar ao campo contra os Giants em 11 de novembro, um jogo que os Cardinals perderam por 17 a 10. Dois dias depois, combatentes da Aliança do Norte, apoiados por bombardeiros americanos, assumiram o controle de Cabul, forçando o Talibã a se espalhar pelas montanhas circundantes. O Talibã havia sido expulso da capital afegã com uma facilidade surpreendente e sem que nenhum soldado americano morresse. O governo Bush, eufórico com a vitória indolor que parecia próxima no Afeganistão, acelerou um plano secreto que vinha formulando de invadir o Iraque, embora ainda decorressem vários meses até que as intenções do presidente de deflagrar uma segunda guerra fossem reveladas ao público norte-americano.

Em 25 de novembro, um agente da CIA chamado Johnny Michael Spann foi morto a tiros pelo Talibã durante um levante numa prisão, ocorrido na periferia da cidade nortista de Mazar-i-Sharif, enquanto Spann interrogava prisioneiros de guerra — o primeiro americano a morrer em combate durante a operação Liberdade Duradoura. Dez dias depois, três Boinas Verdes norte-americanos foram mortos e cinco outros gravemente feridos nas cercanias de Kandahar, quando um bombardeiro B-52 da Força Aérea norte-americana os atingiu com uma bomba "inteligente" de novecentos quilos guiada por satélite que havia sido ajustada "para o máximo efeito explosivo".

Este último acidente ocorreu durante um combate armado desesperado entre o Talibã e as Forças Especiais Americanas. Um controlador aéreo tático inexperiente da Força Aérea havia acabado de calcular as coordenadas de uma posição de combate inimiga e estava prestes a ordenar um ataque aéreo, quando as baterias de seu dispositivo GPS de precisão descarregaram, fazendo com que a tela escurecesse. Nervoso, o controlador aéreo colocou baterias novas no aparelho, os números voltaram a brilhar na tela um momento depois e ele orientou o B-52 que voava acima para despejar a carga letal naquelas coordenadas. Todavia, o controlador aéreo não percebeu que, após a substituição da bateria, seu GPS voltara automaticamente para as coordenadas de sua própria posição. Por engano, ele informou aquelas coordenadas em vez da posição do Talibã, de modo que os três primeiros membros das Forças Armadas americanas que morreram no Afeganistão foram vítimas de fogo amigo.*

Entre os feridos e quase mortos por aquela bomba errante estava Hamid Karzai, o qual, por ordem dos Estados Unidos, acabara de ser nomeado líder interino do Afeganistão. Nascido em Kandahar numa família *pashtun* proeminente, Karzai havia combatido os soviéticos na década de 1980, e suas habilidades como líder haviam sido devidamente observadas pela CIA. À semelhança de Haqqani, tornou-se um dos comandantes mujahidin de maior confiança da CIA. Ao final da Guerra Soviético-Afegã, Karzai havia forjado laços pessoais estreitos com o diretor da CIA, William Casey, e o presidente George Herbert Walker Bush.

Impressionado com a estabilidade que o Talibã trouxe ao Afeganistão ao surgir em cena em 1994, Karzai de início apoiou sua ascensão ao poder com grande entusiasmo. O apoio de Karzai ao mulá Omar continuou até 1999, quando fanáticos talibãs assassinaram seu pai, e ele então uniu suas forças com a Aliança do Norte contra o Talibã e jurou vingar o assassinato, de acordo com os princípios do *pashtunwali*.

Na época em que foi ferido pela bomba norte-americana mal direcionada, em 5 de dezembro de 2001, Karzai liderava oitocentos milicianos *pashtuns* em batalha contra o Talibã na periferia de Kandahar. Lutando junto com 24 Boinas Verdes americanos, Karzai e suas forças enfrentavam o Talibã havia dois dias quando centenas de combatentes de Omar desfecharam um ataque-surpresa, levando os Boinas Verdes a ordenarem o ataque aéreo que matou os três americanos e quase matou o recém-empossado líder afegão.

Enquanto esse incidente se desenrolava, Bin Laden estava a 480 quilôme-

* Essas vítimas, todas membros das Forças Especiais do Exército, foram o sargento-mestre Jefferson Davis, o primeiro-sargento Daniel Petithory e o segundo-sargento Brian Prosser. Embora Johnny Michael Spann tivesse sido morto dez dias antes, era empregado da CIA, não das Forças Armadas.

tros de distância, escondido com um grande número de combatentes rebeldes da Al-Qaeda numa rede de trincheiras cobertas, cavernas e casamatas subterrâneas, a maioria construída com ajuda da CIA durante a guerra contra os soviéticos. Esse complexo de cavernas ocupava uma área de poucos quilômetros quadrados de terreno escarpado e esparsamente arborizado nas encostas de um maciço de 4270 metros chamado Tora Bora. Acreditando que Bin Laden estivesse ao seu alcance, seis agentes da CIA dirigiram um ataque aéreo intensivo contra as altitudes gélidas de Tora Bora, lançando bombardeios de saturação contra posições da Al-Qaeda com uma onda após a outra de bombas "Daisy Cutter" ("cortadoras de margaridas") de 6,8 toneladas, bombas "Bunker Buster" ("destruidoras de casamatas") termobáricas de 2,3 toneladas e outros artefatos devastadores. Esse ataque aéreo foi apoiado por operações em solo conduzidas por cerca de setenta soldados das Operações Especiais Americanas (dos quais cinquenta eram da Delta Force, a elite das Forças Armadas), uma dúzia de soldados de assalto britânicos, um punhado de soldados de assalto alemães e 2 mil mercenários afegãos comandados por uma miscelânea de chefes guerreiros locais, que, em troca de pagamentos multimilionários da CIA, haviam momentaneamente posto de lado suas hostilidades a fim de formar uma coalizão improvisada denominada Aliança Oriental.

Antes que começassem os bombardeios mais pesados, de acordo com uma mensagem de Bin Laden gravada em fita e transmitida pela emissora de TV al-Jazeera dois anos depois, ele havia instruído seus combatentes a cavarem "cem trincheiras, espalhadas por uma área de não mais que 2,6 quilômetros quadrados — uma trincheira para cada três irmãos — de modo a evitar baixas humanas pesadas causadas pelos bombardeios. [...] Estes prosseguiram 24 horas por dia — nenhum segundo decorreu sem que os aviões de guerra voassem sobre nossas cabeças, dia e noite. A sala de comando do Ministério de Defesa norte-americano, com seus aliados, apostou todas as fichas em explodir e destruir aquela pequena área, tentando erradicá-la por completo".

Quando, durante uma noite de 11 de dezembro, os combatentes da Al-Qaeda contactaram um dos comandantes da Aliança Oriental e imploraram por uma trégua a fim de, segundo eles, negociarem as condições de sua rendição, pareceu que o ataque aéreo havia sido um sucesso. Apesar das objeções veementes dos norte-americanos, os afegãos concordaram com a trégua na manhã do dia 12. Acreditando que Bin Laden não tinha a menor intenção de capitular e que o cessar-fogo não passava de uma artimanha para permitir o reagrupamento das forças da Al-Qaeda, na madrugada daquele dia 25 soldados do American Delta e tropas de assalto do Special Boat Service britânico tentavam subir até o reduto de Bin Laden a fim de continuar seu ataque, quando oitenta combatentes da Aliança Oriental, que estavam na folha de pagamento dos norte-americanos, apontaram suas armas para os soldados ocidentais, forçando-os a retornar.

Às cinco da tarde, como nenhum inimigo havia surgido para se render, os norte-americanos declararam a trégua nula, ignoraram os protestos da Aliança Oriental, e retomaram o ataque contra as cavernas de Bin Laden com fúria redobrada.

Gigantescas bolas de fogo cor de laranja voltaram a brilhar nas encostas de Tora Bora, à medida que bombardeiros B-52, F-18 e bombardeiros furtivos B-1 lançavam suas cargas sobre as posições da Al-Qaeda. Enquanto o arsenal explosivo abalava a terra à sua volta, Bin Laden concluiu que suas forças estavam prestes a ser erradicadas e que sua morte era iminente. Ferido no ombro esquerdo, desiludido e ressentido, levou a caneta ao papel e redigiu seu testamento numa casamata subterrânea apinhada 2,5 quilômetros abaixo do nível do mar. "Se cada muçulmano se perguntar por que nossa nação alcançou este estado de humilhação e derrota", ele escreveu, "sua resposta óbvia é porque ela correu loucamente para os confortos da vida e deixou para trás o Livro de Alá. [...] Os judeus e cristãos nos tentaram com os confortos da vida e seus prazeres baratos e nos invadiram com seus valores materialistas antes de nos invadir com seus exércitos, enquanto nós ficamos feito mulheres, sem reagir, porque o amor à morte em prol de Alá abandonou os corações."

A confirmação de que o líder da Al-Qaeda havia desistido e se preparava para morrer pareceu chegar em 14 de dezembro, quando a CIA interceptou uma transmissão de rádio de Bin Laden em que este agradecia aos seus "mui leais combatentes" pelos seus sacrifícios, pedia-lhes perdão por perder o conflito de Tora Bora e depois prometia que a batalha contra os infiéis e cruzados continuaria em outras frentes. Após a transmissão de rádio, as forças de Bin Laden continuaram a lutar por mais três dias, até que a batalha chegou a um final horripilante. Embora dezenas de inimigos tivessem se rendido, os últimos combatentes da Al-Qaeda escondidos nas montanhas, para não capitular, se mataram com granadas de mão. Em 17 de dezembro, quando as bombas pararam de cair, os tiroteios cessaram e a fumaça da batalha enfim se dissipou nos flancos de Tora Bora, as unidades de assalto americanas e britânicas imediatamente entraram no emaranhado de túneis e casamatas, onde tinham certeza de que encontrariam os restos mortais de Bin Laden. Uma busca minuciosa, porém, não revelou nenhum vestígio dele.

Tornou-se claro que a trégua de 11-12 de dezembro havia sido um artifício para permitir que o líder da Al-Qaeda fizesse um acordo com um comandante da Aliança Oriental, que subsequentemente ajudou Bin Laden a fugir por um suposto pagamento de 6 milhões de dólares. A CIA pensara que a mensagem de rádio do xeique no dia 14 era uma despedida final aos seus seguidores pouco antes de morrer numa das cavernas. Mais tarde, os americanos perceberam que aquilo não passara de uma despedida dele à sua retaguarda antes de fugir para o Paquistão.

Essa revelação enfureceu a CIA e os operadores da Força Delta que participaram da batalha. Eliminar Osama bin Laden era o objetivo principal de toda a campanha pós-11 de setembro. No fim de novembro, quando perceberam que haviam encurralado Bin Laden, o homem que dirigia as operações da CIA no Afeganistão, Hank Crumpton, foi ao Salão Oval para alertar o presidente Bush e o vice-presidente Cheney de que não dispunham de soldados americanos suficientes em solo para isolar Tora Bora. De acordo com o livro de Ron Suskind *The one percent doctrine*, Crumpton disse para Bush e Cheney: "Nós vamos perder nossa presa se não formos cuidadosos".

Uma semana antes, 1200 fuzileiros navais haviam chegado em Kandahar. Crumpton implorou ao general Tommy Franks que transferisse imediatamente a maioria para o norte, onde Bin Laden estava entrincheirado, mas seu pedido foi ignorado. Como uma alternativa, o líder da CIA em terra em Tora Bora solicitou que um contingente mais modesto de Rangers fosse despachado para bloquear as rotas de fuga para o Paquistão, mas esse plano foi rejeitado pelo general de divisão Dell Dailey, o chefe do Comando Conjunto de Operações Especiais. A presença americana em Tora Bora permaneceria portanto limitada a cerca de oitenta Forças de Operações Especiais e agentes da CIA que já estavam ali. Um pedido do comandante do esquadrão da Força Delta de que se espalhassem centenas de minas antipessoais CBU-89, lançadas do ar, ao menos pelas rotas de fuga potenciais de Bin Laden também foi negado.

A responsabilidade por bloquear os caminhos de fuga de Tora Bora coube quase inteiramente aos milicianos afegãos da Aliança Oriental — um grupo heterogêneo de ex-comandantes e subcomandantes mujahidin mutuamente hostis que suspeitavam profundamente das ambições norte-americanas no Afeganistão, mas cuja lealdade havia sido mesmo assim alugada a um alto preço pela CIA. Em retrospecto, a decisão de contar com aqueles chefes guerreiros suspeitos para uma tarefa tão crucial provavelmente condenou a missão ao fracasso desde o princípio.

Bin Laden mantinha laços pessoais estreitos por mais de quinze anos com diversos dos comandantes que haviam sido pagos para bloquear sua retirada. Em vez de matar "o homem mais procurado do mundo", um ou mais dos chefes guerreiros que haviam aceitado o dinheiro da CIA abriram os braços para ele e o conduziram com segurança pelo cordão de isolamento — provavelmente primeiro para Jalalabad, depois a cavalo para os cânions da província de Konar ao norte, e dali, através das montanhas, até o Paquistão. De acordo com o jornalista Peter Bergen, Jalaluddin Haqqani desempenhou um papel-chave na fuga de Bin Laden. "Lutfullah Mashal, do Ministério do Interior afegão, contou-me que foi Haqqani quem salvou Bin Laden após a queda do Talibã", Bergen escreveu na edição de outubro de 2004 da revista *Atlantic*, "fornecendo-lhe refúgio em Khost pouco depois de o líder terrorista escapar de Tora Bora."

Bin Laden mais tarde se vangloriou de ter escapado das garras da CIA:

> Apesar da escala sem precedentes do bombardeio de Tora Bora e da terrível propaganda, tudo isso concentrado num pequeno ponto sitiado, além das forças dos hipócritas que eles fizeram lutar contra nós por mais de duas semanas ininterruptas, e a cujos ataques diários resistimos pela vontade de Deus Todo-Poderoso, nós os fizemos recuar em derrota. [...] Apesar disso tudo, as forças americanas não ousaram atacar nossas posições. Que sinal mais claro poderia haver de sua covardia, de seu medo e mentiras, dos mitos sobre seu suposto poder? A batalha culminou com a retumbante e devastadora incapacidade da aliança global do mal, com todo seu suposto poder, de vencer um pequeno grupo de mujahidin, que não chegava nem a trezentos, em suas trincheiras dentro de 2,6 quilômetros quadrados, a temperaturas que chegavam a dez graus abaixo de zero. Sofremos apenas 6% de baixas na batalha, e pedimos a Deus que os aceite como mártires. Quanto àqueles nas trincheiras, perdemos apenas cerca de 2%, graças a Deus. Se

todas as forças do mal global nem sequer conseguiram atingir seu objetivo numa área de 2,6 quilômetros quadrados contra um pequeno número de mujahidin com recursos tão modestos, como podiam esperar triunfar sobre todo o mundo islâmico?

Nos primeiros dias de 2002, as forças norte-americanas e seus aliados haviam matado centenas de talibãs e combatentes da Al-Qaeda em todo o Afeganistão, e a maioria dos outros havia se dispersado pelo interior ou fugido pela fronteira para as regiões tribais do Paquistão. Mas os insurgentes estavam longe de ter sido derrotados, e os três líderes inimigos marcados para morrer no topo de uma lista de inimigos preparada pela cúpula do Exército americano — Osama bin Laden, mulá Mohammed Omar e Jalaluddin Haqqani (que Osama acabara de promover a comandante das forças talibãs) — ainda estavam bem à solta.

Em novembro, uma série de ataques aéreos norte-americanos de bombardeiros, helicópteros de ataque e um avião Predator por controle remoto armado com mísseis Hellfire tentou especificamente assassinar Haqqani. Embora 38 pessoas tenham morrido nessas campanhas, inclusive diversos parentes e guarda-costas de Haqqani, o próprio Haqqani escapou ileso. Em janeiro daquele ano, após ajudar Bin Laden a escapar de Tora Bora, ele começou a reorganizar sua rede de combatentes de uma base na cidade paquistanesa de Miram Shah, a apenas dezesseis quilômetros da fronteira altamente permeável com a província de Khost afegã, de onde comandaria ataques dos talibãs a alvos dos Estados Unidos e da OTAN, com total impunidade, nos anos seguintes.

PARTE DOIS

A guerra sempre envolve traição; traição dos jovens pelos velhos, dos idealistas pelos céticos e das tropas pelos políticos.

— CHRIS HEDGES, "A culture of atrocity"

Dezoito

Tillman e os Cardinals disputaram sua partida final da temporada da NFL em Washington, D.C., contra os Redskins, em 6 de janeiro de 2002 — que deveria ter sido sua primeira partida da temporada, mas foi cancelada após o atentado de 11 de setembro. No intervalo, os Arizona Cardinals venciam por 17 a 6, e no final do jogo Pat havia liderado o time com dezoito *tackles*, mas seu desempenho brilhante foi em vão: os Cardinals perderam por 20 a 17, ficando com um total decepcionante de sete vitórias e nove derrotas. Ninguém suspeitou que aquele seria o último jogo da NFL que Pat disputaria.

No decorrer do outono de 2001, muitos jogadores da liga mostraram-se indignados com os ataques em Nova York e Washington, declararam seu apoio à guerra no Afeganistão e apregoaram seu desejo de matar Bin Laden com as próprias mãos. Mas nenhum deles tomou qualquer iniciativa concreta. Eles continuaram jogando futebol americano e levando vidas confortáveis, sem nenhum sacrifício discernível. Isso não aconteceu com Pat. Dada a enormidade do que aconteceu no 11 de setembro, ele sentiu que deveria fazer mais do que meros pronunciamentos vazios.

Perto do final da temporada de futebol americano, Kevin Tillman tinha ido a Phoenix para assistir a um dos jogos de Pat em casa, e Marie recorda que depois "Pat começou a falar com Kevin sobre ingressar no Exército. Eles estavam no quintal após o jogo. A conversa toda àquela altura era estritamente hipotética. Mas naquela noite Pat veio para a cama e comentou de repente: 'E se eu entrasse no Exército?'. Disse isso sem muita seriedade, mas havia uma parte minha que sabia que ele falava sério. Eu o compreendia bastante bem para saber por que ele sentia necessidade de fazer algo assim. Não foi realmente uma surpresa".

Nas semanas seguintes, diz Marie, Pat continuou "acalentando a ideia na cabeça. Depois, à medida que foi levando mais a sério a ideia de se alistar, Pat e eu começamos a conversar a respeito. Mas foi um processo longo".

Os pais de Jeff Hechtle tinham um amigo que se alistara no Corpo de Fuzileiros Navais e ingressara numa das unidades da Force Recon, um destacamento de Operações Especiais parecido com os Boinas Verdes do Exército. Em fevereiro de 2002, Pat e Marie foram de carro até Provo, Utah, onde o ex-fuzileiro morava, para perguntar como era realmente a vida de um soldado. Nos dias seguintes, Pat e o ex-fuzileiro escalaram cachoeiras congeladas que pendiam dos paredões do cânion Provo como cortinas azuis fantasmagóricas, e nas paradas nas saliências de rochas conversaram um bocado. "Pat estava tentando entender as coisas", Marie diz. "'Devo ir como um voluntário? Ou devo ir como oficial?' Eu não fazia parte realmente daquelas conversas. Mas claro que falamos a respeito durante todo o trajeto de carro para casa. Ele precisava amadurecer tudo na cabeça.

"Não é que o 11 de setembro aconteceu e Pat imediatamente disse: 'Vou ingressar no Exército'. Ele pesquisou muito antes. Pesou todos os prós e os contras. Como seria aquilo para ele? Como seria para mim? Ele examinou as coisas de todos os ângulos possíveis. Não envolveu Kevin antes de tomar sua decisão. Primeiro ele queria refletir por si mesmo, para se certificar de que era a decisão certa."

Pat e Marie continuaram discutindo o assunto cuidadosamente. "Eu estava definitivamente preocupada", ela explica. "Como não estar? Acima de tudo me preocupava com a segurança dele. Pat estava sempre tentando me tranquilizar de que nada aconteceria com ele. 'Estatisticamente, é mais provável eu morrer num desastre de carro', ele dizia."

Exatamente cinco anos após os ataques de 11 de setembro, vendo por uma janela a multidão de nova-iorquinos apressados no sul de Manhattan, Marie divaga: "Eu nunca perguntei explicitamente: 'Por que você está fazendo isto?'.

Porque eu entendia Pat suficientemente bem para já saber. [...] Se a coisa certa era que as pessoas partissem e combatessem na guerra, ele acreditava que deveria fazer parte daquilo.

"Ele via a sua vida como algo bem maior do que simplesmente: 'Sou um jogador de futebol americano profissional e, se eu me afastar disso, minha vida acabou'. O futebol americano fazia parte de quem ele era, mas não era o objetivo supremo. Ele olhava em outras direções mesmo antes do 11 de setembro. Eu sempre soube que ele pararia de jogar futebol americano antes que tivessem que expulsá-lo do campo. Era uma questão de tempo. [...] Quer dizer, Pat poderia ter jogado durante anos, se aposentado, depois jogado golfe pelo resto da vida. Mas eu sabia que ele nunca faria isso".

Após pesar cuidadosamente todos os fatores, Pat sentou-se ao seu computador e digitou um documento intitulado "Decisão", datado de 8 de abril de 2002:

> Muitas decisões são tomadas na nossa vida, a maioria relativamente insignificantes, enquanto outras mudam o rumo de nossas vidas. O tema desta noite [...] são estas últimas. Cabe dizer que minha decisão, na maior parte, está tomada. Mais objetivamente, sei qual decisão devo tomar. Parece que com frequência conhecemos a decisão certa bem antes de realmente tomá-la. Em algum ponto dentro de nós, ouvimos uma *voz* e intuitivamente sabemos a resposta para qualquer problema ou situação com que nos deparamos. Nossa voz nos conduz em direção à pessoa que queremos nos tornar, mas cabe a nós segui-la ou não. Com frequência, tendemos a uma direção previsível, direta e aparentemente positiva. Entretanto, ocasionalmente somos lançados por um caminho totalmente diferente. Não necessariamente um mau caminho, só mais difícil. No meu caso, um caminho de que muitos discordarão e, mais importante, que poderá causar muitas inconveniências àqueles que amo.
>
> Minha vida a esta altura é relativamente cômoda. Estou convencido de que poderia continuar jogando futebol americano pelos próximos sete ou oito anos e criar um estilo de vida bem confortável, não apenas para Marie e para mim, mas podendo me dar ao luxo de ajudar nossa família e nossos amigos em caso de necessidade. Os treinadores e jogadores com os quais trabalho me tratam bem, e o ambiente se tornou familiar e agradável. Meu trabalho é desafiador, gratificante e afaga meu ego o suficiente para eu achar que é importante. Tudo isso afora o

fato de que só trabalho seis meses ao ano, e o resto do tempo é meu. Por mais motivos do que me dou ao trabalho de listar, meu trabalho é notável.

Na esfera pessoal, Marie e eu vamos nos casar daqui a um mês. Temos amigos e familiares que nos são muito queridos, e dispomos de tempo e meios para vê-los regularmente. Nos últimos meses, esquiamos em Tahoe, escalamos geleiras em Utah, percorremos Santa Fe, visitamos a Califórnia, e saborearemos coquetéis mai tai em Bora Bora daqui a pouco mais de um mês. Ambos temos a oportunidade de fazer tudo que nos dá na telha e, mais à frente, de seguir qualquer vocação ou tendência. Temos até dois gatos que fazem de nossa casa um lar. Em suma, temos uma ótima vida, e tudo indica que continuaremos tendo.

Contudo, isto não é suficiente. Durante grande parte de minha vida, tentei trilhar um caminho que me pareceu importante. Os esportes corporificavam muitas das qualidades que eu considerava significativas: coragem, resistência, força etc., ao mesmo tempo que a atenção que recebi reforçou sua aparente importância. Na atividade desportiva obtive um diploma universitário, aprendi lições preciosas, conheci gente incrível e tornei minha jornada bem mais valiosa do que qualquer destino. Porém, nestes últimos anos, e especialmente após os acontecimentos recentes, passei a perceber quão superficial e insignificante é meu papel. Não estou mais satisfeito com o caminho que venho seguindo [...] ele deixou de ser importante.

Não sei ao certo para onde esta nova direção conduzirá minha vida, embora esteja certo de que incluirá sua porção de sacrifício e dificuldades, a maioria recaindo diretamente sobre os ombros de Marie. Apesar disso, estou igualmente certo de que essa nova direção acabará tornando nossas vidas mais plenas, ricas e significativas. Minha voz está me chamando numa direção diferente. Cabe a mim escutá-la ou não.

"Pat decidiu que ingressar nas Forças Armadas era o que ele precisava fazer", Marie explica. "Após tomar sua decisão, ligou para Kevin e disse: 'É isto que farei'. Ele jamais disse: 'Venha comigo' — mas não precisava. [...] Lembro que conversei com Pat a respeito e disse: 'Não é justo para Kevin em certos aspectos. Porque você sabe que ele irá com você'."

Por iniciativa própria, Kevin já vinha cogitando a ideia de ingressar em algum ramo das Forças de Operações Especiais havia anos, desde bem antes do 11 de setembro, embora não tivesse feito nada de concreto. Depois de se formar na faculdade em junho de 2001 com título de bacharel em filosofia, Kevin assinou um contrato para jogar beisebol profissional pelos Cleveland Indians, e no início de 2002 estava empregado como *infielder* numa das equipes da liga secundária do time. No entanto, enquanto jogava beisebol na faculdade, sofrera uma lesão incômoda do manguito rotador da qual nunca se recuperou plenamente, e cada vez mais pensava em deixar o beisebol e seguir um caminho diferente. Quando Pat contou que estava pensando em se alistar nas Forças Armadas, Kevin decidiu se alistar junto, conforme Marie havia previsto.

"Quando eles viviam em New Almaden", Marie explica, "Pat e Kevin estavam sempre juntos. Nunca houve qualquer competição ou ressentimento entre eles. Embora suas idades fossem muito próximas, Kevin nunca se aborreceu com a atenção que Pat obtinha. Kevin e Richard eram ambos muito talentosos, e seus pais tomavam cuidado para não privilegiar Pat, mas não dá para esconder o fato de que era Pat quem costumava estar em evidência — o que para muitas pessoas seria difícil de engolir. Mas não para Kevin e Richard. Todos os três irmãos se amavam até morrer."

Pat e Marie anunciaram às suas famílias e amigos que se casariam em San Jose em 4 de maio de 2002. Kevin morava então na Carolina do Norte, atuando como jogador da segunda base dos Burlington Indians, e pediu ao treinador uns dias de folga para ir ao casamento. Quando o treinador recusou, citando a política do clube, Kevin pediu que fosse liberado de seu contrato, os Indians atenderam seu pedido, e ele apareceu na casa de Pat e Marie em Chandler em meados de abril, livre das obrigações profissionais.

Àquela altura, tanto Pat como Kevin estavam certos de que ingressariam nas Forças Armadas, mas decidiram não dar a notícia a ninguém até depois do casamento, para não desviar as atenções das festividades. Estavam propensos a entrar num dos ramos das Forças de Operações Especiais. Pouco depois de chegar ao Arizona, Kevin visitou o centro de recrutamento do Exército num shopping center no Boulevard Chandler, poucos quilômetros a leste da casa de Pat e Marie, a fim de obter algumas informações básicas. Logo após aquela visita inicial, Kevin, Pat e Marie visitaram o mesmo centro de recrutamento juntos.

"Kevin e eu fingimos que éramos casados", Marie diz, "e nos sentamos à mesa daquele recrutador para fazermos perguntas detalhadas. Pat simplesmente ficou ao fundo com o chapéu cobrindo os olhos, porque não queria que ninguém soubesse quem ele era." Uma das coisas sobre as quais Pat e Kevin estavam indecisos era se deveriam se tornar oficiais ou se alistar — ingressando como soldados de infantaria, simplesmente. Aquele encontro com o recrutador os convenceu a renunciar à carreira de oficial. Eles não queriam permanecer no quartel-general enviando outros soldados para o perigo. Se fossem ingressar nas Forças Armadas, queriam fazer parte da força de combate de elite — estar no meio da ação, compartilhar os riscos e provações, e exercer um impacto direto.

O recrutador explicou a eles que o período mínimo nos Rangers eram três anos. "Antes de irem até lá", diz Marie, "eles achavam que teriam que permanecer quatro anos. Quando soubemos que poderiam ser Rangers e ficar lá apenas três anos, eu pensei: 'Legal! Isto é *bem* melhor do que quatro anos'. Fiquei satisfeita com aquilo. Também fiquei contente porque poderíamos ter certo controle de onde viveríamos. Se eles tivessem ingressado no Exército regular, poderiam ter nos enviado sabe-se lá para onde. Com os Rangers, havia três lugares possíveis onde poderíamos ficar baseados: Fort Lewis, perto de Seattle ou uma das duas bases na Geórgia — Fort Benning e Fort Stewart. Naquela época você podia mesmo escolher onde queria ficar."

Quando eles saíram do centro de recrutamento após cerca de uma hora, Marie recorda: "Eu estava pensando: 'Podemos morar perto de Seattle! Estaremos liberados em três anos, em vez de quatro!'. Além disso, ficamos sabendo que os Rangers entram em ação no exterior por períodos relativamente curtos; geralmente ficando fora por apenas três meses seguidos, enquanto as tropas do Exército regular ficam no exterior doze meses seguidos. E, ao se tornarem Rangers, eles estariam junto com soldados de elite que sabiam o que estavam fazendo, de modo que concluí que aquilo tornaria as coisas mais seguras para Pat e Kevin. Saí dali sentindo que a situação não era tão ruim assim, afinal — se eu conseguisse abstrair o fato de que eles estariam em situações de combate".

Pat, Marie e Kevin viajaram a San Jose no início de maio para o casamento e depois retornaram brevemente ao Arizona, antes que Pat e Marie partissem para sua lua de mel em Bora Bora em 10 de maio. Nesse ínterim, Pat e Kevin retornaram ao centro de recrutamento do Exército, onde assinaram contratos em que se comprometiam a prestar três anos de serviço militar, a partir de julho. Como havia sido um astro do futebol americano nos Sun Devils e nos Cardinals, Pat era uma celebridade em todo o Arizona. Ele e Kevin foram reconhecidos enquanto estavam assinando os documentos, o que suscitou neles temores de que seu alistamento vazasse para a mídia. Embora tivessem planejado contar pessoalmente aos familiares sobre seus planos depois que Pat retornasse de Bora Bora, Pat e Kevin mudaram de ideia e decidiram avisá-los pelo telefone de imediato, para impedir que Richard ou seus pais ficassem sabendo do alistamento iminente pela mídia naquela noite.

Quando os irmãos Tillman deram esses telefonemas em 8 e 9 de maio, o anúncio não foi bem recebido por seus familiares. Conhecendo bem Pat e Kevin, ninguém duvidava de que, uma vez no Exército, eles insistiriam em ser enviados às linhas de frente. Essa perspectiva era especialmente preocupante para Dannie e Richard.

Enquanto Pat e Marie passavam a lua de mel no Pacífico Sul, o tio Mike Spalding — irmão de Dannie — voou até o Arizona e tentou convencer Kevin de que ingressar no Exército era uma ideia horrível e que eles deveriam voltar atrás. Foi em vão. Os pais de Marie ligaram para o agente de Pat, Frank Bauer, e pediram que ele convencesse Pat a mudar de ideia, mas Bauer não teve mais sucesso do que o tio Mike. Assim sendo, os pais de Pat e Kevin, juntamente com os pais de Marie, decidiram tentar uma intervenção.

Aconteceu no chalé dos Tillman em New Almaden, logo depois que os recém-casados retornaram de Bora Bora. Estavam presentes Pat, Kevin e os pais; Marie e seus pais; a irmã de Marie, Christine Garwood; e seu marido, Alex Garwood. "Não foi uma intervenção real", diz Marie, "porque Pat e Kevin sabiam o que aconteceria. Mas Pat acreditava que todos tinham o direito de lhe dizer o que pensavam e de tentar convencê-lo a voltar atrás. Àquela altura, porém, não havia como retroceder. Estava tudo resolvido. De modo que a intervenção se mostrou um desastre. Foi realmente perturbador."

"Eu acho que Pat abriu a discussão", recorda Christine. "O estado de espírito dele era algo como: 'Tudo bem! Digam o que querem me dizer! Botem tudo para fora, que eu responderei da melhor maneira possível. Botem para fora!'. A coisa começou em forma de um diálogo tranquilo, mas Dannie estava muito emotiva. Sua maior preocupação era que eles fossem feridos ou mortos. Pat continuou insistindo: 'Isso não vai acontecer'. E era assim que todos nos sentíamos — que aquilo não era sequer uma possibilidade. Mas Dannie não estava convencida."

Logo ficou claro que nenhum argumento ou súplica seria suficiente para convencer Pat e Kevin a abandonarem seus planos. Assim, em desespero de causa, os suplicantes dirigiram seus pedidos a Marie. "Eles acharam que cabia a mim impedir aquilo", ela diz. "Senti-me como se um monte de pessoas estivesse apontando os dedos para mim, dizendo: 'Você é a única que pode fazer alguma coisa; por que não bate o pé e diz para Pat não ir?'. Mas achei que não devia nenhuma resposta a ninguém, nem mesmo às nossas famílias. Aquilo era entre mim e Pat. Eu entendia por que ele estava fazendo aquilo e o apoiei. Nossas conversas sobre como surgira aquela decisão não eram da conta de ninguém. De modo que fiquei um pouco aborrecida com tudo aquilo.

"Pat se importava muito com as pessoas à sua volta", Marie continua. "Ele não magoava as pessoas de propósito. Ficou arrasado com o fato de aquilo ter incomodado sua mãe e a mim. Foi algo muito difícil de lidar. Mas ele tinha que fazer o que achava certo."

O pai de Marie e Christine, Paul Ugenti, tentou demover Pat com um argumento financeiro. "Obviamente meu pai adorava Marie e adorava Pat", diz Christine. "E sabendo como funcionava a cabeça de Pat, tentou apelar à sua lógica. Observou que Pat estaria deixando o futebol americano no auge de sua carreira e de seu valor de mercado como jogador, e talvez não conseguisse retornar à NFL." Pat retrucou que estaria afastado do esporte por apenas três anos e provavelmente não teria problemas para voltar a jogar. O sr. Ugenti então, em resposta, reiterou que Pat abriria mão de muito dinheiro — ingressar no Exército custaria potencialmente a ele e Marie milhões de dólares a longo prazo.

A ênfase na perda financeira deixou a mãe de Pat irritada. "Por que você está falando de *dinheiro*?!", ela exclamou. "Não é uma questão de dinheiro! Pat e Kevin podem ser mortos!" Ela desatou a soluçar, implorando aos dois filhos mais velhos: "A vida já traz bastantes problemas sem que a gente peça. Por que vocês têm que ir em busca deles?". Ela lembrou que o comandante das Forças Armadas da nação não era um homem que inspirava confiança. Depois, dominada pelas emoções, pediu que todos saíssem.

Dezenove

Em abril, os Cardinals haviam oferecido a Pat um contrato de três anos que lhe renderia 3,6 milhões de dólares para continuar jogando futebol americano pelo time do Arizona. Retornando a Chandler após a intervenção em maio, ele informou ao treinador titular dos Cardinals, Dave McGinnis,* que recusaria a proposta deles para ingressar no Exército. McGinnis ficou abismado, mas disse que entendia as razões de Pat para se alistar. Quando tentou discutir estratégias para anunciar a decisão de Pat, e perguntou como este lidaria com o interesse esmagador da mídia noticiosa que inevitavelmente surgiria, Pat simplesmente respondeu: "Não vou lidar". Explicou que sua decisão de se alistar falava por si mesma, e que ele não daria nenhum tipo de entrevista à mídia. E daquele dia em diante, não deu.

No início de junho de 2002, Pat e Kevin se apresentaram na Military Entrance Processing Station (MEPS) no centro de Phoenix, bem em frente à arena onde os Phoenix Suns, o time de basquete profissional, disputam suas partidas em casa. O Departamento de Defesa mantém 65 desses centros de processa-

* McGinnis assumira como o treinador titular depois que Vince Tobin fora demitido em meados da temporada da NFL de 2000.

mento de ingressos nas Forças Armadas em todo o país. Cada MEPS examina os novos recrutas para todos os quatro ramos das Forças Armadas — Exército, Marinha, Força Aérea e Fuzileiros Navais — para verificar se estão aptos. O processo, que dura o dia inteiro, inclui um teste de aptidão, exame médico e uma verificação de antecedentes, e se conclui com os recrutas prestando um juramento à bandeira.

> O primeiro sinal de que Pat poderia ter dificuldade de se adaptar à dureza do Exército surgiu quando ele, Kevin e vários outros recrutas entraram em forma diante de um sargento-mestre especialmente áspero que se pôs a gritar ordens contraditórias, antes mesmo que eles tivessem assinado qualquer documento de alistamento. Pat se sentiu compelido a observar para o sargento-mestre: "Ei, você está confundindo todo mundo. Além disso, está nos tratando como imbecis, e ainda nem assinamos o papel para sermos tratados como imbecis".

Assim que se recuperou do choque de ser desafiado por um recruta, o sargento passou um carão em Pat. Não se deixando intimidar, Pat gritou de volta, e os dois quase saíram na porrada até que uns recrutas intercederam. Apesar desse episódio nada auspicioso, no fim do dia Pat e Kevin assinaram sua renúncia à liberdade, recitaram o juramento à bandeira e receberam ordens de se apresentarem em Fort Benning, Geórgia, em 8 de julho de 2002. Nos três anos seguintes, suas vidas estariam sob controle quase absoluto das Forças Armadas norte-americanas. Pat tinha 25 anos e Kevin, 24. Os dois começariam com um salário-base mensal de 1290 dólares.

Quando Pat e Kevin deixaram Phoenix no dia marcado, Pat apanhou um diário encadernado em couro marrom de sua mochila e começou a documentar suas impressões da longa missão que tinha pela frente. A primeira anotação, datada de 8 de junho, começa assim: "Será interessante observar como essa pequena aventura se desenrolará. No momento, pouco me importa a 'posição moral' que deu origem a esta aventura. [...] Enquanto o avião taxia na pista rumo à Geórgia, só consigo pensar em como foi bonito ficar sentado com Marie, saboreando chocolate quente e assistindo a *Assassinato em Gosford Park* ontem à noite. Ou quão aconchegante é minha grande cama com o corpo nu de Marie juntinho do meu. Espero que Marie esteja feliz em casa. [...] Espero que mamãe esteja bem. [...] Espero que Pooh esteja bem. [...] Espero que Kevin não seja ferido. [...] Sei que estou fazendo a coisa certa, mas às vezes é difícil ver assim".

Depois de aterrissarem em Atlanta, os irmãos Tillman embarcaram num ônibus para o trajeto de duas horas até o 30º Posto de Recepção do Pessoal do Exército em Fort Benning, conhecido como Thirtieth AG, onde chegaram após a meia-noite de 9 de julho. Eles passariam os próximos nove dias "em processamento" ali, alojados num "compartimento" de concreto de 15 x 15 metros, com 110 outros novos recrutas, num estado apavorante de purgatório, antes de passar para o inferno autêntico do treinamento básico.

Pat e Kevin ficaram surpresos e estarrecidos com a imaturidade de muitos dos rapazes de dezoito e dezenove anos em meio aos quais se encontravam no Thirtieth AG. Aqueles não eram os tipos de homens junto aos quais imaginaram lutar e a quem pudessem confiar suas vidas. Na verdade, nem todos os colegas recrutas eram assim. Alguns eram inteligentes e motivados, e acabariam se tornando excelentes suboficiais, do tipo que forma a espinha dorsal dos exércitos mundiais desde que Alexandre, o Grande, combateu os ancestrais dos atuais insurgentes afegãos em 330 a.C. Mas um número perturbador dos recrutas no compartimento deles pareceu aos irmãos Tillman não passar de bebês chorões indolentes que se alistaram não por um senso de dever, ou mesmo de aventura, mas porque seus pais os haviam posto para fora do ninho e lhes faltavam qualificações para obter um emprego ainda que de salário mínimo.

Vinte e quatro horas depois da chegada dos Tillman no Thirtieth AG, um recruta chamado Túlio Tourinho surgiu no meio da noite e imediatamente foi andando até a sua beliche. Era um brasileiro cuja família viera aos Estados Unidos, quando ele tinha cinco anos, para o doutorado de seu pai, e cinco anos depois retornara ao Brasil, onde Túlio sonhava um dia ganhar a vida nos Estados Unidos. Ele acabara concretizando seu sonho ao ganhar uma bolsa de estudos para cursar seu último ano da escola em Uniontown, Pensilvânia. Depois disso, permanecera nos Estados Unidos com visto de estudante e se bacharelara pela Morehead State University, no leste de Kentucky.

Em 11 de setembro de 2001, Túlio curtia seu emprego de professor em Winchester, Kentucky. Mas os ataques contra Nova York e Washington o afetaram tão profundamente que, no fim daquele ano acadêmico, ele se alistou no Exército, embora não fosse um cidadão norte-americano. Sua esposa, nascida nos Estados Unidos, grávida do primeiro filho do casal, "não ficou muito satisfeita", Túlio admite, "mas ela me apoiou".

Quando ele chegou no Thirtieth AG após a meia-noite, ele conta, "estava morto de cansaço. Eu tinha acabado de receber uma série de injeções que estavam me deixando completamente doente. Estava tentando superar aquela montanha-russa de emoções que dilacerava minhas entranhas. E por toda a minha volta aqueles garotos imaturos conversavam, berravam e faziam ruídos idiotas e desagradáveis noite adentro". Ele se sentiu como se estivesse numa festinha noturna com uma centena de meninos de catorze anos portadores de transtorno do déficit de atenção. Depois de tentar em vão descansar, a algazarra finalmente se tornou tão intolerável que Túlio berrou com força total, com uma voz experiente na arte de disciplinar alunos rebeldes: "Calem essas porras dessas bocas! Estou com trinta anos, abandonei meu emprego para servir ao meu país, deixei uma esposa grávida de nosso primeiro filho em casa, que eu amo e de quem sinto saudades, e não vou deixar que uns garotos babacas me impeçam de ter uma boa noite de sono! Agora calem essas matracas senão vou mandar vocês de volta pras porras das mães de vocês!

"De repente o compartimento inteiro ficou em silêncio", Túlio recorda. E permaneceu assim pelo resto da noite, o que impressionou um outro recruta mais velho que estava tentando dormir lá perto. De manhã, aquele sujeito abordou Túlio, apresentou-se como Pat Tillman e lhe agradeceu por botar ordem no compartimento.

"Nós estávamos nos perguntando quando alguém iria reclamar", Pat disse ao brasileiro, "porque esses garotos são umas pestes. Eles não deixam ninguém descansar."

Seguiu-se uma conversa entre os dois, durante a qual, Túlio recorda, "Pat me contou sucintamente quais as novidades e o que eu precisava fazer para me adaptar. Ofereceu-se para me ajudar. Imediatamente notei sua aparência. Era um sujeito bem grande. Mas foi seu vocabulário que mais me chamou a atenção, e sua atitude, seu equilíbrio". Foi o início de uma amizade duradoura entre Túlio, Pat e Kevin.

"Eu não tinha a menor ideia de quem era Pat naquela época", Túlio diz. "Nem ele nem Kevin jamais mencionaram que ele era um jogador profissional de futebol americano. Descobri mais tarde nas conversas que ele era famoso. Acabamos passando por todo o treinamento básico juntos, e eu dependia de

Pat e Kevin para ter uma conversa inteligente. Acho que era o mesmo para eles em relação a mim. Contávamos com o auxílio mútuo. Tínhamos diplomas universitários, o que nos distinguia de quase todos os outros recrutas em nosso grupo. E Pat e eu éramos ambos casados. Viramos bons amigos."

Seis dias após a chegada dos Tillman ao Thirtieth AG, alguns oficiais de alta patente apareceram no compartimento para uma inspeção, e Pat escreveu que encontrá-los foi "embaraçoso. Acostumar-se com a ideia de bater continência para os oficiais constantemente [...] é esquisito. Claro que entendo e reconheço o objetivo de mostrar respeito aos superiores, mas a separação de castas entre oficiais e homens alistados é estranha". Este, infelizmente, foi o primeiro de vários aspectos da cultura militar que Pat achou arcaicos, bizarros e contraproducentes.

Em 17 de julho, anotou, contente, no seu diário:

> Deixaremos este local amanhã para começar o treinamento. [...] Já era hora. [...] Escrevi algumas cartas a Marie. [...] Sinto saudades imensas dela e espero que esteja bem. Uma coisa que achei horrível na faculdade foi que me acostumei com a ausência dela. Nunca mais quero me acostumar com isso. Bem melhor ficar triste do que insensível. Estou ansioso para que nós dois voltemos a ter o estilo de vida que costumávamos ter. [...] Não apenas estes próximos três anos me tornarão uma pessoa mais forte, mental e fisicamente, como sei que também libertarão minha consciência para desfrutar das minhas coisas. Minha esperança é que eu me sinta satisfeito com minha realização [...] o suficiente para relaxar por um tempo e simplesmente ser. Ser, com Marie.

Três dias depois, Pat escreveu: "Bem, estamos agora em Basic e estou começando a me sentir mais à vontade. Ontem foi um desastre total". As coisas começaram a piorar quando ele esqueceu de trancar seu escaninho, fazendo com que um dos sargentos instrutores lançasse tudo que estava lá dentro no chão. E "para aumentar ainda mais o insulto", Pat ponderou, "como se aquilo não bastasse, recebi uma advertência por escrito. Errei as cadências militares, berraram comigo... uma merda. Tudo bem, vou continuar me esforçando e vamos ver o que acontece. Nossos sargentos instrutores são durões, mas são pessoas de qualidade, e acredito que nos ensinarão muita coisa. Continuo com saudades do meu amor".

* * *

Um dia depois — treze dias após a chegada em Fort Benning — Pat escreveu:

Como sempre, Marie está nos meus pensamentos. Não consegui falar com ela [...] desde que chegamos aqui, e sinto falta do som de sua voz. [...] Muitas vezes me incomoda não estar ao seu lado. Às vezes, sinto que a deixei sozinha para se defender do mundo. Suponho que exista uma razão para eu me sentir assim: minhas ações poderiam ser interpretadas desse modo. Simplesmente fico torcendo para que ela não sinta isso. Amo-a até morrer e sei que no final isto será bom para nós dois. Espero que um dia ela veja as coisas dessa maneira. Nesse ínterim, luto contra a culpa pelo que fiz. Naturalmente, sou uma pessoa confiante e sei que tudo ficará bem e que em poucos anos estaremos de volta no banco do motorista conduzindo a vida. Mas também tenho consciência de que existe a possibilidade de que eu esteja errado. Se a vida de Marie, mamãe, Kevin, Pooh e papai for de algum modo prejudicada por minha causa, eu não conseguiria me perdoar.

Consolo-me por saber que fiz isso com intenção nobre. Às vezes alguém precisa resolutamente se convencer de que está certo quando a dúvida surge. Felizmente a dúvida é uma voz baixa e consigo controlá-la.

Minha esposa e minha família significam tudo para mim, assim como meus amigos. Não posso permitir que isto traga sofrimento para eles.

A anotação de Pat em 25 de julho começa assim:

Ontem foi uma combinação agridoce para mim. O gosto amargo veio do fato de que Nub e eu fomos péssimos em nossa navegação terrestre. [...] A parte doce do dia foi termos saído em duas longas marchas carregando nosso material. Foi legal sair daqui por algum tempo e perambular. Provavelmente vou demorar um pouco até me acostumar a ficar carregando uma mochila o dia todo, mas é só olhar à minha volta para deixar de sentir pena de mim. [...]

Uma coisa que me desagrada é a visão de todas essas armas nas mãos de crianças. Claro que todos entendemos a necessidade de defesa. [...] Mas isso não anula o fato de que um jovem ao qual eu não confiaria o meu cantil está andando armado. [...]

Meu estado de espírito a esta altura, com exceção da constante solidão e culpa associada à minha separação de Marie, varia dependendo de como estou me saindo nas tarefas. Fui mal na navegação terrestre, sinto-me mal por algumas horas; fiz algo para ajudar alguém ou acertei as ordens de marcha, sinto-me bem por algumas horas. [...]

No todo, apesar de algumas preocupações e do humor flutuante, Nub e eu estamos resistindo e progredindo. A importância de contar com a companhia de Nub tem sido ocultada, mas deve ser reiterada.

Quando Pat saiu de casa para servir o Exército, levou consigo uma fotografia laminada de Marie tirada no dia do casamento. Descaradamente sentimental, ele escreveu que esse "retrato de Marie, depois do meu anel, é meu bem mais precioso. É incrível como ela está bonita em seu vestido de noiva. [...] que dia fantástico foi aquele". Olhando para a pequena foto no alojamento, ele ponderou sobre seu casamento e outros marcos importantes. "São incríveis as viradas que nossa vida pode dar", ele refletiu, e depois listou algumas: passar um período na cadeia por atacar Darin Rosas, ele escreveu, "foi marcante, mudando drasticamente minha maneira de pensar e minhas prioridades. Essa experiência me envelheceu uns dez anos e atribuo a ela o meu sucesso nos estudos e no futebol americano na faculdade."

Na página seguinte do diário ele refletiu sobre o impacto que o alistamento teria sobre sua vida. Tendo completado apenas três semanas de seu compromisso militar, com 153 restantes, ele escreveu:

Tudo na minha vida mudou completamente. Tudinho. Planejei ter filhos, continuar meu futebol americano e curtir a vida como sempre. Agora estou sentado numa porra de alojamento com 53 garotos. Este caminho precisa ficar mais dinâmico e animado. [...] Faço o possível para me controlar, mas às vezes fico tão incrivelmente frustrado por aqui que as porras dos músculos da mandíbula querem trincar os dentes. Hoje as cartas de Marie chegaram, e eu precisava tanto estar com ela, segurá-la, transar com ela. [...] Consigo vê-la escrevendo. Imaginá-la junto aos gatos, procurando as palavras certas para pôr no papel. Eu me sinto lisonjeado e imagino uma lágrima descendo por sua bochecha, seus olhos gigantes brilhando cheios de sentimento. [...] Como consegui mantê-la após todos estes anos é um tremendo milagre. Por que ela me atura? Quem é que faz isso? Quem é que pega uma vida perfeitamente perfeita e a arruína? Uma esposa e um casamento perfeitamente felizes e os coloca em risco? AHHH! Se eu não estrangular ninguém enquanto estiver aqui é porque fui tocado por um anjo.

Um dia depois, em 29 de julho, ele conseguiu falar com Marie ao telefone pela primeira vez em mais de duas semanas. "Não foi por muito tempo", ele escreveu, "mas foi ótimo. [...] Eu estava um lixo. Como na cadeia: tudo bem quando estou lá, mas se vier alguém que eu amo as palavras ficam presas na garganta. Ela teve que falar o tempo todo enquanto eu me controlava. [...] Sua voz foi tão tranquilizadora, isso me ajudará a sobreviver por várias semanas."

Nos dois meses seguintes de treinamento básico, Pat batalhou para manter suas emoções sob controle. Sua celebridade não facilitou as coisas. Embora negasse os vários pedidos de entrevista da mídia e tentasse manter a discrição, sua fama o acompanhou ao campo de treinamento. Mesmo sem a cooperação de Pat, o governo Bush transformou seu alistamento em uma tacada de marketing da denominada Guerra Global contra o Terrorismo. Em 25 de junho, o secretário da Defesa Donald Rumsfeld enviou um memorando ao secretário do Exército (e ex-executivo da Enron) Tom White, anexando um artigo de jornal sobre Tillman. O memorando dizia: "Eis um artigo sobre um sujeito que aparentemente está ingressando nos Rangers. Ele parece ser de primeira classe. Seria bom ficar de olho nele".* Em 28 de junho, Rumsfeld escreveu um bilhete pessoal diretamente a Pat declarando: "O que você está fazendo é algo patriótico e digno de orgulho". Um mês depois, Pat recebeu uma carta elogiosa do general de divisão John Vines, o comandante da 82ª Divisão Aerotransportada, insistindo em que Kevin e ele desistissem dos planos de se tornar Rangers e ingressassem, em vez disso, na 82ª Divisão Aerotransportada. O Exército, o Departamento de Defesa e a Casa Branca estavam de olho em tudo que Pat fazia.

"Aquilo definitivamente tornou as coisas mais difíceis para ele", recorda Túlio Tourinho:

Os sargentos instrutores se esforçavam ao máximo para não mostrar favoritismo em relação a ele. Em meio àquilo tudo, Pat simplesmente tentava ser o melhor

* De acordo com o assistente militar sênior de Rumsfeld na época, o tenente-general Bantz Craddock, foi a única vez que ele recorda que Rumsfeld escreveu um bilhete pessoal elogiando o alistamento de um soldado.

soldado possível. Sempre que recebia uma ordem, ele a executava. Quando havia uma tarefa por fazer, sempre fazia mais do que sua parte. [...] Se existe uma certeza sobre a tensão, e sobre o desespero, é que inevitavelmente mostrarão quem você realmente é. O incrível em Pat é que o desespero e a tensão nunca revelaram nada de ruim nele. Aquilo me surpreendeu, porque quando as coisas ficavam difíceis e os rapazes estavam sendo totalmente desrespeitosos, eu às vezes me tornava um mau sujeito. Perdia o controle e dizia que estavam sendo uns moleques mimados. Mas Pat se controlava. Ele tinha firmeza.

O alistamento de Pat causou problemas no Exército, dos generais no Pentágono aos soldados rasos no campo de treinamento. "Os oficiais e outros soldados realmente não sabiam como reagir ou o que fazer com ele", diz Marie.

Eles não sabiam ao certo quem ele era — sentiam-se como: "Por que ele está aqui? Ele não é tão notável só porque jogou futebol americano profissional". Pat previu tal reação até certo ponto. Mas definitivamente foi difícil para ele. Acho que talvez fosse um pouco mais fácil para Kevin, porque ele não estava no holofote. Pat sentiu mais pressão. Ele estava sendo examinado mais de perto. E se sentia responsável por como tudo aquilo poderia afetar o resto de nós. Seus pais estão preocupados. Richard está preocupado. Ele está preocupado comigo. Está matutando: "Será que fazendo isto arruinei a vida de Marie e a vida de Kevin?". Com sua família, ele sempre assumia esse tipo de responsabilidade, desde que o conheci.

Pat era introspectivo desde criança, mas o Exército aparentemente o tornou ainda mais. "Que tipo de homem me tornarei?", ele se perguntou no diário em 7 de agosto. "As pessoas me verão como um homem honesto, um homem trabalhador, um homem de família, um homem bom? Poderei me tornar o homem que imagino? Será que uma visão e persistência são suficientes? Qual a importância de talento e sorte? [...] Não existem respostas reais, apenas nuances de cinza, coincidência e circunstância."

Vinte

Durante a primeira semana de setembro, Pat, Kevin e seus colegas recrutas receberam instruções de como manejar diversos tipos de metralhadora. "Claro que isto é divertido", Pat anotou em 5 de setembro, "mas eu não me entusiasmo muito com armas, quaisquer que sejam." A primeira arma com que atiraram foi a Arma Automática de Esquadrão M249, que Pat mais tarde empunharia no Iraque e no Afeganistão. Antes da vez de Kevin atirar, um recruta abriu a bandeja de alimentação da arma com um cartucho ainda na câmara, inadvertidamente soltou a culatra móvel, e o cartucho explodiu. A explosão salpicou seu rosto, pescoço e peito de estilhaços de latão, queimando-o gravemente. Ele poderia facilmente ter morrido. Disciplinado pelo incidente, Pat observou: "Você esquece ou não pensa em como essas armas são incrivelmente perigosas até que algo assim acontece".

Um dia depois, o pelotão saiu para um bivaque noturno no campo, durante o qual travou um combate simulado com armas de raios laser. Depois que Pat foi escolhido como líder de uma das equipes naqueles exercícios, seus cinco homens sofreram uma emboscada de dois franco-atiradores quando ele os liderava morro abaixo. Durante o tiroteio simulado, ele escreveu, "estávamos coordenados e a comunicação era clara", permitindo que sua equipe repelisse os atacantes e sobrevivesse à emboscada simulada. Durante um segundo exercício, porém, a comunicação entre os membros de sua equipe se rompeu, eles entraram em pânico em vez de agir como uma equipe unificada, e no caos resultante todos os homens sob seu comando foram "mortos" por franco-atiradores. Controlando-se, Pat observou que foi "um ótimo aprendizado".

A pior parte do dia, porém, não teve nada a ver com o massacre simulado durante a emboscada. Naquela noite, após retornar ao alojamento, ele confessou ao diário: "Às vezes sou dominado por uma sensação de tristeza profunda que é difícil controlar. Uma necessidade intensa de estar perto de Marie, cercado por seu contato, cheiro, som, beleza e sossego. É como se uma semana de dor estivesse condensada em 5-7 minutos. [...] O que será que eu fiz?".

Um dia depois, Pat revisitou seus sentimentos turbulentos:

> Quando penso que minhas emoções foram dominadas elas mostram as garras. Ontem, do nada, fiquei tão raivoso/contrariado/triste, porra, que tive dificuldade de manter o controle. Durou apenas alguns momentos, mas foi forte e me surpreendeu. Tudo que eu queria era abraçar Marie, dizer quanto me importo com ela, devolver-lhe tudo que tomei. [...] De certa forma, é revigorante saber que este lugar ainda não me deixou insensível. Gostei de sentir saudade de minha mulher e da vida que deixei para trás. Faz com que eu *sinta* e *valorize* e *ame*. Faz com que eu me sinta bem vivo, e consciente de minha luta. Não quero me tornar dramático, mas a vida consiste em sentimento e emoção. [...] Amor, riso e alegria, bem como dor, saudade e tristeza: tudo isto faz parte da jornada. Sem isso, não dá para apreciar realmente os problemas, entender quanto você realmente se importa com alguém. [...] Estou experimentando e crescendo, o que traz certo sofrimento, mas faz parte do jogo. Sinto que estou na direção certa.
>
> A paixão é o que torna a vida interessante, o que acende a nossa alma, impele nossa curiosidade, alimenta nosso amor e sustenta nossas amizades, estimula nosso intelecto e nos leva aos nossos limites. [...] Uma paixão pela vida é contagiosa e edificante. A paixão produz efeitos opostos. [...] Aquelas que fazem você se sentir no topo do mundo são também capazes de virar tudo de cabeça para baixo. [...] Na minha vida, quero criar paixão em minha própria vida e naqueles com quem me importo. Quero sentir, experimentar, e viver cada emoção. Sofrerei o mal para chegar às alturas do bem.

Em 11 de setembro, Pat escreveu uma carta a Marie que começou assim: "Quem teria previsto que o dia de hoje, um ano atrás, solaparia tanto a nossa vida no Éden? [...] Bem, você aceita a vida como ela é. Esta loucura de separação logo terminará, e quando terminar estaremos de volta ao nosso Éden". Por mais torturante que fosse estar longe de Marie, a distância lhe lembrava a intensidade de seu amor por ela e como ela enriquecia sua vida.

"Estas últimas semanas", ele continuou,

> infundiram-me tamanho apreço por tudo que temos em nossa vida que, se eu me magoasse amanhã e todos os meus planos se frustrassem, tudo teria valido a pena. [...] Nas próximas semanas e na maior parte dos próximos três anos, seremos testados e pressionados como um casal, tanto quanto Nub e eu seremos individualmente. Quando sairmos desta intactos, sem termos perdido o ânimo, estaremos mais fortes, mais próximos e mais felizes do que teria sido possível sem esta experiência. Todo o resto parecerá trivial comparado com o que suportamos.
>
> Já estou satisfeito com os progressos que fizemos apesar de nossa distância. Mesmo depois de tudo que aconteceu e das milhas que nos separam, continuo me sentindo tão próximo quanto sempre estivemos, se não mais. Quanto mais nos aproximamos, mais incrível é a pessoa que vejo, e mais me orgulho por saber que vou compartilhar o resto de minha vida com você. Claro que não espero que esses sentimentos sejam correspondidos, especialmente não enquanto deixar você totalmente sozinha. Por ora, basta que eu os sinta.
>
> Um ano atrás mudou completamente a minha vida. Ensinou-me o que realmente importa. [...] Mostrou a direção que preciso tomar e reforçou que você é a melhor coisa que já aconteceu, ou que jamais acontecerá, comigo. [...] Eu te amo.

Na sexta-feira, 20 de setembro, Pat e Kevin completaram o treinamento básico. Quando souberam que os irmãos Tillman obteriam uma licença de trinta horas para assinalar a sua graduação, Marie e Jeff Hechtle, o amigo de escola de Pat, reservaram passagens num voo para a Geórgia a fim de passar o breve período com eles. "Nos dias que antecederam a viagem, todos estavam pisando em ovos", Túlio recorda. "O Exército tornou aquela licença uma guilhotina sobre as nossas cabeças. Se você cometesse qualquer deslize, como respirar incorretamente ou ficar de pé numa postura inadequada, eles ameaçavam tirá-la de você."

À uma da tarde do sábado, quando a licença deveria começar, Pat, Kevin e Túlio reuniram-se com o resto dos recrutas na área de reunião principal para uma inspeção, trajando seus uniformes de gala Classe A e botas tinindo de lustradas. Como deveriam voltar à base às sete da noite do domingo, estavam desesperados para não desperdiçar sequer um minuto de liberdade. "Tínhamos um plano de ação de como sair de lá o mais rápido possível", diz Túlio. "Assim que fomos dispensados, Kevin correu para cima para apanhar nossas coisas e eu corri para uma cabine telefônica para chamar um táxi para nós três." Kevin, Pat e Marie haviam reservado quartos no Days Inn perto do portão de acesso à base, e Túlio reservara um quarto para encontrar sua esposa num hotel do outro lado da rua.

Quando o táxi chegou no Days Inn, Marie os aguardava diante do hotel. "Assim que o táxi para", Túlio recorda, "Pat sai pela porta. Marie corre e salta nele, desequilibrando-o, e ambos caem no chão. Ficam ali, beijando-se e olhando um para o outro — ele acariciando o rosto dela, acariciando seus cabelos, contando quanta falta sentiu dela, quanto a ama. Permaneceram no chão daquela maneira pelo que pareceu ser dez minutos, embora eu tenha certeza de que não pode ter sido tanto tempo. Foi um momento incrível. Uma demonstração de amor absoluto. Aquilo me afetou fortemente."

Pouco depois de retornar ao alojamento após a visita, Pat escreveu:

> Que fim de semana glorioso. [...] Que fim de semana absolutamente glorioso. Toda a preparação e expectativa, toda a ânsia e planejamento, por meras trinta horas. Por apenas uma noite de liberdade. [...] Ver Marie e passar algum tempo com a mulher que amo foi incrível. Dissemos coisas que queríamos dizer havia meses, nos abraçamos da forma como queríamos havia meses, e curtimos a companhia pela qual ansiávamos por tanto tempo. [...] As horas que nós quatro passamos juntos não foram um turbilhão de ação, bebedeira ou viagem. Simplesmente bebemos montes de café, comemos numerosas guloseimas de cafeteria, tivemos um jantar maravilhoso e conversamos por horas a fio. Três horas num café, três em outro, três no hotel ou no carro — tudo que fizemos foi falar, falar e falar. Qualquer tema servia: nossa casa, Arizona, Pooh, amigos, futuro, negócios, nossas situações atuais etc. etc. etc. Conversamos horas sem parar e sem queda da qualidade. [...]
>
> O fato de Hechtle ter gastado seu tempo e dinheiro para vir... Atos assim a

gente não esquece e merecem ser correspondidos. Ele é um amigo incrível, e é uma sorte para nossa família tê-lo em nossas vidas. Que gesto...

A disposição de Jeff Hechtle de atravessar o país de avião só para passar algumas horas com ele foi especialmente significativa para Pat, porque ele sentia que algumas de suas amizades mais valiosas tinham sido abaladas com seu alistamento, e confidenciou detalhadamente ao diário sua sensação de abandono. Em uma anotação ele escreveu: "Devido ao ponto em que cheguei e à importância que dou aos meus relacionamentos, fico às vezes desanimado com a falta de cartas dos meus amigos de casa. [...] Com certeza sou sensível demais, mas [...] É estranho, nestes últimos 6-7 anos notei alguns de meus amigos mais próximos colocando obstáculos em nosso relacionamento. Na maioria dos casos, sou eu quem liga, sou eu quem convida para jantar, sou eu quem faz o esforço. Por que isso acontece não está exatamente claro. [...] Preocupo-me com meus amigos de forma aberta e desprendida e — embora perceba que estou parecendo uma mulherzinha — estou aborrecido com a aparente falta de interesse deles".

"Acho que a maioria dos amigos dele não entendia como o Exército era difícil para ele e para Kevin", Marie explica. "Enquanto eles estavam passando por todos aqueles apuros no campo de treinamento, Pat tinha a impressão de que todos os demais estavam simplesmente tocando suas vidas e haviam como que os esquecido. Por isso, quando Hechtle voou até a Geórgia, Pat ficou muito contente."

Pat, é claro, apreciou a visita de Marie ainda mais. Ela era sua fonte crucial de conforto emocional — uma força calma e constante que ancorava sua vida e lhe trazia uma alegria tremenda. "Foi tão bom ver Marie", ele escreveu, "tão incrivelmente bom. [...] Em suma, a visita permitiu que eu expressasse a ela aquelas coisas que vinham me queimando por dentro. Estou certo de que Marie ainda me odeia por tudo, mas ao menos ela saberá como seu ódio não é nada comparado com minha própria autoaversão. Parece até que estou desanimado, mas asseguro que a visita foi totalmente positiva. Por aqui a gente se permite um pouco de autoaversão."

Às sete da noite do domingo, Pat e Kevin haviam se despedido de Marie e Hechtle e estavam de volta ao alojamento. Quando Pat se sentou para escrever no diário 24 horas depois, ainda estava empolgado pela visita. "É estranho com que rapidez as coisas podem ser colocadas em perspectiva", ele refletiu. "Algumas horas com Marie e Hechtle, café e *muffins*, e, claro, Nub, me lembraram como são insignificantes todos os aborrecimentos e frustrações que experimento. Ao nos sentarmos discutindo nossas tribulações, nós e nossos visitantes não pudemos deixar de rir por deixarmos que alguém neste lugar nos irritasse. De novo (e vejamos por quanto tempo) sinto-me centrado e concentrado no que é importante."

Não levou muito tempo até os devaneios de Pat se chocarem com a realidade dos insultos rotineiros da vida militar. Embora ele e Kevin tivessem completado o treinamento básico, permaneceram na Geórgia para começar cinco semanas do que o Exército denomina treinamento individual avançado, que mal se distingue do básico. Em 24 de setembro, apenas dois dias após a partida de Marie, Pat escreveu: "Minha mente está por toda parte, menos aqui: Marie, casa, futuro, passado, Pooh, mamãe, amigos etc. — mas não no Fort Benning; esquerda, direita, esquerda, direita; ou 'em forma, descansar, ordinário, marche!'. Especialmente agora que passaremos as próximas duas semanas e meia repetindo coisas já vistas, meu interesse diminuirá ainda mais. Estamos entediados e de saco cheio deste lugar. Temos que avançar".

Naquela mesma semana, com desânimo ainda maior, ele escreveu: "Sabe o que fizemos hoje? Ficamos sentados na área de nosso pelotão o dia inteiro, porra. Durante quatro horas limpamos armamentos, durante mais ou menos outras três ficamos sentados com nossas mochilas fazendo inventário e juntando nossas roupas de cama. Talvez tenha sido o dia mais improdutivo de minha vida. Este lugar é cansativo, porra. [...] Por alguma razão, hesito em escrever negativamente demais sobre o que sinto ou estou experimentando. Sinto obrigação de adotar uma postura positiva no meu diário. Sinto que devo expressar minha crença suprema de que no fundo as pessoas são boas e tudo vai melhorar, mas não é assim que me sinto sempre".

Referindo-se ao seu alojamento como "uma casa de mosquitos", Pat desabafou:

> Às vezes fico tão aborrecido com as pessoas que me cercam que meu coração se enche de ódio. Tenho me exposto a um ambiente social que pode ser pior do que qualquer outro que já encontrei, inclusive no reformatório. Com frequência, essas pessoas são ressentidas, ingratas, preguiçosas, fracas e carentes de virtudes.

> Elas brigam, reclamam, mentem, contam cascatas, lastimam-se e resmungam incessantemente. [...]
>
> Talvez eu omita isso do diário porque no fundo estou desapontado. Quando Nub e eu embarcamos nessa jornada eu achei que esses garotos iam entrar na linha. [...] Muitas vezes luto para manter a calma no meio do caos deles. Kevin e eu somos forçados a berrar e xingar, em vez de recomendar e sugerir. [...] Talvez eu não seja tão bom líder quanto penso.
>
> Em última análise, acredito numa boa vontade geral, e não fiquei amargurado, embora o caminho não fosse tão positivo quanto eu esperava. Suponho que, quando você luta com porcos, se suja. [...] Continuo aprendendo.

Conforme elucida Marie: "O que Pat tinha de ótimo era seu idealismo e sua crença na bondade humana. Ele sempre queria ver o lado bom das pessoas. Infelizmente, elas não são assim o tempo todo, e ele se decepcionava ao se confrontar com isso. Tratava as pessoas de certa maneira e esperava ser tratado igual, mas no Exército a coisa nem sempre funcionava assim. Ele tinha 25 anos, e era bem mais maduro do que outras pessoas da mesma idade. A maioria dos outros eram rapazes de dezoito anos imaturos para a idade. Ele teve dificuldade com aquilo".

Em 29 de setembro, ansioso pela próxima fase de treinamento — na Escola Aerotransportada, marcada para começar no fim de outubro, o que os colocaria na companhia de soldados de elite, e ensinaria a saltar com paraquedas de aviões —, Pat escreveu: "Só consigo pensar em sair deste inferno. Afastar-me da mediocridade, inépcia, lamúrias e tédio. Minha esperança é que a Aerotransportada nos exponha a um grupo de pessoas mais motivadas e dê a Nub e a mim a liberdade de sermos nós mesmos".

No dia seguinte, sua companhia praticaria "luta de chão" — uma variedade do jiu-jítsu brasileiro, recentemente adotada pelo Exército, que enfatiza técnicas de submissão como chaves de junta e estrangulamentos. Quase no fim da sessão, os recrutas eram autorizados a desafiar um colega para lutarem diante de toda a companhia de 110 homens. Um jovem recruta ousado que havia sido campeão de luta na escola se levantou, fitou Pat e anunciou: "Quero Tillman!".

Kevin, de acordo com o diário de Pat, ficou "aborrecido com o fato de que eles permitissem que lutássemos com aqueles selvagens" e se levantou para aceitar o desafio do sujeito no lugar de Pat. Ao que "aquele garoto ridículo" teve a ousadia de insultar Kevin dizendo: 'Não você, seu irmão mais velho'. Kevin simplesmente constrangeu o garoto. Encarou-o, gritou com ele, aplicou-lhe uns golpes, estrangulou-o repetidamente.* [...] Após o primeiro estrangulamento o sujeito percebeu que havia cometido uma burrada e estava completamente assustado — não conseguia nem olhar para Kevin". Kevin travou três lutas com o recruta em rápida sucessão, derrotando-o facilmente em cada ocasião diante dos sargentos instrutores e de todos os demais recrutas. "Aquele jovem estava tentando se mostrar nos usando como instrumentos", Pat anotou. "Estou muito orgulhoso e honrado com a forma como Kevin saltou para se defender do que acreditou ser um insulto. Ele se conduziu como um homem e falou com ação, não palavras."

Eles completaram o teste final do campo de treinamento em 17 de outubro, um suplício de sete dias conhecido como exercício de treinamento de campo. "Ahhh", Pat escreveu, "estar de volta de nossa semana de chuva, sujeira e marchas. [...] Não fosse pela garoa duvido que a experiência tivesse sido difícil. Porém aquele tempo inesperado não foi brincadeira. Tarefas normais [...] tornam-se uma dificuldade e marchas simples tornam-se cansativas. [...] Dormimos ao relento no frio com nada além de nossas roupas e um poncho. Tudo que pude fazer para me manter aquecido foi me grudar no velho Nub." Uma marcha de 52 quilômetros carregando mochilas pesadas, Pat confessou em seu diário, "arrebentou com a gente. As porras dos pés ainda estão me matando. [...] Apesar do que eu esperava deste treinamento básico, Nub e eu achamos um pouco puxado. Sem brincadeira, não foi um negócio fácil. [...] Acabou sendo pior do que esperávamos, uma tarefa digna. Boa maneira de terminar [...] Esses garotos têm razões para se orgulhar. Eles enfrentaram a tormenta. [...] Tenho que admitir: foi um bom encerramento, mas agora me tirem desta porra".

Em 21 de outubro, o Gabinete de Relações Públicas de Fort Benning pediu que Pat e Kevin dessem uma entrevista à mídia. Embora se encontrassem com o oficial enviado para persuadi-los, Pat escreveu, ele e Kevin simplesmente repetiram "o que haviam dito desde o princípio: 'Nós não vamos falar'. De qualquer modo, o encontro foi tranquilo, mas nosso tempo livre depois foi

* No jiu-jítsu, o estrangulamento é uma manobra comum, segura e oficialmente sancionada, o equivalente a imobilizar um oponente durante uma luta romana.

precioso". Durante uma hora e meia após a reunião, os irmãos Tillman ficaram sentados batendo papo, bebendo café e ouvindo a National Public Radio, que abriu a tarde com uma reportagem sobre os esforços do presidente Bush para persuadir o Conselho de Segurança da ONU a autorizar o uso da força no Iraque. Quando um sargento instrutor veio levá-los de volta ao alojamento e encontrou seus recrutas famosos ouvindo comentários liberais no rádio, riu para eles e deixou aquilo para lá.

Uma cerimônia em que os recrutas receberiam laços azul-claros para trajar em seus uniformes de gala Classe A, designando-os soldados de infantaria, foi programada para 25 de outubro. Marie, Richard e os pais dos Tillman viriam de avião até a Geórgia para assistir. Pat estava muito empolgado para ver todo mundo. "Estou cansado de nosso ambiente", ele escreveu,

> e preciso da energia positiva daqueles que amo para recarregar minhas baterias. [...] Faz quase um mês que falei com Marie. Se ela não fugiu com alguém, com certeza está me odiando intensamente. De novo aqueles sentimentos fortes de culpa e dor por tudo que a estou fazendo passar. Minha esperança é que, durante o fim de semana da visita, eu consiga extrair algum milagre, expressar quanta falta sinto dela e dar-lhe algo para sustentar mais seis semanas de nossa separação. A pobre menina é uma super-heroína — na verdade, a esta altura, uma heroína de tragédia grega. Preciso me apressar e dar um final (feliz) americano a esta história. [...]
>
> Não posso falar por Kevin, mas não me sinto nem um pouco realizado ao concluir meu treinamento neste lugar. Não aprendi nenhuma lição profunda, nem melhorei meu caráter. A única coisa positiva que este lugar apresentou foi um conjunto de personagens genuínos, a saber, nosso sargento instrutor, Túlio Tourinho e alguns outros. [...] Provavelmente levarei algum tempo até conseguir ter uma perspectiva mais otimista de tudo que aconteceu e, quem sabe, talvez eu acabe achando que foi positivo. Neste momento, não foi. Kevin e eu adquirimos apenas uma visão pessimista da natureza humana. Todos os nossos objetivos altruístas ao virmos para este lugar foram ignorados e pisoteados. Felizmente acreditamos que este ambiente horrível não nos seguirá. Ao irmos em frente, esperamos encontrar mais pessoas que estejam aqui para praticar o bem, e não "porque precisam estar". [...] Não sou um homem negativo, não quero narrar fatos ruins, quero me elevar e trazer todos comigo. Mas este lugar é uma merda... ponto.

Vinte e um

A Escola Aerotransportada e o Programa de Doutrinação dos Rangers acabaram se revelando instrutivos e exigentes, e a perspectiva de Pat melhorou bastante durante as seis semanas que ele e Kevin levaram para completar os dois cursos. Aprender a saltar de aviões foi emocionante, e o PDR continha sofrimento suficiente para prender a atenção dele. O currículo do programa, notoriamente difícil, visa transmitir habilidades táticas de que os Rangers necessitam para a guerra de Operações Especiais, ao mesmo tempo que faz os recrutas ultrapassarem seus limites físicos e mentais, eliminando os fracos e insuficientemente motivados. Ao se graduar no PDR pouco depois do Natal, Pat e Kevin receberam a boina bege que o Exército concede às forças de elite do 75º Regimento de Rangers, após o que foram designados para uma unidade chamada de "Ovelhas Negras": Segundo Pelotão, Companhia Alfa, Segundo Batalhão de Rangers, baseado em Fort Lewis, Washington.

Russell Baer era um soldado raso de 22 anos quando os Tillman chegaram em Fort Lewis. "Um grande alvoroço precedera a chegada deles", Baer diz.

> Todos os Rangers veteranos estavam conversando sobre como iriam acabar com aquele veadinho da NFL. A primeira vez que pus os olhos em Pat e Kevin, erguiam-se com seus apetrechos junto dos outros sujeitos, que estavam nervosos e

suando. Pat e Kevin não pareciam nem um pouco assustados. Agiram com confiança, como se tivessem feito aquilo todos os dias de suas vidas. [...] Imaginei que seriam uns atletas egocêntricos. Mas durante aqueles primeiros dias, ao observá-los interagindo com os demais novatos, senti que iria me dar bem com eles. Pat não andava para lá e para cá batendo no peito. Conseguia falar com aqueles soldados rasos imbecis e esqueléticos e tratá-los como iguais.

O 75º Regimento de Rangers é a principal unidade de infantaria do Exército. Assim como os Boinas Verdes e Forças Delta do Exército, as equipes SEAL da Marinha, as Alas de Operações Especiais da Força Aérea e os Batalhões de Operações Especiais dos Fuzileiros Navais, o Regimento de Rangers funciona sob os auspícios do Comando de Operações Especiais norte-americano. Os Rangers se consideram guerreiros superiores, membros de uma tribo elevada que tem pouco em comum com o "Exército normal". Eles referem-se depreciativamente aos soldados comuns como "Pernas". Para se distinguir das demais unidades do Exército, o Regimento de Rangers cultiva costumes singulares e rituais implacáveis. Quando Rangers novos chegam ao Segundo Batalhão oriundos do PDR, os veteranos fazem questão de submetê-los a uns bons trotes para que saibam seu lugar na hierarquia. O Ranger que assumiu a responsabilidade básica de "pôr na linha" Pat foi um cabo de Mountain Home, Arkansas, chamado Jason Parsons.

"Ficamos sabendo que o tal do Tillman estava vindo", Parsons recorda.

Pensei: "Cara, ninguém merece um astro do futebol americano exibicionista. [...]". Fiquei um pouco pessimista. [...] Achei que seria um problemão. Assim, quando ele chegou, fui aonde ele estava com seu irmão, em posição de descansar. A primeira coisa que notei foi: "Este almofadinha tem um pescoço grosso". Eu esperava um sujeito um pouco maior. Mas mesmo assim ele tinha um pescoço bem grosso. Olhando para ele, pensei: "Uau, ele é forte". E então fiz o que qualquer suboficial faria: humilhei-o um pouquinho. Não o arrasei, só sacaneei um pouco. Aproveitei a oportunidade para provocá-lo, só para ver como iria reagir. Você tem muito *feedback* nos primeiros trinta minutos em que conhece alguém: qual o seu caráter, como se relaciona com as pessoas, o que pensa de si mesmo. Ele me pareceu arrogante. Um pouquinho de petulância é bom num Ranger, definitivamente, se você

> consegue sustentá-la. E jogadores de futebol americano estão acostumados a dar duro, de modo que achei que ele teria uma ética do trabalho.
>
> De início, Pat conduziu-se muito bem. Ele havia sido disciplinado. Fiquei satisfeito com aquilo. Mas depois notei que vinha sendo tratado diferentemente dos demais recrutas por um dos outros suboficiais.

O sargento em questão, de acordo com Parsons, "o estava tratando como se quisesse ser seu amigo. No Regimento de Rangers, os suboficiais não devem tratar os caras novos como colegas. Não é assim que funciona. Você não os trata como iguais. O novato precisa saber que está numa posição subordinada, para que as coisas tomem a direção certa.

"Assim, no início, houve muitos conflitos entre mim e Tillman. Eu devo ter sido o primeiro sujeito que o fez saber que não era especial. [...] Ao longo de sua vida, ele estava acostumado a ser o sujeito que comandava, mas na minha vida eu também estava acostumado a comandar, e eu era o superior, de modo que foi assim que funcionou. Ele teve alguns problemas com aquilo, mas nós os resolvemos logo."

De acordo com Marie, para Pat foi uma luta quando suboficiais como Parsons fizeram de tudo para humilhá-lo, só para mostrar quem era o chefe. "Pat estava acostumado com certo nível de controle em sua vida", ela explica,

> que desapareceu completamente assim que ele ingressou no Exército. Acho que ele sabia em teoria como seria difícil, mas, até experimentar na prática, você não sabe como aquilo é realmente. Em sua carreira esportiva, ele era sempre recompensado pelo bom desempenho. Nas Forças Armadas a coisa não funciona assim. Tudo se baseia no tempo em que você está ali, e em sua patente militar. Não importa quão capaz você é. Acho que isso foi um tanto chocante para Pat e Kevin. Lidar com aquilo foi realmente difícil, mas Pat tinha uma noção tão forte de quem ele era que não mudou. Ele aprendeu como atuar dentro do sistema, como lidar com ele, mas nunca deixou que o derrubassem. O Exército nunca o mudou.

A iniciação de Pat na fraternidade dos Rangers foi muito facilitada pelo fato de Marie estar de volta à sua vida e eles morarem fora da base. Dois meses antes de Pat e Kevin se apresentarem no Fort Lewis, quando ainda estavam no campo de treinamento na Geórgia, Marie viajara para Seattle e passara vários dias procurando uma casa para alugarem. "Quando eles entraram no Exército", ela diz, "pensei: 'Talvez seja bom morar na base. Pode ser mais fácil'. Mas Pat respondeu: 'De jeito nenhum! Não vamos morar na base!'. Portanto fui lá ver que tipo de lugar conseguíamos encontrar, porque o Exército não dava tanto dinheiro para moradia se você quisesse sair da base."

Em seu diário, Pat expressara a esperança de que Marie encontrasse "um chalé pequeno e singular em algum lugar com personalidade e encanto", semelhante à residência de sua infância em New Almaden. Por acaso, a primeira casa que ela olhou, a dezesseis quilômetros de Fort Lewis, correspondeu quase precisamente àquela descrição: um bangalô bonito com dois quartos, piso de madeira e lareira, encarapitado numa elevação suave com vista para o braço de mar Puget Sound, cercado de azaleias, rododendros e trepadeiras, com uma grande árvore *madroño* no quintal lateral, uma cerejeira chorona junto à escada frontal, uma varanda com vista para Fox Island, do outro lado da baía, e — quando as nuvens sumiam — os picos imensos e misteriosos das montanhas Olímpicas. O ar estava saturado do aroma de água salgada e florestas de cedro. Aves marinhas rodopiavam no ar. Dava até para ver a ponte Tacoma Narrows, formando um arco em meio à névoa sobre o estreito de mesmo nome, qual imagem de um sonho indistinto.

Marie assinou um contrato de aluguel do chalé e retornou em novembro para limpá-lo, pintá-lo e trazer seus pertences do Arizona, enquanto Pat e Kevin cursavam a escola de paraquedismo e o Programa de Doutrinação dos Rangers. Quando se graduaram, a casa nova estava prontinha para a chegada dos irmãos. "Pat e eu adoramos a casa", Marie diz saudosa. "E Kevin também. Mesmo hoje em dia, Kevin e eu ainda temos uma sensação especial sobre a vida lá, como se fosse uma espécie de utopia. O que é estranho, considerando-se que eles estavam servindo o Exército.

"Eles iam trabalhar e faziam aquelas coisas terríveis, mas vivíamos naquela pequena bolha de fantasia distantes da realidade. Eles vinham para casa, e era como um mundo separado. Pat queria aquilo e precisava daquilo. Ele não queria que nossa vida fosse uma vida militar. E não era, em vários aspectos. Pat nunca vinha para casa de uniforme. Eles chegavam e saíam em roupas normais. Quando estavam em casa, acordavam de manhã e iam trabalhar como se tivessem empregos normais." Marie acabou achando um bom emprego para ela no centro de Seattle, 64 quilômetros ao norte pela Interstate 5, e quando voltava à noite do trabalho, ela diz, "eles estavam em casa esperando por mim. Havia épocas em que tinham ido para a Ranger School, para o exterior, ou para outro lugar, mas quando voltavam para casa era como se nunca tivessem partido. Nós três estávamos afastados de tudo e de todos, e Kevin e eu tínhamos tudo que queríamos, que era a presença de Pat ali".

O vínculo já forte entre os três fortaleceu-se ainda mais. Quando Pat e Kevin não estavam na base, geralmente estavam com Marie. Não tinham muita vida social, e Pat bebia pouco. Ele considerava ser um Ranger um dos maiores desafios que já havia enfrentado, e não queria fazer nada que o desconcentrasse das tarefas.

Quando se alistaram, os irmãos Tillman acharam que seriam enviados ao Afeganistão para combater Osama bin Laden, a Al-Qaeda e o Talibã — uma guerra que parecia vital para proteger a segurança nacional. Durante a campanha presidencial de 2000, Bush havia prometido repetidamente que, caso fosse eleito, seu governo promoveria uma política externa "humilde". "Serei judicioso no emprego das Forças Armadas", ele prometeu durante seu segundo debate com Al Gore. "Nosso interesse vital precisa estar em jogo, a missão deve ser clara, e a estratégia de saída precisa ser óbvia. [...] Acho que os Estados Unidos devem ser humildes no modo como tratamos as nações que estão descobrindo como traçar seu próprio destino." Os Tillman, como a maioria dos norte-americanos, não tinham nenhum motivo para suspeitar que, em novembro de 2001, o presidente Bush e o vice-presidente Cheney haviam solicitado ao secretário da Defesa Donald Rumsfeld um detalhado plano secreto de invasão do Iraque.

Mal decorreram dois meses dos ataques de 11 de setembro, com Bin Laden ainda à solta no Afeganistão, o presidente e seus assessores mais influentes encaravam a campanha afegã como um mero espetáculo secundário, quase um desvio. Verdade seja dita, o foco principal de George Bush sempre havia sido derrubar Saddam Hussein. Em 5 de fevereiro de 2003, o secretário de Estado Colin Powell defendeu nas Nações Unidas a intenção do presidente de invadir o Iraque, mostrando fotos de satélite e outras provas numa apresentação de PowerPoint que de forma persuasiva — mas errônea — indicavam que Saddam possuía armas de destruição em massa e havia conspirado com a Al-Qaeda para realizar ataques terroristas contra os norte-americanos. Quando Powell encerrou seu discurso, estava claro para o mundo que os Estados Unidos invadiriam o Iraque num futuro imediato.

Pat ficou muito perturbado. Na época em que ficou claro que a guerra contra o Iraque era iminente, Pat e Kevin treinavam em Fort Lewis havia apenas um mês. Dezessete dias depois de Powell se dirigir às Nações Unidas, Pat escreveu no diário:

> Talvez em pouco tempo Nub e eu sejamos convocados para fazer parte de algo cujo propósito não vejo com clareza. [...] Se nossa defesa da guerra fosse de algum modo justificável, sem dúvida muitos de nossos aliados tradicionais [...] estariam louvando a nossa iniciativa. [...] Contudo, todos os líderes do mundo, com poucas exceções, estão protestando, assim como a voz da maioria do povo. Isso [...] me leva a crer que temos pouca ou nenhuma justificação além de nosso capricho imperial. Claro que Nub e eu [...] voluntariamente nos tornamos peões desse jogo e cumpriremos nosso serviço quer concordemos ou não com ele. Tudo que pedimos é que seja devidamente notado que não abrigamos quaisquer ilusões de virtude.

No princípio de março, Pat, Kevin e os outros Rangers da Companhia Alfa foram aerotransportados para um pequeno campo de aviação no deserto em torno de Ar'ar, Arábia Saudita. "Curioso como os fatos se precipitaram", Pat escreveu. "Dois meses depois de concluído o Programa de Doutrinação dos Rangers, Kevin e eu estamos a oitenta quilômetros da fronteira do Iraque. [...] Os últimos dias foram gastos em construir uma cidade de barracas, estender uma cerca de arame farpado e ficar acordado de noite montando guarda. Estamos entre os primeiros a chegar, de modo que a tarefa de organizar o local recai sobre nossos ombros."

Contemplando a incerteza do que os aguardava, ele suplicou: "Espero que Kevin e eu saiamos bem disto". Caso algum deles fosse gravemente ferido ou morto, ele reconheceu, "nem consigo imaginar como isso afetaria a nossa família". Estava particularmente preocupado com Marie: "É evidente que sinto uma falta incrível dela, e a imagem de seu rosto, antes de partirmos, não sai da minha mente. Ela estava tão genuinamente contrariada/preocupada/desapontada que abriu um buraco na minha cabeça. [...] Certamente não vejo a hora de começar uma família com Marie".

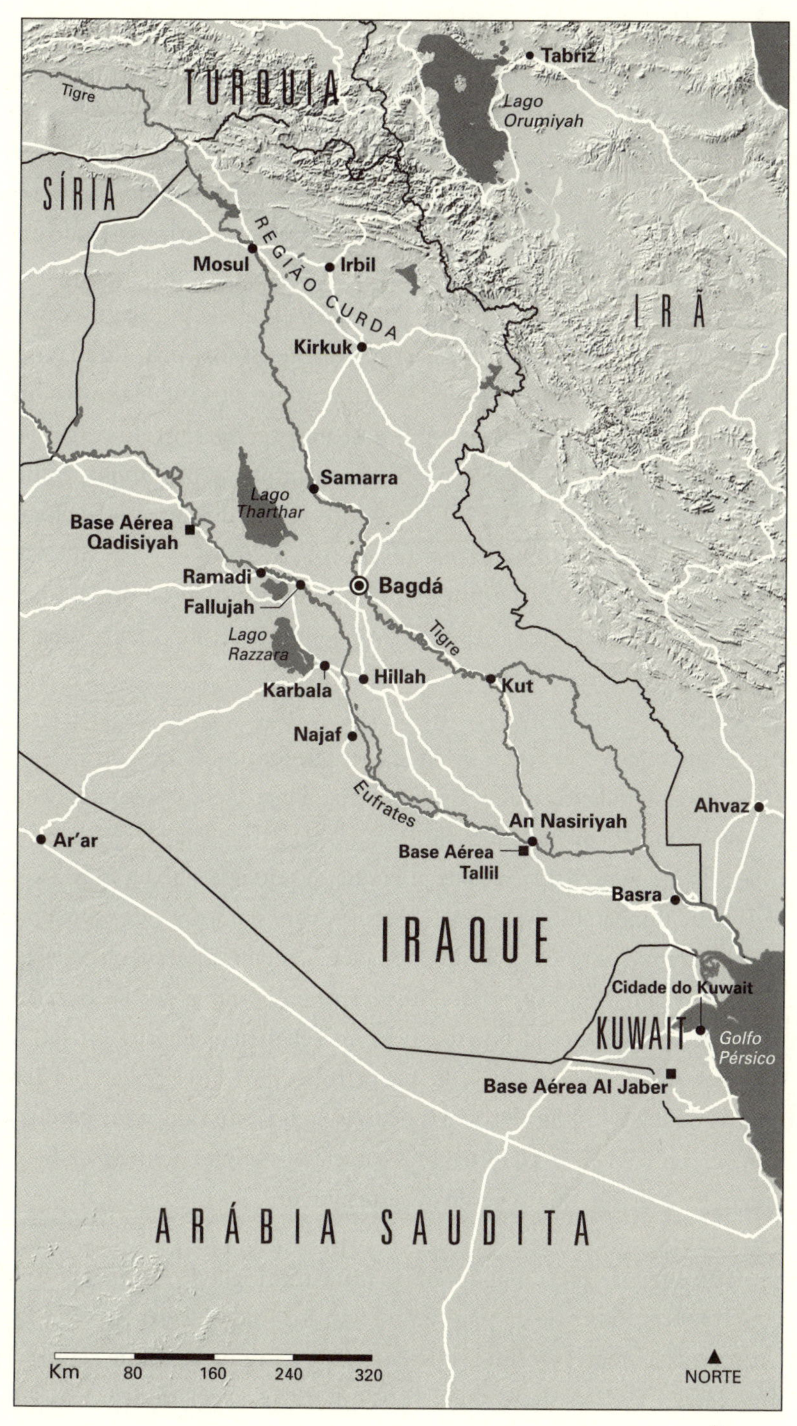
TURQUIA
Tigre
Tabriz
Lago Orumiyah
SÍRIA
REGIÃO CURDA
Mosul
Irbil
IRÃ
Kirkuk
Samarra
Lago Tharthar
Base Aérea Qadisiyah
Ramadi
Bagdá
Fallujah
Tigre
Lago Razzara
Hillah
Kut
Karbala
Najaf
Eufrates
Ahvaz
An Nasiriyah
Ar'ar
Base Aérea Tallil
Basra
IRAQUE
Cidade do Kuwait
KUWAIT
Golfo Pérsico
Base Aérea Al Jaber
ARÁBIA SAUDITA
Km 80 160 240 320
NORTE

Iraque

"Ter filhos era algo que definitivamente queríamos", Marie confirma. "Era em parte por isso que tínhamos nos casado, para começar uma família. Éramos bem jovens, mas com Pat jogando futebol americano nos sentíamos seguros e tínhamos dinheiro. Quando ele decidiu ingressar no Exército, não pareceu o momento certo. Pat estava mais inclinado a ter um bebê mesmo assim, mas eu queria esperar até ele estar mais presente. Portanto decidimos aguardar sua saída. Não pareceu nenhum problema esperar. Ainda éramos bem jovens."

Em 14 de março, o pelotão dos Tillman foi escalado para agir como uma força de reação rápida. Eles permaneceriam em constante prontidão, preparados para embarcar em helicópteros e estar no ar em noventa minutos, para ir em auxílio de outras unidades que porventura precisassem de resgate ou de poder de fogo adicional. Com o combate talvez iminente, os Rangers treinaram o uso de máscaras antigases e de trajes pesados revestidos de carvão chamados MOPPs (acrônimo de *Mission Oriented Protective Posture* — Postura Protetora Orientada para uma Missão) a fim de protegê-los no caso de um ataque com armas químicas ou biológicas. Após provar seu traje MOPP quente, pegajoso e indescritivelmente desconfortável, Pat refletiu:

> Parece que vamos usar esse traje onde quer que formos. A ideia de levar um tiro não é nada agradável, embora seja infinitamente menos assustadora do que ameaças químicas ou biológicas. [...]
>
> Se Kevin e eu participarmos de uma situação em que tenhamos de lutar, cada pedaço de minha alma sabe que lutaremos com o máximo de empenho. Não questionaremos as razões por estarmos aqui nem permitiremos que crenças pessoais interfiram em nossa missão. Nossa esperança é que as decisões estejam sendo tomadas com a mesma boa-fé que Kevin e eu pretendemos exibir. [...] Espero [que esta guerra envolva] mais do que petróleo, dinheiro e poder. [...] Tenho lá minhas dúvidas. [...] Se algo vier a ocorrer com Kevin nunca me perdoarei. Se algo ocorrer com ele, e meus temores sobre a nossa intenção neste país se mostrarem verdadeiros, nunca perdoarei este mundo.

Sentado em sua tenda, Pat apanhou uma antologia de ensaios que incluía o intricado *tour de force* de 23 páginas de Ralph Waldo Emerson "Self-Reliance" ["Autossuficiência"] — uma reflexão sobre a importância de seguir a própria consciência, em vez de se ajustar aos ditames da sociedade:

> Deus não manifestará suas obras por meio de covardes. [...]
>
> Todo aquele que é um homem deve ser um não conformista. Quem pretende reunir palmas imortais não deve ser impedido em nome do bem. [...] Nada é tão sagrado quanto a integridade de sua própria mente. [...]
>
> O que devo fazer é tudo que me preocupa, não o que as pessoas pensam. Esta regra, igualmente árdua na vida real e na intelectual, pode servir para toda a distinção entre grandeza e mesquinhez. É a mais difícil, porque sempre encontrarás aqueles que julgam saber melhor do que você qual o seu dever. É fácil no mundo viver conforme a opinião do mundo; é fácil na solidão viver conforme a nossa própria; mas o homem de valor é aquele que, em meio à multidão, conserva com perfeita brandura a independência da solidão. [...]
>
> Suponho que nenhum homem possa violar sua natureza. [...] Um caráter é como um acróstico ou uma estrofe alexandrina; — quer você leia do início ao fim, do fim ao início ou salteado, o sentido é o mesmo. [...] Somos julgados pelo que somos. [...] Os homens imaginam que comunicam sua virtude ou vício somente por ações abertas, e não veem que virtude ou vício emitem um hálito a cada momento. [...]
>
> Somente a vida tem utilidade, não o fato de ter vivido. O poder cessa no instante do repouso; ele reside no momento da transição de um passado para um estado novo, na transposição do abismo, na flecha que se dirige ao alvo.

Pat absorveu o ensaio durante vários dias. No momento em que atingiu suas frases finais, estava empolgado:

> Utilize portanto tudo que se chame Sorte. A maioria dos homens aposta com ela, e ganha tudo, e perde tudo, à medida que sua roda gira. [...] Uma vitória política, um aumento de rendimentos, a convalescença de seu doente ou o regresso de seu amigo ausente, ou algum outro acontecimento favorável eleva seu espírito, e está certo de, com isso, poder esperar por bons dias. Não acredite nisso. Somente você mesmo pode se trazer paz. Somente a vitória dos princípios pode trazer paz.

"Deixem-me aplaudir o herói que é Ralph W. E.", Pat exclamou no seu diário. "'Self-Reliance' tocou minha alma. [...] Brilhante, realmente brilhante."

Em 19 de março, na noite anterior à invasão do Iraque, as ideias de Emerson ainda reverberavam na cabeça de Pat, desencadeando uma torrente de pensamentos e sensações. "Quero atear fogo ao mundo e consertá-lo", ele escreveu, mas se preocupou com a dor que trazia aos entes queridos por seguir seus princípios:

> Minha honra não me permitirá criar uma vida de beleza e paz, mas me remete à ordem e conformidade. Minha vida se torna tudo que não sou. Amo minha mulher mais do que a mim, mas a arrasto pelo mesmo atoleiro. Quem é que eu amo? Para onde se dirige minha paixão? Ao que me consta, é para quem menos liga: as massas em geral. Sigo certa filosofia que mal compreendo. [...] Minha direção é egoísta, meu *telos*, destrutivo. [...] Às vezes minha necessidade de amor magoa — a mim, minha família, minha causa. Existe uma cura? Claro. Mas eu recuso. Recuso-me a parar de amar, a parar de cuidar. A evitar tais lágrimas, tal dor [...] Errar do lado da paixão é humano e correto e a única maneira como viverei.

Às 5h30 de 20 de março, pelo horário local, cerca de três dúzias de mísseis de cruzeiro Tomahawk retumbaram de seus locais de lançamento em navios de guerra no golfo Pérsico e no mar Vermelho, e se dirigiram ao Iraque para infligir um excesso de choque, horror e morte em alvos por toda a Bagdá. "Bem, a guerra certamente começou", Pat escreveu em sua tenda no deserto, a 56 quilômetros do Iraque. "Meu coração se compadece daqueles que sofrerão. Seja qual for sua posição política ou sua crença sobre o certo ou errado, o fato é que a maioria daqueles que sentirão a força desse inferno quer apenas viver pacificamente."

O pelotão de Pat foi informado de que desceria de paraquedas num local dentro do Iraque para se juntar à luta. "Nosso primeiro salto desde a Escola Aerotransportada poderá ser um combate, é inacreditável", ele refletiu. Um dia depois, porém, a missão foi protelada por prazo indeterminado. E, na noite de 27 de março, quando o pelotão enfim embarcou em helicópteros e partiu com a Equipe Seis dos SEALS da Marinha para enfrentar o inimigo num local chamado Base Aérea Qadisiyah, Pat e Kevin não estavam entre eles.

"Pat foi deixado na tenda", Jason Parsons explica. "Ele era um sujeito novo sem muito treinamento no currículo. Eles queriam enviar os soldados mais experientes. Os novatos tendem a ser mais um peso do que um trunfo."

Pat ficou furioso. "Eu sabia que ia acontecer", ele escreveu, "mas mesmo assim não consigo conter a raiva. [...] Não quero ver sangue nem tenho pressa para matar pessoas, mas não sacrifiquei minha vida para encher sacos de areia e tomar conta de veículos Hummer. Este é um puta insulto que faz ferver meu sangue. Tudo que quero é cortar a garganta de um desses filhos da puta que vão no meu lugar." O fato de Pat acreditar que a Guerra do Iraque era ilegal e injusta não o impediu de querer desesperadamente entrar na refrega, enfrentar o fogo inimigo com os companheiros, pôr-se à prova no combate. Ser deixado na tenda foi também um rude golpe em seu ego. "Sinto-me como o último garoto selecionado", ele reclamou no seu diário, "perdendo meu emprego em meu primeiro ano, não conseguindo entrar no time principal como calouro. Quero dar uma boa porrada em alguém. Abandonei ou protelei muita coisa para vir aqui, rompi as regras de certo modo. Aqui nada se baseia no mérito. Tudo tem a ver com o tempo no batalhão, o tempo no posto — nenhum comentário sobre habilidade, aptidão ou capacidade. [...] Chamo a atenção para o 'rompimento das regras' porque quero que alguém o faça por nós. Perceba que não somos soldados rasos normais, rompa a porra dessas regras, e nos ponha em uma posição que permita agregar valor. Foda-se este lugar."

No último minuto, o soldado raso Jade Lane havia sido escolhido para a missão em Qadisiyah no lugar de Pat, Lane conta, porque ele tinha um lança-granadas M203 acoplado à sua carabina M4, e Pat não tinha, "e eles queriam mais poder de fogo". Lane, por sua vez, de bom grado deixaria Pat ir no seu lugar. "A primeira coisa que vi quando abriram as portas do helicóptero", Lane recorda, "foram dois enormes murais de Saddam no campo de aviação. Dava para ver todos aqueles clarões de armas de fogo iluminando a noite, e helicópteros equipados com as superpotentes metralhadoras *minigun* abriam fogo contra alvos inimigos em solo — ao olhar para fora e ver aquilo, pensei: 'Puta merda, isto é real. Está acontecendo de verdade'." Quando o helicóptero sofreu um forte ataque inimigo, um Ranger de 21 anos chamado Manuel Avila foi atingido duas vezes no peito, e um tripulante de outro helicóptero foi atingido na cabeça.

A vida de Avila parecia estar em risco. Pat, monitorando a missão pelo rádio na base em Ar'ar, ficou mortificado. Avila fazia parte de sua esquadra de tiro de quatro homens, e Pat gostava dele. "Muito tranquilo, trabalhador, bom homem", Pat escreveu sobre o colega ferido quando chegaram as notícias das baixas. "Ele na verdade nasceu no México e veio para o norte com sua família quando menino. Não exatamente a história que vem à mente de alguns americanos quando se queixam dos 'estrangeiros' que invadem o nosso país. Bravo, Manuel, você não apenas causa orgulho em sua família, amigos e colegas soldados, mas simboliza os homens que construíram esta nação. [...] Estou curioso para ver como todos eles voltarão. Qual é exatamente o aspecto de um homem após enfrentar o fogo cerrado, um colega atingido, a morte?"

Avila tinha sido o atirador de Arma Automática de Esquadrão (conhecida pelo acrônimo SAW) da equipe de Tillman. Quando Avila foi baleado, Pat o substituiu naquela função. Pesando dez quilos (incluindo um tambor de duzentas munições de calibre 223, as mesmas balas disparadas pelo M4 e pelo M16), a Arma Automática de Esquadrão M249 é uma metralhadora alimentada por fita projetada para lançar altos volumes de fogo supressivo. Além de a arma pesar muito, um atirador de SAW devia carregar no mínimo seiscentos a oitocentos cartuchos de munição, porque a arma conseguia disparar mil cartuchos por minuto e, uma vez iniciado o tiroteio, tendia a consumir muitas balas rapidamente. "Verdade seja dita", Pat confessou no diário, "eu preferiria ficar com o M4 mais leve, mas, como não tenho escolha, aprenderei a manejar esta arma nova e me tornarei proficiente nela. Esta é uma arma que causa muitas baixas, o que mudará um pouco o meu papel. Tudo bem: improvisar, adaptar-se e superar."

Vinte e dois

Pat e Kevin foram enfim enviados em sua primeira missão em 31 de março, como parte de um contingente imenso de fuzileiros navais, Rangers, Boinas Verdes, membros da Força Delta, SEALS e Pararescue Jumpers despachados para resgatar uma soldado de dezenove anos, que estava sendo mantida prisioneira por combatentes iraquianos num hospital numa cidade chamada An Nasiriyah. O nome da prisioneira era Jessica Dawn Lynch.

Sua captura oito dias antes e o resgate subsequente estavam prestes a se tornar um dos episódios mais divulgados de toda a Guerra do Iraque. A saga de Jessica Lynch também acabaria tendo um impacto poderoso em Pat Tillman — embora o golpe só fosse dado mais de um ano depois de ela se tornar uma celebridade, e a ligação entre Lynch e Tillman nunca tivesse sido divulgada. Em 23 de março de 2003, a soldado raso Lynch rumava para o norte na Rodovia 8, uma estrada importante que conduz a Bagdá, como um dos 33 soldados de um comboio de dezoito veículos da 507ª Companhia de Manutenção, que rumava país acima para apoiar uma bateria antimísseis Patriot. Os soldados eram na maioria mecânicos, encarregados de suprimentos e cozinheiros, pouco treinados para o combate, que não esperavam se aproximar das linhas de frente. À uma da madrugada, o oficial sonolento que liderava a coluna, capitão Troy King, perdeu uma entrada crucial na rota designada, uma via expressa de seis pistas que os manteria a dezesseis quilômetros de distância de An Nasiriyah, uma cidade congestionada. Cerca de cinco horas depois, num cruzamento importante adornado com uma estátua em memória da Guerra Irã-Iraque, King perdeu outra entrada crítica.

O comboio — uns poucos Humvees escoltando uma série de caminhões articulados — havia inadvertidamente deixado a Rodovia 8, que também os manteria fora de Nasiriyah, e rumava diretamente para dentro da cidade por um bulevar de quatro pistas. O deserto estéril e completamente plano que vinham percorrendo desde que deixaram o Kuwait abruptamente deu lugar a bosques de palmeiras e arbustos verdes luxuriantes. Cerca de 1,6 quilômetro após deixar a Rodovia 8, o comboio passou por diversos tanques T-55 iraquianos posicionados ao lado da estrada, mas não os percebeu no escuro, e assim continuou avançando despreocupadamente.

Oitocentos metros adiante, atravessou uma ponte baixa e ligeiramente arqueada, mais comprida do que dois campos de futebol, por cima do rio Eufrates, sujo e cinzento. Quando atingiram a outra margem, estavam no coração de Nasiriyah. Uma cidade militar, mais ou menos a equivalente iraquiana de Colorado Springs, Tacoma ou El Paso. Entre seus 500 mil habitantes havia três regimentos do Exército iraquiano (cerca de 5 mil soldados), bem como uns oitocentos fedayeen, combatentes milicianos. Os trabalhadores de cantina e empregados de escritório do comboio de Lynch foram os primeiros norte-americanos a entrar naquele ambiente extremamente hostil desde o início da guerra, três dias antes.

Os cidadãos fortemente armados de Nasiriyah vinham aguardando nervosos que os americanos invadissem sua cidade. Tanques, artilharia e esquadrões de combatentes estavam posicionados em locais estratégicos em torno da área metropolitana para repelir os eventuais ataques. Mas nenhum dos moradores ansiosos imaginava que a força invasora seria um comboio levemente armado de caminhões de transporte, dirigidos por homens e mulheres que pareciam não perceber as forças adversárias reunidas à sua volta. Os iraquianos ficaram tão pasmos com a ignorância dos americanos que contiveram seu fogo e apenas olharam com descrença.

Uns poucos quarteirões após cruzar o rio Eufrates, quando adentrou o núcleo urbano de Nasiriyah, o comboio passou por um posto de controle iraquiano guarnecido de soldados armados, que sorriram e acenaram para os

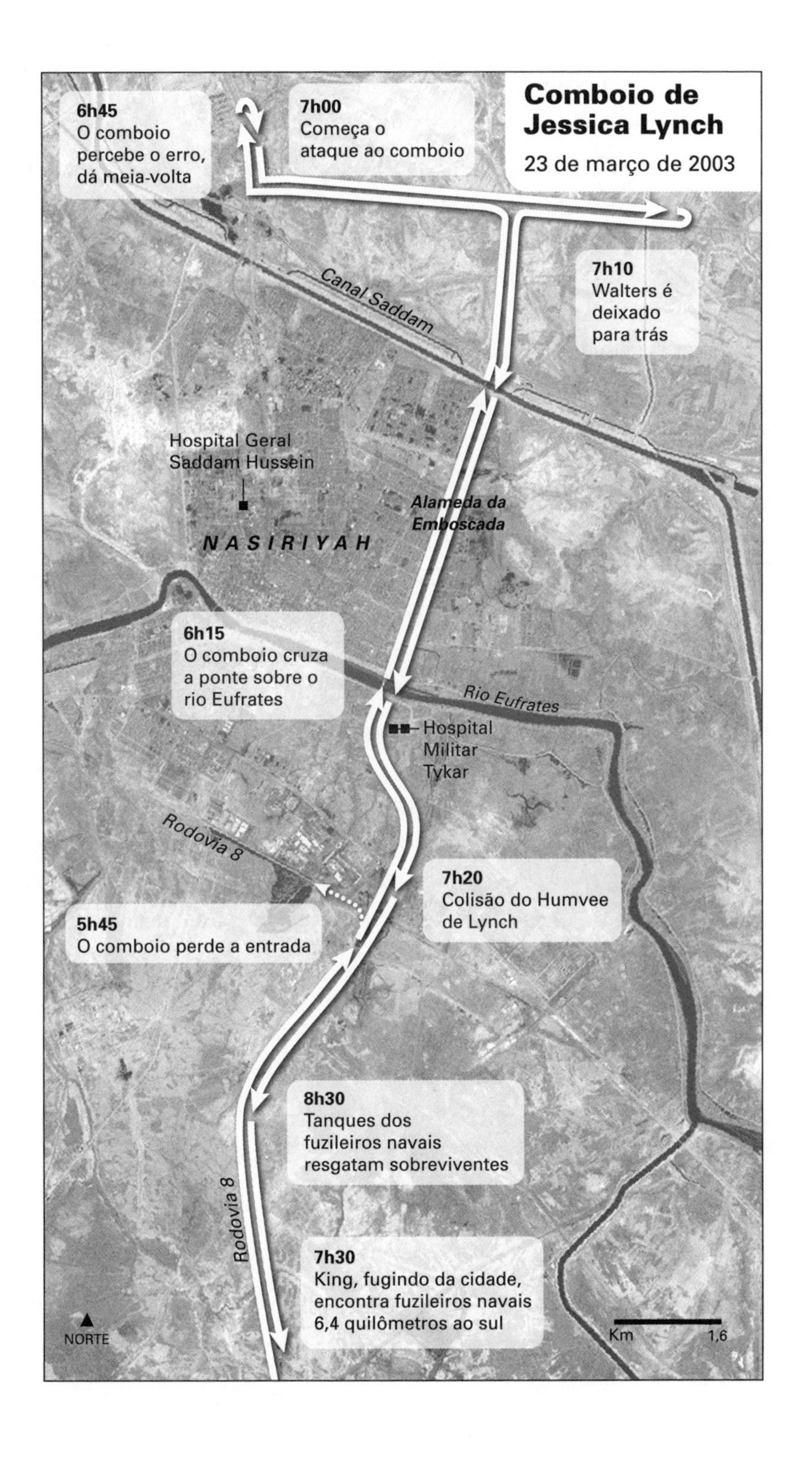

Comboio de Jessica Lynch
23 de março de 2003
6h45
O comboio percebe o erro, dá meia-volta
7h00
Começa o ataque ao comboio
7h10
Walters é deixado para trás
Canal Saddam
Hospital Geral Saddam Hussein
Alameda da Emboscada
NASIRIYAH
6h15
O comboio cruza a ponte sobre o rio Eufrates
Rio Eufrates
Hospital Militar Tykar
Rodovia 8
7h20
Colisão do Humvee de Lynch
5h45
O comboio perde a entrada
8h30
Tanques dos fuzileiros navais resgatam sobreviventes
Rodovia 8
7h30
King, fugindo da cidade, encontra fuzileiros navais 6,4 quilômetros ao sul
NORTE
Km
1,6

americanos, e o comboio de Lynch continuou avançando para o norte, pelo meio da cidade, sem ser molestado, por mais cinco quilômetros.

Após cruzar uma ponte sobre um curso d'água chamado Canal Saddam e depois avançar 1,6 quilômetro pela extremidade norte de Nasiriyah, o capitão King, comandante do comboio, parou para consultar seu GPS e percebeu tarde demais que haviam pegado o caminho errado uma hora antes. Constatando que o comboio teria que retroceder por sua rota para voltar ao cruzamento onde cometera o engano, King ordenou às suas tropas que travassem e carregassem as armas, dessem meia-volta e começassem a retornar por onde tinham acabado de chegar.

Logo depois que os americanos inverteram sua rota, os iraquianos superaram a paralisia do choque inicial e começaram a atirar contra o comboio. Alguns dos soldados americanos entraram em pânico, e a maioria das suas armas empoeiradas e sem manutenção negou fogo. Em pouco tempo, o capitão King perdeu-se no emaranhado de ruas desconhecidas, um caminhão foi inutilizado pelo fogo inimigo e dois outros veículos de carga ficaram atolados na areia macia. O sargento Donald R. Walters, que dirigia o caminhão inutilizado, foi inadvertidamente deixado para trás, tornando-se prisioneiro dos fedayeen e sendo depois morto.

Quando correu pela cidade a notícia de que um comboio americano perdido e levemente armado entrara por engano, os combatentes fedayeen foram atraídos para a cena como hienas para um rebanho de carneiros indefesos, e o ataque se intensificou. O comboio se dividiu, e em meio à confusão e a ondas de poeira seus veículos logo se distanciaram uns dos outros. Um soldado americano foi atingido por um tiro, depois outro.

Jessica Lynch e quatro outros soldados estavam num Humvee puxando um reboque quase no final do que restava do comboio. Na frente do Humvee de Lynch estava um caminhão de cinco toneladas dirigido pelo especialista Edgar Hernandez, rebocando uma carreta plataforma. Os dois veículos aceleraram para o sul por Nasiriyah, por uma rua que os fuzileiros navais apelidariam de "Alameda da Emboscada", tentando desesperadamente fugir da cidade, enquanto fedayeen nos telhados atiravam com AK-47s, metralhadoras pesadas e lança-granadas-foguete. Em torno das 7h20 da manhã, precipitaram-se pela ponte comprida sobre o rio Eufrates, e estavam quase fora da zona mortal quando o caminhão articulado de Hernandez deparou com um caminhão de lixo iraquiano que havia sido posicionado no meio da rua para bloquear a passagem dos americanos. Hernandez deu uma guinada para o acostamento da direita a fim de evitar o caminhão, perdeu o controle sobre a carreta, e um momento depois o Humvee de Lynch chocou-se com a traseira da carreta plataforma a oitenta quilômetros por hora.

Lynch, que estava num dos assentos traseiros, e sua melhor amiga, a soldado raso Lori Piestewa, que dirigia, sobreviveram à colisão, mas ficaram gravemente feridas e foram levadas como prisioneiras pelos fedayeen. Os outros três ocupantes do Humvee pereceram com o impacto ou pouco depois. No todo, onze soldados da Companhia de Manutenção perderam a vida no ataque ao comboio, e sete foram capturados.

Lynch e Piestewa, ambas inconscientes, foram levadas ao Hospital Militar Tykar ali perto, onde Piestewa logo sucumbiu aos ferimentos. Algumas horas depois, uma ambulância militar iraquiana transportou Lynch para o Hospital Geral Saddam Hussein, uma instalação civil a pouco mais de três quilômetros de distância. Em poucos dias, as forças americanas ficaram sabendo por várias fontes iraquianas, inclusive o marido de uma enfermeira iraquiana que cuidava de Lynch, que ela estava sendo mantida no Hospital Saddam. O marido da enfermeira, um advogado chamado Mohammed Odeh al-Rehaief, contou aos fuzileiros navais de um posto de controle na periferia da cidade que havia falado com Lynch em sua cama. Quando os fuzileiros navais pediram a al-Rehaief que voltasse ao hospital para obter mais informações, ele retornou duas vezes e forneceu aos americanos mapas detalhados indicando o traçado do prédio de seis andares e a localização precisa de Lynch. Ele também contou aos fuzileiros navais que a moça americana levara tiros nas duas pernas, tinha ataduras na cabeça e um braço numa tipoia.

Com base nas informações fornecidas por al-Rehaief, a operação de resgate foi desencadeada em 31 de março. De madrugada, Pat, Kevin e seus colegas Rangers foram aerotransportados até Tallil, um vasto campo de aviação com marcas de bombardeio, dezenove quilômetros a sudoeste de Nasiriyah, que os americanos haviam tomado dez dias antes. Após permanecerem ao sol o dia inteiro aguardando que algo acontecesse, eles foram informados de que a missão havia sido adiada por 24 horas. Na manhã seguinte, voltaram a se preparar para a batalha e esperaram o dia inteiro. Naquela noite, ao escurecer, explosões reluziram na cidade vizinha, quando uma bateria de artilharia dos fuzileiros navais começou a bombardear um posto de comando inimigo para desviar as forças inimigas do Hospital Saddam. À meia-noite, uma equipe de Operações Especiais invadiu o hospital, arrebatou Lynch de seu leito, levou-a correndo numa maca até um helicóptero Black Hawk que aguardava, e transportou-a para um local seguro.

Durante a operação de resgate, os Tillman permaneceram na periferia da cidade como parte de uma força de reação rápida pronta para atacar o hospital caso ocorressem problemas. Seu papel no resgate "foi marginal", Pat admitiu no diário. Ao longo da noite de 1 para 2 de abril, "ficamos sentados no campo de aviação, congelando, aguardando ser chamados". Mas, ele informou contente, "a moça, Jessica, foi salva, ninguém ficou ferido, a missão no todo foi um sucesso total".

O relato definitivo das dificuldades de Lynch foi publicado na primeira página do *Washington Post* em 3 de abril. "Ela estava lutando até a morte", a manchete anunciava acima da emocionante frase de abertura da reportagem:

> A soldado raso de primeira classe Jessica Lynch, resgatada na terça-feira de um hospital iraquiano, combateu ferozmente e atirou em inúmeros soldados inimigos depois que forças iraquianas emboscaram a 507ª Companhia de Manutenção de Material Bélico do Exército, disparando sua arma até que a munição acabasse, oficiais americanos disseram ontem.
>
> Lynch [...] continuou atirando nos iraquianos mesmo depois de ferida por vários tiros e viu diversos outros soldados de sua unidade morrerem à sua volta na luta de 23 de março, disse um oficial. [...] "Ela estava lutando até a morte", o oficial contou. "Não queria ser capturada viva."
>
> Lynch também foi apunhalada quando forças iraquianas se aproximaram de sua posição, o oficial disse, observando que as informações iniciais diziam que havia sido apunhalada até a morte.
>
> O resgate de Lynch à meia-noite da terça-feira, pelo horário local, foi um clássico ataque súbito de Operações Especiais, com soldados de assalto norte-americanos em helicópteros Black Hawk enfrentando as forças iraquianas ao chegarem e saírem da instalação médica, disseram oficiais de segurança.
>
> Agindo com base em informações de agentes da CIA, eles disseram, uma força de Operações Especiais de SEALS da Marinha, Rangers do Exército e controladores de combate aterrissaram na escuridão total. [...]

"Houve alguns tiros quando entramos, houve alguns tiros quando saímos", disse um oficial militar indagado sobre a operação. "Não foram intensos. Não houve tiros dentro do prédio, mas foi arriscado, porque ninguém sabia o que os aguardava. [...]"

O oficial contou que as forças de Operações Especiais encontraram o que parecia ser uma câmara de torturas iraquiana "típica" no subsolo do hospital, com baterias e espetos de metal. [...]

Graças em grande parte aos detalhes revelados pela primeira vez nesse artigo, bem como ao vídeo dramático do resgate distribuído à mídia pelo Exército, Jessica Lynch dominou o noticiário por várias semanas. Os detalhes do incidente fornecidos pelos oficiais de comunicação social do Exército proporcionaram uma história absolutamente emocionante que os jornalistas de televisão, rádio e imprensa escrita acharam irresistível: uma encarregada de suprimentos loura e delicada de uma cidadezinha da Virgínia Ocidental sofre uma emboscada no Iraque e derruba destemidamente terroristas fedayeen mascarados com seu M16 até acabar a munição, quando é alvejada, apunhalada, capturada, torturada e estuprada antes de ser enfim arrebatada de seus bárbaros captores iraquianos durante uma incursão ousada de soldados de assalto americanos.

A história foi tão envolvente que pouca atenção se deu a um parágrafo quase no início do artigo supramencionado do *Washington Post*, que dizia:

Diversos oficiais alertaram que a sequência precisa dos acontecimentos ainda precisa ser determinada, e que novas informações surgirão quando Lynch for interrogada. Os relatos até aqui se baseiam em informações do campo de batalha, eles dizem, oriundos de comunicações monitoradas e de fontes iraquianas em Nasiriyah, cuja confiabilidade ainda precisa ser avaliada. Oficiais do Pentágono disseram que ouviram "rumores" do heroísmo de Lynch, mas não tiveram confirmação.

Nas semanas, meses e anos seguintes, reportagens subsequentes de jornalistas investigativos revelaram que os detalhes do suplício de Lynch foram na maioria extravagantemente floreados e que grande parte do resto foi totalmente inventada. Como seu rifle havia travado, ela não dera um tiro sequer. Embora seus ferimentos representassem risco de vida, resultaram exclusivamente da colisão do seu Humvee com o caminhão articulado de Hernandez. Ela não recebeu tiros nem foi apunhalada, torturada ou estuprada. Após ter sido transferida para o Hospital Geral Saddam Hussein, seus captores a trataram com bondade e cuidado especial. E quando os soldados de assalto americanos chegaram ao hospital para resgatar Lynch, não enfrentaram nenhuma resistência significativa.

Os detalhes espúrios não advieram da soldado raso Lynch. A história deturpada se baseou em informações fornecidas a repórteres crédulos por fontes militares anônimas. A autoridade do governo que promoveu a entrevista dos repórteres com tais fontes — ou seja, o culpado por criar o mito de Jessica Lynch — foi um burocrata da Casa Branca chamado Jim Wilkinson. Embora seu cargo oficial fosse o de diretor de comunicações estratégicas do general Tommy Franks (o comandante de todas as forças norte-americanas no Iraque e no Afeganistão), na verdade Wilkinson servia como o principal "administrador de percepções" do governo Bush para a Guerra do Iraque. Como observou Ben Smith em artigo publicado no *New York Observer* em outubro de 2003:

> Wilkinson tem oscilado entre a política e a guerra desde que passou a trabalhar para George W. Bush na Flórida durante a eleição de 2000, e sua jornada é um símbolo da forma utilitária como o governo trata o marketing da guerra, a política e a presidência. [...] Ele também é um republicano puro-sangue escolado nas guerras partidárias acirradas entre Bill Clinton e a liderança republicana na Câmara.
>
> O sr. Wilkinson cresceu no leste do Texas e frequentou a escola de Tenaha, cidade com 1046 habitantes, depois desistiu dos planos de se tornar empreiteiro para ir trabalhar com o deputado republicano Dick Armey em 1992. O sr. Armey logo se tornou o líder da maioria na Câmara. Seu diretor de comunicações, o mentor do sr. Wilkinson, foi Ed Gillespie, agora presidente do Comitê Nacional Republicano.
>
> O sr. Wilkinson deixou sua marca pela primeira vez na corrida presidencial de 2000 em março de 1999, quando ajudou a forjar e promover a ideia de que Al Gore alegava ter "inventado a internet". Depois o texano apareceu em Miami para defender manifestantes republicanos que interrompiam uma recontagem. [...]
>
> Por seus serviços, o sr. Wilkinson foi nomeado vice-diretor de comunicações para planejamento na Casa Branca de Bush, e esteve entre os auxiliares que orga-

nizaram a visita de 14 de setembro de 2001 ao Marco Zero, que redefiniu a presidência de George W. Bush.

Quando a invasão do Iraque começou, em 20 de março, Wilkinson era o homem de confiança do presidente no quartel-general do Comando Central dos Estados Unidos no Qatar, controlando e cuidadosamente ajustando as informações sobre a guerra disseminadas à imprensa internacional. Nessa função, ele habilmente controlou o resgate de Jessica Lynch e a subsequente cobertura de seu martírio pela mídia. Foi Wilkinson quem ofereceu ao *Washington Post* acesso exclusivo a informações sigilosas que formaram a base da agora desacreditada matéria "Ela estava lutando até a morte" publicada na primeira página do jornal.

De forma semelhante, fontes dos altos escalões do governo Bush-Cheney manipularam Judith Miller, repórter do *New York Times*, induzindo-a a escrever artigos que pareciam confirmar que Saddam possuía armas de destruição em massa. Wilkinson ludibriou repórteres e editores do *Washington Post*, do *USA Today* e de outros veículos da mídia, fazendo com que publicassem matérias altamente hiperbólicas sobre Lynch. Ele simplesmente semeou algumas informações falsas onde seu impacto seria maior, sentou-se e observou sua fabulação se tornar virótica, propagada pelo frenesi da mídia, conforme ele já esperava.

A verdadeira saga de Jessica Lynch e a batalha subsequente por Nasiriyah foram bem mais cativantes do que a lenda tão habilmente engendrada por Wilkinson, mas apresentavam um quadro bem mais perturbador de como a guerra estava evoluindo. Em 16 de março, uma semana antes da captura de Lynch, o vice-presidente Cheney havia declarado em rede nacional de TV: "Minha crença é que iremos, de fato, ser saudados como libertadores", e depois previu: "Acho que será relativamente rápido [...] semanas e não meses". Michael R. Gordon e Bernard E. Trainor contaram em seu livro *Cobra II*: "A CIA estava tão certa de que os soldados americanos seriam saudados calorosamente quando entrassem no sul do Iraque que um agente sugeriu que contrabandeassem centenas de bandeiras americanas para o país para que os iraquianos agradecidos as agitassem durante sua libertação". Mas uma sucessão de acontecimentos desastrosos, que começaram com o ataque contra o comboio de Lynch, ameaçava contradizer as garantias dadas por Bush, Cheney, Rumsfeld e outros de que os americanos seriam "saudados com doces e flores" e a vitória seria conquistada rapidamente.

A sucessão trágica começou com um erro inocente, quando o comboio de Lynch pegou o caminho errado numa bifurcação na estrada. No fim do dia, graças em grande parte àquele erro, 29 soldados americanos de ambos os sexos estavam mortos. Coube a Wilkinson desviar a atenção daquele revés alarmante, para não solapar o apoio esmagador do povo americano à Operação Liberdade Iraquiana. Vários dias depois, após outras más notícias ameaçarem erodir ainda mais o apoio público à guerra, Wilkinson ficou sabendo que Jessica Lynch jazia num leito de hospital, praticamente desprotegida, a poucos quilômetros de um posto avançado militar americano. De cara, ele soube exatamente como tirar o máximo proveito da oportunidade.

Vinte e três

Na madrugada de 23 de março de 2003, enquanto o comboio de Jessica Lynch transpunha o rio Eufrates e entrava em An Nasiriyah, Pat Tillman estava dormindo em seu catre em Ar'ar, Arábia Saudita, depois de ficar acordado até tarde na noite anterior lendo a *Odisseia*, o poema épico de Homero sobre o herói grego Ulisses e sua tentativa, durante dez anos, de voltar para casa e rever a esposa, Penélope, após a Guerra de Troia. Pat não tinha ideia da tragédia que começava a se desenrolar em Nasiriyah, nem poderia ter imaginado que seus abalos secundários seriam um dia uma fonte de tormentos incessantes para as pessoas que ele amava.

Quando o sol assomou no horizonte naquela manhã no sul do Iraque, centenas de fuzileiros navais estavam manobrando para invadir Nasiriyah e capturar a ponte que Lynch e a 507ª Companhia de Manutenção do Exército haviam acabado de transpor descuidadamente, considerada crucial para o avanço rápido das tropas americanas até Bagdá. Quando o Primeiro Batalhão do Segundo Regimento de Fuzileiros Navais chegou a alguns quilômetros da ponte, forças iraquianas responderam com fogo de armas portáteis, metralhadoras, morteiros e artilharia. Em torno de 7h30 da manhã, em meio à escaramuça, um Humvee veio à toda velocidade da direção de Nasiriyah ao encontro dos fuzileiros navais e freou abruptamente, perfurado por balas e com os pneus pegando fogo. Um capitão do Exército americano extremamente agitado chamado Troy King saltou num estado de semi-histeria, berrando que o comboio que viera liderando sofrera baixas catastróficas após um ataque na cidade.

Aquilo não fazia sentido para o major Bill Peebles, o comandante da coluna de tanques que liderava o avanço dos fuzileiros navais para dentro da cidade. Nenhuma unidade do Exército ou de qualquer outro ramo das Forças Armadas deveria ter precedido os fuzileiros Nasiriyah adentro. Quando King, lutando para falar com coerência, informou a Peebles que a maior parte de sua companhia de soldados ficara para trás — alguns já mortos, outros derrubados pelo inimigo em diferentes áreas da cidade —, Peebles mandou seus tanques procurarem sobreviventes. Em pouco tempo, os tanques divisaram diversos caminhões do Exército norte-americano que haviam sido perfurados a tiros e estavam em chamas. Escondidos numa vala atrás dos veículos destruídos, ainda sob fogo cerrado, estavam dez soldados da 507ª Companhia de Manutenção, quatro deles feridos. Os fuzileiros recolheram os sobreviventes, deram meia-volta com seus tanques e saíram às pressas de Nasiriyah para levar os feridos a um local seguro onde pudessem receber cuidados médicos.

Depois que os tanques partiram, a Companhia Bravo — formada por cerca de duzentos fuzileiros navais ocupando três Humvees e uma dúzia de carros sobre lagartas anfíbios (CLAnfs) — rumou para o norte em direção à ponte sobre o rio Eufrates. Cruzando-a sem encontrar resistência, continuaram para o próximo objetivo: uma segunda ponte, na extremidade norte da cidade, transpondo o Canal Saddam. A rota mais direta para essa ponte era a estrada onde o comboio de Lynch havia sido atacado, a Alameda da Emboscada. Compreensivelmente, eles optaram por se aproximar da ponte do Canal Saddam por uma rota menos arriscada, que dava uma volta pelo leste. Pouco depois de cruzarem o Eufrates, porém, viraram à direita, abandonaram o asfalto e começaram a percorrer uma área de deserto salgada que os levaria ao seu objetivo através daquela rota tortuosa.

Mas a Companhia Bravo ignorava que a área salgada não passava de um brejo onde o esgoto da cidade se acumulava sob uma carapaça de lodo ressecado pelo sol. Dois tanques da companhia subitamente romperam a crosta e mergulharam 1,2 metro na areia movediça fétida. Quanto mais giravam as esteiras para se libertarem, mais atolados os imensos veículos ficavam. Um momento depois, um dos carros sobre lagartas anfíbios rompeu a crosta e

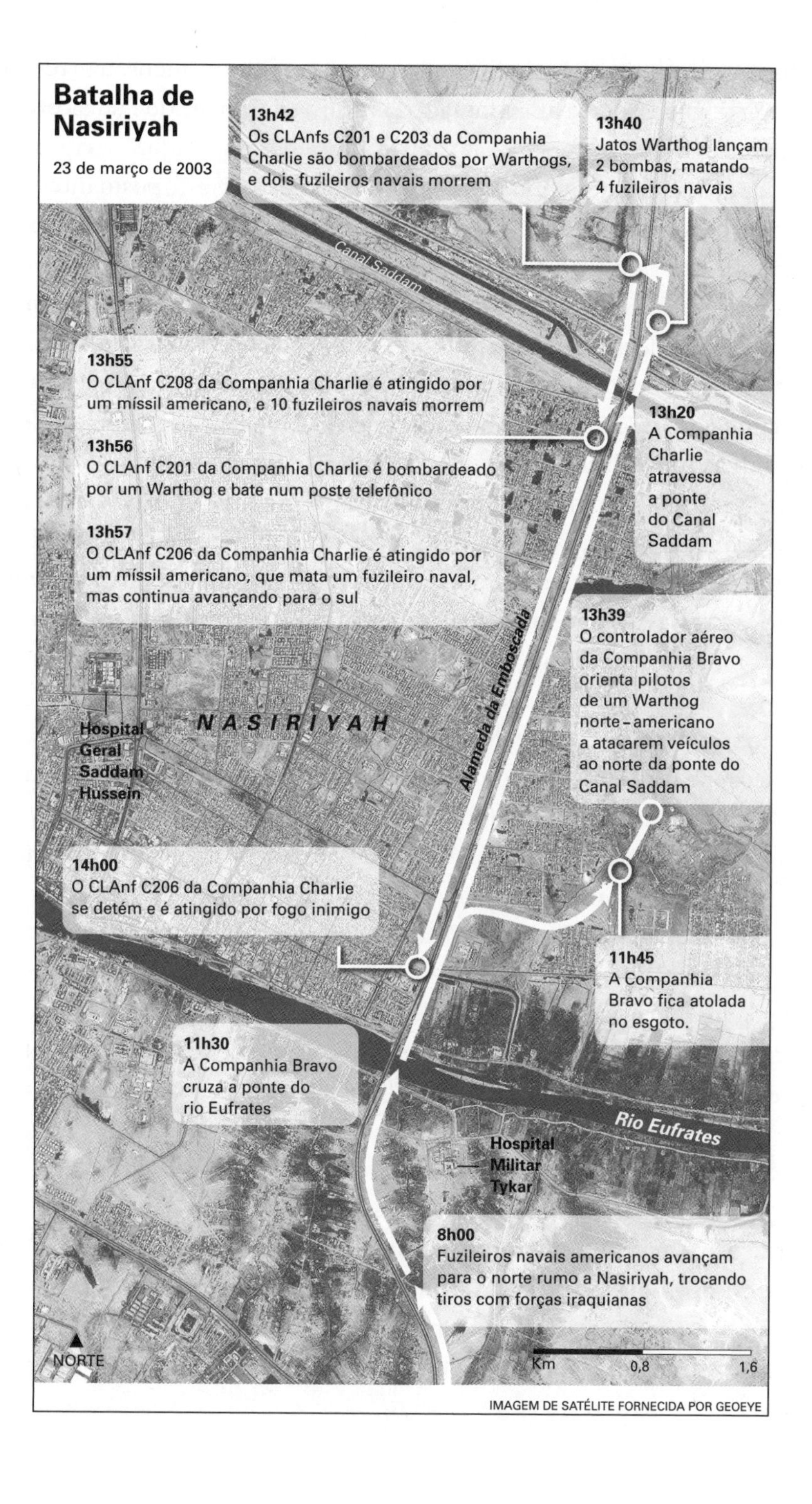

IMAGEM DE SATÉLITE FORNECIDA POR GEOEYE

também atolou, e depois mais outro. Dentro de poucos minutos, três tanques, três Humvees e três carros sobre lagartas anfíbios tinham sido sugados pelo atoleiro.

Um dos carros sobre lagartas anfíbios atolados servia de posto de comando móvel do tenente-coronel Rick Grabowski, o comandante do Primeiro Batalhão, que estava dirigindo a missão. Contendo todos os equipamentos de comunicações de Grabowski, o carro sobre lagartas anfíbio tinha atolado perto da extremidade da área salgada sob uma linha de transmissão de força, que parecia interferir nas transmissões de rádio, tornando quase impossível ao comandante comunicar-se com o quartel-general ou suas outras unidades, as companhias Alfa e Charlie.

Ao ver que os veículos americanos estavam imobilizados, enxames de combatentes iraquianos surgiram do nada e começaram a atirar neles de telhados vizinhos, enquanto muitos moradores saíram de suas casas e abandonaram a cidade às pressas, fugindo da batalha iminente. Grabowski ordenou que seus homens saltassem dos carros sobre lagartas anfíbios e formassem um perímetro defensivo. A maioria eram recrutas jovens que nunca haviam participado de um combate. Ao sair dos veículos, muitos dos fuzileiros navais pareciam assustados e confusos. Mal tendo começado, a missão já era um caos completo.

Mesmo antes de a Companhia Bravo entrar por engano no esgoto, Grabowski já vinha sentindo a fúria de seu chefe, o general de brigada dos fuzileiros navais Rich Natonski. Três horas antes, pouco após o resgate dos sobreviventes do comboio de Jessica Lynch, os homens de Grabowski avançavam para o norte pela periferia de Nasiriyah, evacuando prédios e combatendo o inimigo, quando o general veio de helicóptero de seu posto de comando especificamente para criticar Grabowski pelo ritmo lento de seu avanço. A estratégia de Donald Rumsfeld para a invasão inteira — para a guerra inteira — baseava-se na velocidade, e os oficiais em terra estavam sob pressão implacável para continuar avançando rapidamente até Bagdá, a qualquer preço. Natonski disse em particular a Grabowski em tom zangado: "Preciso que você chegue naquela porra e controle as pontes". Aumentando a sensação de urgência, Natonski explicou que doze soldados do Exército do comboio de Lynch ainda estavam desaparecidos em algum ponto da cidade, e os fuzileiros navais de Grabowski deveriam "procurar aqueles indivíduos" no avanço em direção às pontes.

Pouco depois do meio-dia, enquanto Grabowski e a Companhia Bravo lutavam para se desvencilhar do atoleiro fedorento na extremidade leste de Nasiriyah, a Companhia Charlie avançava para o norte pela ponte do rio Eufrates, esperando se encontrar com a Companhia Bravo e depois acompanhá-la até a ponte do Canal Saddam. Não vendo qualquer sinal da Companhia Bravo, e não conseguindo acessá-la pelo rádio, o capitão Dan Wittnam, comandante da Companhia Charlie, concluiu que a Companhia Bravo já devia estar na frente. Assim sendo, Wittnam, por iniciativa própria, ordenou que seus homens avançassem diretamente pela Alameda da Emboscada até a ponte do Canal Saddam.

O sargento William Schaefer, comandante do carro sobre lagartas anfíbio que encabeçava o comboio, não acreditou. "Repita", respondeu pelo rádio, solicitando confirmação das ordens. Schaefer estava preocupado porque um pelotão de tanques deveria preceder a Companhia Charlie aonde quer que fosse, mas os tanques escalados para acompanhá-los tinham sido desviados para resgatar os sobreviventes do comboio de Jessica Lynch e ainda não haviam reaparecido. No entanto, ordens enfáticas tinham sido transmitidas pela cadeia de comando de que tomar a ponte deveria ter prioridade máxima, por isso Schaefer deixou de lado suas reservas, ordenou ao condutor que pusesse o CLAnf C201 em movimento e liderou o comboio até a Alameda da Emboscada. Como todos os fuzileiros navais, ele havia sido doutrinado: "Primeiro, cumpra a missão". Comparado com os outros ramos das Forças Armadas, o corpo de fuzileiros navais era relativamente franco sobre a posição da segurança da tropa dentro do contexto mais geral — e os fuzileiros cultivavam um orgulho perverso pela fama de darem conta do serviço a qualquer preço.

Com o CLAnf C201 à frente, os onze carros sobre lagartas anfíbios e três Humvees da Companhia Charlie avançaram em direção à ponte do Canal Saddam. À prova d'água e com hélices para cruzar mar aberto, os carros sobre lagartas anfíbios foram desenhados para transportar tropas de navios a cabeças de ponte. Com 7,9 metros de comprimento e uma torre de canhão no topo, um carro sobre lagartas anfíbio consegue transportar vinte homens e é impelido por esteiras articuladas como nos tanques, em vez de rodas. Como a "blindagem" de alumínio leve de um carro sobre lagartas anfíbio seria facilmente penetrada por lança-granadas-foguete e armas pesadas, o pelotão de tanques M1A1 Abrams do major Peebles deveria conduzir a Companhia Charlie para a escaramuça. Mas após serem desviados para resgatar os soldados da Companhia de Manutenção, os tanques haviam consumido tanta gasolina que tiveram de se afastar na retaguarda para reabastecer. Quando Peebles chegou no denominado ponto de reabastecimento rápido, descobriu que as bombas estavam quebradas e que seriam necessários quarenta minutos para reabastecer cada uma das máquinas enormes usando um sifão. Com os tanques assim temporariamente fora de combate, os vulneráveis carros sobre lagartas da Companhia Charlie rumaram ruidosamente até a ponte do norte sozinhos, sem escolta.

À medida que os carros anfíbios subiam a Alameda da Emboscada, combatentes inimigos começaram a atirar neles dos telhados adjacentes, e em poucos minutos as rajadas esporádicas se transformaram num ataque furioso vindo de todos os lados. De algum modo, nenhum dos americanos que dirigiam o espetáculo — nem Natonski, nem Grabowski, nem a CIA, nem qualquer general do Comando Central — tinha qualquer ideia de que Nasiriyah era um importante centro militar com abundância de forças inimigas. Os fuzileiros navais em terra haviam sido assegurados de que tomar as pontes seria "moleza", que os moradores da cidade eram muçulmanos xiitas que desprezavam Saddam e seus comparsas sunitas, e receberiam os americanos como libertadores. Como Grabowski mais tarde explicou a um coronel que investigou o incidente: "As nossas informações eram [...] que as pontes não seriam defendidas, que entraríamos lá e simplesmente nos apossaríamos da cidade. [...] Ninguém aguardava aquele nível de combate em An Nasiriyah. Ninguém". Ao que se revelou, a dinâmica sectária em Nasiriyah, como no resto do Iraque, era bem mais intricada do que o grupo de peritos neoconservadores da Casa Branca e do Pentágono imaginara.

Em 15 de fevereiro de 1991, durante a primeira Guerra do Golfo, a Voz da América havia transmitido um discurso do presidente George H. W. Bush incitando os xiitas por todo o país a se insurgirem contra Saddam. Nove dias depois, a CIA transmitiu uma mensagem semelhante por uma estação de rádio chamada Voz do Iraque Livre, dando a entender que os Estados Unidos apoiariam um tal levante. Durante as primeiras semanas de março, os moradores xiitas de Nasiriyah reagiram derrubando o regime baathista dominante na cidade, para depois descobrirem que os americanos não tinham a menor intenção de se envolver. Ainda pior, após derrotar o Exército iraquiano, a coalizão liderada pelos Estados Unidos assinou um acordo de paz que permitiu explicitamente ao governo Saddam conservar sua frota de helicópteros armados. Tendo derrotado Saddam, o primeiro presidente Bush e seu secretário da Defesa, Dick Cheney, já não precisavam mais dos xiitas. Os americanos temeram que o levante que fomentaram desse o controle do Iraque aos xiitas, cujos vínculos religiosos estreitos com o Irã os assustavam ainda mais do que Saddam.

Quando a rebelião xiita ganhou impulso, a Guarda Republicana de Saddam entrou em ação e reprimiu cruelmente os insurgentes no sul do Iraque, inclusive em Nasiriyah, executando sumariamente dezenas de milhares de xiitas, enquanto as forças norte-americanas ficaram inertes, nada fazendo para intervir. Corpos dos mortos foram despejados em covas coletivas ao redor da cidade. Os sobreviventes enraivecidos compreensivelmente se sentiram traídos pelos americanos, e doze anos mais tarde, quando o segundo presidente Bush invadiu o Iraque, os xiitas não estavam mais dispostos a fazer papel de idiotas.

Em vez de serem recebidos como salvadores pelos cidadãos de Nasiriyah, os fuzileiros navais que entraram na cidade em 2003 foram atacados. Enquanto rajadas de balas iraquianas destroçavam os veículos americanos, mulheres e crianças locais deliberadamente acorriam às ruas para impedir que os fuzileiros navais atirassem de volta. De acordo com Grabowski, "sorriam e acenavam e sabiam o que estavam fazendo".

No começo os fuzileiros navais contiveram os tiros. Mas à medida que o ataque iraquiano se intensificou, a autopreservação foi mais forte que a preocupação com baixas civis. Acelerando para 48 quilômetros por hora, os soldados começaram a atirar freneticamente com todas as armas disponíveis, enquanto percorriam a Alameda da Emboscada tentando escapar da zona mortal. O segundo-cabo de 21 anos Edward Castelberry, condutor do CLAnf C201 — o veículo que liderava a coluna —, atirava com seu M16 com uma mão e dirigia com a outra, enquanto o comandante do carro anfíbio, o sargento Schaefer, eviscerava combatentes fedayeen com uma metralhadora de calibre 50 montada sobre a torre do veículo. "Pedaços de pessoas estavam espalhados pela rua", Castleberry contou mais tarde ao *Los Angeles Times*. Quando um iraquiano correu para o meio da rua e começou a disparar um AK-47 bem na frente do seu carro anfíbio, Castleberry, para se defender, atropelou o homem, esmagando-o sob as lagartas da máquina.

Pouco antes de a Companhia Charlie chegar à ponte do Canal Saddam, o CLAnf C211, posicionado quase no final da coluna e conduzido pelo sargento Michael Bitz, foi atingido por dois lança-granadas-foguete, que feriram gravemente cinco fuzileiros e incendiaram o veículo. Percebendo que, se a máquina em chamas parasse, seus mais de vinte ocupantes provavelmente seriam sobrepujados e massacrados, o comandante do veículo, segundo-tenente Michael Seely, bateu no capacete de Bitz e gritou para ele: "Vai! Vai! Vai!". Eles conseguiram manter a máquina avançando para o norte com o resto da coluna, espalhando fumaça preta oleosa, até ter atravessado a ponte e percorrido cerca de noventa metros, quando o motor estremeceu e parou de funcionar.

Logo ficou claro que os fuzileiros navais haviam entrado num beco sem saída mortal. Centenas de guerrilheiros fedayeen e soldados do Exército iraquiano estavam entrincheirados em posições bem defendidas ao redor dos americanos, alvejando-os com um sortimento de armas leves e pesadas. Os catorze carros anfíbios tiveram que parar, e os homens da Companhia Charlie correram de seus veículos frágeis para o terreno circundante, que oferecia escassa cobertura. Bitz, Schaefer e outros fuzileiros tiraram às pressas os homens ensanguentados e gementes do CLAnf C211 em chamas de Bitz, antes que os estoques de munição lá dentro explodissem, transferindo-os para o CLAnf C212 designado para "evacuação médica". Ao mesmo tempo, esquadrões de morteiros apressadamente instalaram três morteiros de sessenta milímetros e atiraram no inimigo com tamanha velocidade que os tubos começaram a arder com o calor.

O primeiro-sargento José Henao estava encarregado de reunir e evacuar os fuzileiros feridos. Embora poucos dos rádios da Companhia Charlie estivessem funcionando, Henao conseguiu enviar ao posto de comando do batalhão um pedido urgente de um helicóptero de evacuação médica, mas a área de pouso estava recebendo tiros demais para que uma aeronave pudesse ali pousar. Logo depois de terminada a ligação, o CLAnf C212 foi atingido por um lança-granada-foguete, o que obrigou Henao e outro suboficial a descarregarem os homens feridos, colocando-os no lado leste da estrada. A saraivada de granadas-foguete continuou por vários minutos, mas felizmente, Henao afirmou, "muitas das granadas-foguete não estavam detonando. Apenas caíam ou passavam por nós. Eu vi uma vindo direto para o nosso veículo. Atingiu a traseira, ricocheteou e foi cair a uns quarenta metros de distância sem explodir".

Nos três primeiros dias da guerra, as forças norte-americanas precipitaram-se para o norte vindas do Kuwait sem encontrar nenhuma resistência inimiga digna de nota. O maior obstáculo ao seu avanço foi ter que lidar com centenas de iraquianos que correram para se render quando os americanos se aproximaram. A violência do contra-ataque iraquiano em Nasiriyah, portanto, pegou os fuzileiros navais completamente desprevenidos.

Antes da invasão, os moradores de Nasiriyah estavam na maioria assustados com a superioridade militar esmagadora dos americanos e achavam que seriam destruídos. Mas quando os invasores foram conduzidos para dentro de Nasiriyah pela tímida e mal armada 507ª Companhia de Manutenção, os iraquianos mudaram de opinião sobre a suposta invencibilidade do adversário. De acordo com o oficial administrativo da 23ª Brigada Iraquiana, mais tarde capturado e interrogado pelos fuzileiros navais, as forças iraquianas adotaram uma postura totalmente diferente quando os americanos do comboio de Jessica Lynch "não reagiram ao ser atacados", preferindo fugir da cidade. Todos os soldados iraquianos se sentiram "encorajados", o oficial administrativo explicou: "Até os líderes tribais foram estimulados a lutar contra os americanos, porque se o melhor que eles conseguiam fazer era aquilo, por que não estar do lado vencedor?". Quando os fuzileiros navais surgiram nas mesmas ruas de onde a 507ª Companhia de Manutenção acabara de ser expulsa, os iraquianos acharam que eles também dariam meia-volta e fugiriam se confrontados com uma demonstração de força, e portanto lutaram com grande determinação.

Foi assim que os fuzileiros navais da Companhia Charlie se viram em meio a uma luta desesperada por sua vida. Embora combatessem os iraquianos com coragem, eles, em inferioridade de número e armas, foram cercados e não tinham onde se esconder. Os tanques Abrams enviados para resgatar o comboio de Lynch teriam mudado as chances decisivamente a favor dos americanos, mas ainda não haviam aparecido. A Companhia Charlie tampouco estava recebendo qualquer ajuda do ar. Enviar alguns helicópteros de ataque Cobra para neutralizar as posições inimigas do alto também teria feito uma diferença crucial para os fuzileiros ao norte da ponte do Canal Saddam, mas o corpo de fuzileiros navais não fornecera à Companhia Charlie um controlador aéreo avançado para solicitar tal suporte nem um rádio UHF — ambos necessários para contactar aeronaves e informar onde atirar. Portanto os soldados de infantaria tiveram que se virar sozinhos. Sua única opção era tentar manter o inimigo afastado até a chegada de reforços.

José Henao foi até uma das equipes de morteiros para ver como estavam resistindo, ajoelhando-se ao lado do segundo-sargento Phillip Jordan. Alimentando o tubo do morteiro incandescente com projéteis o mais rápido possível, Jordan calmamente observou para Henao: "Estamos fodidos e mal pagos".

"Com certeza", Henao respondeu, e depois saiu rápido para cuidar dos homens feridos do CLAnf C211, que pediam ajuda a uns sessenta metros dali.

Quando Henao havia coberto cerca de metade daquela distância, ouviu uma explosão bem onde acabara de conversar com Jordan. Granadas-foguete e tiros de morteiro do inimigo vinham detonando em torno dos fuzileiros navais havia quinze ou vinte minutos, mas aquela explosão foi nitidamente maior. Matou Jordan instantaneamente. Caído ao lado dele com a parte da frente da cabeça queimada, murmurejando e se contorcendo no espasmo da morte, estava o segundo-cabo Brian Buesing. O segundo-tenente Fred Polirney jazia morto no meio da estrada alguns metros adiante. Três outros fuzileiros navais ficaram gravemente feridos com a explosão.

Um momento depois, uma segunda explosão gigantesca ocorreu, matando o cabo Kemaphoom Chanawongse, um imigrante tailandês, quando trazia munições para reabastecer o esquadrão de morteiros de Jordan, e ferindo outro fuzileiro. Centenas de balas então começaram a atingir os americanos a uma velocidade fantástica, seguidas vários segundos depois de um ruído estridente estranho como um "baita liquidificador", nas palavras de um soldado de infantaria. Outro fuzileiro disse que o som lembrou uma "serra circular". Fogos pirofóricos ofuscantes caíram do céu na esteira das balas, crepitando e espocando qual fogos de artifício. "Pareciam estrelinhas subindo uns seis metros no ar", recorda uma testemunha que sobreviveu ao ataque. A sensação de alarme dos fuzileiros navais aumentou com sua total perplexidade. Somente um dos homens em solo parecia ter alguma ideia da origem do ataque.

"Eu soube exatamente o que era aquilo", disse o homem, o segundo-tenente Michael Seely, o oficial mais veterano da companhia, condecorado com a Estrela de Bronze e um Coração Púrpura em 1991, durante a primeira guerra com o Iraque. "Durante a Operação Tempestade no Deserto, fui atacado oito vezes por um A-10. Sei exatamente qual seu aspecto." O "Warthog" A-10 é um jato americano projetado para destruir tanques. Os fuzileiros navais da Companhia Charlie, Seely imediatamente entendeu, haviam sido confundidos com o inimigo e estavam sendo alvejados pela Força Aérea norte-americana.

Vinte e quatro

Três companhias do Primeiro Batalhão, Segundo Regimento de Fuzileiros Navais, estiveram envolvidas na batalha por Nasiriyah em 23 de março: Alfa, Bravo e Charlie. Alguns quilômetros ao sul de onde a Companhia Charlie estava sendo destroçada, os fuzileiros navais das companhias Alfa e Bravo também lutavam por suas vidas. Espalhados em torno da ponte do rio Eufrates e a leste da Alameda da Emboscada, estavam preocupados demais com seus próprios problemas para conseguirem pensar nos apuros da Charlie. Nem a Bravo nem a Alfa sequer sabiam onde a Companhia Charlie se encontrava, menos ainda que estava em sérios apuros, porque as comunicações pelo rádio haviam entrado em colapso. Alguns rádios simplesmente pararam de funcionar, mas a fonte principal do problema foi que a maioria dos fuzileiros em Nasiriyah jamais entrara em combate, e quando as balas começaram a rasgar o ar, quase todos que possuíam um rádio tentaram freneticamente falar ao mesmo tempo. Vários soldados de infantaria nervosos calcaram sem querer os botões "falar" de seus microfones mesmo quando não estavam falando — um fenômeno que congestionou instantaneamente toda a rede, gerando uma pane que persistiu durante horas.

Muitos veículos da Companhia Bravo, inclusive o carro anfíbio que servia de posto de comando móvel de Grabowski, permaneceram atolados na lama a vários quarteirões da Alameda da Emboscada. Grabowski tinha avançado ligeiramente para o norte com um punhado de carros anfíbios e Humvees que conseguiram evitar o atoleiro, mas o oficial de aeronáutica do batalhão, o capitão A. J. Greene, permaneceu no posto de comando agora imóvel, que estava recebendo fogo de lança-granadas-foguete e AK-47s dos iraquianos nos telhados circundantes. Cabia a Greene supervisionar os três controladores aéreos avançados, por sua vez responsáveis por usar seus rádios UHF especiais para solicitar apoio aéreo de quaisquer helicópteros ou jatos que pudessem estar na vizinhança, e depois informar àquelas aeronaves quais alvos deveriam atingir com suas metralhadoras, bombas e mísseis. Os rádios de Greene, porém, só estavam funcionando intermitentemente.

O controlador aéreo avançado designado para orientar as aeronaves em apoio à Companhia Bravo era o capitão Dennis Santare, que estava dentro de um carro sobre lagartas anfíbio algumas centenas de metros ao norte do veículo atolado de Greene. Em torno de 13h20, Greene conseguiu se comunicar brevemente com Santare, cujo indicativo de chamada era "Mouth". "Mouth, preciso que você entre na guarda e obtenha qualquer apoio aéreo possível", Greene disse, e depois seu rádio emudeceu pelo resto do dia. A frequência "guarda" a que Greene se referiu era um canal raramente usado, reservado para emergências. O fato de Greene ter instruído Santare a solicitar apoio aéreo através daquela frequência era um claro sinal da situação desesperadora da Companhia Bravo.

Santare imediatamente ligou seu rádio UHF na frequência guarda e transmitiu: "Em guarda, em guarda, em guarda, este é Mouth na vizinhança de An Nasiriyah. Temos tropas em contato que precisam de apoio aéreo imediato". Recebeu uma chamada de retorno de um par de Warthogs A-10 que estavam sobrevoando a área, vindos da Base Aérea Al Jaber no Kuwait, a caminho de Bagdá para um voo de bombardeio. Os Warthogs imediatamente abortaram a missão programada e começaram a circular sobre Nasiriyah, aguardando instruções de Santare sobre os alvos inimigos que deveriam neutralizar.

Santare era um controlador aéreo hábil e consciencioso, mas como não conseguiu se comunicar com Greene ou Grabowski, viu-se obrigado a tomar certas decisões por conta própria. Santare acreditava, com razão, que a maioria das forças inimigas estava posicionada ao norte da ponte do Canal Saddam, e temeu que os iraquianos estivessem enviando reforços daquela área para atacar a Companhia Bravo. Portanto, instruiu os Warthogs a esquadrinharem a área ao norte do canal e "me informarem o que virem".

Os indicativos de chamada dos pilotos dos Warthogs eram "Gyrate 73" e "Gyrate 74". Gyrate 73 informou que havia divisado oito ou nove caminhões inimigos concentrando-se bem ao norte da ponte do Canal Saddam, confirmando os temores de Santare de um ataque iminente à Companhia Bravo. Enquanto observavam aqueles veículos por binóculos de uma altitude de 4570 metros, os pilotos do Warthog viram dois helicópteros de ataque Cobra dos fuzileiros navais voando perto da área, e depois um dos caminhões inimigos pareceu pegar fogo, criando uma imensa nuvem de fumaça negra e levando os pilotos do Warthog a concluir que o veículo havia sido atingido por um dos Cobras.

Sem que os pilotos do Warthog ou Santare soubessem, o "caminhão iraquiano" em chamas era na verdade o CLAnf C211 da Companhia Charlie, que acabara de parar ao norte da ponte após ser atingido por lança-granadas-foguete iraquianos. Para os pilotos do Warthog, que acreditavam que o veículo fora atingido por Cobras americanos, o fato de ele estar pegando fogo parecia confirmar que era iraquiano, e a coluna de fogo subindo do C211 serviu de ponto de referência para atacarem seus alvos. Mas antes que disparassem um tiro sequer ou despejassem quaisquer bombas, os Warthogs queriam estar absolutamente seguros de que os veículos vistos ao norte da ponte do Canal Saddam eram forças inimigas, e não norte-americanas, de modo que, nos quinze minutos seguintes, consultaram Santare sobre as localizações exatas das posições dos fuzileiros navais.

De acordo com o plano de batalha original, formulado antes que seus veículos se atolassem no esgoto, a Companhia Bravo deveria liderar o ataque à ponte do Canal Saddam. Isso levou Santare à conclusão errônea de que a Companhia Charlie ainda estava atrás da Companhia Bravo, bem ao sul, provavelmente também chafurdando em algum lugar na lama. Santare consultou o comandante da Companhia Bravo, o capitão Tim Newland, que confirmou que sua companhia "liderava a coluna" e que nenhum fuzileiro naval avançara ao norte do Canal Saddam. Santare portanto assegurou aos Warthogs, repetidamente, que não havia forças americanas ao norte daquele canal facilmente reconhecível. "Ninguém está ao norte da grade 3-8", ele informou a Gyrate 73. "Não existem tropas amigas ao norte do canal." Quando os pilotos então pediram permissão para alvejar os veículos "iraquianos", Santare respondeu que estavam autorizados a incendiar seus alvos. A hora era aproximadamente 13h40.

Alguns minutos antes de Santare autorizar os Warthogs a atacarem os veículos perto da ponte do Canal Saddam, o comandante da Companhia Charlie, capitão Dan Wittnam, conseguiu um contato rápido e precário com Grabowski, o comandante do Primeiro Batalhão, durante o qual disse: "A Companhia Charlie capturou a ponte norte [...] e estamos parando". Ele também contou a Grabowski que um de seus carros anfíbios havia sido atingido e que ele tinha baixas. Eufórico com a notícia de que os 176 homens da companhia de Wittnam haviam se apoderado da ponte do Canal Saddam e avançado para o norte tão rapidamente, Grabowski bateu com o punho na capota de seu Humvee em comemoração e enviou uma mensagem de rádio ao quartel-general para dar a boa notícia aos seus superiores.

No momento em que Grabowski soube que a Companhia Charlie estava ao norte do Canal Saddam, Santare falava com os pilotos do Warthog da abertura superior de um carro anfíbio situado perto do Humvee do comandante do batalhão. Devido à pane contínua do rádio, porém, Santare não recebeu a notícia da posição da Companhia Charlie, nem ligou para Grabowski para informar que jatos da Força Aérea estavam sobrevoando o campo de batalha, prestes a começar seu ataque.

Para se comunicar com os Warthogs, Santare teve que se erguer na abertura superior de seu carro anfíbio, exposto ao fogo inimigo, e equilibrar seu volumoso rádio UHF no alto do veículo. Conseguiu vislumbrar ocasionalmente os Warthogs 3,2 quilômetros ao sul da ponte do Canal Saddam, mas não ver seus alvos. Por isso, dera aos pilotos permissão para atacar alvos, segundo seu próprio critério, dentro de uma área geográfica bem definida — condições designadas de apoio aéreo aproximado Tipo 3 (AAA Tipo 3).

Duas semanas antes, quando a guerra ainda não começara, Grabowski emitira uma ordem por escrito de que os controladores aéreos avançados *só* poderiam autorizar aeronaves a atacar se o controlador conseguisse ver a aeronave e o alvo *com seus próprios olhos*, condições conhecidas como AAA Tipo 1. "Nós não autorizaremos o AAA Tipo 3", Grabowski afirmara em sua ordem, "a não ser com aprovação do comandante do batalhão" — ou seja, do próprio

Grabowski. Ele emitiu a ordem especificamente para impedir tragédias de fogo amigo.

Ao dar aos Warthogs sinal verde para atacar, sem primeiro obter autorização de Grabowski, Santare estava violando as ordens do comandante do batalhão, e tinha consciência disso. Como explicou mais tarde à Comissão de Inquérito de Fogo Amigo criada para examinar o incidente, os "fuzileiros estavam numa situação extrema e eu tomei uma decisão crítica. [...] Achei que não haveria tempo para conseguir um canal desimpedido com o comandante do batalhão para explicar a situação, depois pedir aprovação pelos ataques. [...] Com base nas informações de que dispunha no momento, acreditei que minha companhia estava a minutos de distância de uma emboscada mecanizada. Achei que, caso não agisse, fuzileiros navais morreriam".

Após obter autorização de Santare, Gyrate 74 mergulhou para atacar seu primeiro alvo, um par de carros anfíbios americanos no lado leste da estrada ao norte da coluna de fumaça, e lançou duas bombas MK82 de 227 quilos. Feito isso, Gyrate 74 saiu dali, permitindo que Gyrate 73 entrasse em posição e lançasse uma terceira bomba sobre alguns outros carros anfíbios ao sul da nuvem de fumaça.

Àquela altura, poucos ou nenhum fuzileiro naval em terra sabia dos Warthogs acima. De acordo com um memorando emitido mais tarde pela Comissão de Inquérito de Fogo Amigo, "A comissão acredita que os fuzileiros da Companhia Charlie confundiram as três primeiras bombas MK82LD lançadas pelo voo Gyrate com fogo de artilharia". Embora os indícios não sejam conclusivos, uma interpretação cuidadosa do relatório completo da comissão, acrescido das entrevistas com o pessoal da Companhia Charlie publicadas independentemente, deixa pouca dúvida de que aquelas três primeiras bombas mataram Chanawongse, Buesing, Jordan e Pokorney e feriram quatro outros fuzileiros navais.

Nos vinte ou trinta minutos seguintes, cada Warthog fez cinco investidas sobre os veículos americanos, alvejando-os com um total de oito bombas de 227 quilos e três mísseis Maverick, além de disparar repetidamente contra eles com enormes canhões Gatling instalados no nariz de cada aeronave. Embora os mísseis acabassem matando um número maior de fuzileiros, foram aqueles canhões Avenger GAU-8/A que provocaram mais pânico e terror entre os soldados de infantaria. O Avenger é o maior e mais poderoso canhão de avião do arsenal americano, lançando balas do tamanho de latas de Red Bull de sete canos giratórios. Feitas de urânio empobrecido, as balas são projetadas para romper a blindagem de aço de tanques, e são disparadas dos canhões dos Warthogs a um ritmo de 65 projéteis por *segundo*. Quando os Warthogs apontaram seus canhões para a Companhia Charlie, os projéteis dilaceraram a blindagem de alumínio dos carros anfíbios como se fossem de papel. Muitos segundos depois da chegada das balas veio o chiado dos canos, girando furiosamente, que as lançaram.

Foi o barulho característico e aterrorizante dos canhões rotativos dos Warthogs que primeiro alertou os fuzileiros navais em terra de que estavam sendo atacados por "compatriotas", deixando-os pasmos. Parecia impossível que aviadores americanos confundissem seus carros anfíbios feios e invulgares com veículos iraquianos. Em desespero, os fuzileiros dispararam inúmeros foguetes de sinalização vermelhos e verdes. William Schaefer chegou a desfraldar uma bandeira americana de 0,9 por 1,5 metro num mastro de alumínio, enfiando-a num lançador de fumaça na torre do CLAnf C201, para que os pilotos da Força Aérea percebessem que estavam massacrando colegas americanos, mas todos aqueles esforços foram em vão.

Depois que os Warthogs realizaram cerca de oito incursões, com tiros de canhão e bombas, contra os fuzileiros navais ao norte da ponte do Canal Saddam, Santare, estacionado 3,2 quilômetros ao sul, elogiou pelo rádio a eficácia do ataque dos pilotos: "Ei, vocês estão colocando sorrisos nos rostos dos sujeitos lá embaixo". Depois enviou os Warthogs cerca de um quilômetro e meio ao norte para verificar uma instalação inimiga suspeita.

Naquela altura, as bombas de 227 quilos e as balas de urânio dos jatos haviam matado mais dois fuzileiros: o segundo cabo David Fribley e o cabo Randal Rosacker. Mas Gyrate 73 e Gyrate 74 não haviam terminado. Não achando nada de interesse no seu voo ao norte, os Warthogs retornaram, e dessa vez viram cinco carros anfíbios avançando rapidamente para o sul rumo à ponte do Canal Saddam. Acreditando que fossem caminhões iraquianos a caminho da Alameda da Emboscada para atacar a Companhia Bravo, Gyrate 73 comunicou pelo rádio a Santare: "Ei, tem uns veículos do setor-alvo ao norte [...] avançando para a cidade".

"Esses veículos não podem entrar na cidade", Santare respondeu. Porém, os cinco veículos que rumavam para a ponte não eram iraquianos. Eram carros anfíbios americanos repletos de fuzileiros feridos, num avanço desesperado ao sul para escapar da zona mortal e evacuar os feridos antes que morressem de hemorragia. O primeiro veículo a atravessar a ponte foi o CLAnf C208, comandado pelo cabo Nick Elliott e dirigido pelo segundo cabo Noel Trevino. No compartimento de tropas traseiro estavam caixas de projéteis de morteiros e dez fuzileiros navais, vários deles gravemente feridos.

Depois do C208 vieram C201 e em seguida C206. Enquanto os carros anfíbios avançavam pela ponte a 64 quilômetros por hora, Gyrate 74 os alvejou com seu canhão, atingindo todos os três, mas sem os deter. Ele portanto deu meia-volta e lançou no veículo dianteiro um míssil Maverick, que errou o alvo e detonou adiante sem causar danos.

Embora a maioria dos homens da Companhia Charlie compreendesse agora que eles haviam sido atacados por um ou mais jatos A-10 americanos, ainda não perceberam que os Warthogs também os estavam alvejando com bombas de 227 quilos e mísseis antitanques Maverick. Depois que o míssil de Gyrate 74 não conseguiu acertar o C208, Gyrate 73 mergulhou em posição de ataque, mirou no mesmo carro anfíbio e lançou seu primeiro Maverick. Quando o C208 estava a 137 metros da ponte, o míssil atingiu o lado esquerdo do compartimento de tropas e detonou.

O CLAnf C201, dirigido por Edward Castleberry, estava quinze metros atrás do C208 quando o míssil caiu. "Vi um clarão branco, e o veículo voou meio metro acima do solo", ele depôs à comissão de inquérito. "A lateral ficou destroçada. Todos que estavam atrás foram lançados para fora." O para-brisa de Castleberry ficou borrifado de sangue. Partes de corpos foram lançadas em todas as direções. Castleberry deu uma guinada à direita para não atingir a blindagem em chamas do C208, depois outra guinada à esquerda para tentar manter o veículo na estrada, mas o volante não funcionou. Durante o ataque de Gyrate 74, o radiador de óleo da transmissão havia sido atingido por um projétil de urânio de trinta milímetros e o fluido hidráulico vazou, fazendo com que o veículo atingisse um poste telefônico em frente a uma residência de blocos de concreto com dois andares. Enquanto os fuzileiros abandonavam o veículo destruído e corriam para dentro do prédio em busca de abrigo, os iraquianos começaram a atirar do outro lado da rua.

Depois de passar pelos destroços em chamas do C208, Castleberry teve certeza de que todos os doze homens lá dentro estavam mortos. Dez deles realmente estavam,* mas entre o compartimento das tropas e a parte da frente do veículo onde Elliott e Trevino estavam sentados havia um tabique de alumínio, protegendo-os dos efeitos mais nefastos da explosão do míssil. Trevino ficou temporariamente cego. Os pulmões de Elliot queimaram, seu rosto sofreu graves queimaduras e estilhaços de bomba laceraram um grande pedaço de sua perna direita. Mas os dois homens estavam vivos. Saíram rastejando do veículo em chamas, enquanto caixas de munição lá dentro começavam a detonar devido ao calor intenso, levantaram-se e seguiram, cambaleantes, pela Alameda da Emboscada, ajudando-se mutuamente, até a casa onde os fuzileiros do C201 haviam se refugiado.

Gyrate 74, nesse ínterim, dera meia-volta para outra investida contra os veículos e mirou no CLAnf C206, que seguira o C201 até o outro lado da ponte e estava agora 230 metros ao sul do Canal Saddam, disparando pela Alameda da Emboscada. Aproximando-se pelo noroeste, o piloto mirou seu míssil restante no C206. "Lancei o Maverick nesse", testemunhou Gyrate 74, "e ele atingiu e destruiu o veículo."

O míssil detonou ao atingir a traseira do carro anfíbio, abrindo sua rampa traseira de 1,80 por 1,50 metro e fazendo com que uma seção do teto caísse no compartimento de tropas onde dois fuzileiros feridos estavam despencados: o sargento Michael Bitz e o segundo-cabo Thomas Slocum. A explosão incendiou o veículo e matou ao menos um daqueles homens, mas não o destruiu por completo, nem o deteve. Como depôs mais tarde um ocupante do C206: "Fomos atingidos por algo duro que matou o sargento Bitz. O veículo continuou avançando e só parou diante da ponte sul".

Com sua rampa traseira se arrastando no asfalto e emitindo faíscas, e fumaça negra subindo de sua traseira totalmente aberta, o C206 continuou capengando até finalmente parar aos trancos não longe de onde os fuzileiros da

* O míssil matou os segundos-cabos Thomas A. Blair, Tamario D. Burkett, Donald J. Cline Jr., Patrick R. Nixon e Michael J. Williams, os cabos Jose A. Garibay e Jorge A. Gonzalez, os soldados rasos Jonathan L. Gifford e Nolen R. Hutchings, e o sargento Brendon Reiss.

Companhia Alfa estavam empenhados num intenso tiroteio ao norte do rio Eufrates. Assim que o carro anfíbio se deteve, combatentes iraquianos o alvejaram com lança-granadas-foguete e fogo de metralha. Ignorando os projéteis lançados, os soldados da Companhia Alfa correram até o veículo destruído e freneticamente começaram a retirar dos destroços os sobreviventes atônitos, salvando seis homens, mas tarde demais para conseguir fazer algo por Bitz e Slocum.

Após verem seus mísseis atingirem o C208 e o C206, os dois Warthogs continuaram circulando ao norte do Canal Saddam, em busca de mais alvos. Avistando um veículo incólume estacionado no lado leste da estrada, Gyrate 73 mirou no C204, e estava prestes a disparar seu último Maverick quando ouviu Santare gritar no rádio: "Cessar fogo!".

O piloto abortou o ataque, colocou o avião em posição horizontal e perguntou: "O que está acontecendo?".

Santare respondeu: "Achamos que pode ter tido um fogo amigo, uns sujeitos ao lado do rio, mas não temos certeza. Ninguém sabe ao certo".

O tenente Michael Seely, ao que se revelou, havia finalmente conseguido se comunicar pelo rádio com Grabowski. Quando Seely, o fuzileiro naval veterano que sobrevivera aos ataques de um Warthog da Força Aérea doze anos antes, percebeu que o mesmo pesadelo vinha se repetindo, correu em busca de um rádio em funcionamento, entrou na frequência do comandante do batalhão e começou a bradar: "Cessar fogo! Cessar fogo! Cessar fogo!". De acordo com Seely, "Logo depois, tenho certeza de que dentro de alguns minutos — que pareceram uma eternidade — o fogo amigo cessou".

Pouco depois de os Warthogs pararem seu ataque e partirem para sua base no Kuwait, dois dos tanques Abrams que haviam sido desviados para resgatar os sobreviventes do comboio de Lynch enfim apareceram, rapidamente aumentando a vantagem da Companhia Charlie. Ao pôr do sol, o tiroteio cessara, e os fuzileiros controlavam ambas as pontes de Nasiriyah que saíram para conquistar — mas ao custo de dezoito mortos, dos quais ao menos dezessete foram vítimas de fogo amigo. Outros dezessete fuzileiros da Companhia Charlie ficaram feridos, alguns gravemente.

A tragédia foi causada por um *snafu* clássico — um acrônimo particularmente pertinente. Originalmente cunhado por soldados na década de 1940, significa "*situation normal: all fucked-up*" ("situação normal de completo caos").

O caos é de fato o estado de coisas normal no campo de batalha, e nenhum exército conseguiu descobrir como aliviar a incerteza na guerra. Quando as Forças Armadas se confrontam com a carnificina fratricida previsivelmente resultante, reagem de início com a tradicional negação e encobrimento.

Vinte e cinco

Em 28 de março de 2003, o general Tommy Franks ordenou um inquérito sobre a causa das baixas em Nasiriyah, como exige o regulamento do Departamento de Defesa para todos os incidentes de fogo amigo. Com isso, Franks permitiu que os responsáveis pelas informações do Exército respondessem às perguntas dos repórteres com sua artimanha consagrada: assegurar que uma investigação rigorosa estava em andamento e dizer que, enquanto ela não terminasse, quaisquer especulações ou comentários adicionais seriam irresponsáveis.

A investigação, encabeçada pelo general da Força Aérea William F. Hodgkins, encerrou-se exatamente um ano após ser iniciada. Como a maioria das investigações de fogo amigo, foi conduzida mais ou menos conforme os regulamentos, mas sem nenhum empenho em descobrir o que realmente aconteceu, ou quem deveria ser responsabilizado. Testemunhas oculares importantes nunca foram entrevistadas. Filmagens das cabines dos Warthogs A-10 registraram cada segundo do ataque, mas os vídeos sumiram logo após o incidente.

Os pilotos conhecidos como Gyrate 73 e Gyrate 74 ocupavam o posto de major da 23ª Ala Expedicionária Aérea, da Guarda Nacional Aérea da Pensilvânia. Ambos haviam assistido aos vídeos com agentes do serviço de informações após retornarem à sua base. Gyrate 73 entregou então sua fita ao agente que o interrogou, e a fita sumiu, para nunca mais reaparecer. Após assistir à fita, Gyrate 74 explicou, "perguntei ao agente: 'Posso ficar com ela e entregar mais tarde? Gostaria de ver esta fita de novo'". Ele foi autorizado a levar a fita, mas "sem querer" inseriu-a na câmera de vídeo da cabine e gravou nela, apagando o conteúdo anterior. Os dois indícios mais importantes foram portanto destruídos. Ninguém jamais fez um esforço real para descobrir o que realmente aconteceu com as fitas, e ninguém foi punido pela perda daqueles indícios-chave.

Apesar da destruição das fitas da cabine e de outras deficiências da investigação, os fatos disponíveis indicam claramente que pelo menos dezessete dos mortos foram vítimas de fratricídio. Entretanto, quando a Comissão de Inquérito do general Hodgkins divulgou seu relatório, recusou-se a reconhecer que qualquer das mortes fosse atribuível ao fogo amigo. Em 29 de março de 2004, num comunicado à imprensa anunciando o término da investigação, o Comando Central dos Estados Unidos sintetizou assim as conclusões da comissão:

> No total dezoito fuzileiros navais foram mortos e dezessete foram feridos. Verificou-se que oito das mortes se deveram a fogo inimigo. Os investigadores não conseguiram descobrir a causa da morte dos outros dez fuzileiros navais, já que eles estavam também engajados em combate cerrado com o inimigo no momento do incidente.
>
> Dos dezessete feridos, somente de um pode-se afirmar com certeza que foi atingido por fogo amigo. Três fuzileiros navais foram feridos dentro de veículos que receberam fogo tanto amigo quanto hostil, e a sequência e origem exatas de seus ferimentos não puderam ser determinadas.

A audácia da desonestidade da comissão foi incrível. Mas esse tipo de falsidade é comum em tais inquéritos. Quando as Forças Armadas reúnem uma Comissão de Inquérito de fogo amigo, a organização responsável pelo incidente é convocada para investigar a si própria, havendo portanto incentivos poderosos, tanto institucionais quanto pessoais, para atribuir uma culpa mínima. Embora o grupo de investigadores costume cumprir o ritual de averiguar minuciosamente os fatos, raramente busca a verdade com o mesmo empenho demonstrado, digamos, pelo National Transportation Safety Board quando investiga desastres da aviação comercial. As investigações militares de incidentes de fogo amigo possuem um histórico bem documentado de ocultar a verdade com mais frequência do que a revela.

Se o fratricídio é um aspecto inconveniente mas inevitável da guerra, pior ainda é a tendência dos comandantes militares de varrer tais tragédias para debaixo do tapete. Isso faz parte de um padrão mais amplo: a tentação, entre os generais e políticos, de controlar como a imprensa retrata suas campanhas militares, o que com frequência os leva a deturpar a verdade para obter o apoio público à guerra do momento. Assim sendo, o fato de os Estados Unidos terem usado informações falsas para promover as guerras no Iraque e no Afeganistão não surpreende tanto. Alarmante mesmo é a escala e sofisticação desses esforços de propaganda recentes, e a cara de pau de seus executores. O governo Bush aplicou os estratagemas inescrupulosos desenvolvidos por Karl Rove para impugnar seus oponentes políticos — estratagemas que dependiam fortemente de manipular a percepção pública por meio do embuste — a fim de promover a Guerra Global contra o Terrorismo, nome que visava ajudar a promover as guerras no Iraque e no Afeganistão.

Em outubro de 2001, o Departamento de Defesa criou o clandestino Gabinete de Influência Estratégica, especificamente para induzir organizações noticiosas internacionais a divulgarem matérias falsas que aumentariam o apoio à guerra. Quando o *New York Times* revelou a existência desse programa, em fevereiro de 2002, o clamor público forçou Donald Rumsfeld a oficialmente cancelá-lo. Mas, em novembro daquele ano, ele admitiu, durante uma entrevista à imprensa, sem sinal de arrependimento, que o cancelamento fora apenas nominal:

> Então havia o Gabinete de Influência Estratégica. Vocês devem se lembrar disso. E "Oh, meu Deus, não é terrível, o céu está caindo". Desci no dia seguinte e disse: "Tudo bem. Se vocês querem atacar esse negócio, ótimo. Eu lhes darei o cadáver. Ali está o nome. Vocês podem ficar com esse nome, mas vou continuar fazendo tudo que precisa ser feito". Dito e feito.

Sabe-se agora que, antes da guerra, o governo apresentou indícios fraudulentos como fatos para obter o apoio público à invasão do Iraque. Mas menos atenção tem sido dispensada ao uso pelo governo de informações falsas em escala ainda maior para promover a guerra nos anos após a invasão. Em janeiro de 2003, a Casa Branca criou o Escritório de Comunicações Globais, um programa de 200 milhões de dólares para manipular a opinião pública em relação à guerra iminente e empossou Jim Wilkinson para supervisionar suas operações no golfo Pérsico. Em artigo na edição de 17 de novembro de 2005 da *Rolling Stone*, James Bamford disse:

> Quando a guerra no Iraque fugiu ao controle, a campanha de propaganda velada do governo Bush se intensificou. De acordo com um informe secreto do Pentágono aprovado pessoalmente por Rumsfeld em outubro de 2003 e obtido pela *Rolling Stone*, o Comando Estratégico está autorizado a se envolver em "fraude militar" — definida como "apresentar informações, imagens ou declarações falsas".

"Nunca antes na história", Bamford observou, "foi criada uma rede secreta tão extensa para moldar a percepção que o mundo inteiro tinha de uma guerra."

O dia 23 de março de 2003, o quarto da Guerra do Iraque, não havia sido propício à "Coalizão dos Voluntários" — o slogan engenhoso criado pela Casa Branca para sugerir que a invasão tinha amplo apoio internacional. Considerando-se as baixas entre os fuzileiros navais e os onze soldados do Exército do comboio de Jessica Lynch mortos, 29 membros das Forças Armadas americanas perderam a vida em Nasiriyah. Outros seis, entre eles Lynch, foram capturados. Antes do fim do dia, a televisão de Bagdá começou a transmitir imagens de um iraquiano sorridente exibindo os corpos de quatro soldados do comboio de Lynch, retorcendo grotescamente o rosto de um americano na direção da câmera para mostrar o tiro recebido pela vítima entre os olhos.

O Comando Central dos Estados Unidos (CENTCOM) conseguiu abafar ao máximo as más notícias, com um sucesso surpreendente. Inicialmente a mídia noticiosa não fez menção às mortes por fogo amigo em Nasiriyah. As poucas informações que foram liberadas sobre a batalha eram tão distorcidas que quase não correspondiam à realidade. Durante o comunicado à imprensa diário do CENTCOM da noite de 23 de março, o general de brigada Vincent Brooks atribuiu as baixas pavorosas sofridas pelos fuzileiros navais à perfídia dos iraquianos: "Ao continuarem seu ataque ao norte de An Nasiriyah, as forças da coalizão depararam com tropas mostrando todos os sinais de rendição. Quando nossas forças avançaram para aceitar a rendição de forma honrosa, foram atacadas e sofreram baixas".

Embora essa afirmação fosse uma farsa deliberada, no dia seguinte vários veículos da mídia americana a apresentaram como fato, exatamente como pretendera Jim Wilkinson. Em 24 de março, por exemplo, a Associated Press e a Fox News informaram:

> Fuzileiros navais [em Nasiriyah] depararam com tropas iraquianas que pareciam estar se rendendo. Em vez disso, elas atacaram. Os americanos triunfaram, destruindo oito tanques, algumas baterias antiaéreas, peças de artilharia e infantaria, disse [o general John] Abizaid. Mas a vitória teve seu preço: até nove mortos e um número não revelado de feridos.

Uma estação de televisão de Hartford, Connecticut, a NBC 30, transmitiu uma entrevista com Amanda Jordan, a viúva do segundo-sargento Phillip Jordan, morto por uma bomba lançada de um Warthog americano. Levada a acreditar que seu marido morrera porque o inimigo simulara uma rendição, ela atacou os iraquianos. "A guerra tem suas regras", a sra. Jordan disse revoltada, "e essas regras foram rompidas. [...] Estão dizendo que ele foi morto em combate, mas para mim trata-se de homicídio." Um fracasso calamitoso que poderia ter solapado o entusiasmo do público pela guerra foi assim transformado numa oportunidade de atiçar as chamas do ódio contra Saddam e suas forças.

Em suas observações iniciais no comunicado à imprensa do Pentágono de 25 de março, Rumsfeld continuou promovendo a versão fraudulenta sobre os iraquianos simularem a rendição:

> Nos últimos dias, o mundo tem testemunhado novos sinais de sua brutalidade e desrespeito às leis da guerra. [...] O regime cometeu atos de traição no campo de batalha, fazendo seus soldados passarem por civis libertados ou fazendo com que acenassem bandeiras brancas e simulassem a rendição, com o objetivo de atrair as forças da coalizão para emboscadas.

Ao oferecer tal propaganda aos repórteres crédulos, o Escritório de Comunicações Globais de Wilkinson conseguiu evitar as notícias sobre fogo amigo e outros aspectos perturbadores da batalha por Nasiriyah, mas a cidade permaneceu fora do controle das forças americanas. Milhares de combatentes inimigos ainda se deslocavam livremente pelas ruas, e guerrilheiros fedayeen continuavam atacando os fuzileiros que guardavam as duas pontes capturadas com tamanho sacrifício. Com o desenrolar das semanas, a Coalizão dos Voluntários sofreu novos reveses desencorajadores, e as más notícias tornaram-se cada vez mais difíceis de conter.

Vieram à luz informes de que, nas primeiras horas de 23 de março, um bombardeiro Tornado GR4 da Força Aérea britânica havia sido derrubado por um míssil Patriot lançado por engano pelo Exército norte-americano, matando o piloto britânico do avião e seu navegador.

Na noite de 24 de março, um tanque Abrams mergulhou de uma ponte no rio Eufrates, no lado oeste de Nasiriyah, afogando o segundo-sargento Donald May, o segundo-cabo Patrick O'Day e o segundo-cabo Francisco Martinez-Flores.

Em 26 de março, um tiroteio irrompeu no cruzamento onde o comboio de Lynch havia cometido seu engano fatal três dias antes. Na confusão subsequente, uma unidade de fuzileiros navais atacou outra unidade de fuzileiros navais, ferindo 37 americanos, alguns gravemente, e dois de seus intérpretes kuwaitianos.

Em 27 de março, um Warthog da Força Aérea dos Estados Unidos atacou por engano um comboio britânico de tanques leves Scimitar na periferia de Basra, 121 quilômetros a sudeste de Nasiriyah, embora um dos tanques exibisse a bandeira britânica e todos os veículos possuíssem painéis laranja fluorescentes para identificá-los como forças da coalizão. Durante as duas investidas dos jatos americanos, projéteis de urânio lançados do canhão destroçaram a blindagem de dois tanques, que explodiram em chamas. Um soldado foi morto e três ficaram gravemente feridos. Nesse caso, como os soldados atingidos eram britânicos, Wilkinson não conseguiu amordaçá-los. Citada na imprensa britânica, uma das vítimas furiosas acusou o piloto americano de ser um "caubói" que "saiu para um passeio" sem mostrar "nenhum respeito pela vida humana".

No fim da semana, a Casa Branca estava desesperada por algumas boas notícias para fornecer ao enxame de jornalistas nos comunicados à imprensa diários no quartel-general de mídia do CENTCOM, em Doha, Qatar. Foi aí que surgiu Jessica Lynch, como que atendendo às orações de Wilkinson.

Diversos iraquianos, inclusive Mohammed Odeh al-Rehaier, haviam contactado o pessoal das Forças Armadas norte-americanas para informar que Lynch estava sendo mantida no Hospital Geral Saddam Hussein. Combatentes fedayeen e do Exército iraquiano continuavam operando fora do hospital, mas, assim que as forças americanas ganharam controle sobre Nasiriyah, a presença militar iraquiana na instalação diminuiu rapidamente. No fim de março, o último dos combatentes iraquianos havia desaparecido do hospital e fugido da cidade.

Os funcionários iraquianos do hospital trataram bem Lynch, de acordo com os médicos e enfermeiras entrevistados pelo jornal britânico *Guardian*. O dr. Harith al-Houssona, um dos médicos que supervisionaram seu tratamento, contou que o pessoal do hospital chegou a doar um litro do próprio sangue para ela. Em 30 de março, al-Houssona colocou Lynch numa ambulância e instruiu o motorista a entregá-la num posto de controle militar americano próximo, mas os fuzileiros navais atiraram na ambulância que se aproximava, forçando-a a dar meia-volta e levar Lynch de novo ao hospital iraquiano.

Àquela altura, os preparativos para resgatá-la já estavam em andamento. Cerca de mil soldados haviam sido mobilizados, entre eles um contingente da Força Tarefa 20, a melhor unidade de operações especiais do mundo, e soldados de infantaria do Segundo Batalhão de Rangers. Enquanto se preparavam para a missão, Pat e Kevin Tillman ficaram intrigados com sua escala maciça — ao contrário de tudo que haviam visto desde a chegada ao golfo Pérsico. "Partimos amanhã", Pat escreveu em seu diário em 30 de março. "Esta missão será um resgate de uma prisioneira de guerra, uma mulher chamada Jessica Lynch. Embora sinta pena dela por sua situação pavorosa e admire a coragem que com certeza está mostrando, acredito que este seja um grande golpe de relações públicas. Não me entendam mal, desejo que todo mundo em apuros seja resgatado, mas enviar este número de pessoas para uma [única soldado de baixo escalão] me parece uma jogada de mídia. De qualquer modo, estou contente por poder fazer a minha parte e espero que ela seja trazida para casa em segurança."

O Comando Central não pode ser culpado por ter escalado tantos soldados para a operação. As informações fornecidas pela CIA e pela inteligência militar foram extremamente duvidosas. Uma semana antes, os fuzileiros navais haviam recebido a garantia de que tomar as pontes de Nasiriyah não seria nenhum grande problema, para depois se verem envolvidos numa batalha desesperada contra um grande número de inimigos altamente motivados. Mas as suspeitas de Pat quanto ao resgate de Lynch eram bem fundamentadas. Os recursos dedicados à missão eram espantosos segundo qualquer critério e visavam basicamente garantir um golpe de relações públicas para os promotores da guerra. Pelo menos outros sete soldados americanos, homens e mulheres, eram mantidos prisioneiros no Iraque na época, entre eles cinco soldados do comboio de Lynch. Mas quase nada vinha sendo feito para localizar e resgatar esses prisioneiros de guerra menos adequados ao marketing.

Depois que os Rangers foram inicialmente informados de que a missão para resgatar Lynch ocorreria em 31 de março, ela foi adiada por 24 horas. O deputado americano Henry Waxman mais tarde alegou que Wilkinson protelou a missão para permitir que uma equipe de vídeo das Operações Especiais filmasse o resgate para a mídia noticiosa. Embora essas alegações não tenham sido comprovadas, não há dúvida de que Wilkinson estava intimamente envolvido no planejamento da missão e de que esta foi habilmente documentada por uma equipe de câmeras de combate do Quarto Grupo de Operações Psicológicas levada unicamente com esse propósito.

Quando enfim se realizou, o resgate foi perfeito. Embora a equipe do resgate levasse tiros de armas portáteis ao se aproximar do hospital em seis helicópteros, o tiroteio foi leve, e nenhum aparelho foi atingido. Dez minutos após o desembarque da equipe de Operações Especiais, Lynch foi resgatada, tirada do hospital e embarcada num Black Hawk que aguardava. Assim que o helicóptero viu-se seguro no ar, a primeira pessoa notificada foi Wilkinson, imediatamente seguido pelo subdiretor de operações do CENTCOM, que tinha grande presença na mídia, o general Vincent Brooks, o presidente Bush, o vice-presidente Cheney e o secretário da Defesa Rumsfeld. Em três horas, um vídeo de cinco minutos do resgate, cuidadosamente editado para ter um efeito dramático, foi distribuído aos correspondentes da televisão e repórteres da imprensa em Qatar, convocados para estar no centro de mídia de Doha nas primeiras horas da manhã para receberem as boas-novas.

Tendo fornecido aos repórteres relatos espúrios da inteligência para alardear a história e garantir que a saga de Lynch impressionaria seus compatriotas, Wilkinson estava ansioso por colocar seu produto nas mãos dos consumidores na primeira oportunidade. Quanto mais cedo "o salvamento da soldado Lynch" chegasse às manchetes dos jornais, às matérias das revistas e aos noticiários noturnos, mais depressa o surto recente de acontecimentos deprimentes seria relegado às sombras.

Nas semanas e meses que se seguiram, o estratagema funcionou exatamente como Wilkinson esperava. Mais de seiscentas matérias sobre Lynch apareceram em todos os tipos de mídia, inclusive um livro publicado às pressas que chegou ao primeiro lugar na lista de best-sellers de não ficção do *New York Times* e um filme para a televisão, *Salvando Jessica Lynch*, programado para atrair o maior público possível durante um mês em que seriam feitas importantes pesquisas de audiência. A versão de Wilkinson do martírio de Lynch acabou sendo desmascarada como propaganda, mas até lá já tinha conseguido o que pretendia: encobrir a verdade para manter o apoio às políticas do presidente. Até hoje, pouquíssimos americanos abrigam qualquer suspeita de que dezessete fuzileiros navais foram mortos por jatos da Força Aérea norte-americana no quarto dia da Guerra do Iraque.

A farsa de Jessica Lynch funcionou tão bem que a Casa Branca viria a reciclar a mesma tática treze meses depois, quase lance por lance, quando confrontada com outra série de revelações potencialmente desastrosas. Como antes, uma história deturpada sobre um soldado americano valente seria oferecida à mídia para desviar a atenção de uma série de notícias inquietantes. Nessa ocasião, porém, o soldado transformado em herói da fábula seria um jogador de futebol americano profissional cujo senso de dever o inspirara a se alistar nos Rangers após o atentado de 11 de setembro.

Vinte e seis

Em 9 de abril de 2003, sete dias após o resgate de Jessica Lynch, Pat e Kevin Tillman foram levados de helicóptero com seus colegas Rangers ao Aeroporto Internacional de Bagdá, onde passaram a residir num cavernoso hangar de aviões. Ao chegarem, fuzileiros estavam amarrando um cabo em uma estátua de doze metros de Saddam Hussein, preparando-se para derrubá-la diante do bando ruidoso de fotógrafos e equipes de TV que acorreram ao local a fim de registrar o momento simbólico para a posteridade. Algumas horas antes, a capital caíra oficialmente sob o controle das forças americanas. Algumas horas depois, começaria uma orgia de saques desenfreados pela cidade que continuaria por vários dias.

Os Tillman permaneceram em Bagdá nas cinco semanas seguintes. Apesar do tumulto que os cercava, sua estadia foi relativamente tranquila. Pat disparou sua arma uma só vez, em 21 de abril. "Não fique empolgado ou aborrecido demais", escreveu em seu diário, "foram apenas tiros de advertência para evitar que alguns carros se aproximassem, e nenhum mal foi cometido."

As tarefas deles deixavam bastante tempo livre para conversarem. "Pat e Kevin estavam sempre falando", recorda Russell Baer, um jovem Ranger que cresceu em Livermore, Califórnia, 56 quilômetros ao norte de New Almaden. "Passavam o máximo de tempo possível juntos. Pareciam ter um vínculo incrivelmente raro." Os irmãos Tillman recebiam quem quisesse se juntar à conversa. "Pat não tinha preconceitos", Baer enfatiza. "Interessava-se até pela pessoa mais idiota do grupo. Ele realmente queria descobrir como eram as pessoas. Desafiava-as a se explicarem, e algumas delas conservavam sua idiotice e não traziam nenhuma contribuição, mas Pat sempre começava dando a elas o benefício da dúvida.

"Fui amigo de Kevin antes de ser amigo de Pat", conta Baer, um autodidata com vastas leituras e gosto eclético. "Eu estava lendo *Propaganda e consciência popular*, de Noam Chomsky, e *A República*, de Platão. Kevin tinha lido obras desses dois autores — ele se especializara em filosofia na faculdade. Portanto começamos a discutir literatura, o que levou a novas conversas que incluíram Pat. Foi ótimo. Enfim encontrei pessoas com quem podia conversar.

"Pat sabia ouvir. Foi uma das primeiras pessoas que realmente desafiaram minhas ideias: 'Você acredita mesmo nisto? Por quê? Não aceite tudo que lê. Você deveria questionar tudinho, aceitar o que faz sentido e jogar fora o resto'. O tempo todo ele perguntava: 'Você alguma vez considerou isto? O que pensa daquilo?'. Ele mudou minha maneira de pensar."

Durante sua permanência no Exército, Pat não teve dificuldade em travar amizades significativas com indivíduos que não compartilhavam suas opiniões sobre política ou religião — o que foi ótimo, porque assim era a maioria das pessoas com que ele deparou por lá. Um amigo importante que ele conheceu durante a Operação Liberdade Iraquiana foi um SEAL da Marinha chamado Steve White, cuja orientação política era bem mais à direita que a de Pat. Mas White era brilhante, maduro e indômito, e havia atingido o pináculo de uma profissão difícil e importante. No mundo das Operações Especiais, White era o equivalente ao craque *cornerback* da NFL. Pat sentiu-se imediatamente atraído por ele, e a atração foi mútua.

A primeira vez em que White convidou Pat e Kevin para um café nos alojamentos dos SEALS, Pat anotou no diário: "durante uma hora e meia conversamos com uns dez dos melhores homens da Terra. [...] Campeões absolutos". Alguns dias depois, ele escreveu: "Na noite passada, fomos de novo à barraca dos SEALS tomar café e conversar. [...] Steve e eu tagarelamos por horas sobre nossas casas, Tahoe, nossas mulheres, boa comida, todas as coisas nas quais penso constantemente. Incrível como foi bom estar na companhia daqueles camaradas. [...] Eles fazem com que toda a merda por que passamos valha a pena. São exatamente o tipo de sujeito que esperávamos encontrar quando decidimos nos alistar". Dali em diante, os dois irmãos iam conversar (e, vez ou outra, tomar uma dose ilícita de rum) com os SEALS sempre que as circunstâncias permitiam.

Quando Pat e Kevin saíam de sua base no aeroporto para patrulhar a cidade, achavam-na fascinante e exótica. Mas após algumas semanas de chutar portas, prender iraquianos comuns para interrogá-los e procurar por armas de destruição em massa inexistentes,* a inutilidade e o tédio começaram a dominá-los, especialmente Pat. Até que, na noite de 29 para 30 de abril, quatro soldados da Força Delta foram alvejados numa missão para capturar um "alvo de alto valor", e Pat ajudou a trazer um dos soldados feridos do helicóptero de evacuação médica para receber tratamento. "O homem que eu estava carregando tinha sido alvejado no abdome", ele escreveu. "Àquela altura do jogo, fiquei bem surpreso ao ver alguém levando um tiro. [...] O perigo parecia mínimo. Sinal de que nunca se sabe o que pode acontecer."

Um dia depois, do convés de voo de um porta-aviões ao largo da costa de San Diego, sob uma faixa gigantesca proclamando "Missão Cumprida", o presidente Bush anunciou "o fim das grandes operações de combate no Iraque".

As anotações do diário de Pat expressavam uma frustração crescente. Ele admitiu surtos de depressão e desilusão com alguns de seus superiores: "Tivemos líderes dando ordens de atirar em pessoas inocentes, ordens estas ignoradas por soldados rasos com a cabeça mais no lugar. [...] Parece que a noção do campo de batalha que eles têm está longe do ideal. Dada a tensão da situação, eu com certeza ouvirei meus instintos antes de mergulhar fundo em qualquer

* Como Steve Coll escreveu na *New Yorker* em abril de 2006, Saddam não admitia que não havia armas de destruição em massa "porque temia uma perda do prestígio e, em particular, que o Irã tirasse vantagem de sua fraqueza — uma conclusão também esboçada antes pelo Grupo de Pesquisas do Iraque supervisionado pela CIA. Ele não contou sequer aos seus generais mais graduados que não dispunha de armas de destruição em massa até pouco antes da invasão. Eles ficaram abismados, e alguns pensaram que pudesse estar mentindo, porque, como disseram mais tarde aos seus interrogadores, o governo americano insistia em que o Iraque possuía tais armas. Saddam 'achava impossível abandonar a ilusão de que tinha armas de destruição em massa', diz o estudo. O gabinete de guerra de Bush, é claro, ateve-se à mesma ilusão, e uma espécie de delírio mutuamente reforçador apoderou-se das duas lideranças na proximidade da invasão".

trama insensata deles. Talvez este não seja o 'militarmente correto', embora os últimos meses tenham indicado sua necessidade".

Durante o tempo livre, Pat, Kevin, Russell Baer e Jade Lane, o operador de rádio do pelotão, às vezes discutiam as ramificações geopolíticas da Operação Liberdade Iraquiana, que cada vez mais lhes parecia uma loucura imperial que prejudicaria os interesses dos Estados Unidos a longo prazo. Soldados criticando abertamente a guerra eram extremamente raros na época. Uma pesquisa do Gallup conduzida em maio de 2003 indicou que 79% dos americanos acreditavam que a guerra do Iraque se "justificava". Entre os membros das Forças Armadas, o apoio à guerra provavelmente ultrapassava os 95%. Se os irmãos Tillman denunciassem a guerra enquanto cumpriam o serviço militar no Iraque, para muitos americanos aquilo pareceria uma traição. Mas Pat e Kevin haviam sido educados para se manifestarem, e foi o que fizeram.

Os irmãos lamentaram a facilidade com que Bush, Cheney e Rumsfeld intimidaram o secretário de Estado Colin Powell, as duas casas do Congresso e a grande maioria do povo americano, fazendo-os apoiarem a invasão do Iraque. Mas Pat e Kevin não estavam particularmente surpresos. Seu avô paterno e dois de seus irmãos estavam servindo na Marinha em Pearl Harbor durante o devastador ataque japonês de 1941. Seu avô materno havia combatido como fuzileiro naval na Guerra da Coreia. Um de seus tios se alistara como fuzileiro naval após sair da escola e ficara baseado em Okinawa durante a Guerra do Vietnã. Dannie Tillman havia se especializado em história na faculdade, e quando seus filhos estavam crescendo, as discussões em família muitas vezes se voltavam para a história militar.

Pat e Kevin estavam familiarizados com as palavras de Hermann Goering, o *Reichsmarschall* de Hitler, que em 1946, pouco antes de ser condenado à morte por crimes contra a humanidade, fez a observação notória:

> Naturalmente as pessoas comuns não desejam a guerra; seja na Rússia, na Inglaterra, nos Estados Unidos, ou até mesmo na Alemanha. Isto está claro. Mas, afinal, são os líderes do país que determinam a política, e é sempre uma questão simples arrastar o povo consigo, seja numa democracia, numa ditadura fascista, num governo parlamentar ou numa ditadura comunista. [...] Tenha ou não voz ativa, o povo sempre pode ser submetido aos desejos dos seus líderes. É fácil. Tudo que se precisa fazer é dizer a eles que estão sendo atacados, e denunciar os

pacifistas por falta de patriotismo e por exporem o país ao perigo. Funciona da mesma maneira em qualquer país.

Na verdade, é provável que Pat estivesse ainda menos satisfeito do que Kevin por ver-se participando da invasão do Iraque. Embora eles dois se opusessem à guerra, Kevin era solteiro e ainda não iniciara uma carreira ao se alistar, enquanto Pat havia se afastado de uma esposa dedicada e de um emprego excepcionalmente gratificante para ajudar a derrotar os responsáveis pelos atentados de 11 de setembro. Sentia muitas saudades de Marie. No fundo uma pessoa caseira, ele sofria muito com a distância do lar que ela lhe proporcionara. Seu diário deixa claro que Pat estava extremamente frustrado por servir no Iraque e que, durante sua missão ali, contou com o apoio emocional de Kevin como nunca antes.

Pat não sacrificara tanta coisa para ficar de escanteio numa guerra equivocada que ele acreditava estar fortalecendo os inimigos dos Estados Unidos. Paradoxalmente, porém, seu diário deixa claro que certa parcela de sua insatisfação derivava do fato de ainda não ter se engajado em combate e da conclusão de que provavelmente não se engajaria antes de deixar Bagdá. Parte de sua motivação para se tornar um Ranger era aderir à luta. Além de sentir obrigação de ajudar no trabalho sujo, ele queria conhecer em primeira mão a sensação de enfrentar pessoas que fizessem todo o possível para matá-lo e talvez ser obrigado a matar também. Seus sentimentos sobre a guerra em geral, e aquela guerra em particular, foram moldados por noções complexas, emocionalmente carregadas e às vezes contraditórias, de dever, honra, justiça, patriotismo e orgulho masculino. Havia nele certa ambivalência quanto a voltar para casa sem um CIB: o Combat Infantryman Badge, Distintivo de Combatente de Infantaria — um rifle prateado em miniatura sobre um retângulo de cinco centímetros de esmalte azul e atrás uma coroa de folhas de carvalho prateadas, concedido aos soldados de infantaria que participassem de combates.

Apesar do pessimismo evidente em uma série de suas anotações no diário, em 2 de maio Pat escreveu: "Veja bem, tenho que admitir, alguns desses garotos estão me sensibilizando. Pego-me pensando em coisas que posso fazer para ajudar seu futuro. Por mais cheio que eu esteja deste lugar, existem algumas pessoas muito boas, especialmente alguns desses garotos. Quer goste ou não, tenho um fraco por alguns desses molequinhos".

Pat registrou o 4 de maio, seu primeiro aniversário de casamento, escrevendo uma mensagem para sua esposa:

> Feliz aniversário de casamento, meu amor!!! Um ano atrás, Marie me tornou o homem mais feliz do mundo, e o que dei em troca? Tramei a forma mais absurda de ferrar com nossa existência até recentemente perfeita. Aqui estou eu numa barraca, no Aeroporto Internacional de Bagdá, cercado de rapazes, a meio mundo de distância de onde deveria estar no nosso aniversário de casamento. Inacreditável. Este último ano foi uma merda, sem dúvida, Marie. Entretanto, neste último ano, passei a amar e admirar você num nível que só a provação e o sofrimento conseguem produzir. Esta loucura revelou uma força e um caráter incríveis em você. Claro que sempre existiram, mas este último ano me deu a oportunidade de ver quão incrível, quão resistente você realmente é.

Durante semanas, os Rangers vinham ouvindo rumores de que fariam as malas e voltariam para casa "um dia desses". Finalmente pareceu que sua partida do Iraque estava mesmo próxima. Em 12 de maio, Pat escreveu: "Montes de boas notícias. [...] Devo (claro que com o ceticismo de costume) voltar para casa no dia 15. As engrenagens já estão em movimento, começamos a fazer as malas, o entusiasmo está no ar. [...] Um grupo de prisioneiros de guerra inimigos fugiu do outro lado da rua hoje. Vinte escaparam, mas quatro já foram capturados. Nub e eu estamos torcendo pelos outros dezesseis. Às vezes é difícil não torcer pelos oprimidos. (P.S. Não se trata de prisioneiros militares, mas de civis que eles estão mantendo presos para obter informações.)".

A anotação no diário de Pat em 15 de maio se resumiu a duas frases curtas: "Partiremos às 03h00 de amanhã. Graças a Deus". Três dias depois, ele e Kevin estavam sentados na sala de espera no Aeroporto de Frankfurt, aguardando o embarque num voo para os Estados Unidos. Pat refletiu:

> No todo, acho que esta foi uma experiência válida, até porque estamos voltando para casa incólumes. [...] Não combatemos nem nos vimos em qualquer situação de risco de vida. [...] Talvez com o tempo toda esta experiência pareça maior do que parece hoje, mais empolgante. Admito que não foi o que eu esperava de "ir à guerra", mas sabe-se lá o que esperar... Lembro no meu ano de novato [na NFL] um repórter perguntando sobre minha sensação de chegar *aos playoffs*. Ele men-

cionou que muitos jogadores passarão uma carreira inteira sem terem a sorte de chegar lá. No meu caso, no primeiro ano, acho que eu esperava chegar todos os anos, embora isso não viesse a acontecer. Talvez o mesmo seja verdade aqui. [...] Esta poderia ser a primeira e única vez que provaríamos o combate (por mais limitada que fosse). Mas, de novo, com aquele "caubói" ao leme, eu não apostaria nisso.

A estadia de Pat no Iraque não foi difícil apenas para ele; também foi difícil para Marie. "Eles tinham partido dois meses e meio antes", ela diz, "e na maior parte do tempo ficamos incomunicáveis. Ele não conseguiu me ligar a não ser bem no final, pouco antes de voltarem para casa, então eu não tinha nenhuma ideia do que estava ocorrendo. Havíamos acabado de nos mudar para o estado de Washington, e eu ainda não começara a trabalhar. Não conhecia ninguém. Ficava sentada em casa assistindo à cobertura da guerra pela TV o dia inteiro. Eles informavam que outro helicóptero havia sido derrubado, e eu me perguntava se Pat e Kevin estariam dentro dele. Nem lembro direito como suportei aquele período. Foi terrível."

Voltar a estar junto de Marie em 19 de maio foi um alívio para Pat. A vida voltou a ser bela. Em julho, quando o Exército concedeu aos irmãos uma licença de duas semanas, eles e Marie foram até o lago Tahoe e relaxaram com seus amigos de escola de Almaden, como tantas vezes haviam feito antes que os irmãos Tillman se alistassem.

Ao retornarem a Fort Lewis, Pat e Kevin começaram a se preparar para os rigores da Ranger School, um martírio de 61 dias que todo novato precisa suportar para adquirir sua "insígnia": um distintivo com a palavra "Ranger" bordada, afixado no ombro esquerdo do uniforme. Enquanto não recebe a insígnia, o Ranger não é considerado um membro completo da fraternidade, não pode ser promovido além de segundo-cabo e é rotineiramente submetido a tarefas degradantes segundo a veneta dos superiores, para se lembrar de que não passa de um zé-ninguém.

"O pessoal que tem insígnia não poupa esforços para humilhar os novatos", explica o sargento Mel Ward, que se tornaria um dos amigos de Pat entre os Rangers. "Mandam que eles limpem banheiros, façam flexões. Você ouve histórias de novatos trancados em seus armários o fim de semana inteiro sem nada além de um cantil. Quando um Ranger com insígnia humilhava Pat, ele agia como mandava o figurino, mas dava para ver que estava realmente aborrecido. Porque aquilo era inútil e desnecessário."

"Você tem que engolir um monte de idiotices no Exército", Jade Lane concorda. "E Pat não gostava daquilo. Um cara de vinte anos mandava ele fazer uma besteira, como lustrar as botas, depois sujá-las e lustrar de novo. Desse tipo de merda ele não gostava. E não ficava calado. Por exemplo, ele dizia: 'Olhem, eu vou lustrar minhas botas, mas não vou sujar e depois lustrar de novo, porque isso é coisa de retardado'. E o pessoal do Exército não gosta desse tipo de resposta. Você deve fazer o que mandam. Portanto ele às vezes se via em apuros. Eles o levavam à administração, recomendavam orientação psicológica."

Para escapar daquelas humilhações, Pat teria que se formar na Ranger School, mas, para ser admitido, precisava primeiro conseguir ficar entre os 10% melhores num Teste de Aptidão Física do Exército padrão: 66 flexões em dois minutos, 73 abdominais em dois minutos e uma corrida de 3,2 quilômetros em menos de treze minutos e 54 segundos. Numa tarde de julho, Pat foi notificado de que havia sido escolhido para a próxima vaga na Ranger School, contanto que passasse no teste a ser aplicado na manhã seguinte. Embora Pat tivesse acabado de concluir um treinamento exaustivo, achou que obter uma nota suficiente no teste não seria difícil, mesmo com alguns músculos doloridos: graças ao treinamento básico, ele e o irmão haviam se destacado em todas as ocasiões em que tinham feito aquele teste. Na última vez em que fora testado, Pat fizera 84 flexões, 81 abdominais e correra os 3,2 quilômetros em doze minutos e 21 segundos.

Quando Pat se submeteu ao teste na manhã seguinte, fez facilmente as flexões e não teve problemas para correr os 3,2 quilômetros abaixo do tempo requerido, mas não fez 73 abdominais em menos de dois minutos. Na verdade, ele fez mais do que o número requerido de abdominais. Entretanto, o sargento que julgava seu teste invalidou várias delas por detalhes técnicos, fazendo com que Pat fosse reprovado. É bem possível que o sargento não tivesse aceitado as flexões em questão porque estava mal-humorado e queria mostrar a Pat que, embora fosse um jogador de futebol americano famoso na vida civil, no Segundo Batalhão de Rangers não passava de um humilde soldado raso. Ou talvez o sargento tivesse um motivo legítimo para reprovar as flexões. De qualquer modo, Pat não passou no Teste de Aptidão Física e não pôde ingressar na Ranger School.

Ele ficou enfurecido por não passar no teste, tanto quanto ficava quando cometia erros como jogador de futebol americano, mas sua fúria não se voltou contra o suboficial que o reprovou. Não sendo pessoa de inventar desculpas, culpou a si mesmo, acreditando que deveria ter sido capaz de passar no teste, por mais abdominais que o sargento decidisse invalidar. Para piorar as coisas, ele só poderia se submeter de novo ao teste após pelo menos três semanas.

Depois de esquentar a cabeça durante grande parte do mês, Pat passou no Teste de Aptidão Física na oportunidade seguinte. Como Kevin fez o teste no mesmo dia e também passou, em 29 de setembro de 2003 eles ingressaram juntos na Ranger School, em Fort Benning, Geórgia. As nove semanas seguintes foram um castigo. A classe deles, de 253 soldados, era mantida acordada e em atividade vinte horas por dia, todos os dias, com exceção de uma pausa de oito horas a cada três semanas. Dormiam duas ou três horas por noite, se tivessem sorte, e subsistiam com uma dieta diária de 2400 calorias, apesar de, na maioria dos dias, queimarem mais de 5 mil calorias — alguns dias, bem mais. Carregavam cargas de 41 quilos para cima e para baixo do Tennessee Valley Divide, rastejavam por moitas que irritavam a pele, acampavam sob chuva gélida levando nas mochilas apenas suas roupas, e viviam famintos e exaustos. Alguns dos soldados perderam mais de treze quilos. Metade dos membros da classe foi reprovada ou abandonou o curso, a maioria durante a primeira semana.

Pat e Kevin acharam a experiência um desafio satisfatório. Ambos se graduaram facilmente, receberam sua insígnia dos Rangers em 28 de novembro e foram promovidos para a posição de especialista. Dois anos após a morte de Pat, um capitão do Exército chamado Aaron Swain recordou ter treinado Pat durante a "fase das montanhas" de três semanas do curso, durante a qual os soldados aprenderam a escalar rochas no monte Yonah, na Floresta Nacional de Chattahoochee. "Tillman era machão", Swain atesta. "Ele era demais."

No outono de 2003, quando Swain estava testando a determinação dos Tillman no interior da Geórgia, tornava-se aparente que a guerra no Iraque não estava se desenrolando conforme o previsto. Cada vez mais, os críticos do governo a comparavam com o Vietnã. Em meados de outubro, a al-Jazeera transmitiu um vídeo onde Osama bin Laden olhou friamente para a câmera e exultou: "Estou adorando o fato de os Estados Unidos terem se envolvido nos atoleiros do Tigre e do Eufrates. Bush achou que o Iraque e seu petróleo seriam presas fáceis, e agora está em sérios apuros pela graça de Deus Todo-Poderoso. Eis os Estados Unidos berrando a plenos pulmões enquanto desmoronam diante do mundo".

Bin Laden considerou a invasão do Iraque um tremendo presente do presidente Bush — uma oportunidade "rara e essencialmente valiosa" de espalhar a jihad, nas palavras do xeique exilado. Não apenas os Estados Unidos haviam eliminado Saddam Hussein, que Bin Laden desprezava como "um ladrão e apóstata", como a ocupação dos Estados Unidos alimentava a raiva muçulmana ainda mais do que a invasão do Afeganistão, inspirando multidões de árabes a aderir às fileiras da Al-Qaeda.

No contrato que assinaram ao se alistar, os Tillman comprometeram-se a envergar o uniforme até julho de 2005. Havia uma forte possibilidade de que fossem enviados outra vez ao Iraque antes dessa data, para se verem em meio a uma violência cada vez pior. Porém, pouco depois de Pat concluir a Ranger School, ofereceram a ele uma oportunidade de evitar aquele destino: ele poderia deixar o Exército.

Em dezembro de 2003, o agente de Tillman, Frank Bauer, foi contactado por Bob Ferguson, que, como gerente geral dos Arizona Cardinals, desempenhara um papel-chave na ida de Pat para a equipe e no início de sua carreira profissional no futebol americano. Ferguson, que se tornara o gerente geral dos Seattle Seahawks, contou a Bauer que o time de Seattle estava ansioso por ter Tillman no início da temporada, no outono de 2004. De acordo com Bauer, quando explicou que Pat só seria liberado do Exército no verão de 2005, Ferguson lhe garantiu: "Nós já verificamos isso. Ele já serviu numa guerra. Pode se livrar do serviço. É só preencher os papéis de dispensa. Adoraríamos vê-lo aqui no vestiário dos Seattle Seahawks".

Ao que se revelou, outros times também estavam interessados em contratar Tillman para a temporada de 2004, inclusive os Cardinals, St. Louis Rams, New England Patriots e Dallas Cowboys. Portanto, Bauer procurou se informar e descobriu que Ferguson aparentemente estava certo: em circunstâncias especiais, soldados que completaram um período de serviço na zona de guerra podiam receber uma dispensa honrosa antes que seus contratos vencessem. Se

Pat requisitasse essa dispensa, em setembro próximo teria uma chance excelente de trocar seu colete à prova de balas dos Rangers pelas ombreiras do futebol americano, ainda mais com todo o seu prestígio como jogador. Comerciais de recrutamento do Exército eram comuns nos jogos televisionados nas tardes de domingo e noites de segunda-feira, e a Liga Nacional de Futebol Americano mantinha um relacionamento de trabalho estreito com o Departamento de Defesa. Os pauzinhos poderiam ser mexidos a favor de Pat.

Bauer transmitiu, entusiasmado, a boa notícia ao seu cliente: "Assim, eu ligo para Patty e digo: 'Ouça. Tem uma série de clubes que estão interessados em você. Ora, talvez você queira checar a situação no Exército antes de decidir qualquer coisa, mas eles me disseram que podem obter uma dispensa prematura, e esses times querem você. Seattle está doido para ter você'.".

Tillman respondeu que se sentia lisonjeado com o interesse, mas não lhe passava pela cabeça deixar o Exército antes de completar o contrato. "Eu me alistei por três anos", ele explicou a Bauer. "Devo a eles três anos. Não voltarei atrás na minha palavra. Vou permanecer no Exército." Bauer pediu que ele reconsiderasse, mas em vão.

"Chegaram ofertas de diversos times da NFL", Marie confirma. "Pat mencionou a oferta dos Seahawks, e àquela altura ele provavelmente teria adorado retornar ao futebol americano e jogar para eles. Mas nós nunca discutimos aquilo porque simplesmente não iria acontecer. Não havia como fazê-lo sair do Exército no meio do caminho. Ele disse: 'Vou servir meus três anos e, depois de terminar, retornarei e jogarei na NFL. Este foi meu plano desde o início. É a coisa certa a fazer. E vou me ater a ela'." Por mais que Pat odiasse estar nas Forças Armadas e forçar Marie a aguentar as consequências de seu alistamento, romper o compromisso assumido com os Rangers teria violado princípios que ele considerava invioláveis. O punhado de pessoas que entendia o que motivava Pat sabia que deixar o Exército prematuramente jamais lhe passaria pela cabeça. Estava absolutamente fora de cogitação.

PARTE TRÊS

Amo quem não reserva uma gota de seu espírito para si, mas quer ser o espírito da sua virtude por inteiro: assim atravessa a ponte como espírito.
Amo quem faz da sua virtude seu hábito e fim: por sua virtude, deseja viver e não mais viver.

— FRIEDRICH NIETZSCHE, *Assim falou Zaratustra*

Vinte e sete

Pat e Kevin receberam duas semanas de licença no Natal, que passaram em New Almaden visitando a família. Pouco após retornarem a Fort Lewis, em janeiro de 2004, chegou ao Segundo Batalhão um novo grupo de recrutas, incluindo um soldado raso magro mas rijo de Indiana, chamado Josey Boatright. "Pat Tillman foi um dos primeiros sujeitos que conheci em Lewis", Boatright recorda. "Quando você chega lá, tudo é um caos. As pessoas gritam com você, você corre para toda parte, não consegue fazer nada certo. Em meio a esse caos, um cara bacana, um especialista, vem do campo de tiro, com sua arma e seu uniforme completo, para o alojamento. Vem na minha direção e diz: 'Você é o cara novo do Segundo Pelotão? Meu nome é Pat Tillman. Relaxe, este negócio vai passar. Logo estará terminado. Prazer em conhecê-lo'.

"Foi um choque", conta Boatright. "Alguém sendo legal, conversando comigo como um ser humano. E o irmão dele, Kevin, me abordou da mesma maneira quando cheguei no alto da escada. Não me ocorreu no momento quem ele era. Logo alguém me contou, e passei a conhecê-lo melhor nas semanas seguintes. Muitos dos Rangers eram convencidos, arrogantes e musculosos. Tratavam o pessoal novo como merda. Pat nunca foi assim. Ele era sempre educado. Era mesmo um sujeito legal."

Boatright, os irmãos Tillman e os demais Rangers da Companhia Alfa passaram o resto do inverno treinando intensamente em Fort Lewis. Até que, em março, ficaram sabendo que seriam enviados ao Afeganistão no início de abril. "Pat sabia que iriam de novo para algum lugar por ali", diz Marie, "e estava contente por ir ao Afeganistão, e não de volta ao Iraque. Embora estivesse mais desiludido com o Exército àquela altura, ainda acreditava na guerra no Afeganistão. Lutar ali havia sido a razão original de seu alistamento."

Do Afeganistão chegavam bem menos notícias do que do Iraque. Em 2004, muitos americanos nem sabiam que o país ainda travava uma guerra lá. "A maioria das pessoas achava que o Afeganistão era mais seguro do que o Iraque", Marie diz. "Mas eu sabia um pouco mais sobre o que eles faziam lá. Sabia que estavam patrulhando a zona ao longo da fronteira paquistanesa e que aquela não seria uma situação muito segura. Àquela altura eu já não era tão ingênua sobre a guerra e o Exército. Quando eles foram ao Iraque, tinham acabado de sair do campo de treinamento, e tudo aconteceu tão rápido que não tive muito tempo para pensar antes de partirem."

De qualquer modo, depois que Pat e Kevin retornaram de Bagdá e concluíram a Ranger School, Marie recorda, "sentimos que eles tinham ultrapassado o ponto central. Parecia que já tinham passado pela parte mais perigosa. Eles deveriam permanecer no Afeganistão por mais ou menos dois meses, voltar para casa por um mês, depois voltar ao exterior por talvez outros três meses, e tudo estaria terminado. Assim, sentimos que só teríamos que suportar os próximos seis meses mais ou menos, e depois estaríamos livres em casa. Pat já começava a pensar na vida após o Exército. Ele conversava sobre como, ao voltar do Afeganistão, teria que entrar de novo em forma para jogar futebol americano". Mas retornar à NFL não era o único item na agenda de Pat após seu serviço militar. Ele também pretendia ter um tête-à-tête com Noam Chomsky, um encontro que Pat incumbira sua antiga colega de estudos na faculdade, Réka Cseresnyés, de Budapeste, de marcar.

Depois que se formaram na Arizona State University, Tillman e Cseresnyés continuaram bons amigos, e Pat, Marie, Cseresnyés e seu marido — outro colega da universidade chamado Jared Schrieber — costumavam jantar juntos. Cseresnyés conta que, quando soube que Pat ingressaria no Exército, ela e Schrieber "o contestaram um pouco: 'Você tem certeza disso? Está preparado para servir sob um presidente que você realmente não apoia?'. Mas ele achava que tinha que fazer algo pelo país após o ataque de 11 de setembro. Acho que ele sentia que podia permanecer acima da política, de algum modo, e apenas cumprir seu dever como patriota. [...] Se a consciência de Pat mandasse fazer algo, ele fazia, sem inventar desculpas. Ele simplesmente fazia aquilo acontecer o mais rápido possível".

Desde o início de sua amizade, Cseresnyés e Tillman recomendavam livros um ao outro, ela conta, e "em torno do ano 2000 começamos a ler Chomsky e debater suas ideias. Sua perspectiva sobre as coisas era bem diferente da mídia predominante, e aquilo atraiu Pat". Chomsky era um crítico estridente do governo Bush e de sua Guerra Global contra o Terrorismo, e embora Tillman certamente não concordasse com todos os pontos de vista de Chomsky, aceitava muitos deles. Por exemplo, quando Chomsky declarou numa entrevista de rádio que "se a população americana tivesse a mínima ideia do que está sendo feito em seu nome, ficaria totalmente abismada", aquilo estava perfeitamente alinhado com a sensação de indignação de Tillman com o que testemunhara no Iraque. Pat admirava a coragem intelectual e o estilo franco e direto de Chomsky.

Em 2003, Cseresnyés e o marido se mudaram para Boston para que Schrieber pudesse se graduar pelo Massachusetts Institute of Technology, de cujo corpo docente Chomsky por acaso fazia parte. Após ouvir uma conferência de Chomsky no campus do MIT, Cseresnyés ligou para Pat para contar, e ele ficou entusiasmado. "Gostaria de conversar com Chomsky!", Pat exclamou. "Réka, providencie algo! Ele está pertinho de você. Gostaria de falar com ele!"

"'Por que não?', pensei", Cseresnyés conta. Do nada, ela enviou um e-mail para Chomsky com um artigo sobre Tillman anexo, explicando que "este homem brilhante e fascinante", que recentemente serviu como Ranger do Exército no Iraque, gostaria de falar com ele.

Para surpresa de Cseresnyés, em questão de horas recebeu uma resposta de Chomsky indicando que estava aberto à ideia, e pedindo que Pat lhe enviasse um e-mail para marcarem o encontro, embora Chomsky alertasse: "Minha vida é tão intensa que até telefonemas são marcados muitas vezes com semanas de antecedência".

A bola agora estava com Tillman. Em e-mail enviado a Cseresnyés em 9 de fevereiro de 2004, Pat escreveu: "Ainda não escrevi para Noam [...] mas escreverei". Com a aproximação de sua viagem, porém, as vidas de Pat e Marie se tornaram frenéticas, e ele decidiu aguardar para contactar Chomsky depois que voltasse do Afeganistão.

"Que eu saiba", diz Cseresnyés, "Pat nunca contactou Chomsky. E obviamente o encontro nunca ocorreu. Mas eu adoraria ser uma mosca na parede durante aquela conversa. Pelo que conheço de Pat, imagino que ele faria um monte de perguntas, contestando tudo que Chomsky estivesse dizendo, como Pat sempre fazia, tentando entender sua perspectiva mais profundamente."

Embora possa parecer que os dois homens — um deles um jovem atleta profissional e soldado, o outro um linguista de meia-idade e ativista antibélico — não teriam muito em comum, Cseresnyés discorda. Ela acredita que uma das razões por que Pat ficou tão fascinado com Chomsky foi a originalidade do seu pensamento. "Chomsky faz perguntas que poucos pensariam em fazer", ela explica, "o que se assemelha bastante com o jeito de Pat. Vi recentemente um artigo sobre Chomsky que o descreveu como um bom ouvinte. Como ele fazia um monte de perguntas. Como ele era tão pé no chão. Enquanto lia, eu pensava: 'Isto lembra tanto Pat' — não que eles necessariamente acreditassem nas mesmas coisas, mas suas mentes funcionavam da mesma forma."

Durante os primeiros meses de 2004, ao contemplar seu futuro pós-serviço militar, Pat parecia mais tranquilo do que nos últimos anos. "Kevin e eu percebemos isso", Marie diz. "Ele estava em paz consigo mesmo. Era como se tivesse se livrado de alguma de suas preocupações. Ele vinha evoluindo nessa direção desde que fora para o reformatório após a briga da Round Table — redefinindo suas prioridades, descobrindo o que realmente importava." Pat confidenciou para Marie que o Exército havia "sido difícil de formas que ele nunca imaginou quando ingressou", mas que a experiência fizera com que aprendesse muita coisa sobre si mesmo. Ele disse que os testes emocionais que suportou fizeram dele uma pessoa melhor. Disse que o Exército o tornara mais humilde. Quando a mãe de Pat e Kevin foi a Puget Sound para uma visita uma semana antes que eles partissem para o Afeganistão, Marie brincou com ela que Pat se tornara tão sensível que dali a pouco brotariam seios nele.

Em 7 de abril, Marie conduziu Pat e Kevin ao Fort Lewis para pegarem o voo para o Afeganistão, despediu-se e retornou para enfrentar a casa vazia. Mas pouco depois Pat ligou dizendo que o voo havia sido adiado duas horas, e

Marie saltou para dentro do carro e encontrou-os no Starbucks, diante do portão norte do posto, para compartilhar mais alguns momentos com Pat bebendo uma xícara de café.

Quando ele e Kevin enfim embarcaram num jato de transporte da Força Aérea e decolaram, Pat apanhou um diário novo com uma capa de couro preta e começou a escrever a primeira página: "À minha esquerda está sentado Nub".

> Estamos sentados dentro de um C-17 a caminho do Afeganistão via Alemanha para reabastecer. Fitando-me, ao lado do diário, está a foto laminada de Marie em seu vestido de noiva. [...] Sem dúvida, ela se tornou resistente nestes últimos anos e mostrou que consegue suportar tudo que aparece na sua frente. Apesar disso, continuo me preocupando e desejo que seja feliz durante minha ausência.
>
> Do outro lado do corredor estão sentados o sargento Jackson, meu novo líder de esquadrão, o sargento Godec, o tenente Uthlaut e o primeiro-sargento Fuller — toda minha cadeia de comando. Não sei ao certo o que me aguarda nesta viagem; provavelmente patrulharemos nas imediações da fronteira sem encontrar nada. Porém, na eventualidade de que mais do que isso aconteça, sinto firmeza nos homens sentados perto de mim. Isso vale para muitos dos outros que vejo ao olhar em volta. Os últimos meses me deram uma perspectiva nova sobre este lugar e eu chego mesmo a dizer que me importo com muitos dos sujeitos aqui. De qualquer modo, se a oportunidade surgir, sinto-me confiante sobre como reagiremos e confio naqueles que nos estão liderando. Além disso, conto com Nub à minha esquerda. Claro que tudo dará certo.

Vinte e oito

Trinta horas após deixar Fort Lewis, o jato C-17 carregando Pat, Kevin e seus colegas Rangers aterrissou no campo de aviação Bagram, 43 quilômetros ao norte de Cabul, a base de operações das Forças Armadas norte-americanas no Afeganistão. "A primeira coisa que vi ao sair do avião", Pat anotou no diário, "foram lindos picos de montanhas denteados e cobertos de neve." As montanhas que o impressionaram eram alguns dos picos menores da cordilheira Hindu Kush, que mesmo assim se elevam 4570 metros acima do nível do mar a partir do final do vale Shomali, o platô estéril sobre o qual a estrada de 3,2 quilômetros de Bagram foi construída pelos soviéticos em 1976. Onde quer que Pat olhasse, via sinais do conflito soviético, inclusive uma grande caixa-d'água no alto de uma torre de aço no centro da base, em cujo lado um foguete de um mujahid abrira um enorme buraco. Tanques destruídos eram visíveis fora da tela de arame. Em torno do campo de aviação, uma extensão de terra exposta, que já havia sido fértil, agora estava semeada com centenas de milhares de minas letais.

Apesar do ambiente devastado, Pat observou que seu alojamento em Bagram era relativamente sofisticado: "Nossas esplêndidas barracas de madeira são bem bonitas, e os chuveiros e a comida são quentes. [...] Não devemos permanecer aqui muito tempo, mas nesse ínterim as acomodações serão bem-vindas". Em poucos dias, os Rangers da Companhia Alfa deveriam ser transportados de avião para um posto avançado, 193 quilômetros ao sul na província de Khost, chamado Base Operacional Avançada Salerno, de onde começariam a patrulhar ao longo da Linha Zero (jargão militar para a fronteira Afeganistão-Paquistão) como parte de uma nova e grande ofensiva apelidada de Operação Tempestade na Montanha.

Embora os Estados Unidos tivessem erradicado o Talibã nos meses finais de 2001, expulsando-os para o interior afegão e para o outro lado da fronteira com o Paquistão, no início de 2002 o foco das Forças Armadas norte-americanas se redirecionara para o Iraque, e em consequência a situação no Afeganistão se deteriorou significativamente. Em 1º de maio de 2003, Donald Rumsfeld, em entrevista coletiva à imprensa em Cabul, anunciou que as "grandes atividades de combate" no Afeganistão haviam se encerrado e "grande parte deste país [...] está segura". Contrariando essas garantias, porém, a preocupação americana com o Iraque permitiu que o Talibã e Al-Qaeda discretamente recuperassem suas forças e retomassem o controle das províncias orientais do Afeganistão.

Em 24 de junho de 2003, uma fita de áudio entregue a um jornal paquistanês pelo líder talibã mulá Mohammed Omar anunciava uma nova campanha "para acelerar a jihad contra as forças de ocupação" sob uma estratégia militar nova. Como parte dessa campanha, o Talibã acelerou seus ataques às forças americanas de bases de operação do outro lado da Linha Zero nas Áreas Tribais Federalmente Administradas — uma região isolada de comunidades feudais obstinadamente independentes além do alcance do governo em Islamabad, povoada por 4 milhões de nativos *pashtuns* em grande parte analfabetos. Uma das bases mais importantes para tais ataques era a cidade de Miram Shah, capital da região tribal do Waziristão do Norte, 39 quilômetros ao sul da Base de Operação Avançada (BOA) Salerno. Miram Shah era o quartel-general do comandante talibã Jalaluddin Haqqani e de seu filho de trinta anos Sirajuddin Haqqani, que começava a assumir um papel proeminente como vice-comandante da Rede de Haqqani.

A Operação Tempestade na Montanha foi lançada para conter aqueles novos ataques, cada vez mais mortais. A tarefa dos Rangers seria localizar e eliminar bolsões de partidários do Talibã em aldeias de fronteira remotas ocupadas por duas tribos *pashtuns* furiosamente xenofóbicas, os Data Khail e os Zaka Khail. Em 20 de março de 2004, quando a Operação Tempestade na Montanha estava em andamento, um artigo no *Asia Times* do jornalista paquistanês Syed Saleem Shahzad observou: "No Afeganistão, as forças lideradas pelos Estados Unidos podem esperar ataques-relâmpago crescentes do Talibã local, que depois voltará a se misturar à população local". O rincão da província de Khost onde o pelotão de Tillman operaria foi descrito por Shahzad como "uma terra de ninguém, um lugar onde ninguém gostaria de ir a não ser que fosse tão tenaz quanto a população tribal local, um guerrilheiro combatendo os Estados Unidos ou, quem sabe, Osama bin Laden. Trata-se de um labirinto profundo e perigoso. [...] Os Data Khail e Zaka Khail têm uma longa história de desafio e nunca capitularam ante nenhum invasor. [...] Essas duas tribos são agora os protetores dos combatentes talibãs e da Al-Qaeda".

Em 11 de abril, ainda em Bagram, Pat escreveu sobre sua iminente missão: "Quando partirmos atuaremos nas montanhas, junto à fronteira do Paquistão. Estaremos ausentes por talvez algumas semanas, dormindo nas matas e basicamente patrulhando. Provavelmente fará frio e não será nada confortável, portanto estou curtindo meu período aqui. Quanto à missão em si, supostamente estaremos atacando um nervo ou ponto quente. [...] É pouco provável que seja verdade, mas nunca se sabe, é preciso pressupor que será".

Dois dias depois, os Ovelhas Negras (o apelido dado aos Rangers do Segundo Pelotão) receberam ordens de fazer as malas, já que em poucas horas partiriam para Khost. "Esta noite sairemos em nossa primeira missão", começa a anotação de 13 de abril no diário de Pat. "Parece que vamos penar um pouco, pois vamos percorrer um terreno bem íngreme. Quanto ao período em que ficaremos por lá, não está claro. [...] Enquanto escrevo, uma pequena bola felpuda preta e branca ronrona e se esfrega na minha perna. Agora está bebericando a água que dei. Tenho que manter esta anotação fora do alcance de Han ou Mc para evitar ataques de ciúme.* Uma surpresa bem agradável. Infelizmente não poderei levar o diário junto. Esta talvez seja minha última anota-

* Han e Mc eram os gatos que Marie adotou em 1998, pouco depois de se mudar para o Arizona para morar com Pat. Eles faziam companhia a Marie no chalé sobre Tacoma Narrows enquanto Pat estava no Afeganistão.

CADEIA DE COMANDO DE PAT TILLMAN, 22 DE ABRIL DE 2004

- Presidente George W. Bush
  - Vice-presidente Richard Cheney
- Secretário de Defesa Donald Rumsfeld
  - Subsecretário de Defesa Lawrence Di Rita
- General John Abizaid, comandante, Comando Central dos Estados Unidos (CENTCOM)
- General Bryan Brown, comandante, Comando de Operações Especiais dos Estados Unidos (USSOC)
  - General de divisão Stanley McChrystal, comandante, Comando Conjunto de Operações Especiais (JSOC)
- Tenente-general Philip Kensinger Jr., comandante, Comando de Operações Especiais do Exército dos Estados Unidos (USASOC)
- Coronel James Nixon, comandante, 75º Regimento de Rangers
- Tenente-coronel Ralph Kauzlarich, oficial administrativo, 75º Regimento de Rangers
  - Sargento-mor Alfred Birch
- Tenente-coronel Jeffrey Bailey, comandante, Segundo Batalhão de Rangers
- Major David Hodne, comandante da equipe interfuncional, Segundo Batalhão de Rangers
- Capitão William Saunders, comandante, Companhia Alfa
- Capitão Kirby Dennis, oficial administrativo, Companhia Alfa
  - Primeiro-sargento Thomas Fuller, Companhia Alfa
- Primeiro-tenente David Uthlaut, líder de pelotão, Segundo Pelotão
- Primeiro-sargento Eric Godec, sargento de pelotão, Segundo Pelotão
- Segundo-sargento Matt Weeks, líder de esquadrão, Terceiro Esquadrão
  - Sargento Mel Ward, líder de equipe sênior
  - Sargento Bradley Shepherd, líder de equipe
- Especialista Pat Tillman, líder de equipe interino
- Segundo-cabo Bryan O'Neal

ção por algum tempo." De fato, entre os diários recuperados após a morte de Pat, aquela se mostraria a última anotação.

Pouco depois da meia-noite de 14 de abril, seis dias após chegarem no Afeganistão, Pat e Kevin Tillman embarcaram num helicóptero Chinook com o resto dos Ovelhas Negras e voaram na escuridão para o sul até a BOA Salerno, aterrissando bem antes do alvorecer. Em poucos anos, Salerno seria transformada em uma das maiores e mais movimentadas bases militares no Afeganistão, um centro de atividade frenética ocupado por milhares de soldados, ostentando um cinema, uma barbearia, uma academia de ginástica e uma imensa cantina militar onde churrasco e lagosta seriam servidos por empreiteiros da KBR nas noites de sexta-feira. No início de 2004, porém, a base não passava de uma pista de aviação não pavimentada, um hospital de campanha, um pequeno centro de operações táticas e algumas fileiras de barracas. Os Ovelhas Negras passaram apenas poucas horas ali, o tempo suficiente para organizar seu equipamento, embarcar suas armas nos Humvees e carregar os veículos com caixas de comida pré-embalada. Depois os Rangers saíram pelo portão e rumaram para o Distrito de Spera, 64 quilômetros a sudoeste, num comboio de jipes Humvee e picapes Toyota Hilux.

Os primeiros quarenta quilômetros do percurso seguiram a única estrada pavimentada da província de Khost, mas onde a estrada dobrava para o norte em direção a Cabul, o comboio virou para sudoeste e foi até Spera por uma estrada de terra que havia sido entalhada delicadamente numa parede de cânion acima de um rio frio e veloz. Oito quilômetros após o fim do calçamento, eles viraram abruptamente para o sul e seguiram uma série de leitos de rio secos e trilhas de cabras por uma cumeeira escarpada de 1980 metros. Após descer pelo lado de trás da escarpa, o comboio atravessou uma série de aldeias decrépitas: Adzalkhel, Tit, Katinkhel, Magarah, Kandey Kaly. No final da tarde, pararam para acampar a pouco menos de cinco quilômetros da fronteira do Paquistão.

Na manhã seguinte, os Rangers começaram a revistar aldeias e fazer patrulhas a pé no interior escarpado de Spera, mas não encontraram nada de interesse. Quando estavam armando um novo acampamento, um agente secreto da CIA que se apresentou apenas como "Steve" chegou de um posto avançado próximo chamado Ponto de Cruzamento da Fronteira 5 (PCF-5), que era operado pelas Forças da Milícia Afegã (FMA), recrutadas e treinadas pela CIA e pelas Forças Especiais norte-americanas. "O sujeito da CIA nos contou que haviam obtido informações quentes de que um grupo do Talibã e da Al-Qaeda fora visto se reunindo para atacar o PCF naquela noite", diz Brad Jacobson, que na época era um sargento de 21 anos. "Assim, fomos com nossas viaturas até o PCF para ajudar os sujeitos afegãos a defendê-lo. Estávamos todos empolgados: 'É isso aí! Vamos matar uns bons filhos da puta!'. Ficamos acordados a noite inteira com nossos coletes à prova de balas, com nossas armas carregadas e capacetes apertados, esperando que aqueles bandidos viessem rastejando morro acima. Claro que eles não vieram. Foi mais um alarme falso."

O PCF-5 estava situado numa colina coberta de arbustos 2530 metros acima do nível do mar, cercado de juníperos nodosos e pinheiros, envolvidos em casca prateada, que se descascava em longos trechos, revelando um felogênio liso como vidro. O ambiente era enganosamente tranquilo. Na semana que se seguiu, os Rangers partiram várias vezes daquele posto avançado bucólico para realizar suas missões.

No dia seguinte, os Ovelhas Negras seguiram alguns quilômetros a leste até um vale não povoado, saltaram dos veículos e subiram ao topo de um pico de 2743 metros que demarcava a fronteira internacional. "Escalamos aquela enorme montanha", diz o sargento Bradley Shepherd, um dos líderes da esquadra de tiro. "Foi cansativo." No vale ao sul ficava uma aldeia paquistanesa ao lado de uma das rotas principais usadas pelo Talibã para se infiltrar no Afeganistão, de modo que a esquadra passou a noite vigiando no cume.

"Vimos alguns sujeitos com AKs subindo para atacar", recorda Jason Parsons, que havia sido promovido de cabo para sargento, "mas alguém disparou um foguete de sinalização e eles correram de volta morro abaixo."

Ao pôr do sol soprou uma rajada de vento, a temperatura despencou e começou a chover. "Choveu a noite toda", diz Jacobson. "Todos ficaram encharcados. Eu estava congelando. Foi uma noite longa e desagradável." Continuou chovendo intermitentemente nos seis dias seguintes, enquanto os Rangers patrulharam as montanhas e vales circundantes, revistando os povoados tribais em busca de sinais de atividade do inimigo. Encontraram alguns foguetes, uns rifles, maconha, mas não muito mais.

"Nenhuma das aldeias que revistamos parecia muito ameaçadora", diz

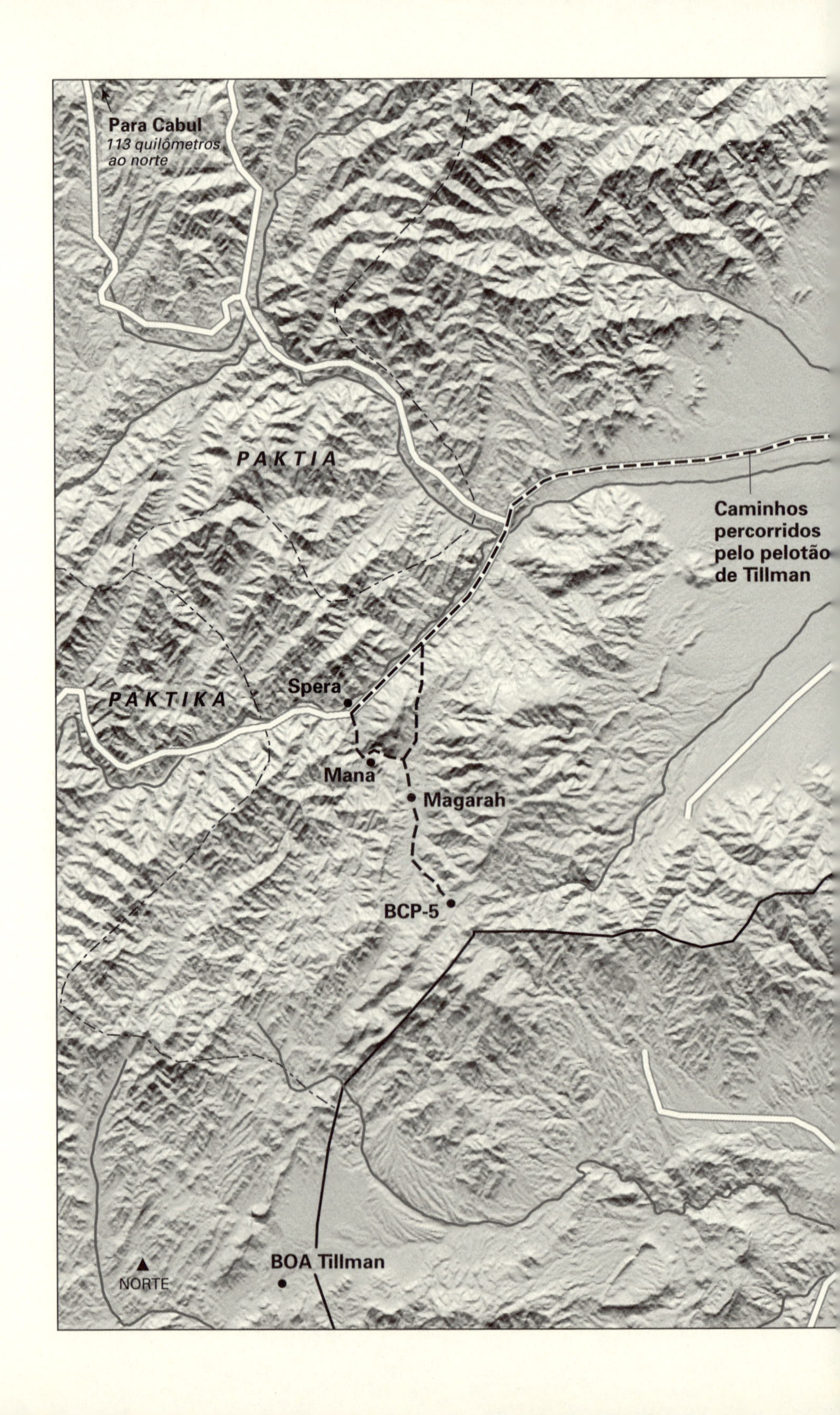

Para Cabul
113 quilômetros
ao norte
PAKTIA
PAKTIKA
Spera
Mana
Magarah
BCP-5
Caminhos
percorridos
pelo pelotão
de Tillman
BOA Tillman
NORTE

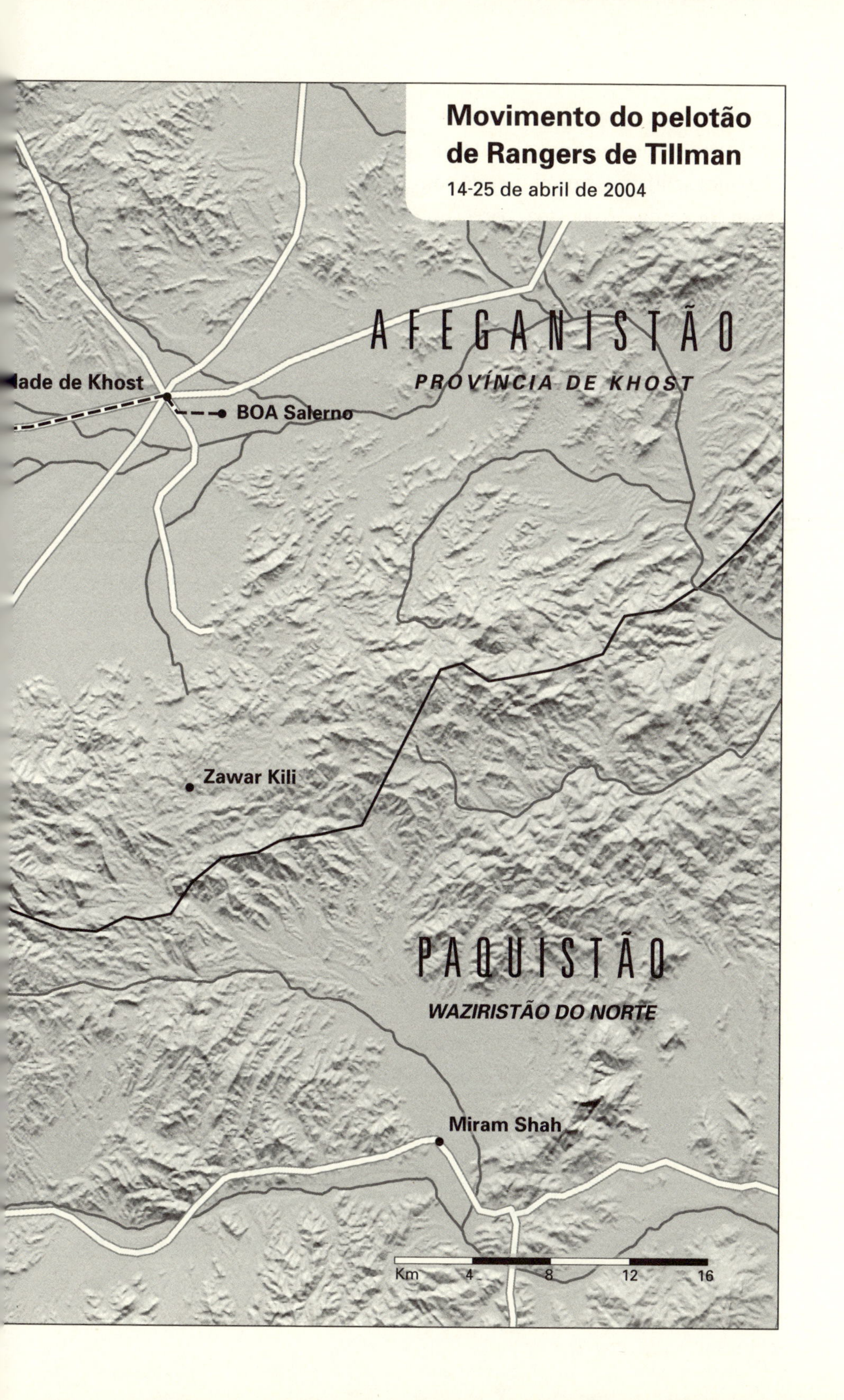

Movimento do pelotão
de Rangers de Tillman
14-25 de abril de 2004
AFEGANISTÃO
PROVÍNCIA DE KHOST
ade de Khost
BOA Salerno
Zawar Kili
PAQUISTÃO
WAZIRISTÃO DO NORTE
Miram Shah
Km 4 8 12 16

Russell Baer. "Era uma região bonita — lembrou-me a Sierra. Havia crianças de olhos verdes correndo por ali em trajes coloridos, brincando nos rios."

"Nunca sentíamos que podíamos sofrer uma emboscada ou algo do tipo", Jacobson concorda. "As pessoas pareciam amigáveis. A maioria das aldeias não passava de uns poucos barracos pequenos espalhados pelas encostas. Numa casa havia um camelo. Eu nunca tinha visto um camelo. O dono do camelo veio para fora e nos ofereceu chá e açúcar cristal." A aparente ausência do Talibã foi ao mesmo tempo um alívio e uma decepção. "Começamos a pensar que o quartel-general estava dando todas as missões legais à Companhia Bravo", diz Jacobson, "deixando as sobras para nós. Só nos metiam em furadas."

A maioria dos Rangers no pelotão de Tillman não ingressara nas Forças de Operações Especiais para ir acampar em terras exóticas. Haviam se alistado para fazer parte de uma cultura guerreira nobre. Engajar-se em combate mortal não era um aspecto de seu serviço que procuravam evitar. Pelo contrário, sonhavam com aquilo desde pequenos. Estavam ansiosos por enfrentar o inimigo pessoalmente e se testarem sob fogo cerrado. Cerca de metade do pelotão nunca participara de um tiroteio. A maioria dos Rangers inexperientes queria muito experimentar a sensação atávica de ter de matar para não ser morto — um desejo mais comum entre a população masculina do que se costuma admitir nos meios civilizados.

A unidade já estava no Afeganistão havia quase três semanas sem deparar com sequer um vilão e sua caçada diária de combatentes inimigos parecia cada vez mais uma caçada de patos. Vários dos Rangers que nunca na vida haviam travado combate estavam ficando frustrados e começavam a cogitar a possibilidade vergonhosa de que sua viagem pudesse terminar sem conseguirem o Distintivo de Combatente de Infantaria. Havia provavelmente ao menos dez ou quinze Rangers no pelotão que não possuíam o distintivo e estavam impacientes para que algo acontecesse.

Em 20 de abril, um dos Humvees do Segundo Pelotão enguiçou e não queria mais funcionar. O mecânico, especialista Brandon Farmer, passou o dia inteiro tentando consertá-lo, sem sucesso. No dia 21, enquanto ele continuou trabalhando no veículo quebrado no PCF-5, os demais Ovelhas Negras passaram o dia relaxando no posto avançado das FMA. Àquela altura haviam esgotado toda a comida pré-embalada e começavam a sentir fome. Pat sentiu um desejo de comer tão intenso que foi até a pilha onde os Rangers jogavam o lixo e vasculhou os restos de comida em meio aos ratos. "Pat ficou revolvendo o lixo um tempão", conta Josey Boatright. "Acabou achando um *brownie* que alguém havia jogado fora, erguendo-o sobre a cabeça para que todos vissem, como se tivesse descoberto um tesouro enterrado. Estávamos todos rindo dele. Mas o pessoal começava a se sentir enfraquecido àquela altura. Ficamos tão famintos que compramos uma cabra dos moradores locais. Estava gostosa no início, mas um pouco depois revolveu minhas entranhas."

À tarde, enquanto Pat estava sozinho escrevendo num pequeno caderno espiral que substituía o diário com capa de couro que deixara em Bagram, os soldados afegãos — as FMA — sugeriram aos colegas americanos que fizessem alguma competição atlética amistosa. Os Rangers adoraram a ideia. As modalidades escolhidas foram luta e lançamento de pedras. Os afegãos trouxeram um grande pedaço de calcário para ser a pedra oficial, e a competição teve início. "Assim começamos a nos revezar lançando aquela pedra a distância", diz Shepherd, "e eu pensei: 'Temos um jogador profissional de futebol americano no nosso pelotão'. Então, dirigi-me até a árvore sob a qual Pat estava sentado, tremendo de frio e escrevendo no seu caderno. Eu disse: 'Oi, Pat. Você se importa de vir lançar uma pedra para nós nessa competição?'. Ele respondeu: 'Tudo bem, espera só um minuto até eu terminar isto'. Depois ele subiu e começou a lançar pedras com os afegãos."

"Pat se deu bem com os milicianos afegãos", conta Will Aker, um jovem sério e confiante do oeste do Colorado. "Eles se surpreenderam com seu tamanho — não estavam acostumados a ver sujeitos tão musculosos. Pat superou todos na disputa. Mesmo o sujeito mais forte que os afegãos arrumaram só conseguiu lançar a pedra uns três a cinco metros antes da pedra de Pat. Eles ficaram realmente impressionados com ele."

Enquanto a maioria do pelotão confraternizava com as FMA, Brandon Farmer ficou reclinado sobre o compartimento do motor do Humvee problemático, mas no final do dia ainda não tinha conseguido consertá-lo. A causa do problema era um solenoide defeituoso, mas ele ainda não tinha detectado aquilo e achou que fosse a bomba de gasolina. Farmer solicitou a Salerno uma bomba nova, que foi trazida de helicóptero depois de escurecer, junto com uma carga de comida pré-embalada. Mas a instalação da peça nova não resolveu o problema. Assim, de manhã, Farmer enganchou o veículo avariado na traseira de um outro Humvee com uma tira grossa de náilon, e às sete horas o pelotão tomou a direção do norte para revistar uma aldeia chamada Mana — a última missão que os Ovelhas Negras precisavam completar antes de retornar à BOA Salerno. O comandante das FMA estacionado no PCF-5 ordenou que sete de seus combatentes afegãos acompanhassem o pelotão para guiá-lo ao destino.

O sol já havia nascido, em 22 de abril, quando o comboio finalmente saiu do PCF-5 com o Humvee quebrado a reboque. Embora fosse política dos Rangers não viajar na luz do dia a fim de reduzir o risco de bombas de beira de estrada detonadas a distância (em geral denominadas dispositivos explosivos improvisados ou DEIs), o quartel-general insistiu em que o Segundo Pelotão revistasse Mana imediatamente para cumprir o cronograma predeterminado. Isso incomodou vários soldados do pelotão, em especial o sargento Jacobson, que havia testemunhado o incidente fatal que inspirara a ordem de não dirigir durante o dia.

Cinco meses antes, enquanto os irmãos Tillman cursavam a Ranger School na Geórgia, a maioria dos outros Rangers da Companhia Alfa estava no Afeganistão, para onde o comandante do Segundo Batalhão de Rangers, tenente-coronel Jeffrey Bailey, os enviara para uma missão de um mês. Jacobson conta: "Acabamos sendo enviados num comboio de Bagram até a distante Asadabad", capital da província de Konar, 242 quilômetros a nordeste do PCF-5. Em 14 de novembro de 2003, enquanto prosseguiam para noroeste de Asadabad numa estrada de terra estreita conhecida como Alameda dos DEI, Jacobson recorda, "uma mangueira do veículo onde eu estava viajando rebentou, de modo que paramos, o mecânico saltou para consertá-la, e depois retomamos a viagem". Enquanto o veículo de Jacobson estava parado, o Humvee que vinha atrás o ultrapassou e tomou a dianteira. Pouco depois, quando dobravam uma curva acima do rio Pech, Jacobson diz, "ocorre a explosão mais alta que já ouvi. Foi o veículo à nossa frente, que acabara de trocar de lugar conosco". Um combatente inimigo havia detonado um DEI gigantesco sob o Humvee quando passava.

"O Humvee foi simplesmente demolido", diz Jacobson.

> Nunca vi um Humvee tão destruído. Um de nossos bons companheiros, Jay Blessing, estava dirigindo. Ele foi lançado completamente para fora do jipe, numa área

plana ao lado do rio. Uma de suas pernas estava na outra margem do rio. Um grupo de paramédicos correu em sua direção o mais rápido possível, mas não havia nada que pudessem fazer. Foi horrível. Ele sofreu. Foi a primeira vez que vi alguém morrer. Jay era realmente um bom sujeito, superdedicado à unidade. Ele voltara a se alistar no ano anterior. Teve a oportunidade de sair e ganhar um monte de dinheiro como empreiteiro civil, mas decidiu ficar e continuar fazendo a sua parte.

O sargento Blessing, de Tacoma, Washington, tinha 23 anos.

A população ao longo do rio Pech e no vale Korengal próximo tinha fama de extremamente hostil aos americanos, e aquele trecho da estrada havia sido palco de diversos ataques de DEI anteriores. "Quando Jay foi morto", diz Jacobson, "compreendi que aquele era o tipo de risco inerente à nossa função. Mas fiquei realmente contrariado com a ordem de dirigirmos durante o dia. Uma verdadeira estupidez. Noventa e nove vírgula nove dos ataques de DEI ocorrem durante o dia." Graças aos lasers infravermelhos em suas armas, que eram invisíveis ao inimigo e a dispositivos ópticos sofisticados de visão noturna, as forças americanas dominavam a noite no Afeganistão. Os combatentes do Talibã e da Al-Qaeda sabiam disso e tentavam equilibrar a balança realizando os ataques durante o dia.

"O inimigo sabia que estávamos indo mesmo antes de deixarmos a base", Jacobson continua. "Ficaram ali sentados esperando e depois detonaram o DEI por controle remoto do alto do morro no momento em que Jay passou pelo dispositivo. Então por que cargas-d'água estávamos viajando durante o dia? Acredito que o tenente-coronel Bailey deu a ordem. Era ele quem estava no comando no Centro de Operações Táticas. Aquilo realmente me fez questionar a autoridade. Falei com o sargento do meu pelotão. Falei com meu primeiro-sargento. Ninguém tinha coragem de desafiar Bailey. Trata-se de insubordinação. Nas Forças Armadas você é despedido por esse tipo de merda. Mas muitos de nós conversamos sobre aquilo em particular."

Após a morte de Blessing, Bailey instituiu uma política proibindo viagens de comboios de Rangers durante o dia. Mas aquela regra era ignorada tão rotineiramente por comandantes de Rangers, inclusive o próprio Bailey, que para fins práticos a ordem não existia.

Assim sendo, os Ovelhas Negras partiram do PCF-5 em plena luz do dia com destino a Mana, sob o comando do tenente David Uthlaut, rebocando um Humvee de três toneladas quebrado, na manhã de 22 de abril de 2004. A rota seguiu o leito de um rio por um cânion apertado e tortuoso que descia 457 metros em 4,8 quilômetros. Havia chovido na noite anterior, o que deixara a trilha lamacenta e escorregadia. Como os veículos tinham de manobrar entre penedos apertados e sobre rochas denteadas, o comboio não conseguiu avançar mais rápido do que uma pessoa a pé. O veículo avariado, ao ser rebocado por um Humvee dirigido pelo sargento Parsons, sacolejou tanto que seu estado piorou ainda mais.

Após o Humvee ser rebocado por quatro horas, durante as quais o pelotão só conseguiu avançar oito quilômetros, sua suspensão dianteira se desintegrou, suas bielas se soltaram e as rodas dianteiras rodaram descontroladamente em direções opostas. "Àquela altura não dava mais para dirigi-lo", diz Parsons. Rebocar o Humvee com qualquer um dos veículos do pelotão tornou-se impossível. Assim, às 11h17, o pelotão parou onde estava, por acaso uma aldeia chamada Magarah. Quando os Rangers saltaram dos veículos e se espalharam para criar um perímetro de segurança, o tenente Uthlaut consultou Farmer, o mecânico, e Eric Godec, o sargento do pelotão, para decidir o que fazer a seguir.

Farmer constatou de imediato que faltavam as peças sobressalentes necessárias para consertar o Humvee em Magarah, de modo que Uthlaut entrou em contato pelo rádio por satélite com a Base Operacional Avançada Salerno solicitando um reboque pesado para transportar o veículo danificado até a BOA ou um helicóptero Chinook para helitransportá-lo.

Naquela manhã, o major David Hodne, subordinado do tenente-coronel Bailey, estava no comando do Centro de Operações Táticas dos Rangers em Salerno, mas Uthlaut não se comunicou com ele diretamente. Em vez disso, Uthlaut conversou com o oficial administrativo da Companhia Alfa, o capitão Kirby Dennis, que transmitiu as mensagens de Uthlaut ao comandante da Companhia Alfa, capitão William Saunders, que por sua vez transmitiu o que foi dito ao major Hodne. Depois as decisões de Hodne fluíram em ordem reversa descendo pela cadeia de comando até o líder do pelotão em Magarah. Às 13h30 Uthlaut recebeu por e-mail* informações de Dennis de que um reboque

* Após a chamada por rádio inicial de Uthlaut a Dennis, todas as demais comunicações entre eles naquele dia foram por e-mail.

só chegaria até o final da pavimentação — a 24 quilômetros de Magarah —, porque as estradas ficavam acidentadas demais depois daquele ponto, e de que evacuar o Humvee por helicóptero era impossível. A razão não declarada dessa impossibilidade era o desinteresse do governo Bush pela guerra no Afeganistão. Quando se tratava de alocar recursos, o secretário de Defesa Rumsfeld dava muito mais prioridade ao Iraque, resultando daí uma escassez grave e crônica de helicópteros por todo o Afeganistão. Devido ao número insuficiente de Chinooks operacionais e de pessoal para manejá-los, a mobilização de um helicóptero requeria no mínimo quatro dias de antecedência.

Com uma operação de helitransporte descartada, e como o alto-comando em Bagram considerava inaceitável abandonar o Humvee danificado, Uthlaut foi informado de que teria que descobrir uma forma de levar aquele trambolho de 2700 quilos até a rodovia pavimentada, onde o reboque poderia se desincumbir dele. Pouco depois, um afegão da aldeia abordou um dos intérpretes do pelotão para dizer que, se os Rangers pagassem, poderia rebocar o Humvee até a pavimentação com seu caminhão *jinga*. (*Jingas* são veículos de carga a diesel de cinco toneladas, muito comuns no sul da Ásia, usados para transportar de tudo: arroz, lenha, ópio etc.) Uthlaut contratou o motorista do caminhão *jinga*, e, enquanto Farmer e vários dos Rangers erguiam a dianteira do Humvee e a acorrentavam à traseira do caminhão *jinga*, o líder do pelotão envolveu-se numa discussão prolongada por e-mail com Dennis "para saber o que fazer de nossa missão em Mana", nas palavras de Uthlaut.

Eles consideraram três opções: (1) dividir o pelotão, enviando um elemento para acompanhar o *jinga* (com o Humvee rebocado) a fim de encontrar o reboque na estrada pavimentada e enviar outro elemento diretamente a Mana para começar a operação de revista; (2) fazer com que o pelotão inteiro acompanhasse o *jinga*/Humvee até a pavimentação, deixar o veículo avariado com o reboque e depois levar o pelotão inteiro até Mana para revistar a aldeia; (3) fazer com que o pelotão inteiro acompanhasse o *jinga*/Humvee por todo o caminho até a BOA Salerno e cancelar a missão em Mana.

Uthlaut foi totalmente contra dividir o pelotão, o que em sua opinião exporia seus homens a um perigo maior. Todos os suboficiais de Uthlaut se opuseram com veemência à divisão do pelotão. O capitão Saunders afirmou repetidamente que era contra dividirem o pelotão. Àquela altura, passava das três da tarde e o major Hodne estava ficando cada vez mais impaciente. O

Humvee problemático já havia atrasado a missão dois dias inteiros, enquanto Farmer tentara consertá-lo no PCF-5. Quando Saunders perguntou a Hodne o que deveria ordenar a Uthlaut, Hodne respondeu irado: "Ei, não podemos parar um pelotão inteiro por causa de um veículo quebrado".

Terminado o diálogo com Hodne, Saunders testemunhou, "minha compreensão foi que ele dissera para dividir o pelotão".* Contrariando seu próprio bom-senso, portanto, Saunders disse ao capitão Dennis que mandasse Uthlaut dividir o pelotão e prosseguir imediatamente com a missão bifurcada.

Uthlaut recebeu essa ordem às quatro da tarde. Enviou um e-mail de volta a Dennis no qual reiterou firmemente suas objeções àquele plano. Uthlaut explicou ainda que estaria escurecendo quando metade do pelotão chegasse a Mana, e que revistar uma aldeia depois que escurecesse seria perigoso, impraticável e contrário ao procedimento operacional padrão. Dennis respondeu que os homens de Uthlaut não estavam recebendo ordens de revistar a aldeia naquela noite. A ordem era simplesmente chegar a Mana antes do pôr do sol, vigiar a aldeia durante a noite, e iniciar a operação de revista de manhã, depois que a outra metade do pelotão tivesse entregado o Humvee ao reboque e se reunido a eles em Mana.

"Depois da resposta do capitão Dennis", Uthlaut depôs, "eu queria assegurar que entendera o objetivo, que era um elemento estabelecer uma zona de reunião ao norte da aldeia, mas sem começar a revistar a aldeia. Aquele elemento deveria basicamente aguardar a chegada do resto do pelotão. Meu argumento era que poderíamos alcançar o mesmo objetivo seguindo a opção dois: levando o pelotão inteiro até o reboque e levando o pelotão inteiro à zona de reunião ao norte da aldeia."

Depois de mostrar que a missão poderia ser realizada com a mesma efi-

* O major Hodne mais tarde insistiria em que a decisão de dividir o pelotão fora de Saunders, não dele, mas o depoimento sob juramento de praticamente todos os demais Rangers interrogados sobre essa questão contradiz Hodne. Hodne também alegaria que nem sabia que o pelotão havia sido dividido em Magarah até que os Ovelhas Negras retornassem à BOA Salerno três dias após a morte de Tillman — o que levou o comandante de Hodne, o tenente-coronel Bailey, a testemunhar: "No grau em que ele não sabia, só podia ser porque não estava ouvindo".

cácia e rapidez sem dividir o pelotão, Uthlaut ficou surpreso com a insistência teimosa do quartel-general em dividi-lo. Ele perguntou a Dennis: "Então a única razão por que você quer que eu divida o pelotão é dispor de tropas na linha de frente antes de escurecer?".

"Sim", Dennis respondeu.

Desanimado e frustrado, Uthlaut reconheceu que não tinha opção senão seguir as ordens do quartel-general. Um momento depois, Uthlaut depôs, "recebi uma chamada de rádio na mesma rede" solicitando informações detalhadas sobre onde o pelotão iria se dividir e qual rota cada um dos elementos percorreria, para que Wartdogs A-10 pudessem ser enviados de Bagram e fornecer apoio aéreo em caso de contato do inimigo. "Entreguei o rádio ao meu Observador Avançado", Uthlaut disse, "e pedi que informasse as rotas ao Apoio Aéreo. Depois convoquei todos os meus líderes de esquadrão e o sargento do pelotão para informá-los do plano. Disse-lhes quem estava escalado para cada elemento. [...] Mostrei aos meus líderes de esquadrão e ao sargento do pelotão as rotas dos dois elementos. Informei então que meu elemento precisava partir porque tínhamos que chegar a Mana ao anoitecer."

Durante uma investigação da morte de Tillman sete meses depois, o general de brigada Gary Jones perguntou ao primeiro-sargento da Companhia Alfa Thomas Fuller: "Quero dizer, por que aquela missão precisava chegar lá tão rápido?".

"Acho que não houve nenhum motivo", Fuller depôs sob juramento. "Acho que muitas vezes no [quartel-general] superior — talvez até, veja bem, acima do [quartel-general do] batalhão — eles podem ter um cronograma, e então simplesmente sentimos que temos que cumprir esse cronograma. Não existe nenhuma 'informação' por detrás. Não existem... veja bem, não existe nenhum evento por detrás. É só um cronograma, e sentimos que temos de cumpri-lo. É isso que determina este tipo de coisa." Em outras palavras, a sensação de urgência associada à missão adviera tão somente de uma fixação burocrática em cumprir prazos arbitrários, para que missões pudessem ser ticadas numa lista e marcadas como "realizadas". Essa ênfase na quantificação sempre foi uma marca das Forças Armadas, mas foi levada a novos níveis de estupidez durante a gestão de Donald Rumsfeld no Pentágono. Rumsfeld vivia obcecado com obter "indicadores" positivos que pudessem ser exibidos como sinais de progresso na Guerra Global contra o Terrorismo, ainda que tal progresso fosse apenas ilusório.

Agora eram cerca de 17h30. Os Ovelhas Negras já estavam em Magarah havia mais de seis horas. "Quando chegamos lá", conta Jacobson, "a aldeia inteira saiu para nos saudar. Estavam curiosos. As crianças estendiam as mãos pedindo chicletes e doces. De início, a maioria mantinha distância, mas assim que alguém tem a coragem de se aproximar e fazer contato, todos chegam mais perto, e de repente seu jipe se vê cercado pelos sujeitos. Você começa a ficar claustrofóbico porque eles estão perto demais, e diz: 'Não! Parem! Vocês têm que se afastar!'. Eles se divertem vendo quão próximo conseguem chegar até que você os expulse." De acordo com Jacobson, porém, "a sensação era meio arrepiante. Havia provavelmente duzentas pessoas ali, no todo, e eu diria que 90% delas eram amigáveis. Mas havia uns sujeitos na casa dos vinte e trinta anos que estavam como que sentados no morro, nos espiando de cara amarrada. Pareciam suspeitos, e estavam observando tudo."

Quando Uthlaut estava negociando com o motorista do *jinga*, por meio de um intérprete, o reboque do Humvee até a estrada pavimentada, dezenas de pessoas locais se apinharam em volta. Muitos daqueles aldeões ouviram exatamente o destino do comboio. Ainda faltavam ao menos duas horas para a partida do pelotão de Magarah, tempo suficiente para os planos dos Rangers circularem pela comunidade e para uma emboscada ser planejada.

"A segurança era meio frouxa", diz Parsons.

> Tinha um monte de gente que ficava transpondo o nosso perímetro. Não havia muita coisa que pudéssemos fazer. Você podia ser um grosseirão e ameaçar dar um tiro em quem se aproximasse demais, mas não conquistaria muitos corações e mentes assim, e corações e mentes deviam ser o objetivo de tudo. [...] No final, um dos meninos na aldeia, com uns oito anos, se aproximou e tentou falar comigo. Ele se afastou e voltou direto para mim antes de nos aprontarmos para sair, e entregou um bilhete em inglês. Tudo que dizia era: "Venha falar comigo". O menino apontou para o bilhete, depois para uma casa no morro. Peguei o bilhete e pensei: "Isto pode ser importante". Portanto passei-o para Godec [o sargento do pelotão], mas àquela altura ele estava se preparando para

sair e disse: "Não tenho tempo para esta merda". Discuti com ele um pouco, mas todo esse negócio de hierarquia me deixava em desvantagem. Suponho que o bilhete podia ser sobre qualquer coisa. Podia ser um alerta sobre a emboscada. Podia não ser nada.

Vinte e nove

Assim que foi negado o último pedido de Uthlaut de reconsideração da ordem de dividir o pelotão, ele correu para informar Eric Godec e seus três líderes de esquadrão, Greg Baker, Jeffrey Jackson e Matt Weeks, que não ficaram nada satisfeitos. Mas primeiro Uthlaut pediu ao seu operador de rádio, Jade Lane, que embalasse o rádio por satélite e providenciasse algo para comer, porque eles já iam partir. Assim, Lane e Pat Tillman se sentaram juntos e compartilharam uma comida pré-embalada, Lane diz, e enquanto comiam por algum motivo a conversa abordou a identidade sexual dos homens afegãos. É comum nas áreas rurais do Afeganistão ver homens — mesmo combatentes com cicatrizes de guerra — com flores nos cabelos e sombra de olhos preta grossa feita de fuligem. Homens de todas as idades com frequência se dão as mãos. Não é incomum, em postos avançados remotos das milícias onde não há nenhuma mulher, que um rapaz jovem do acampamento sirva de escravo sexual para os combatentes. Pat ficou fascinado com a aparente aceitação de tal conduta naquela sociedade ultramachista e rigidamente islâmica, que considera a homossexualidade um pecado e crime mortal.

De acordo com Lane, Pat pegou um pequeno caderno espiral do bolso direito da calça "e leu para mim parte daquele diário que vinha escrevendo, sobre como os homens afegãos se faziam de afeminados, que ele achou que se devia à falta de mulheres em suas vidas diárias, os levando a um estado de espírito mais feminino. [...] De qualquer modo, ele leu aquele trecho do seu caderno para mim e, cerca de quinze ou vinte minutos depois, nós partimos".

Imediatamente antes de um pelotão do Exército partir numa missão, todos os soldados costumam se reunir para ouvir as instruções do líder. Se o quartel-general der uma "ordem fragmentária" que mais tarde mude a missão, o líder do pelotão dará aos seus soldados uma "instrução de ordem fragmentária" antes de prosseguirem. Em ambos os casos, o líder ou sargento do pelotão explicará exatamente aonde o pelotão irá, o que fará e outras informações pertinentes. Durante a instrução, todos os soldados normalmente serão lembrados do que fazer se um veículo for atacado com um DEI ou se sofrer uma emboscada de combatentes inimigos. Neste último caso, serão lembrados de reagir primeiro com uma fuzilaria intensa ou fogo supressivo, mas logo depois "controlar seus fogos" — ou seja, reduzir substancialmente o volume de fogo e não atirar além do necessário. Serão lembrados de "ir aonde seu líder de equipe for, e atirar onde seu líder de equipe atirar". Serão lembrados de seguir a norma de fogos corrente. Se as FMA ou outros soldados afegãos se envolverem na missão, as forças norte-americanas serão lembradas desse fato também, e serão alertadas para não confundir aqueles soldados afegãos amistosos com o Talibã ou a Al-Qaeda. Acima de tudo, os soldados americanos serão lembrados de "identificar positivamente seus alvos", ou seja, identificar quem quer que pretendam alvejar como um combatente inimigo antes de puxar o gatilho.

Mas como só restava uma hora de luz do dia, e Uthlaut recebera ordens de chegar com metade de seu pelotão a Mana antes do anoitecer, não houve tempo para dar uma instrução de ordem fragmentária ao pelotão inteiro antes de partirem de Magarah. Na pressa inútil para partirem, nenhuma das advertências padrão supracitadas foi mencionada. Além de Uthlaut, do sargento do pelotão e dos três líderes de esquadrão, apenas uns poucos Ovelhas Negras sabiam aonde estavam indo ou por que o pelotão se dividira.

Uthlaut assumiu o comando da Unidade de Marcha 1, o elemento com destino a Mana. Ele incumbiu Godec de liderar a Unidade de Marcha 2, que acompanharia o caminhão *jinga*, com o Humvee avariado rebocado, até a estrada pavimentada. Depois, antes de deixar a aldeia, Uthlaut contactou o quartel-general pela última vez para perguntar se voltariam atrás em sua decisão de dividir o pelotão. "Fiz uma coordenação final com o capitão Dennis", Uthlaut

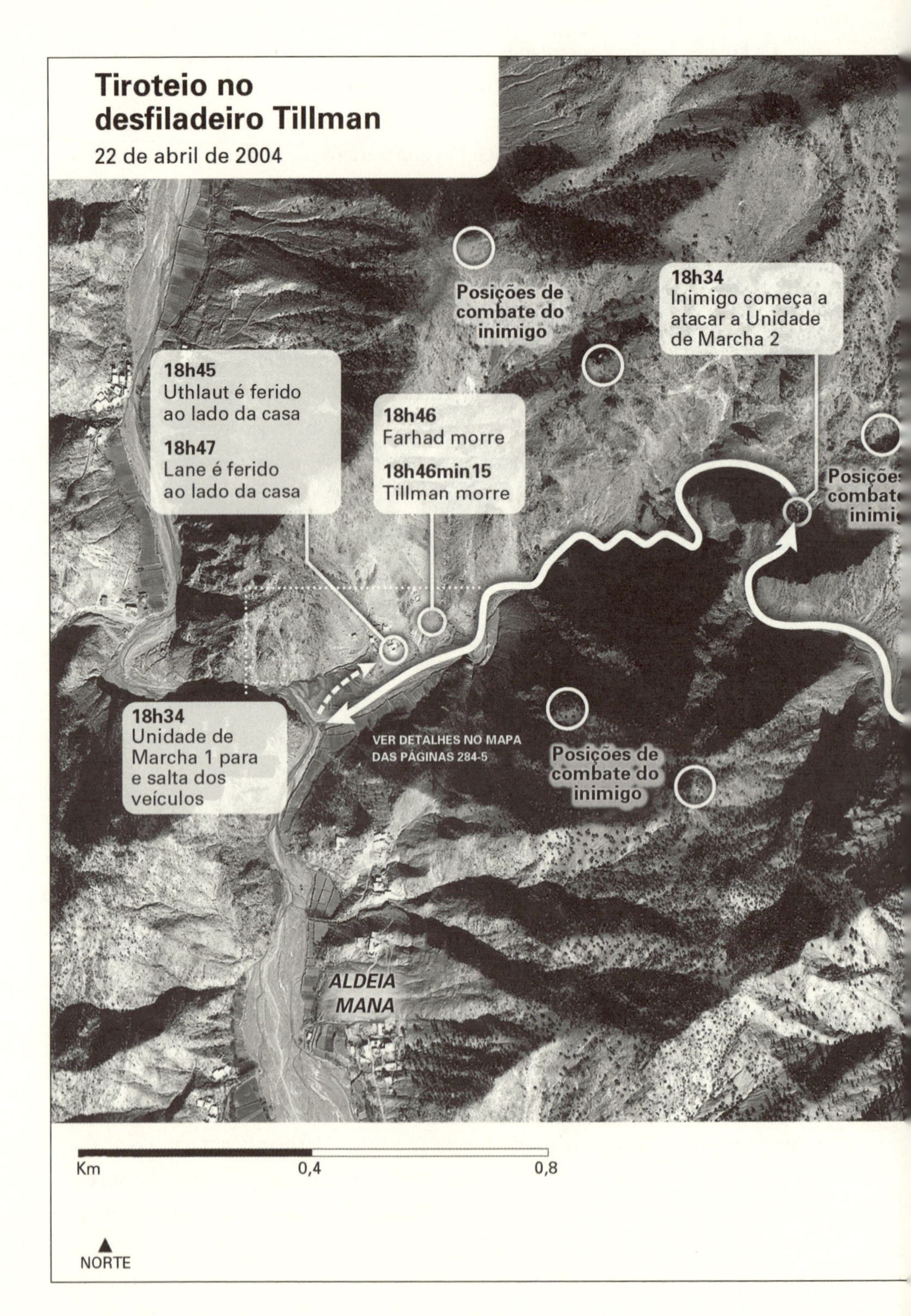

Tiroteio no desfiladeiro Tillman
22 de abril de 2004
Posições de combate do inimigo
18h34
Inimigo começa a atacar a Unidade de Marcha 2
18h45
Uthlaut é ferido ao lado da casa
18h47
Lane é ferido ao lado da casa
18h46
Farhad morre
18h46min15
Tillman morre
18h34
Unidade de Marcha 1 para e salta dos veículos
VER DETALHES NO MAPA DAS PÁGINAS 284-5
Posições de combate do inimigo
ALDEIA MANA
Km
0,4
0,8
NORTE

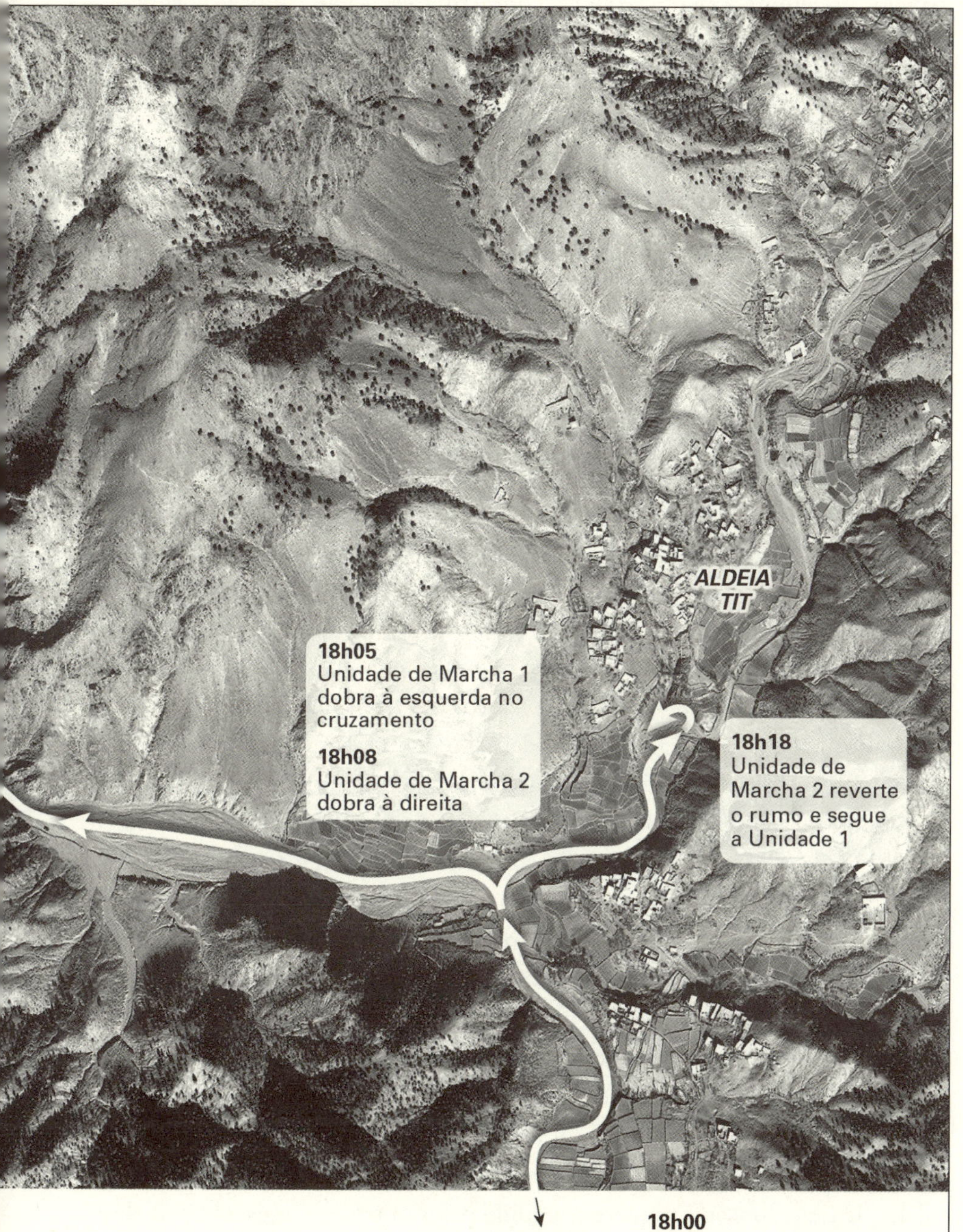
ALDEIA TIT
18h05
Unidade de Marcha 1 dobra à esquerda no cruzamento
18h08
Unidade de Marcha 2 dobra à direita
18h18
Unidade de Marcha 2 reverte o rumo e segue a Unidade 1
PARA ALDEIA MAGARAH
1,5 km ao sul
18h00
Unidades de Marcha 1 e 2 deixam a aldeia Magarah e rumam para o norte ao longo do rio

depôs, "referente à metralhadora calibre 50 que estava no Humvee quebrado." Como o veículo danificado iria com a Unidade de Marcha 2, o elemento de Uthlaut partiria sem a segurança daquela arma pesada. "Mandei um e-mail ao capitão Dennis relatando que um de nossos elementos estaria privado da metralhadora calibre 50", Uthlaut disse, "e minha pergunta era se aquilo afetaria ou não o rumo escolhido (dividir o pelotão). O capitão Dennis respondeu que a metralhadora calibre 50 não mudava a situação e que Uthlaut continuasse executando conforme já discutido."

Desse modo, os seis veículos da Unidade de Marcha 1 deixaram Magarah em torno das 18h00, com o Humvee de Uthlaut à frente do comboio. Pat Tillman estava no segundo veículo, uma picape Hilux com pilhas altas de caixas de rações. "Ele estava sentado na parte traseira da picape sobre aquelas caixas de papelão, parecendo o rei da comida pré-embalada", diz o sargento Mel Ward, que vinha dirigindo um Humvee imediatamente atrás da Hilux. "Estava na cara que ele ia cair assim que a picape passasse por um buraco, então alguém o mandou descer dali", fazendo com que Pat se espremesse no banco traseiro da cabine dupla da picape.

O último veículo da Unidade de Marcha 1 era uma Hilux com uma metralhadora montada na plataforma, ocupada por três soldados afegãos. Alguns minutos após essa picape das FMA deixar Magarah com destino ao norte, o primeiro veículo da Unidade de Marcha 2 — um Humvee comandado pelo segundo-sargento Greg Baker — também deixou a aldeia, seguido dos cinco veículos restantes do segundo elemento. Kevin Tillman estava na rabeira do cortejo, manejando a torre de canhão de um Humvee dirigido por Jason Parsons, com Eric Godec, o sargento do pelotão, no banco do carona. Imediatamente na frente deles o Humvee avariado era rebocado pelo caminhão *jinga*.

Enquanto os doze veículos dos dois grupos sacolejavam e desciam lentamente o leito de um rio que levava para fora de Magarah, a distância entre o último veículo da Unidade de Marcha 1 e o primeiro veículo da Unidade de Marcha 2 era de algumas centenas de metros. Quando chegaram a 2,8 quilômetros ao norte da aldeia, o Humvee de Uthlaut encontrou uma bifurcação no leito de rio e dobrou à esquerda, seguido pelos outros veículos da Unidade 1. Alguns minutos depois, quando o Humvee de Baker chegou nessa bifurcação, dobrou à direita, sendo imitado pelos próximos dois Humvees da Unidade 2, mas quando o motorista afegão do *jinga* chegou na bifurcação, parou seu caminhão vermelho caindo aos pedaços e se recusou a seguir.

Quando Uthlaut recebeu ordem de enviar metade de seu pelotão até a estrada pavimentada com o Humvee quebrado, foi levado a acreditar que o quartel-general pretendia que revertesse a rota que os Ovelhas Negras haviam percorrido da BOA Salerno até o PCF-5 oito dias antes, que era o caminho mais direto de volta ao calçamento e a única rota com que estava familiarizado. Contudo, tratava-se de um caminho traiçoeiro, que faria seus Rangers subirem uma escarpa de quase 2 mil metros através de trilhas de cabras íngremes e extremamente acidentadas. Quando os Ovelhas Negras percorreram pela primeira vez aquela rota, em 14 de abril, depararam com um terreno tão escarpado que seus veículos quase viraram e despencaram dezenas de metros encosta abaixo. Depois de conseguir chegar ao vale do outro lado, o pelotão informou ao capitão Uthlaut que a rota era "intransitável". De acordo com Saunders, os homens de Uthlaut insistiram "que não a percorreriam de novo. Simplesmente disseram que era perigosa demais".

Não obstante, Uthlaut havia interpretado suas ordens como significando que a Unidade 2 deveria tomar aquela rota, e durante seu longo debate por e-mail com o quartel-general sobre a divisão do pelotão ninguém informou o contrário. Quando suas várias objeções ao plano caíram em ouvidos moucos, ele disciplinadamente dividiu o pelotão e ordenou à Unidade 2 que acompanhasse o *jinga* pela montanha, embora ele e todos os homens sob seu comando achassem aquilo arriscado e inútil. No Exército, manda quem pode e obedece quem tem juízo.

Mas o motorista do *jinga*, que estava familiarizado com a topografia local, recusou-se a rebocar o Humvee avariado pela montanha. Por meio de um intérprete, ele conseguiu explicar aos americanos que, se a Unidade 2 simplesmente seguisse a Unidade 1 para oeste até Mana e, em seguida, dobrasse para o norte logo depois do cânion estreito, eles poderiam atingir seu destino por um caminho bem mais fácil. Embora dessem mais voltas, chegariam à estrada pavimentada mais depressa e com bem menos risco, contornando a montanha em vez de subi-la. Isso fez sentido para o sargento Godec, que portanto ordenou que a Unidade 2 revertesse o rumo e seguisse o mesmo caminho tomado pela Unidade 1. Quando todos os Humvees conseguiram dar meia-volta, Godec colocou o caminhão *jinga* na frente do grupo, e o comboio começou a avançar lentamente pelo leito do rio seco cheio de pedras rumo à entrada do estreito, cerca de quinze minutos atrás da Unidade 1.

Enquanto os veículos da Unidade 2 avançavam aos solavancos para dentro da bocarra do cânion, seus paredões íngremes e sua estreiteza deixaram muitos dos Rangers tensos. "O cânion era inacreditavelmente estreito e suas paredes subiam verticalmente", conta Brad Jacobson, que estava dirigindo o penúltimo veículo do comboio. "Nunca vi nada igual na minha vida. E a maneira como o sol se punha, as sombras... sinistro!" Assim que ele entrou no estreito, ao fazer com seu Humvee uma curva acentuada à esquerda, ouviu-se uma forte explosão, e os veículos à frente pararam subitamente. "Todo mundo começou a gritar: 'DEI! DEI!'.", Jacobson recorda. "Aquele foi nosso primeiro instinto — que um veículo fora atingido por um dispositivo explosivo improvisado, e, quando isso acontece, você imediatamente para e apeia. Mas cerca de cinco segundos depois houve outra explosão, e percebi que estávamos sendo atingidos por morteiros."

A primeira bomba de morteiro explodiu no chão do cânion entre o caminhão *jinga*, que estava na dianteira, e o Humvee de Greg Baker, o próximo da fila. O segundo morteiro atingiu o paredão do cânion acima do comboio, fazendo com que rochas caíssem em torno dos veículos, e depois um terceiro morteiro explodiu na mesma área. Alguns segundos depois, o comboio começou a receber tiros de armas portáteis, fazendo com que Godec gritasse pelo rádio: "Sigam! Sigam! Sigam! Não são DEIs! São morteiros!". Mas quando os Rangers voltaram aos seus Humvees e tentaram sair da zona mortal, não conseguiram, porque o caminhão *jinga* estava empacado no início da fila, bloqueando a passagem, e o motorista afegão ainda estava fora do veículo, agachado sob uma saliência na base do penhasco.

"Foi muita falta de visão, muito pânico", recorda Jason Parsons, que dirigia o último veículo do comboio. "Vi uma silhueta no alto do morro ao norte que acreditei ser um possível observador avançado do inimigo, lançando as bombas de morteiro sobre nós. Portanto mirei aquela posição, e o resto da minha equipe, ansiosa por uma refrega, mirou aquela posição também." Pedro Arreola alvejou o cume de morro ao norte com sua metralhadora Bravo 240, e Kyle Jones disparou vinte projéteis de seu M4 naquela mesma área.

Kevin Tillman, no alto da torre do Humvee de Parsons, pensou em disparar seu lança-granadas Mark 19, uma metralhadora que vomita quatro petardos altamente explosivos a uma velocidade de um por segundo. Mas temeu que, num cânion tão estreito, as granadas atingissem o paredão de rocha vertical acima do comboio e ricocheteassem de volta. De acordo com o depoimento de Kevin, "minha reação imediata foi: 'Se eu disparar esta arma, ela vai voltar para minha cabeça ou a cabeça de outra pessoa'. [...] Por isso não disparei". No entanto, ele tentou destravar e carregar o Mark 19 para estar preparado para disparar, mas quando puxou para trás a alavanca de armar para alimentar um projétil na culatra, a arma emperrou, e ele não conseguiu disparar uma só granada durante o tiroteio inteiro.

Baker, por sua vez, correu à frente até onde o motorista do *jinga* estava escondido e berrou: "Ei! Temos que remover este veículo daqui!". Baker forçou o afegão a voltar ao banco do motorista, saltou para a boleia ao seu lado e o obrigou a avançar para que o comboio pudesse escapar da emboscada. O Humvee de Baker, dirigido pelo sargento Kellett Sayre, seguiu logo atrás do *jinga*, enquanto os Rangers que viajavam nele explodiram o cume ao norte com uma metralhadora calibre 50, uma metralhadora Bravo 240, dois ou três M4s e um lança-granadas M203.

O comboio desceu o mais rápido possível pela parte leste do cânion, mas quase nunca conseguiu avançar a mais de oito quilômetros por hora devido ao terreno escarpado. Os combatentes inimigos continuaram atirando do cume bem acima. Baker, no banco do carona do *jinga*, impulsivamente estilhaçou a janela com a coronha de seu M4 e revidou o fogo. Ao vê-lo quebrar a janela, Baker testemunhou, o motorista do *jinga* ficou "chateado comigo. Achei aquilo estranho naquele momento".

Enquanto o Humvee de Parsons descia aos solavancos o leito seco do rio, o cânion era tão estreito, ele diz, que "perdemos a [metralhadora] 240 montada ao lado de Arreola porque ele não a puxou para dentro; a arma atingiu uma rocha e se soltou". Parsons teve que parar, enquanto Arreola apeou e recuperou a metralhadora, cujo coice da coronha se rompeu na colisão. O terceiro veículo do comboio, avançando logo atrás do Humvee de Baker, era um Humvee comandado pelo primeiro-sargento Steven Walter, que viu outra bomba de morteiro explodir no alto do paredão do cânion acima deles, após o que o motorista do *jinga*, nervoso e confuso, voltou a parar, bloqueando o comboio inteiro atrás dele, porque o cânion continuava estreito demais para alguém ultrapassar o grande caminhão. Nessa segunda parada, a maioria dos Rangers voltou a apear dos seus Humvees. Erguendo o olhar para a posição elevada ao norte, Walter disse que "observou quatro pessoas inimigas no cume de morro ao norte", correndo para oeste ao longo do terreno elevado, "usando vestes cinzas". Walter atirou neles com seu M4, e Brad Jacobson rapidamente carregou um tubo de morteiro e disparou um morteiro de sessenta milímetros também em direção ao cume.

Em poucos minutos, Baker convenceu o motorista do *jinga* a retomar a marcha, e o comboio avançou entre os paredões do cânion de calcário. Àquela altura, a maior parte do fogo inimigo, se não todo, havia cessado, embora os Rangers no Humvee de Baker continuassem disparando centenas de projéteis enquanto avançavam. Cerca de 1,2 quilômetro após o local do primeiro ataque, o *jinga* atingiu a saída oeste do estreito, o vale abruptamente se descortinou, e o caminhão voltou a parar, assim como o Humvee de Baker atrás dele. Quando os veículos pararam, foram vistos por Bryan O'Neal e Pat Tillman, que estavam ajoelhados atrás de um par de penedos baixos na encosta acima, olhando para baixo de uma distância de apenas oitenta metros.

Trinta

Quando o primeiro morteiro explodiu perto da Unidade 2 na extremidade leste do cânion, a Unidade 1 acabara de sair pela extremidade oeste do estreito. Ao ouvirem as explosões e o tiroteio subsequente, doze dos vinte Rangers da Unidade 1, inclusive Tillman, arrastaram-se para fora de seus veículos e, sob o comando do segundo-sargento Matt Weeks, correram para um terreno elevado com vista para a saída do estreito a fim de dar fogo de cobertura à Unidade 2. Uthlaut e seu operador de rádio, Jade Lane, permaneceram atrás para se comunicar pelo rádio por satélite, do Humvee de Uthlaut, com o quartel-general e solicitar apoio aéreo tático, após o que pretendiam subir também para o terreno elevado.

A subida era íngreme e cansativa, fazendo com que Tillman pedisse permissão a Weeks para tirar seu colete à prova de balas, que pesava onze quilos, de modo a poder "manobrar mais rápido", pedido esse compatível com sua abordagem dos desafios atléticos. Em toda a sua carreira no futebol americano, Tillman optara por usar menos proteções, e menores, do que muitos outros jogadores, acreditando que o aumento de velocidade e a manobrabilidade resultantes o tornariam menos propenso a pancadas lesivas. Mas o Exército agia de forma diferente da NFL. Desde a invasão do Iraque, o colete à prova de balas (ou, mais especificamente, a indisponibilidade de coletes eficazes para alguns

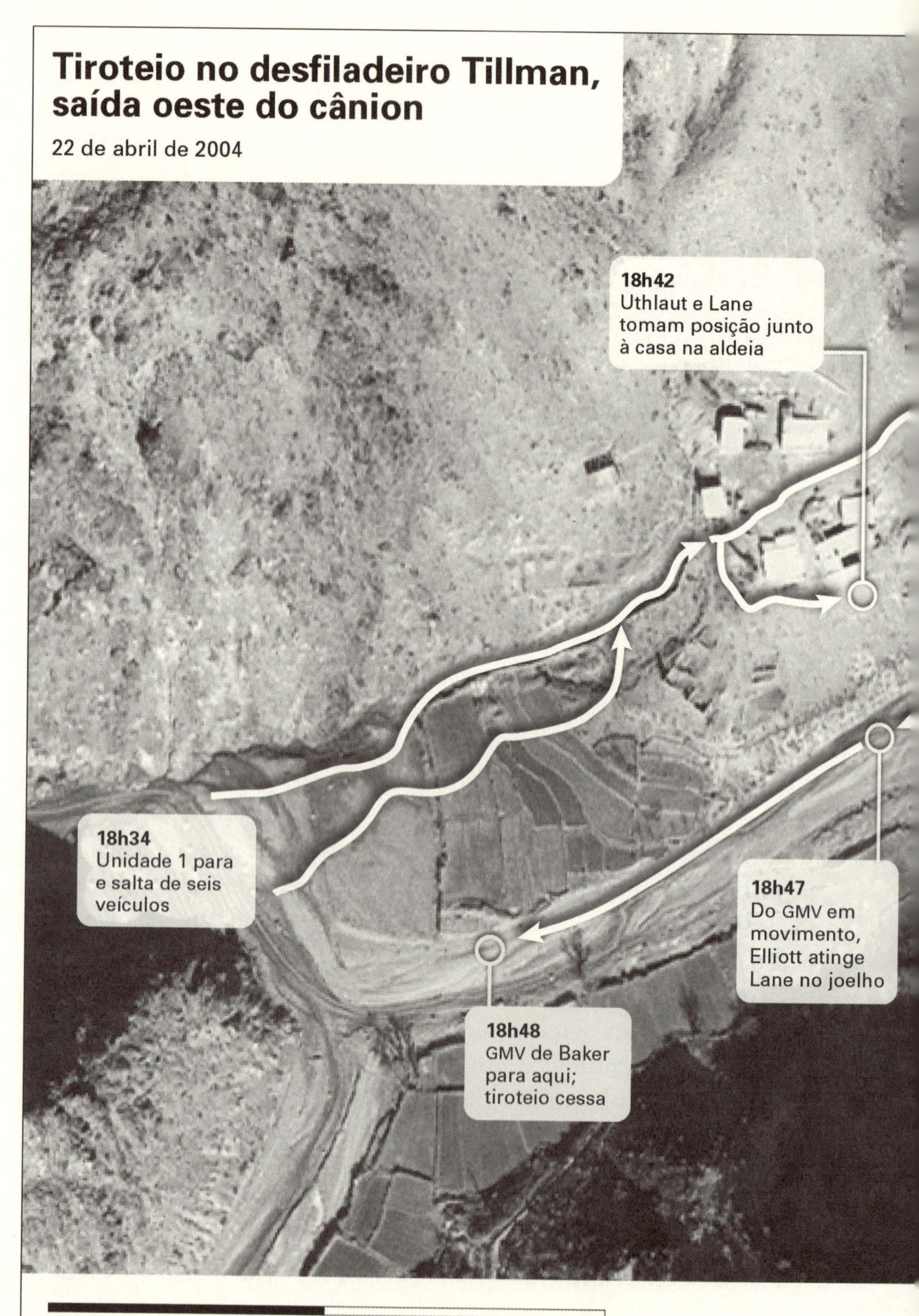
Tiroteio no desfiladeiro Tillman, saída oeste do cânion
22 de abril de 2004
18h42
Uthlaut e Lane tomam posição junto à casa na aldeia
18h34
Unidade 1 para e salta de seis veículos
18h47
Do GMV em movimento, Elliott atinge Lane no joelho
18h48
GMV de Baker para aqui; tiroteio cessa
M
76
152

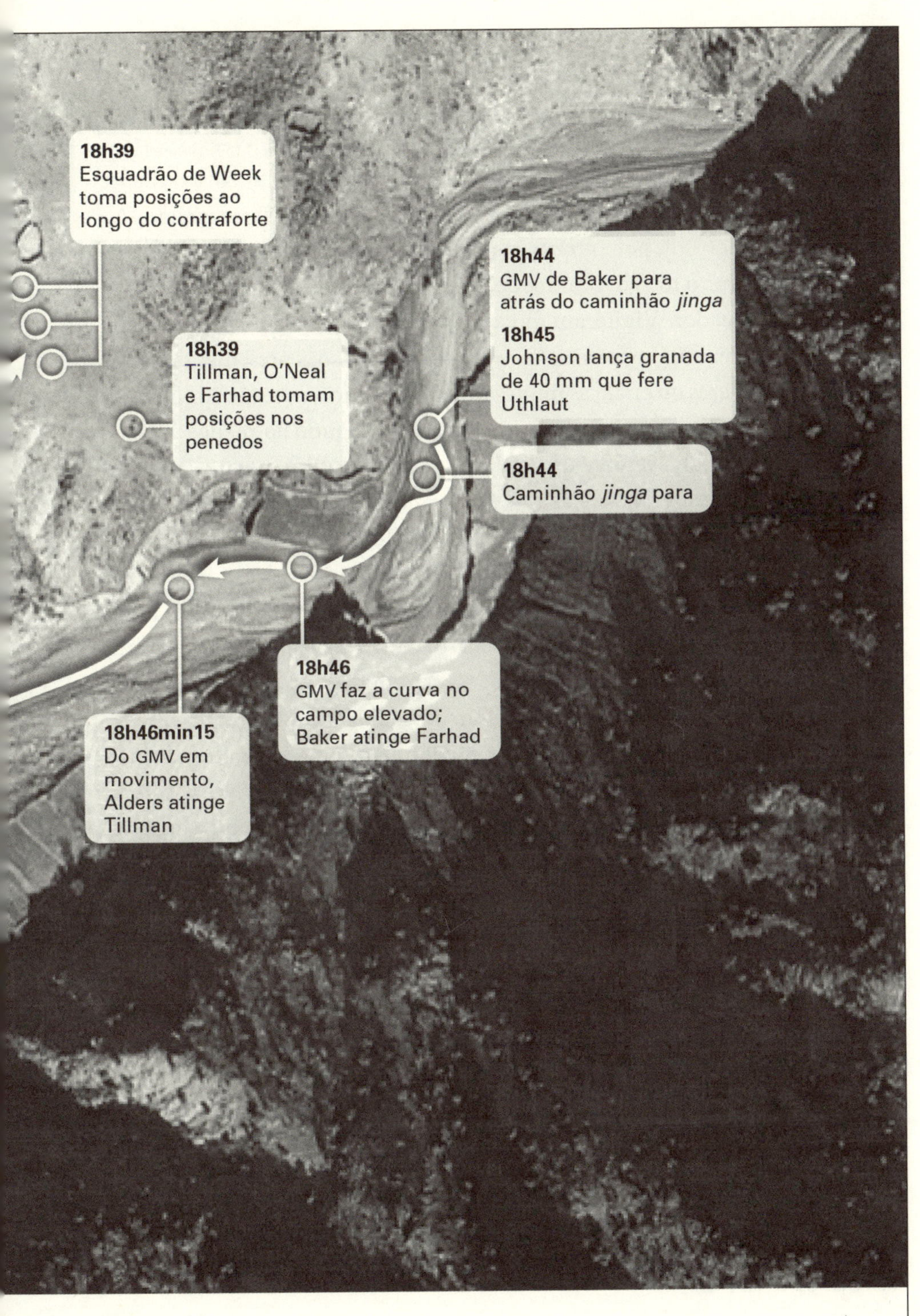
18h39
Esquadrão de Week toma posições ao longo do contraforte
18h39
Tillman, O'Neal e Farhad tomam posições nos penedos
18h44
GMV de Baker para atrás do caminhão *jinga*
18h45
Johnson lança granada de 40 mm que fere Uthlaut
18h44
Caminhão *jinga* para
18h46
GMV faz a curva no campo elevado; Baker atinge Farhad
18h46min15
Do GMV em movimento, Alders atinge Tillman
NORTE

soldados) vinha sendo uma questão delicada. As consequências políticas levaram a um decreto dos níveis superiores do Comando Central obrigando o uso do colete sempre que o contato com o inimigo fosse provável. Weeks, portanto, respondeu a Tillman que não, ele não podia tirar o colete à prova de balas.

Após cinco minutos, o esquadrão chegou a um povoado esquálido. Ao avançarem, temerosos, por entre as casas de adobe caindo aos pedaços, lutando para recuperar o fôlego, ficaram de olho em busca de alguém ou algo que parecesse ameaçador. Viram um único homem além da idade da puberdade — um velho aleijado. Havia umas quarenta outras pessoas presentes também, mas todas mulheres ou crianças muito novas. A ausência ostensiva de homens adultos no povoado durante a refeição da noite, quando ao menos um homem costuma estar presente em cada domicílio, indicava que os aldeões *pashtuns* eram aliados dos talibãs e que os homens ausentes deviam estar nos cumes adjacentes participando da emboscada à Unidade 2.

Depois da aldeia, o esquadrão subiu com dificuldade pelas moitas baixas de arbustos selvagens até o cume de um contraforte sem vegetação, onde todos pararam exceto Tillman, O'Neal e Sayed Farhad,* o miliciano afegão, que continuaram andando e desceram 55 metros na extremidade oposta do contraforte até um par de rochas grandes, com visão do chão do cânion, onde também deram uma parada. Quando um combatente inimigo começou a atirar do lado oposto do cânion, através do leito do rio seco, Tillman instruiu O'Neal e Farhad a abrir fogo contra a posição inimiga. Depois Tillman voltou a subir a encosta, sob fogo cerrado, para informar Weeks de seu plano.

Quando chegou no alto do contraforte, Tillman explicou a Weeks que encontrara cobertura para sua equipe atrás de alguns penedos, e que estavam atirando em inimigos localizados do outro lado do vale. Weeks se ajoelhou, espiou as rochas onde a equipe estava posicionada e expressou sua aprovação do plano de ação de Tillman. Depois disso, Tillman correu de novo encosta abaixo para se juntar a O'Neal e Farhad. Um dos sete membros das Forças da Milícia Afegã que haviam saído de Magarah como parte da Unidade 1, Farhad ficara impressionado com o preparo físico de Tillman e encantado com seu

* Por mais de um ano após a morte de Tillman, o Exército informou que a identidade desse soldado afegão era desconhecida e depois anunciou que seu nome era Thani. Está incorreto. Seu nome era Sayed Farhad.

jeito amigável, durante a disputa de lançamento de pedras do dia anterior. Talvez isso explique por que, quando Farhad viu Tillman e O'Neal subirem correndo o morro, separados dos demais Rangers do esquadrão de Weeks, espontaneamente decidiu segui-los, embora o resto das FMA permanecesse com seus veículos no leito do rio. Assim Farhad foi parar ao lado de Tillman e O'Neal nos penedos.

No alto do contraforte, o rádio no peito de Weeks começou a engasgar e estrepitar: era uma transmissão intermitente entre os veículos da Unidade de Marcha 2. Embora Weeks tentasse de imediato entrar em contato — ele mais tarde testemunhou: "cada vez que eu fazia uma transmissão [...] alguém me cortava" —, era interrompido por soldados tentando transmitir em diversos rádios ao mesmo tempo. Weeks conseguia ouvir Rangers da Unidade 2 chamando freneticamente outros Rangers da unidade, mas no caos da fuzilaria eles não pareciam conseguir ouvir as transmissões um do outro, nem suas próprias transmissões. Apesar de várias tentativas, Weeks não conseguiu se comunicar com ninguém da Unidade 2.

A última pessoa que se juntou a Weeks no alto do contraforte foi Russell Baer, que chegou encharcado de suor. "Eu estava muito cansado e lerdo", ele admite. "Aborrecido comigo por estar tão horrível." Ao lutar para subir a encosta e alcançar seu esquadrão, Baer começou a ouvir zumbidos e estalos estranhos, quase como eletricidade estática. "Lembro que pensei: 'Que porra de som é este?'.", ele diz. "Era diferente de tudo que já ouvi. Só mais tarde percebi que era o som de projéteis passando por nós."

O especialista Jean-Claude Suhl estava posicionado perto de Baer. Ele imediatamente entendeu que estavam sendo alvejados. "Dava para ouvir o estrépito dos projéteis" cortando o ar, ele recordou. Mas nem Suhl nem ninguém na Unidade 1 conseguia descobrir de onde vinham os tiros.

O observador avançado designado para a Unidade 1, especialista Donald Lee, ouviu um aeroplano voando acima, e achou que os Warthogs A-10 que solicitara para apoio aéreo aproximado tivessem chegado. Mas os Warthogs possuem motores a jato que emitem um guincho ensurdecedor e agudo, e o avião que Lee estava ouvindo soava mais como um cortador de grama. "Ao ouvir mais de perto, percebi que era um avião teleguiado Predator", ele testemunhou. Vários outros Rangers também disseram que ouviram o avião teleguiado. O aeroplano pequeno, não tripulado, movido a hélices estava sendo controlado, por meio de um joystick e uma tela de vídeo, por um piloto sentado num reboque no deserto de Nevada. Os aviões Predator pilotados por controle remoto são equipados com câmeras de alta tecnologia que funcionam à luz do dia ou no escuro. Alguns também levam mísseis. A nebulosidade em Bagram impedira os Warthogs de decolar, mas o quartel-general mais tarde confirmou que um Predator estava sobrevoando a área durante o tiroteio, e um empreiteiro civil em Bagram declarou que se lembrava de ter visto o sinal de vídeo do Predator. Durante as numerosas investigações que seriam realizadas nos três anos seguintes, o Exército e a CIA afirmaram que esse vídeo não existia.

Enquanto Lee ouvia o Predator circulando sobre sua cabeça, uma granada de quarenta milímetros explodiu a nove metros de Russell Baer, que estava deitado de bruços no contraforte acima de Weeks. "Foi realmente muito perto", Baer recorda, fazendo sinal de não com a cabeça. "Vi um monte de terra subir, depois BUM! Estourou meu tímpano, rompeu-o." Ele acredita que a explosão "não foi grande o suficiente para ser uma bomba de morteiro. Se fosse, eu estaria morto. Acho que foi um projétil 203" — uma granada de quarenta milímetros disparada de um lança-granadas M203, que é um acessório em forma de tubo que se encaixa sob o cano de uma carabina M4. Nem o Talibã nem as forças da Al-Qaeda possuíam lança-granadas M203.

Outra granada de quarenta milímetros explodiu a menos de cinco metros de Bradley Shepherd, atingindo-o com uma chuva de cascalho. Não muito tempo depois, diz Josey Boatright, "lembro-me de ter ouvido um apito desagradável, após aquele som claro de grito. Não tinha a menor ideia de onde vinha". Sem que Boatright soubesse, tratava-se do som de uma AT4 — uma bazuca descartável de um só tiro que dispara um foguete poderoso projetado para penetrar em casamatas fortificadas ou blindagens de aço. Havia sido disparada por um Ranger da Unidade 2 chamado Chad Johnson, que estava de pé, sem ser visto, depois de uma pequena elevação. As granadas que quase haviam acertado Baer e Shepherd um momento antes haviam provavelmente sido lançadas do lança-granadas M203 de Johnson.

Sem saber que estavam sendo atingidos por colegas Rangers, o sargento Mel Ward imaginou que sua posição estivesse sendo alvejada por morteiros inimigos, e gritou para o líder do esquadrão: "Sargento Weeks! Estamos sob tiros indiretos!".*

Vislumbrando certo movimento num cume distante que julgou ser do atirador, Jean-Claude Suhl se pôs a atirar com sua metralhadora Bravo 240, fazendo com que os Rangers ao seu lado começassem a lançar projéteis freneticamente com suas carabinas M4 de calibre menor, aumentando a tensão e o caos, até que Weeks gritou: "Cessar fogo! Todo mundo cessar fogo!". Tudo que eles estavam fazendo, ele mais tarde explicou, "era levantar terra nos cumes dos morros. [...] Eles não conseguiam ver no que estavam atirando e, além disso [...] a distância era de uns oitocentos metros de onde estavam até onde estavam alvejando, e você sabe, com M4s isto é praticamente inútil". Ele ordenou aos seus homens que controlassem as emoções e se abstivessem de atirar, a não ser que conseguissem identificar positivamente o alvo dos tiros.

"Weeks disparou apenas um projétil durante o tiroteio inteiro", diz Boatright. "Ele permaneceu realmente calmo. Antes, quando estávamos na retaguarda, ele estava mais nervoso, mais agitado. Mas foi estranho quão calmo ele ficou depois que o tiroteio começou. Depois daquilo passei a chamá-lo de 'Meu Deus da Guerra'. Ele estivera lá antes. Ficou calmo e assumiu o controle porque sabia que era o que tinha de fazer."

Embora não conseguissem identificar os atiradores inimigos, projéteis continuavam pipocando na terra ao redor dos Rangers agachados no contraforte. Como os disparos pareciam estar vindo basicamente do leste, Weeks e seus homens se abaixaram sob o cume a oeste, do lado oposto do par de penedos onde a esquadra de tiro de Tillman estava posicionada.

Esses penedos repousavam sobre uma encosta íngreme, a uns noventa centímetros de distância um do outro, um deles um pouco acima e a leste do outro. Tillman estava ajoelhado ao lado da rocha mais alta, O'Neal ajoelhado atrás da rocha mais baixa, e Farhad de pé na encosta exposta uns quatro a seis metros abaixo e a oeste de O'Neal. Embora o comprimento dos penedos fosse de quase dois metros, eles se projetavam apenas trinta centímetros sobre o

* Projéteis lançados de morteiros, obuses, lança-granadas e outras variedades de artilharia são conhecidos como fogo indireto. Balas disparadas de rifles e metralhadoras são chamadas de fogo direto.

solo no lado do morro. Quando Tillman e O'Neal se ajoelharam atrás delas, as rochas só chegavam até a altura das coxas dos soldados.

Mesmo assim elas proporcionavam uma visão clara da boca do cânion. Pouco depois de Tillman voltar a se juntar a O'Neal e Farhad nos penedos, após falar com Weeks em cima do contraforte, o veículo dianteiro na Unidade 2, o caminhão *jinga*, saiu roncando do estreito e parou junto ao muro de contenção de pedra de um terraço de plantação de ópio que se projetava sobre o leito do rio. Um momento depois, um Humvee também saiu correndo do cânion e freou abruptamente atrás do *jinga*. Então vários soldados americanos saltaram do Humvee e começaram a atirar encosta acima na direção da esquadra de tiro de Tillman.

O segundo sargento Greg Baker, um líder de esquadrão muito conceituado, havia chegado ao caminhão *jinga*. Seis Rangers e um intérprete afegão sob o comando de Baker chegaram ao veículo agora estacionado atrás do *jinga*. Uma versão do Humvee popular entre as Forças de Operações Especiais denominado GMV (veículo de mobilidade em solo), ele não possuía blindagem, teto, portas ou janelas, exceto o para-brisa dianteiro, proporcionando aos soldados de todos os assentos setores de tiro desimpedidos.

Os Rangers daquele GMV haviam começado a disparar suas armas quando as primeiras granadas de morteiro explodiram perto da Unidade 2, na entrada leste do cânion, e continuaram atirando em posições inimigas, reais e imaginadas, nos penhascos acima enquanto percorriam a garganta. O tiroteio cessou um pouco quando o GMV saiu pela extremidade oeste do cânion e parou atrás do *jinga*, mas recomeçou depois que vários Rangers saltaram do veículo.

Embora Tillman, O'Neal e Farhad conseguissem ver os homens de Baker atirando contra eles, inicialmente os tiros foram intermitentes, e eles não estavam muito preocupados. Foram apenas "umas poucas rajadas de um M4", O'Neal mais tarde testemunhou. "Acenamos à beça lá de cima, querendo dizer 'Ei, somos amigos', porque não era... não era realmente grave. Eles não estavam atirando seriamente contra nós onde achávamos que deveríamos descer. Achei que era um simples erro, como acontecia muitas vezes, e que eles logo pensariam: 'Oh, são amigos lá em cima, vamos parar de atirar'." Depois que Tillman e O'Neal acenaram e berraram "Cessar fogo!" algumas vezes, os tiros pararam, O'Neal recordou. "Portanto, achamos que estávamos bem."

Quando chegaram nos penedos com visão para o leito do rio alguns minutos antes, Tillman vira um combatente inimigo disparando contra eles do alto de um promontório levemente arborizado do outro lado do cânion. O morteiro que disparara a salva inicial provavelmente também estava localizado ali. Embora O'Neal conseguisse ver clarões emanando das armas do inimigo do outro lado do vale a quase quatrocentos metros de distância, não conseguiu distinguir os atiradores. Portanto Tillman disparou uma rajada de sua SAW contra aquela posição inimiga para indicar onde queria que sua equipe lançasse o fogo de supressão, após o que, diz O'Neal, "eu e o soldado das FMA começamos a mirar na posição onde Pat mandou que atirássemos". Quando o Humvee de Baker saiu do estreito, O'Neal e Farhad ainda estavam atirando contra a posição inimiga do outro lado do cânion.

No chão do vale, após cerca de um minuto, os Rangers que atiraram contra a posição de Tillman subiram de volta no seu Humvee, que começou de novo a andar, depois contornou o caminhão *jinga* estacionado e fez a curva acentuada à direita no leito de rio após a extremidade do campo de ópio. Kellett Sayre estava ao volante. Greg Baker, que saltara do *jinga* durante a parada, estava agora de volta ao banco do carona do Humvee. Imediatamente atrás deles, no alto da torre de tiro, Stephen Ashpole manejava a pesada metralhadora calibre 50. No banco do meio à sua direita estava Chad Johnson, um fuzileiro e granadeiro. À esquerda de Ashpole estava Trevor Alders, um atirador de SAW. Steve Elliott estava de pé na traseira direita do Humvee, onde sua metralhadora Bravo 240 estava montada sobre um braço giratório. Sentados no banco traseiro estavam James Roberts, um fuzileiro e granadeiro jovem, e um intérprete afegão conhecido como Wallid.

Tendo acabado de escapar da zona mortal da emboscada, Baker e seus homens estavam agitados e irrequietos. Vários deles jamais haviam participado de um tiroteio antes. Suas armas estavam carregadas, e eles permaneciam em alerta total, dispostos a atirar em qualquer pessoa ou coisa que parecesse representar uma ameaça.

Embora alguns soldados do pelotão dissessem que Baker às vezes era vaidoso e arrogante, mesmo seus críticos admitiam que era um soldado excepcional e um esplêndido líder de esquadrão. No Iraque, antes de ser promovido a líder do Primeiro Esquadrão, ele havia sido o líder da equipe de Kevin Tillman, e os dois irmãos tinham observado, em mais de uma ocasião, que Baker era "*shit hot*" e totalmente "*squared away*" — entre os maiores elogios que um Ranger pode fazer a outro. Pat e Kevin ficaram tão impressionados que chegaram a expressar o desejo de estar no esquadrão de Baker.

Quando o Humvee fez a curva delineada pelo muro de pedra do campo de ópio, Baker observou "clarões de disparos de AK-47 no meu lado direito" no crepúsculo. O clarão era de um rifle automático Kalashnikov pertencente a um homem pequeno de pele escura e barba preta. A barba e o AK-47 fizeram com que Baker deduzisse, corretamente, que o atirador era um afegão. Mas aquele afegão estava trajando uma versão do uniforme de combate americano, com o mesmo padrão de camuflagem no deserto, tricolor, que os Rangers estavam usando — o que deveria ter alertado Baker de que se tratava de um miliciano afegão, não um talibã. O uniforme do inimigo era o *shalwar kameez* — o que os Rangers chamavam de "traje masculino" ou "pijama masculino": o conjunto de túnica e calça folgada usado por praticamente todo homem *pashtun* em Khost que não fosse um membro das FMA ou da Polícia Nacional Afegã.

Baker testemunhou que, mesmo à luz fraca do crepúsculo, percebeu que o afegão estava trajando uniforme de combate. Mas ele também viu que a arma do afegão estava apontada em sua direção, emitindo chamas da boca. Baker achou que o afegão estava tentando matá-lo, e seus reflexos assumiram o controle: pôs o olho na mira de seu M4, centralizou o ponto eletrônico vermelho no peito do afegão, mudou a alavanca seletora de "SAFE" para "SEMI" e acionou o gatilho seis vezes em rápida sucessão. Não mais de três segundos decorreram da primeira vez em que viu o afegão até ter disparado os seis projéteis.

Embora Baker estivesse atirando do banco dianteiro de um Humvee que sacolejava sobre um leito de rio rochoso, seu alvo estava a menos de sessenta metros de distância. "Nós treinamos muito, e ele era um excelente atirador", reflete Jade Lane, o operador de rádio do pelotão. "Para ele, atirar do veículo em movimento daquela distância em alguém não era nenhuma façanha surpreendente." Duas das balas calibre 223 da carabina de Baker atingiram o afegão no tórax, suas pernas desabaram embaixo dele, e ele caiu no chão numa pilha retorcida.

O afegão morto não era um combatente inimigo. Era Sayed Farhad, o soldado das FMA de 27 anos que havia se juntado a Tillman e O'Neal. E ele não estava atirando com seu AK-47 em Baker. Na verdade, tentava proteger Baker e seus homens fornecendo fogo de cobertura, atirando na posição inimiga bem acima do leito de rio no lado sul do cânion, para impedir os inimigos de atiraram no veículo americano que passava embaixo.

Quando Kellett Sayre fez a curva com o Humvee na extremidade do campo de ópio, viu os seis veículos da Unidade 1 estacionados 270 metros à frente. Olhando encosta acima à sua direita, identificou quatro Rangers bem alto no contraforte, acenando freneticamente com os braços para mostrar que eram colegas americanos. Sayre vociferou: "Amigos no alto!", tentando impedir seus colegas no Humvee de cometerem uma estupidez, mas seu aviso veio uma fração de segundo tarde demais. Os outros soldados da picape já haviam começado a atirar, e os gritos frenéticos de Sayre de "Cessar fogo! Cessar fogo!" se perderam sob o matraquear do tiroteio. Na fuzilaria subsequente, centenas de balas foram dirigidas aos penedos onde Tillman e O'Neal haviam procurado abrigo.

Ajoelhado atrás de seu penedo, acreditando que os Rangers no Humvee de Baker houvessem reconhecido ele e Tillman como soldados americanos, O'Neal ficou pasmo com o volume enorme de tiros subitamente disparados contra sua posição. Projéteis de grande calibre levantaram terra à sua volta. Dezenas de balas atingiram as rochas atrás das quais os dois agora se escondiam, arrancando lascas de calcário dos penedos, qual estilhaços de bomba. De acordo com o depoimento de O'Neal ao general de brigada Gary Jones durante uma investigação subsequente, os Rangers no Humvee "atiraram por uns bons 45 segundos a um minuto. Pareceu uma eternidade, portanto poderia ter sido um minuto, um minuto e trinta segundos, mas pareciam várias horas, senhor, está me entendendo, senhor?".

Quando lhe perguntaram se reconheceu o rosto de algum dos atiradores, O'Neal respondeu: "Eu só conseguia ver pessoas, senhor. Não havia luz suficiente para reconhecer rostos, mas dava para ver que eram meus companheiros, entendeu? Dava para ver que eram amigos, sujeitos com quem eu trabalhava e eu só... quer dizer, eu não sabia quem era quem. Eu só sabia que eram meus amigos".

No final, O'Neal testemunhou, ele pôs o rifle de lado, "porque pensei que talvez, se eu jogasse a arma no chão, eles parariam de atirar contra nós". Mas os tiros não cessaram, e ele se lançou no chão e se recolheu em posição fetal. "Comecei a rezar alto", ele disse. "Tinha certeza de que ia morrer. [...] Pat então me perguntou por que eu estava rezando, perguntou o que aquilo podia fazer por mim."

Enquanto o Humvee de Baker seguia pelo leito de rio, os atiradores continuaram cuspindo balas indiscriminadamente, varrendo toda a encosta. Sayre, desesperado, estendeu o braço para trás e agarrou a perna esquerda de Stephen Ashpole, que estava de pé atrás dele na torre de canhão. Embora Sayre puxasse repetidamente com uma mão a calça do atirador de metralhadora enquanto dirigia o veículo com a outra, tentando desesperadamente fazer com que parasse de atirar, Ashpole estava tão concentrado em disparar a arma que nem percebeu.

No contraforte acima de Tillman, o esquadrão de Weeks estava espalhado pela encosta desprotegida, completamente vulnerável à fuzilaria. O cabo Will Aker olhou o Humvee embaixo e viu Steve Elliott espalhando balas de sua metralhadora Bravo 240 no contraforte e nas casas da aldeia. "Ele parecia em pânico", Aker recorda. "Estava atirando em todas as direções. Uma de suas balas chegou a uma distância assim do meu pé." Colocou as mãos a trinta centímetros uma da outra para mostrar a distância.

"Dava para ver projéteis caindo em toda a nossa volta", recorda Russell Baer, um atirador de SAW. "O ar estava cheio de barulhos estranhos, enquanto as balas passavam sibilando por nós. Eles simplesmente não paravam de atirar. Cheguei *tão* perto de atirar de volta naqueles sujeitos. Eu sabia que conseguiria matar cada um deles com minha SAW. Parecia que nada mais conseguiria detê-los. Fico contente por não ter feito isso, mas com certeza passou por minha cabeça."

Trinta e um

No início da emboscada, quando o sargento Weeks liderara seu esquadrão pela aldeia até o topo do contraforte com visão para a abertura do cânion, o líder do pelotão, David Uthlaut, e seu operador de rádio de dezenove anos, Jade Lane, haviam permanecido atrás, nos veículos, para se comunicar com o quartel-general e acionar o alerta de que a Unidade 2 tinha sofrido uma emboscada. Após completarem suas comunicações pelo rádio, eles subiram até a aldeia e se posicionaram ao lado de uma casa de barro de dois andares acima do leito de rio, de onde começaram a atirar em posições de tiro do inimigo, do outro lado do cânion, com suas carabinas M4. "Estávamos bem ao lado da casa", diz Lane. "O líder do pelotão e eu usávamos a parede como cobertura. Lembro que ele estava de pé e eu ajoelhado. Subitamente uma explosão me lançou ao chão. O rosto dele ficou muito machucado. Caía sangue por toda parte, saía sangue pela boca dele. Estava mal e nem percebeu. Foi aí que o segurei, e disse: 'Ei, senhor, você está bem ferrado'. Ele disse: 'Estou?'. Aí tocou o rosto e viu que sua Nomex* estava empapada de sangue." Dez ou quinze segundos depois uma bala acertou o joelho esquerdo de Lane. Quando se afas-

* Todos os Rangers usavam luvas Nomex resistentes ao fogo.

tou rastejando, tentando escapar dos tiros, outra bala o atingiu no peito, ricocheteou no colete à prova de balas e roçou seu ombro direito, chamuscando-lhe a carne.

Lane pensou que havia sido atingido por um talibã empunhando um AK-47 e que Uthlaut havia sido ferido por um morteiro do inimigo. Na verdade, as balas que atingiram Lane haviam sido disparadas por um atirador de metralhadora no Humvee de Greg Baker, e a rajada que acertou o líder do pelotão viera de um projétil altamente explosivo de quarenta milímetros, provavelmente disparado do lança-granadas M203 de Chad Johnson.

Quando lançou a granada cujos estilhaços provavelmente rasgaram o rosto de Uthlaut, Johnson estava perto do Humvee de Baker, sob a posição de Tillman, fora do alcance da visão, depois da última curva no leito de rio. Menos de um minuto depois de Uthlaut ser ferido, o Humvee fez ruidosamente a curva e se tornou visível. "Assim que fez a curva", Lane recorda,

> as armas nele abriram fogo e dava para ver uma quantidade enorme de projéteis chegando. Mesmo antes de avistar o veículo, pude ver projéteis atingindo as proximidades de Tillman e O'Neal, batendo no chão, mas naquele momento eu não sabia que estavam vindo do Humvee de Baker. Pensei que ainda estivessem sendo alvejados pelo inimigo. Cheguei a pegar o rádio e estava gritando com o ETAC:* "Precisamos de ajuda! Precisamos de apoio de fogo agora mesmo!". Eu não sabia que o que precisávamos realmente era que nossos próprios colegas parassem de atirar em nós. Depois que fizeram a curva, eu soube instantaneamente que aqueles projéteis não estavam vindo do inimigo. Ao se aproximarem, consegui ver o que a Bravo 240 estava mirando. Não deu para reconhecer o rosto de Elliott, mas eu sabia que quem manejava a 240 estava atirando em nossa posição.

Quando mais tarde os investigadores perguntaram a Stephen Ashpole, o atirador de metralhadora calibre 50, por que ele e os outros Rangers no veículo de Baker não identificaram positivamente seus alvos antes de atirar, ele explicou:

* ETAC é o acrônimo de "*enlisted terminal attack controller*" (soldado controlador de ataque terminal) — um aviador responsável por ordenar ataques aéreos em apoio às unidades do Exército em solo.

> Como um soldado raso, você é instruído a atirar quando seu líder de equipe atira. [...] Nós fizemos uma curva. [...] O sargento Baker então ordenou que atirássemos e eu preparei minha arma, vi umas formas e disparei para onde o sargento Baker e outros sujeitos estavam atirando. [...] Sei que existe uma polêmica sobre a identificação positiva de seu alvo, mas o sargento Baker era um daqueles grandes soldados. Assim, se ele ordenava que atirássemos em algum lugar, podíamos confiar nele. Parte de sua tarefa é seguir isso. Eu atirei onde ele mandou atirar. [...] Não culpo o sargento Baker por fazer o que fez, quando viu um afegão atirando em nossa direção. Foi uma dessas decisões em frações de segundos que infelizmente se revelou desastrosa.

Outros membros do pelotão foram menos magnânimos sobre a incapacidade de Baker e de seus homens de controlar seus tiros. O primeiro-sargento Steven Walter, que estava num Humvee atrás do Humvee de Baker, a menos de cinquenta metros de distância, testemunhou: "Tive uma visão clara de seu veículo". Quando Walter fez a última curva no leito de rio, viu Ashpole disparando sua metralhadora calibre 50 contra a aldeia e pôde "ver o soldado ferido das FMA no lado do contraforte, trajando um uniforme com listras de tigre, e pude ver quatro Rangers mais acima no contraforte, que mais tarde descobri ser o esquadrão do sargento Weeks. [...]Pude ver claramente naquele momento os uniformes e capacetes dos Rangers no alto do contraforte. [...] Quando identifiquei os locais amigáveis, mostrei-os ao meu veículo e também chamei pelo rádio o segundo-sargento Baker para cessar fogo. Não recebi nenhuma resposta".

O próximo veículo a sair do estreito depois de Walter foi um Humvee dirigido por Brad Jacobson, com o sargento-mestre John Horney no banco do carona. À frente, puderam ver o Humvee de Baker atirando encosta acima. "Assim que fizemos a curva", Jacobson recorda, "o sargento Horney estava exclamando: 'Aqueles lá em cima são amigos! Aqueles são amigos!'. Sua voz estava bem contrariada. Minha visão estava limitada porque estava dirigindo, tentando avançar sem bater nas pedras, mas olhei para cima e vi colegas acenando na posição elevada. Dava para ver a porra do pelotão lá em cima. Sinto muito, mas estava bem óbvio. Estava escuro, é verdade, mas não *tão* escuro assim. [...] Ninguém estava sendo atacado por um talibã naquele ponto. Aqueles caras no veículo de Baker que atiraram nos caras no morro estavam atirando de forma irresponsável."

De acordo com o depoimento de Walter, "fiquei pasmo com o fato de o atirador de calibre 50 estar mandando bala, então tentei entender aquilo e ver o que ele estava fazendo. Ele estava simplesmente desperdiçando munição". Àquela altura, Walter disse, os veículos da Unidade 1 estavam estacionados logo adiante, claramente visíveis. Quando o Humvee de Baker passou pela casa de dois andares onde Uthlaut e Lane estavam posicionados, Elliott continuou atirando com sua metralhadora Bravo 240, mesmo depois que o Humvee parou atrás da Unidade 1. "Seus projéteis traçantes estavam indo em direção ao resto do comboio, que fazia a curva", Walter testemunhou. "Portanto eu tentava chamá-lo para dizer ao atirador do Bravo 240 que parasse de atirar contra... aqueles projéteis traçantes pareciam estar voando sobre a pequena colina em direção ao resto do comboio." Em outras palavras, Elliott tinha tão pouca noção do seu alvo que quase atingiu os Humvees da Unidade 2 que seguiam atrás dele.

Do momento em que Baker matou Sayed Farhad até os tiros enfim terminarem, não decorreu muito mais de um minuto, talvez dois no máximo. Quase no início desse breve período, enquanto as balas atingiam a encosta ao redor de Pat Tillman e Brian O'Neal, Tillman tentou acalmar o jovem soldado raso dizendo: "Ei, não se preocupe, tenho algo que pode nos ajudar". Tillman então se ergueu do chão o suficiente para lançar uma granada de fumaça em direção ao leito de rio, na esperança de sinalizar para Baker e seus homens que eles estavam atirando contra soldados americanos.

O'Neal disse que "ouviu um som sibilante, era uma granada de fumaça púrpura que Pat havia lançado. Os tiros então pararam, e Pat e eu nos levantamos. [...] Ambos achamos que tudo estava solucionado naquele momento". Tratou-se, porém, de uma trégua momentânea. Logo os Rangers no veículo de Baker recomeçaram os tiros.

Dez ou quinze segundos depois, O'Neal observou que a voz de Tillman assumiu um tom nitidamente diferente: havia um "choro em seu clamor", segundo a descrição de O'Neal, que pensou que Tillman tivesse levado um tiro. Ao que se revelou, seu colete à prova de balas fora atingido por um ou mais tiros — golpes fortes que devem ter dado a sensação de uma britadeira atingindo seu esterno. Surpreso com a falta de cabeça de seus colegas Rangers, ele começou a gritar a plenos pulmões: "Em quem vocês estão atirando? Sou Pat Tillman! Pat TILLMAN, porra!". Seus gritos irados e incrédulos, porém, não exerceram nenhum efeito discernível sobre os tiros que vinham de Ashpole, Elliott e Trevor Alders ao passarem por perto, e todos eles atiraram em Tillman de uns 35 metros quando estavam mais próximos — a distância da base do batedor à segunda base no campo de beisebol.

Alders, que nunca estivera num combate de verdade, era o atirador de SAW no Humvee de Baker, posicionado do lado esquerdo do veículo, responsável pelo setor de fogo oposto ao ponto onde os Rangers perceberam a maior parte do inimigo durante a emboscada. Enquanto Ashpole, Elliott e Johnson atacavam alvos do lado direito do veículo, Alders — um sujeito baixote, com apenas 1,65 metro de altura, que, segundo alguns colegas de seu pelotão, tendia a mascarar suas inseguranças com exibições de ousadia — sentiu-se frustrado por estar perdendo grande parte da ação. Sempre que surgia a oportunidade, ele testemunhou, virava para o lado direito do veículo, onde estava a encosta de Tillman — "e disparava a minha arma". A SAW (Arma Automática de Esquadrão) é uma arma poderosa, capaz de disparar dezesseis projéteis por segundo e com um alcance de mais de oitocentos metros. Como Alders gostava de frisar, ele era um exímio atirador de SAW.

Sob juramento, durante um período de dois anos, Alders forneceu cinco relatos diferentes do tiroteio para diversos investigadores. De acordo com uma declaração por escrito apresentada em junho de 2004 em defesa de suas ações, quando o Humvee fez a curva do terraço plantado com papoulas (onde Baker atirou em Farhad), Alders "ouviu tiros, seguidos de 'inimigo à direita'. Todo mundo repetiu o comando. Eu me levantei, mudei do lado esquerdo para o direito, e tentei descobrir para onde todos estavam atirando. Percebi que parecia ser um pequeno muro de pedra com paus encostados dos dois lados. [...] Disparei vinte projéteis (duas rajadas de dez projéteis) naquele muro com apenas poucos segundos de intervalo entre as duas. Identifiquei dois pares de braços levantados. Não faziam nenhum sinal de cessar-fogo ou algo do tipo por gestos".

Intrigado com as implicações dessa afirmação, um agente especial do Comando de Investigação Criminal do Exército mais tarde indagou a Alders: "Por que você atiraria em dois pares de braços que estavam levantados no ar?".

"Aquele era um país de Terceiro Mundo", Alders respondeu, "e eles não fazem sinais por gestos como nós. Minha percepção foi que estavam tentando indicar alguém."

Outro aspecto desconcertante do depoimento de Alders foi sua insistência de que os braços levantados contra os quais atirou estavam atrás de um muro de pedra. Os únicos muros de pedra na encosta eram um par de currais de cabras no topo do contraforte, a certa distância acima de onde o esquadrão do sargento Weeks estava localizado. Mas nenhum Ranger se posicionou atrás dos currais de cabras ou perto dali durante o tiroteio. Os únicos homens protegidos por qualquer tipo de rocha eram Tillman e O'Neal, que haviam procurado abrigo atrás de um par de penedos baixos e longos. Talvez devido à perspectiva de túnel da mira de sua arma, Alders confundisse os penedos com um muro de pedra.

De qualquer forma, cinco meses após apresentar por escrito seu relato do acontecimento, Alders voltou a descrevê-lo num depoimento oral a outro investigador do Exército: "Eu me levanto, me viro, vejo onde eles estão atirando, realmente não enxergo ninguém, vejo um muro de pedra. É de lá que estão atirando, uma posição fortificada. Disparo uma rajada de dez projéteis no muro de pedra e depois, naquela fração de segundo, mãos surgem de repente. Penso comigo: Certo, é ali obviamente que o inimigo está, disparo outra rajada de dez projéteis mais embaixo no muro, porque não consegui ver uma silhueta clara de ninguém. Eu estava tentando fazer com que abaixassem as mãos".

Quando o investigador perguntou se ele chegou a ver "amigos" no alto da encosta, Alders respondeu: "Não, não vi nenhum — nenhuma alma nem ninguém lá em cima, senhor. Quer dizer, o sargento Baker disse que, quando atirou lá em cima, viu a silhueta do que se revelou um soldado das FMA, atirando acima de nós, mas... quer dizer, acredito que o sujeito das FMA já estivesse caído no momento em que virei, porque não vi ninguém lá em cima, senhor. Quer dizer, tudo que vi foram dois pares de braços e pensei que fossem dois *hajjis* se agachando, e estavam sendo alvejados pelo jipe inteiro, senhor".

Com base nos numerosos torrões de terra espalhados nos penedos em volta da posição final de Tillman, os investigadores concluíram que ele foi alvejado por uma metralhadora calibre 50, uma SAW M249 e possivelmente um ou mais M4s. Mas a autópsia realizada em Tillman após sua morte deixa pouca dúvida de que ele foi morto pela SAW. E o único atirador de SAW que alvejou a encosta foi Trevor Alders.

Alguns Rangers no pelotão consideravam Alders um fanfarrão que contava vantagem mas que, com frequência, tinha que pedir ajuda aos outros. Pat, porém, sempre se esforçara ao máximo para ser legal com ele. "Alders era patético", conta um dos colegas do pelotão. "Ele era infantil. Pat era o único sujeito no pelotão que o tratava com respeito." No mês de setembro anterior, quando estavam em Fort Benning se preparando para cursar a Ranger School, Pat e Kevin receberam uma licença de quatro dias. Alders por acaso também estava em Benning na época. Quando Pat e Kevin foram convidados para passar a licença na casa de alguns amigos de sua mãe que moravam em Buckhead, pertinho de Atlanta, Pat encorajou Alders a ir junto. Ele aceitou o convite, agradecido, e foi tratado como igual.

Sete meses depois, quando Pat estava agachado atrás de seu penedo sobre o leito de rio — ferido, gritando seu nome, acenando com as mãos sobre a cabeça para sinalizar que era um soldado americano —, é impossível saber o que se passava por sua cabeça. Mas é quase certo que sua atenção estava voltada para o Humvee aberto que vinha pelo leito de rio pedregoso menos de quarenta metros abaixo, transportando sete de seus colegas Rangers, dos quais dois ou três estavam atirando em sua direção. Se Tillman tivesse uma bola de futebol americano, teria sido fácil atingir o veículo com um passe em espiral apertado.

Olhando para seus colegas embaixo, Pat deve ter visto Alders, posicionado no lado oposto do Humvee, se virar para ficar de frente para ele e depois apontar sua arma para o alto da encosta. Embora Pat provavelmente não conseguisse distinguir a fisionomia de Alders no crepúsculo, deve tê-lo reconhecido com base em sua estatura compacta e no fato de ele estar portando uma SAW. Pouco depois de Alders levar a arma ao ombro, Pat deve ter visto um clarão sair do cano curto e grosso. Simultâneas ao clarão do disparo, três balas calibre 223 dilaceraram o lado direito de sua testa, logo abaixo da borda do seu capacete, matando-o instantaneamente.

Embora as lesões no local onde as balas penetraram fossem enganosamente pequenas e regulares — cada uma com apenas oitenta milímetros de diâmetro e as três compactamente agrupadas —, quando as balas de alta velocidade, revestidas de cobre, colidiram com o osso frontal do crânio de Tillman, fragmentaram-se e começaram a ziguezaguear, com efeito devastador. Os fragmentos das balas, ao atravessar a carne e depois deixar o corpo de Tillman, destruíram grande parte do crânio, lançando o cérebro no solo. O que restou da cabeça de Tillman foi, na maior parte, pele e fáscia, parecendo um balão furado.

Após ouvir a primeira rajada da SAW de Alders rasgar o ar, Bryan O'Neal atirou-se no chão de bruço, tentando ficar colado à terra atrás do penedo. Enquanto jazia ali, ligeiramente abaixo e a oeste de Tillman, O'Neal testemunhou, "lembro que ouvi o que me pareceu água corrente. Achei que Pat tinha urinado. Perguntei se era isso, mas ele não respondeu. Olhei para a rocha ao nosso lado e lembro que vi um fluxo de sangue. Não acreditei no que estava vendo. Vi então o que pareceram porções de sangue e tecido. De início pensei que fora atingido, depois percebi que estava bem. Sentei-me, recuperei o fôlego e olhei para Pat. Ele parecia estar sentado, encostado no morro. Lembro que comecei a berrar por socorro".

O Humvee de Baker parou atrás dos veículos estacionados da Unidade 1 às 18h48 e a fuzilaria terminou um momento depois. Do início ao fim, o tiroteio durara catorze minutos.

De acordo com o depoimento de Steve Elliott, "no final, ouvi 'Cessar fogo'. [...] Parecia estar vindo de todos os lados. Nesse momento o veículo estava parado, e vi um soldado das FMA que tinha vindo para trás do veículo. A impressão que tive foi de que ele estava agitado e queria que parássemos de atirar. Não recordo exatamente se aquele soldado das FMA estava acenando com os braços ou gritando 'cessar fogo'. Estava bem agitado".

A maioria dos Rangers das duas unidades ficou ensurdecida com o tiroteio. De acordo com o sargento Mel Ward, um dos dois líderes de equipe de Weeks, que estava no alto do contraforte acima da posição de Tillman, "quando recuperei a audição — o que levou algum tempo, porque as armas de calibre 50 fazem um barulhão —, a primeira coisa que notei foi alguém gritando: 'Porra, meu Deus! Porra, meu Deus! Porra, *meu Deus*!'. Eu não sabia quem era, mas, pelo jeito como berrava, achei que estivesse ferido, provavelmente dilacerado". Após mandar sua esquadra de tiro permanecer onde estava, ficando atenta para a eventualidade de talibãs espreitando, Ward foi correndo até o lugar de onde vinham os gritos.

Ward chegou nos penedos mais ou menos ao mesmo tempo que o segundo-sargento Weeks. O'Neal "estava num estado de histeria", Weeks testemunhou. Estava ensopado com o sangue de Tillman e salpicado de fragmentos de osso e pedaços de matéria do cérebro. E sem capacete. Sua arma jazia no solo.

"Foi nosso pessoal que fez isto! Puta que pariu, eles o mataram!", O'Neal gritou para Weeks. "Nós estávamos acenando com os braços! Como é que eles não sabiam que estávamos aqui?"

Weeks gritou para O'Neal que pusesse seu capacete, apanhasse sua arma e se controlasse. Após ordenar que O'Neal vigiasse um setor próximo para lhe dar algo que fazer, Weeks contactou Eric Godec, o sargento do pelotão, e informou pelo rádio: "Tenho um Eagle KIA, indicativo de chamada Tango", sugerindo que um americano havia sido morto em ação (*K*illed *I*n *A*ction) e que seu sobrenome começava pela letra *T*.

Àquela altura, o sargento Bradley Shepherd, o outro líder de equipe de Weeks, também chegara ao local. "A primeira coisa que Ward fez", diz Shepherd, "depois de ver que Tillman estava bastante decapitado, foi ajoelhar-se e abraçá-lo. Começou a chorar." Ward — um Ranger taciturno, fisicamente imponente, politicamente conservador, dois anos mais velho que Tillman — achava que um homem não devia chorar em público, se é que alguma vez devesse chorar, e ficou constrangido porque seus colegas o viram "sendo um maricas". Mas algumas horas antes, enquanto o pelotão ficara aguardando em Magarah, Tillman e Ward haviam montado guarda juntos durante grande parte da longa tarde, e conversaram sobre suas esposas e famílias e o que pretendiam fazer quando saíssem do Exército. Quando Ward se aproximou de Pat atrás do penedo, pensou naquela conversa final e foi "dominado pelos acontecimentos", como dizem nas Forças Armadas.

"Eu estava chorando, o que me surpreendeu", Ward recorda. "Fiz uma pausa junto ao corpo de Pat e pus uma mão no seu peito." Um homem circunspeto e extremamente reservado, Ward só falou sobre o que aconteceu com sua esposa e os investigadores do Exército. "Ver seu amigo daquele jeito é bem difícil", ele admite. "Nós havíamos, é... havíamos acabado de conversar e..." Quatro anos após a tragédia, sua fala se interrompe e seus olhos ficam marejados. "Pensei que seria capaz de conversar sobre isso agora sem ficar tão abalado, mas... Quer dizer, ele não estava apenas deitado ali como alguém que levou um tiro num filme de John Wayne, onde parece que talvez só esteja desacordado."

Ward faz uma pausa de quase um minuto para conseguir se acalmar e depois continua: "Estava ficando escuro. Após todo aquele barulho, de repente ficou realmente silencioso. Lembro que fiquei sentado ali com Pat por um momento. E depois pensei: 'Alguém vai ter que cuidar disso agora'.".

"Aker subiu até lá", diz Shepherd, "e quando viu Tillman, ficou branco feito um fantasma. Godec já estava lá, e ao ver a reação de Aker achou melhor que ele se afastasse. Assim sendo, ordenou-lhe: 'Desça e apanhe uns ponchos, imediatamente'."

Quando o soldado raso Aker começou a descer o morro para apanhar ponchos e Skedcos* a fim de embalar os corpos, o Humvee de Parsons parou no leito de rio logo abaixo dos penedos onde Pat foi morto. Kevin estava de pé na torre de canhão do Humvee. Último veículo da Unidade 2, ele saíra do cânion poucos minutos antes, quando o tiroteio já havia terminado. No momento em que Pat foi fatalmente alvejado, Kevin ainda estava na garganta do estreito, sem a menor ideia da tragédia que se desenrolava.

Weeks imediatamente abordou o Humvee para perguntar a Parsons se tinha uma Skedco, o que fez Kevin perguntar: "Quem foi atingido?".

"Claro que eu sabia", Weeks testemunhou, "mas naquele momento eu respondi que não sabia porque não queria ter de lidar com a situação."

Logo depois, Aker chegou ao leito de rio, e ele também perguntou a Parsons se havia uma Skedco e ponchos no veículo. Quando Parsons perguntou: "O que está acontecendo?", Aker o levou para trás do Humvee e revelou que eles tinham dois mortos em ação, um deles um Ranger. "Quando perguntei quem era, ele sussurrou baixinho que era Tillman", diz Parsons. "Estávamos ajoelhados atrás do veículo. Naquele momento pensei: 'Caramba'. Porque Kevin estava lá no alto montando guarda na torre de canhão."

Parsons não disse nada para Kevin. Ele, Aker, Jacobson, Horney e um jovem soldado raso chamado Marc Denton levaram ponchos e Skedcos para cima do morro e ajudaram Ward e Shepherd a embalar os corpos de Tillman e

* Maca de plástico leve para evacuar mortos e feridos.

Farhad, prendê-los nas macas e levá-los para baixo pela encosta íngreme no escuro. Ward apanhou a SAW de Tillman, o colete MOLLE e as centenas de cartuchos de munição que ele carregava, e pendurou aquela carga pesada nos ombros sobre seu próprio kit. "Depois começamos a carregar Pat e o sujeito das FMA para os veículos embaixo", ele diz. "Não foi fácil. Foi muito cansativo."

Logo acima do leito do rio, Shepherd e Denton estavam descendo com uma das Skedcos por uma escarpa vertical até Parsons e Aker quando "Tillman se soltou", de acordo com Parsons. A parte superior do corpo de Pat escapou do poncho e atingiu Aker no peito. "Aker reagiu mal àquilo", Parsons recorda. Depois que cobriram Pat e o colocaram de volta na Skedco, Jacobson arrastou a maca pelo leito de rio até a área de pouso, onde um helicóptero evacuaria os corpos.

Eram cerca de 19h40. Montando guarda na torre, perscrutando a escuridão com um dispositivo de visão noturna montado na borda do capacete, Kevin viu seus colegas lutando para transportar um objeto grande morro abaixo. "Eles trouxeram alguém numa Skedco", ele testemunhou. "E perguntei: 'Quem é, porra?'."

"É um soldado das FMA", alguém no veículo respondeu.

"Pensei: 'O quê?'.", Kevin contou ao investigador. "Aquilo não fazia sentido. [...] Comecei a sentir algo estranho, sabe, porque meu irmão é um sujeito bem ruidoso." Kevin não tinha ouvido o riso estrondoso de Pat, nem visto qualquer sinal dele, desde que chegara ao local da Unidade 1 após o tiroteio. A última vez em que havia falado com Pat fora em Magarah, antes da divisão do pelotão.

Parsons saltou para dentro do Humvee, seguiu 230 metros pelo leito do rio e estacionou atrás do resto do comboio. Kevin voltou a montar guarda na torre, mas sua "sensação estranha" persistiu. Por isso ele perguntou a Parsons: "Cadê o Pat?".

"Ele me perguntou umas três vezes", diz Parsons. "Eu o ignorei nas primeiras duas vezes. Quando ele perguntou de novo, decidi: 'Está bem, vou contar'."

Russell Baer estava sentado na traseira do Humvee de Parsons, ele recorda, quando "Parsons subiu à torre com Kevin. Ele disse: 'Não queria lhe dar esta notícia, mas seu irmão está morto'. Desse jeito. Foi assim que Kevin descobriu que Pat havia sido morto. Eles estavam exatamente acima de mim. Eu ouvi a conversa. Foi assim que fiquei sabendo também. Foi foda".

"Contei para ele direto", diz Parsons. "Kevin e eu ficamos repisando aquilo por um minuto, porque ele não conseguia acreditar. Mas finalmente ele entendeu que seu irmão havia sido morto em ação."

"Kevin ficou em total silêncio", diz Baer. "Olhou em volta por uns cinco segundos e depois saiu calado do jipe. Começou a andar em volta, gritando 'porra!' várias vezes. [...] O que fazer? Eu queria fazer alguma coisa, mas não sabia como melhorar as coisas. Foi devastador até para mim. Nem consigo imaginar como deve ter sido para Kevin. Perder Pat... quer dizer, eles não eram simples irmãos. Eram como unha e carne. Lembro que o paramédico — Doc Anderson, um sujeito mais velho — pediu a Kevin seu rifle. Kevin estava tenso. Berrando. Andando sem rumo para lá e para cá. Foi aí que Doc pegou sua arma." Parsons, preocupado com a reação de Kevin à morte do irmão, pedira a Anderson que confiscasse a arma de Kevin.

Quando Parsons informou a Godec e ao segundo-sargento Jonathan Owens, o líder de esquadrão de Kevin, que havia contado para ele que Pat tinha sido morto em ação, "Owens ficou furioso comigo", Parsons recorda. "Disse que eu não devia ter contado. Acabei revidando: 'Ei, Kevin é um adulto. Não vou tratá-lo como um garoto. Não vou mentir para ele sobre algo assim. É o irmão dele. Se fosse seu irmão ou irmã que tivesse morrido, você ia querer saber o que aconteceu'.". Mas Parsons ainda não tinha ideia de que Pat havia sido morto por fogo amigo, portanto não revelou esse aspecto da tragédia a Kevin. Ele tampouco foi revelado por algum dos vários Rangers no pelotão que já sabiam com absoluta certeza o que tinha acontecido.

Um par de Black Hawks apareceu das trevas e desceu em meio a um furacão de detritos criado por sua corrente descendente. Enquanto os Rangers observavam, com seus dispositivos de visão noturna, a chegada dos helicópteros, as pontas das pás da hélice pareciam emitir bolas de chamas verdes brilhantes — eletricidade estática gerada pela hélice atravessando a areia levantada. Uthlaut e Lane, ambos gravemente feridos, foram colocados num dos aparelhos, os corpos de Pat e Farhad foram carregados no outro, e às 19h58 os dois helicópteros levantaram voo na noite. Nove minutos depois, desceram ao lado do hospital de campanha na BOA Salerno. Cerca de uma hora depois, um Chinook retornou ao leito de rio e levou Kevin para Salerno também.

Para os demais Rangers, diz Josey Boatright, "foi uma noite difícil. Todos estavam exaustos e aturdidos. Pernoitamos ao lado dos veículos no leito de rio, mas ninguém dormiu muito. O sangue de Pat havia se espalhado na minha perna, onde o corpo tinha encostado. Aquele cheiro... a noite toda meu saco de dormir cheirou a sangue".

Na manhã seguinte, os Ovelhas Negras saíram de Mana e dos povoados adjacentes. Enquanto o pelotão estava revistando casas, Brad Jacobson permaneceu do lado de fora montando guarda. A certa altura, olhou para o céu e viu um par de helicópteros do Exército voando bem alto. Sob cada um dos enormes Chinooks, oscilando de um longo cabo de náilon, um Humvee estava sendo transportado para Salerno. "Foi um lembrete silencioso", Jacobson testemunhou numa declaração juramentada, "de que talvez, se nossa liderança tivesse feito a coisa certa em Bagram e nos enviado aquele helicóptero como pedimos, nada disso teria acontecido."

PARTE QUATRO

Aquele que aprende precisa sofrer. E, mesmo em nosso sono, a dor que não se pode esquecer cai gota a gota no coração, e, a nosso despeito, contra nossa vontade, a sabedoria vem a nós pela sublime graça de Deus.

— ÉSQUILO, *Agamenon*

Trinta e dois

Enquanto Pat e Kevin estavam mobilizados no Iraque, Marie havia sido contratada por uma empresa chamada Creative Group, localizada num arranha-céu no núcleo urbano de Seattle. "Eu adorava trabalhar ali", Marie diz. "Eu trabalhava com um grupo de moças das quais realmente gostava, e curtia estar no centro de Seattle durante a semana. Era bom me afastar da casa vazia em University Place. No fim do dia, às vezes eu bebia alguma coisa com uma de minhas colegas e voltava para casa quando o trânsito já tinha melhorado."

Pouco antes das 17h00 pelo horário padrão do Pacífico em 22 de abril, dez horas e meia depois de Pat ser alvejado, a recepcionista do escritório chamou Marie para a sala de conferências. Um sargento-mestre do Exército chamado William Donovan, trajando um uniforme formal Classe A e acompanhado por um capelão do Exército, entrou na sala e perguntou se ela era Marie Tillman, depois perguntou se era casada com o especialista Patrick Daniel Tillman. Quando ela respondeu sim a ambas as perguntas, Donovan testemunhou, "eu disse que o marido dela havia morrido no Afeganistão aquele dia. [...] Era tudo o que eu tinha para dizer, depois respondi às perguntas, é claro".

A primeira pergunta de Marie foi se Kevin estava bem, e depois ela perguntou como Pat fora morto. Donovan respondeu: "Não dispomos das informações ainda, mas foi um tiro na cabeça, durante uma emboscada". De acordo com Donovan, "Naquele momento ela estava mais preocupada com Kevin. Ah, ela perguntou se sua... se a família de Pat havia sido notificada. [Ainda não havia.] [...] O capelão e eu já tínhamos decidido como iríamos... veja bem, achamos melhor ela não dirigir. Portanto, o capelão dirigiu o carro dela, e eu dirigi o veículo [omitido] com [omitido] de volta à casa deles em... esqueci onde eles moram".

Antes de deixar o escritório, Marie ligou para os seus pais a fim de comunicar a morte de Pat. Com uma conduta anormalmente calma que ocultava seu verdadeiro estado mental, pediu que avisassem à sua irmã e a seu cunhado, Christine e Alex Garwood, ambos muito íntimos de Pat. Alguns minutos depois, Marie soube que alguém do Exército estava a caminho da residência de Dannie Tillman, em New Almaden, para informá-la da morte de Pat. Os pais de Pat haviam se divorciado seis anos antes, e Marie se deu conta de que Dannie estaria provavelmente sozinha em casa quando o mensageiro do Exército chegasse. Portanto, Marie ligou correndo para Alex pedindo que contactasse o irmão de Dannie, Mike Spalding, e pedisse que ele tentasse chegar lá antes. Alex não conseguiu se comunicar com Mike, então decidiu ir ele próprio à casa de Dannie.

Àquela altura, a mãe de Pat tinha uma sensação de que havia algo errado, por causa das mensagens estranhas que encontrara na secretária eletrônica ao retornar de seu trabalho como professora de crianças excepcionais na Bret Harte Middle School. Alex lembra que, ao sentar-se no seu carro na garagem em Los Gatos, preparando-se para ir até a casa de Dannie, recebeu um telefonema dela em seu telefone celular. De acordo com Alex, "ela perguntou: 'Aconteceu alguma coisa com os meninos?'. Pensei: 'Não cabe a mim dizer'. Talvez fosse covardia da minha parte, mas eu respondi: 'Você precisa ligar já para Marie'. Então desliguei e fui até a casa dela o mais rápido possível, tentando chegar antes do Exército".

Com o coração na mão, Dannie ligou para a casa de Pat e Marie, que ficava acima de Tacoma Narrows, mas quando Marie atendeu sua voz soou calma, o que mitigou um pouco os temores de Dannie. Contudo, quando ela perguntou a Marie o que estava acontecendo, esta não conseguiu falar. Dannie repetiu a pergunta. De novo, houve apenas silêncio do outro lado da linha. Dannie voltou a perguntar, e desta vez Marie respondeu: "Ele está morto".

"Morto! Quem está morto?!", Dannie quis saber.

"Pat está morto."

Dannie saiu correndo pela porta da frente de sua casa. Seus gritos lancinantes fizeram com que os vizinhos corressem para fora para ver o que havia de errado. Alex chegou de carro um momento depois. "Os vizinhos de Dannie, Peggy e Syd, estavam consolando-a", ele diz. "Eu fui até lá e a abracei. Pouco depois, apareceu uma sargento do Exército, uma mulher que parecia confusa. Ela havia se perdido. Ao sair do carro, tentou abotoar a jaqueta do uniforme, e ficamos ali parados aguardando que ela fechasse todos aqueles botões. Lembro que pensei: 'Olha, nós sabemos por que você está aqui. Quem se importa com seu uniforme?'. Depois foi como nos filmes: 'Em nome de uma nação agradecida, seu governo lamenta informá-la de que seu filho Patrick Daniel Tillman foi morto em combate'."

Assim que Dannie conseguiu se controlar, perguntou à sargento onde Kevin estava, e se estava bem, e em seguida ligou ao ex-marido para dar a terrível notícia. Ele imediatamente veio de carro até a casa. "Quando o sr. Tillman entrou", Alex conta, "ele e Dannie se abraçaram ao lado da mesa. Ele como que a puxou para dentro daquele abraço desesperado. A sargento e eu ficamos lá fora para deixá-los sozinhos. Enquanto permanecíamos ali, conseguimos ouvir os lamentos deles — pareciam gritos primitivos."

Assim que souberam da morte de Pat, os pais de Marie, Paul e Bindy Ugenti, e sua irmã, Christine Ugenti Garwood, foram de avião até Seattle em 22 de abril para ficar com ela. "Fomos até a casa dela em Washington naquela noite", diz Christine. "No momento em que a vi, dei-lhe um enorme abraço, esperando que ela desabasse. Mas ela não estava chorando, o que me surpreendeu. Enquanto eu lutava para não perder o controle, Marie apenas ficou sentada ali, estranhamente calma. Não sei, talvez aquilo fosse enorme demais para ela processar, mas agia como se estivesse entorpecida. Parecia preocupada em se certificar de que Kevin estava bem, de que Dannie estava bem, de que Richard estava bem, de que o sr. Tillman estava bem — ela estava direcionando toda a sua energia para ajudar os outros, concentrando-se nas coisas que deviam ser feitas para que não precisasse sentir nada, e aquilo me angustiou."

Enquanto permaneceram com Marie, seus pais dormiram no quarto de Kevin e Christine dormiu no sofá. "De manhã", Christine recorda, eu ia para a cama de Marie conversar. Havia tantos detalhes de que ela precisava cuidar. Lembro-me de ir à cama dela e perguntar: "O que está acontecendo? O pessoal do Exército está vindo à sua casa e fazendo todas aquelas perguntas, e você está fazendo todas essas coisas, e ninguém sequer fala sobre Pat, que grande pessoa ele foi. [...]". Marie começou a chorar quando eu disse aquilo, e conversou sobre como estava realmente se sentindo. Estava devastada, obviamente, mas por alguma razão sentia que precisava se controlar — havia tantas pessoas na casa que ela achou importante não desmoronar. Eu entendi. Lembro-me de ter dito: "Você não precisa pedir desculpas pela maneira como está reagindo. Só estou preocupada com você".

Às 22 horas de 22 de abril, quando saltou de um helicóptero na Base Operacional Avançada Salerno depois de ser trazido do cânion onde Pat foi morto, Kevin foi convocado ao COT — Centro de Operações Táticas — para se encontrar com o major David Hodne. "Kevin estava obviamente deprimido com o incidente", Hodne testemunhou, "e eu tentei consolá-lo. [...] Ele recusou minha oferta de falar com o capelão que estava chegando. Pediu-me que prometesse vingança contra os emboscadores." Hodne assegurou a Kevin que o responsável pela morte de Pat pagaria caro por suas ações. Esta se revelaria a primeira de uma série de promessas descumpridas e mentiras em causa própria à família Tillman por parte dos oficiais de carreira do Exército norte-americano.

Àquela altura, todos os telefones e terminais de internet disponíveis aos cabos e soldados em Salerno haviam sido bloqueados para impedir que comunicassem notícias sobre a morte de Pat a qualquer pessoa fora da base. Não houve nada de incomum ou condenável naquele bloqueio. Tratava-se da política padrão nas bases do Afeganistão e do Iraque, sempre que havia baixas norte-americanas, para permitir que a família fosse notificada antes que a notícia vazasse para a mídia. Tomando as primeiras providências para notificar os Tillman, às 23h08 um funcionário do COT de Salerno enviou um e-mail ao Comando Central norte-americano em Tampa, Flórida, informando que o especialista Patrick Daniel Tillman havia sido morto em ação durante uma emboscada, após ser ferido por um tiro na cabeça.

Na madrugada seguinte, no cânion onde os Ovelhas Negras tinham sido atacados, o primeiro-sargento Tommy Fuller subiu até as rochas onde Pat fora atingido. Ele chegara pouco depois do tiroteio na noite anterior com o comandante da Companhia Alfa, capitão William Saunders, e o Terceiro Pelotão, que viera às pressas de Salerno até o cânion a fim de ajudar os soldados aturdidos do Segundo Pelotão. Atrás do penedo superior, Fuller testemunhou, "o cérebro de Tillman ainda estava no chão". Colocou-o numa bolsa Ziploc, que pôs dentro de uma lata de munições, e depois entregou a lata a um de seus sargentos para que fosse devolvida a Salerno e enviada aos Estados Unidos com o corpo de Pat. Essa lata de munições e os restos mortais que continha nunca foram enviados aos Estados Unidos. Simplesmente desapareceram, sem nenhuma explicação.

Após conversar com diversos sobreviventes do tiroteio, Fuller percebeu que Pat havia sido atingido por seus companheiros, e comunicou esta conclusão ao capitão Saunders. Após entrevistar os homens do Segundo Pelotão, Saunders concordou com a avaliação de Fuller da causa da morte.

Em torno de 8h30, o tenente coronel Jeffrey Bailey, comandante do Segundo Batalhão dos Rangers, chegou ao local, falou com soldados de ambas as unidades de marcha, conversou longamente com Fuller e Saunders, e percorreu a área. "Nós três nos reunimos", Bailey testemunhou. "Então eu disse: 'Está bem. Acho que concordo com vocês. Precisamos fazer uma investigação'. Liguei para o major Hodne [em Salerno] e informei que pressentia que Tillman havia sido morto por fogo amigo. [...] Não havia dúvida a esse respeito. Era um caso em que seis ou sete Rangers tinham visto o veículo atirando contra eles."

Hodne recomendou que Bailey escolhesse um oficial, o capitão Richard Scott, para conduzir uma investigação, de acordo com o Artigo 15-6 do Código Uniforme da Justiça Militar. Bailey concordou, e Scott foi nomeado chefe da chamada investigação 15-6.

Tratando-se da investigação da morte de um soldado tão famoso, foi uma escolha estranha. Embora Scott fosse um oficial muito conceituado, era um mero capitão, e foi justamente sua ordem de dividir o pelotão de Uthlaut, sob o comando direto de Hodne, que culminou na morte de Tillman. Como tanto Hodne quanto Bailey sabiam, o Artigo 15-6 prescrevia que "o oficial investigador tenha patente superior à daqueles cuja conduta ou desempenho deva investigar", o que impedia Scott de examinar as ações de Hodne ou Bailey. A investigação da morte de Tillman, portanto, tomou um rumo irregular desde o início. Outras irregularidades logo se seguiram.

Bailey alertou seu chefe — coronel James Nixon, o comandante de todo o

Regimento dos Rangers — de que Tillman fora vítima de fratricídio. Nixon então contou aquilo ao seu chefe, o tenente-general Philip Kensinger Jr., comandante do Comando de Operações Especiais do Exército dos Estados Unidos (USASOC), bem como a um general duas estrelas chamado Stanley McChrystal, que dirigia o ramo mais secreto das Forças Armadas norte-americanas, o Comando Conjunto de Operações Especiais (JSOC). O general de divisão McChrystal estava à testa de missões de contraterrorismo de alto risco empreendidas pelos SEALS da Marinha, agentes da Força Delta e Rangers do Exército. Excepcionalmente capaz, sem medo de adaptar as regras para obter resultados, ele comandava os soldados que resgataram Jessica Lynch, bem como as unidades que mais tarde viriam a capturar Saddam Hussein e matar Abu Mussab al-Zarqawi. Era politicamente astuto. Tinha total liberdade de ação. O vice-presidente Cheney e o secretário de Defesa Rumsfeld mantinham contato estreito com ele e tinham confiança absoluta nele.

Uma ou duas horas depois de Kensinger e McChrystal serem informados de que Tillman havia sido morto por fogo amigo, a notícia do fratricídio foi enviada, por meios de comunicação reservados, aos mais altos escalões do Pentágono e da Casa Branca. Os fatos sobre a morte de Tillman só foram informados a um quadro restrito de oficiais.

Naquela tarde — 23 de abril — o caixão de Pat foi carregado num helicóptero, e Kevin acompanhou o corpo de Salerno a Bagram. Antes de partir, ele pediu a Bailey, Hodne e praticamente todos os outros Rangers que encontrou que tentassem encontrar o pequeno caderno onde Pat vinha registrando seus pensamentos e observações, para que pudesse ser devolvido à família Tillman. Kevin deixou claro que recuperar o caderno era importantíssimo para ele. Conquanto seus superiores assegurassem que não mediriam esforços na busca do caderno, na verdade estavam fazendo de tudo para que ele não soubesse como Pat fora morto.

O procedimento operacional padrão determina que, quando um soldado é morto em combate, seu uniforme seja deixado no corpo para envio aos Estados Unidos, onde será removido durante a autópsia e analisado pelos legistas. Por razões que nunca foram explicadas, o uniforme empapado de sangue de Tillman e o colete à prova de balas foram removidos em Salerno e colocados numa lata de lixo, antes que o corpo fosse levado de avião a Bagram. Na noite de 23 de abril, o sargento James Valdez testemunhou, um capitão chamado

Wade Bovard "veio até mim com uma bolsa plástica de cor laranja contendo as roupas de Tillman. Ele então informou que queria que eu queimasse o conteúdo da bolsa, por medida de segurança. Além disso, o capitão Bovard informou que queria que eu estivesse sozinho ao queimar o que estava nela para evitar problemas de segurança, vazamentos e rumores".

Antes de destruir o conteúdo da bolsa, Valdez examinou os bolsos do uniforme de Tillman, encontrando o caderno de Pat no bolso maior da calça. Depois acendeu um fogo num tambor de petróleo vazio e destruiu o caderno, o uniforme e o colete à prova de balas. Enquanto esses objetos estavam queimando, Valdez afirmou, "o capitão Bovard apareceu um momento para se assegurar de que tudo estava bem. [...] Ele retornou depois, bem no final, quando eu estava terminando".

Os Rangers do Segundo Pelotão chegaram de volta a Salerno na manhã de 25 de abril, ainda atordoados com os acontecimentos do dia 22. Tommy Fuller trouxera o colete com as bolsas de munições que Pat usara sobre seu colete à prova de balas, empapado de sangue e furado de balas. Um fragmento de um projétil de SAW de ponta verde que havia atingido uma granada permanecia em uma das bolsas. Naquela tarde Fuller queimou o colete no mesmo tambor onde Valdez destruíra os demais pertences de Pat dois dias antes.

O Primeiro Pelotão retornou à BOA pouco depois dos Ovelhas Negras. Na noite anterior, com base numa informação fornecida por aldeões simpatizantes em Magarah, o pelotão havia capturado quatro homens que teriam participado da emboscada. Todos eram membros de tribos locais que disseram ter recebido quantias modestas de uma quinta figura, um notório talibã, para atacarem o pelotão americano. De acordo com o depoimento juramentado do major Hodne, "Gul Zaman é aquele que concluímos ser o pistoleiro/líder da emboscada. Ao que me consta, Zaman não foi capturado e fugiu para [omitido]".*

Todos os Rangers do pelotão já sabiam que Pat tinha sido morto por outro Ranger, mas receberam ordens expressas de Bailey de não revelarem esse

* Aparentemente, Hodne ignorava que Gul Zaman, um membro da tribo Wazir de 33 anos criado numa aldeia próxima, estava detido numa cela no campo de detenção da baía de Guantánamo em 22 de abril de 2004, onde vinha sendo mantido desde a sua detenção em 21 de janeiro de 2002 por ser um "combatente inimigo". Zaman foi libertado de Guantánamo em 20 de abril de 2005, depois que um tribunal militar concluiu que ele era um afegão inocente acusado por engano.

fato a ninguém, em nenhuma circunstância. Kevin, desesperado por informações sobre como Pat perdera a vida, ligou repetidamente de Bagram para o COT de Salerno e pediu para falar com Bryan O'Neal, porque sabia que O'Neal estivera próximo do local onde Pat fora baleado. "Tive que ligar umas oito vezes", Kevin testemunhou. Quando enfim conseguiu falar com Bailey, Kevin implorou: "Onde está O'Neal? Onde está O'Neal? Chame alguém com quem eu possa conversar".

"Kevin estava uma pilha de nervos", Bailey testemunhou. "Por isso fiquei enrolando ele." Diante da insistência de Kevin, Bailey enfim permitiu que ele e O'Neal se falassem, mas primeiro reiterou firmemente a O'Neal que este recebera ordens de não falar nada sobre o fogo amigo.

"E ele não me disse nada", Kevin recordou. "Simplesmente atenuou os fatos. Falou durante uns três minutos e contou: 'Estávamos subindo o morro e [...] o sujeito das FMA levou um tiro. E depois Pat levou um tiro, e estávamos todos atirando feito loucos. E quando olhei para baixo, Pat tinha sido alvejado. Não me lembro de mais nada depois disso'." Com base no que O'Neal informara, Kevin ficou convencido de que Pat tinha sido morto pelo Talibã.

"Eu queria de cara informar à família o que havia acontecido", O'Neal afirmou, "especialmente a Kevin, porque trabalhei com ele no pelotão. [...] Quando pude enfim falar com Kevin, fiquei abismado com a ordem recebida de não contar o que acontecera."

Os corpos de soldados mortos no Afeganistão e no Iraque são recebidos e processados na Base da Força Aérea de Dover, em Delaware. Em 26 de abril, Kevin chegou a Dover com o corpo de Pat. Russell Baer tinha sido mandado junto para fazer companhia a Kevin durante a longa viagem até sua casa. Antes de deixar Salerno, Baer também foi alertado de que devia manter o bico calado. "Eu e Kevin mal dissemos uma palavra um ao outro durante todo o trajeto de volta", Baer diz. Marie Tillman foi de avião de Seattle para encontrá-los quando chegassem em Dover.

Uma autópsia foi realizada no necrotério da base pelo dr. Craig Mallak, o chefe dos médicos legistas das Forças Armadas, e pelo dr. James Caruso, subchefe dos médicos legistas. Quatro meses antes, Mallak havia disseminado uma política, em todos os ramos das Forças Armadas, determinando explicitamente que os soldados mortos fossem enviados a Dover com seus uniformes, coletes à prova de balas e capacetes, que seriam considerados indícios forenses cruciais. Quando viram que Pat chegara nu, sem nenhum desses indícios, Mallak ficou furioso. "Perguntamos várias vezes: 'Onde estão as roupas?'.", ele testemunhou. Quando soube que tinham sido queimadas, Mallak disse, "pensei: 'Por que alguém faria isso?'.".

O Exército não informou a Mallak que Pat tinha sido morto por fogo amigo, outra grave transgressão do protocolo. Pelo contrário, disseram que Pat "foi alvejado por insurgentes ou pelo Talibã". De acordo com Mallak, ele "imediatamente ficou preocupado com o caso" porque "os ferimentos de arma de fogo na testa eram de natureza atípica, e os indícios médicos não correspondiam ao cenário inicialmente descrito". Ele ficou tão preocupado com aquela discrepância que pediu à Divisão de Investigação Criminal do Exército que a investigasse, mas esta se recusou. Perturbados, Mallak e Caruso negaram-se a assinar seus nomes no relatório do exame de autópsia.

Na noite de 28 de abril, após a autópsia, Marie, Kevin e Russell Baer levaram o corpo de Pat para sua cidade. Do aeroporto de San Francisco, um cortejo os levou para uma capela em San Jose, onde os pais de Pat, seu irmão Richard e um de seus tios reuniram-se a eles rapidamente antes da meia-noite. Por mais triste que fosse a reunião, todos estavam tremendamente aliviados por verem Kevin.

Em 30 de abril, Pat foi cremado. Uma cerimônia religiosa pública em memória dele foi programada para a segunda-feira, 3 de maio, a ser realizada no Jardim de Rosas Municipal de San Jose.

Trinta e três

Na noite em que os restos mortais de Pat chegaram a San Jose, *60 Minutes II*, o noticiário da rede de televisão CBS, exibiu uma matéria sobre tortura e maus-tratos praticados por soldados americanos contra prisioneiros iraquianos numa prisão na periferia de Bagdá chamada Abu Ghraib. O relato, acompanhado de fotos tiradas pelos infratores desses atos sádicos, foi chocante. Enquanto Alberto Gonzales, o assessor jurídico da Casa Branca,* assistia ao programa na Ala Oeste, murmurou sombriamente: "Isto vai acabar conosco".

Dois dias depois, em 30 de abril, uma matéria ainda mais perturbadora sobre Abu Ghraib, escrita pelo jornalista Seymour Hersh, foi postada no site da revista *New Yorker*. Os supostos maus-tratos aos prisioneiros de Abu Ghraib incluíam humilhação sexual, sodomia, espancamentos, assassinatos e o estupro de uma menina iraquiana de dezesseis anos, e provocaram indignação no mundo inteiro. As revelações aumentaram ainda mais as dificuldades crescentes do governo Bush no Iraque, onde a guerra recentemente dera uma guinada dramática para pior.

Donald Rumsfeld e o general Richard Myers, o presidente do Estado-

* Dez meses depois, Gonzales seria nomeado secretário de Justiça pelo presidente Bush.

-Maior Conjunto das Forças Armadas americanas, já sabiam, desde meados de abril, que a denúncia do *60 Minutes* era iminente. A seu pedido, a transmissão da matéria sobre Abu Ghraib foi protelada por dois meses, para não exacerbar a intensa batalha então travada na cidade iraquiana de Fallujah.

A violência em Fallujah já havia sido marcante em 31 de março, quando insurgentes iraquianos armaram uma emboscada contra um comboio defendido por quatro paramilitares contratados pela Blackwater USA. Depois de mortos num ataque a granada, os corpos dos quatro americanos foram incendiados, arrastados por uma turba pelas ruas de Fallujah e depois pendurados de uma ponte sobre o rio Eufrates. Em resposta, 2 mil soldados americanos lançaram um ataque maciço à cidade em 4 de abril, iniciando um combate urbano encarniçado que continuou pelos próximos 27 dias. Na altura em que as forças americanas foram retiradas de Fallujah, em 1º de maio, 27 soldados americanos estavam mortos, e mais de noventa haviam sido feridos. O comandante de uma das facções insurgentes, uma figura antes desconhecida chamada Abu Mussab al-Zarqawi, emergiu após a batalha como um herói para os iraquianos sunitas, por resistir aos americanos e forçá-los a recuar da cidade, transformando-se de um ilustre desconhecido em um inimigo perigoso.

Como resultado desses acontecimentos inquietantes, a Casa Branca estava ansiosa por encontrar algo que desviasse a atenção do atoleiro mortal em que o Iraque se tornara, exatamente como Osama bin Laden havia previsto alegremente. O presidente enfrentava uma campanha cada vez mais acirrada pelo segundo mandato na Casa Branca, faltavam apenas seis meses para a eleição, e seu índice de aprovação vinha despencando. Quando Tillman foi morto, os gestores de percepções da Casa Branca viram uma oportunidade semelhante àquela proporcionada pela debacle de Jessica Lynch treze meses antes.

O governo tentara transformar Tillman num símbolo inspirador da Guerra Global contra o Terrorismo quando vivo, mas ele rejeitara aquele papel recusando-se a dar entrevistas à mídia. Se houvesse um meio de impedir a Casa Branca de explorá-lo após a morte, Tillman teria tomado providências, como deixou claro a Jade Lane no Iraque: "Quando estávamos em Bagdá, nossos catres ficavam juntos", Lane recorda. "Pat e eu costumávamos conversar muito à noite antes de dormir. Não sei como surgiu aquela conversa, mas uma noite ele disse que temia que, se algo viesse a acontecer com ele, o pessoal de Bush iria fazer um alvoroço em torno de sua morte e exibi-lo pelas ruas. E estas foram suas palavras exatas: 'Não quero que eles me exibam pelas ruas'. Aquelas palavras dele ficaram gravadas no meu cérebro."

Após a morte de Tillman, nada podia impedir o governo Bush de explorar a celebridade dele de modo a promover sua agenda política. Jim Wilkinson, o mestre propagandista que usara o resgate de Jessica Lynch para encobrir a catástrofe de Nasiriyah durante a invasão do Iraque, havia sido nomeado por Karl Rove diretor de comunicações da Convenção Nacional Republicana que se realizaria em breve, e já não estava disponível para coordenar a exploração de Tillman. Mas Wilkinson tinha treinado bem seus sucessores antes de partir. Eles se apressaram em forjar uma narrativa sobre Tillman que desviasse a atenção do público americano, como acontecera com a fábula de Wilkinson sobre Lynch. O fato de Tillman ter sido abatido por companheiros Rangers, em vez do Talibã, era potencialmente problemático para a Casa Branca, embora houvesse meios de evitar que essa informação fosse a público por algum tempo, talvez até por um longo tempo.

Desde o momento em que a Casa Branca soube da morte de Tillman, a equipe do presidente entrou num frenesi. Em 23 de abril, no dia seguinte ao do falecimento de Tillman, cerca de duzentos e-mails discutindo a situação foram transmitidos ou recebidos pelo pessoal da Casa Branca, inclusive por funcionários da campanha da reeleição de Bush, que sugeriram ao presidente que seria vantajoso reagir à morte de Tillman o mais rápido possível. Jeanie Mamo — diretora de relações com a mídia de Bush — enviou um e-mail a Lawrence Di Rita, secretário de imprensa de Rumsfeld, pedindo detalhes sobre a tragédia para um comunicado da Casa Branca à imprensa. Às 11h40, uma declaração sobre Tillman havia sido redigida e entregue ao secretário de imprensa, Scott McClellan, e ao diretor de comunicações, Dan Bartlett, que imediatamente aprovaram a declaração em nome do presidente Bush e depois a divulgaram ao público, embora isso violasse a Lei da Paz de Espírito da Família Militar, uma política proposta pelo Congresso e promulgada como lei pelo presidente, apenas cinco meses antes, que pretendia proporcionar às famílias das vítimas da guerra 24 horas de luto privado antes de qualquer anúncio público. Como a família de Tillman só foi notificada da morte de Pat na noite de 22 de abril, a Casa Branca estava legalmente proibida de emitir o comunicado à imprensa antes da noite do dia 23.

Bartlett mais tarde explicou que divulgou a declaração sobre Tillman ilegalmente, tendo em vista o interesse enorme da mídia, observando que a notícia "fez o povo americano se sentir bem em relação ao país [...] e às nossas Forças Armadas". É óbvio que a declaração da Casa Branca não revelou que Tillman tinha sido morto por fogo amigo.

Enquanto vivo, Tillman havia sido objeto de um tremendo fascínio público, e os dirigentes da Casa Branca acharam que vendê-lo como um herói morto na guerra lançaria a mídia numa orgia de cobertura adulatória. Eles não se decepcionaram. Milhares de tributos a Tillman apareceram em todos os tipos de mídia nos dias e semanas subsequentes. Em 25 de abril, apenas dois dias após o primeiro comunicado da Casa Branca à imprensa, uma "Avaliação da Mídia do Fim de Semana", compilada pelo Gabinete de Relações Públicas do chefe do estado-maior do Exército, informou que as matérias sobre Tillman geraram o maior interesse pelo Exército "desde o final do combate ativo no ano passado", acrescentando que as reportagens sobre Tillman "haviam sido extremamente positivas em todas as mídias". Como no frenesi após o resgate de Jessica Lynch, nem a Casa Branca nem os gestores de percepções das Forças Armadas tiveram que se esforçar muito para manter a mídia focada na morte de Tillman. Na verdade, pouco fizeram além de monitorar a cobertura e tirar cópias dos artigos publicados para seus arquivos — embora isso não dissuadisse o Exército de aumentar ainda mais a histeria da mídia concedendo a Tillman algumas medalhas póstumas.

O Segundo Batalhão de Rangers começou a agir em relação às medalhas poucas horas após a morte de Tillman, quando o tenente-coronel Bailey orientou o major Hodne a recomendar Tillman para uma Estrela de Prata, a terceira mais importante condecoração militar por bravura concedida a um membro das Forças Armadas norte-americanas. "Sou a pessoa que redigiu a recomendação para a concessão da Estrela de Prata ao especialista Tillman após sua morte", Hodne testemunhou. "Começamos a preparar aquele prêmio na noite do incidente em que ele foi morto ou no dia seguinte." Em 27 de abril, Hodne enviou o texto de sua recomendação para a Estrela de Prata, juntamente com a narração das ações de Tillman e duas declarações de testemunhas justificando a premiação, por e-mail, a seus superiores na cadeia de comando, para que a concessão da medalha pudesse ser anunciada na cerimônia memorial em San Jose em 3 de maio.

As duas declarações de testemunhas a favor da Estrela de Prata foram atribuídas ao segundo-cabo Bryan O'Neal e ao sargento Mel Ward. O'Neal testemunhou que foi colocado diante de um computador e instruído a digitar uma declaração, ordem que ele cumpriu, mas as palavras que escreveu foram tão flagrantemente floreadas que ele não a assinou. No caso de Ward, ele nem sequer se lembrava de ter escrito tal declaração. Durante a investigação, Ward diz, "quando me mostraram uma recomendação para a Estrela de Prata que eu supostamente escrevi para Pat, ela estava sem assinatura, o que é uma total irregularidade para mim, pois no Exército você não pode submeter nada sem assinar. Deviam ter devolvido imediatamente para mim e dito: 'Ei, seu mané, você tem que assinar isto'. Ademais, aquelas palavras não soavam como minhas. [...] Soavam realmente melodramáticas — algo que eu jamais teria escrito". Apesar dessas declarações falsificadas e sem assinatura, a recomendação foi despachada pelo general de divisão McChrystal, o coronel Nixon e o tenente-coronel Bailey, e em 29 de abril a condecoração de Tillman com a Estrela de Prata foi assinada por Les Brownlee, secretário interino do Exército.

Em 30 de abril, o Exército divulgou um comunicado à imprensa anunciando que a Estrela de Prata seria concedida a Tillman "por suas ações desprendidas depois que seu grupo de Rangers sofreu uma emboscada dos insurgentes anticoalizão". De novo, nenhuma menção ao fogo amigo como a causa da morte de Tillman. Como testemunhou mais tarde o general de brigada Howard Yellen, "para o civil nas ruas, a interpretação seria que ele fora morto por fogo inimigo".

Como poucas pessoas em Washington foram informadas de que Tillman havia sido na verdade morto por fogo amigo, nos primeiros dias após a tragédia o general McChrystal começou a temer que os redatores de discursos na Casa Branca e no Pentágono pudessem inadvertidamente escrever algo que, dito pelo presidente Bush ou por uma alta autoridade, fizesse com que fossem tachados de mentirosos caso a verdade sobre Tillman vazasse. A preocupação de McChrystal tornou-se mais crítica em 28 de abril, quando um e-mail enviado pelo redator de discursos John Currin ao gabinete de Rumsfeld indicou que o presidente falaria sobre Tillman em 1º de maio, no jantar anual da Associação dos Correspondentes da Casa Branca.

Para impedir qualquer gafe potencial, em 29 de abril, McChrystal enviou por e-mail um memorando pessoal de alta prioridade ao general John Abizaid, o comandante do Comando Central dos Estados Unidos (CENTCOM), ao general Bryan Brown, chefe do Comando de Operações Especiais dos Estados Unidos (USSOC) e ao tenente-general Kensinger, chefe do Comando de Operações Especiais do Exército dos Estados Unidos (USASOC).

"Senhor, após a morte prematura, mas heroica, do cabo* Pat Tillman no Afeganistão em 22 de abril de 2004", McChrystal afirmou,

> prevê-se que uma investigação 15-6 que está quase terminando concluirá que é muito possível que o cabo Tillman tenha sido morto por fogo amigo. Essa conclusão potencial é exacerbada por informações não confirmadas, mas presumidas, de que o presidente dos Estados Unidos e o secretário de Exército poderiam incluir comentários sobre o heroísmo do cabo Tillman e sua Estrela de Prata em discursos que estão sendo preparados. [...] Achei essencial que vocês recebessem essa informação assim que a detectamos para impedir quaisquer afirmações involuntárias dos líderes de nosso país que poderiam causar constrangimento público, se as circunstâncias da morte do cabo Tillman se tornarem públicas.

Ao que se revelou, em 23 de abril Kensinger tomara conhecimento de que o fogo amigo era definitivamente a causa da morte, e é provável que Abizaid e Brown também já soubessem disso. O objetivo real do memorando de McChrystal foi alertar seus superiores da necessidade de avisar ao presidente Bush e ao secretário Les Brownlee que a investigação 15-6 confirmaria a morte de Tillman por fogo amigo, aumentando as chances de que a verdade viesse a ser revelada um dia. O presidente e seu secretário, portanto, precisavam estar atentos ao que dissessem sobre Tillman nas declarações públicas.

No discurso no jantar aos correspondentes dois dias depois, Bush elogiou Tillman pela coragem e sacrifício, mas propositadamente não fez nenhuma menção à forma como ele morrera, sinal de que o memorando de McChrystal havia sido lido e acatado pelo presidente ou seus assessores. Mais tarde, Abizaid, Kensinger e a Casa Branca negariam ter recebido o memorando de McChrystal ou que soubessem na época que Tillman fora vítima de fogo amigo.

* Tillman foi posteriormente promovido à patente de cabo.

* * *

Na segunda-feira, 3 de maio — um dia antes do segundo aniversário de casamento de Pat e Marie —, 2 mil pessoas reuniram-se no Jardim de Rosas Municipal de San Jose para a cerimônia em memória de Pat. O tenente-general Kensinger compareceu e procurou a família antes da cerimônia para expressar pessoalmente suas condolências. Embora assegurasse obsequiosamente aos Tillman que faria tudo ao seu alcance para ajudar a família durante aquele período difícil, não fez nada para retificar a crença falsa, baseada nos detalhes intencionalmente enganadores fornecidos pelo Exército, de que Pat havia sido morto pelo Talibã.

A cerimônia memorial começou com o lamento de gaitas de fole, após o qual amigos, treinadores, colegas de time, membros da família e diferentes celebridades compartilharam no palco suas lembranças de Pat. A ESPN transmitiu a cerimônia inteira ao vivo em rede nacional de TV. Maria Shriver, esposa do governador Arnold Schwarzenegger, fez um discurso, bem como o senador John McCain. O antigo colega de time Jack Plummer descreveu seu ex-companheiro como destemido, durão, carinhoso e "uma das pessoas mais bonitas que já passaram por minha vida". Plummer lembrou uma partida em que Pat havia recebido a bola depois que o time adversário dera o chute inicial: "Ele não deveria fazê-lo, mas pegou a bola. Quase a levou para casa". Rindo, Plummer recordou: "Quando recebia uma pancada do adversário, ele olhava em volta como que pensando: 'E daí? Não foi tão forte assim'.".

Dave McGinnis, que treinou Pat durante toda a sua carreira na NFL, observou: "Se você quisesse a opinião [de Pat], bastava perguntar a ele. E se você não quisesse sua opinião e não perguntasse, ele dizia mesmo assim".

Larry Marmie, o coordenador defensivo dos Arizona Cardinals, que adorava Pat como um filho, estava visivelmente arrasado por sua morte. "Pat viveu a vida à sua maneira", Marmie contou ao público com voz embargada. "Ele abriu mão do conforto e das coisas materiais que a maioria de nós deseja, ele buscou o perigo em prol do que considerava um bem maior." Marmie descreveu Pat como "intensamente singular", com "uma forte aversão pelas soluções fáceis. Ele era carinhoso, atencioso, brando. Pat era brando de coração. Humilde mas confiante, reservado mas durão. Qualquer um queria aquele sujeito no seu time, e não precisava ser um time de futebol americano. [...] Era divertido treinar Pat. Era desafiador treinar Pat. Era uma honra treinar Pat. Aprendi muito com ele. Os jogadores costumam tentar conquistar o respeito de seus treinadores. Eu me vi tentando conquistar o respeito de Pat".

Muitas pessoas disseram palavras comoventes sobre Pat, mas talvez o tributo mais cativante tenha vindo de Steve White, o SEAL da Marinha com quem Pat e Kevin haviam feito amizade durante a Operação Liberdade Iraquiana. Na manhã anterior à cerimônia, um representante do Exército pediu que White anunciasse que Pat havia recebido a Estrela de Prata. Para isso, White sentiu que primeiro precisava esclarecer os fatos, de modo que pediu que alguém no Segundo Batalhão de Rangers fornecesse detalhes sobre o tiroteio fatal. "Liguei para um soldado cujo nome não recordo", White mais tarde testemunhou. Depois que aquele Ranger leu pelo telefone para White o texto da recomendação da Estrela de Prata, White reescreveu a narrativa oficial em suas próprias palavras e depois a leu para o Ranger. De acordo com seu depoimento juramentado, White perguntou ao Ranger "se a síntese era exata, e ele respondeu que sim, e foi essa a base do meu discurso".

White começou seu elogio a Pat explicando como se conheceram na Arábia Saudita pouco antes do início da Guerra do Iraque. "Quase todas as noites nos três meses seguintes, se não estivéssemos trabalhando", White recordou,

> saíamos para beber café e curtir a companhia um do outro, tentando nos conhecer. [...]
>
> Recebi a notícia da morte de Pat no início da manhã da sexta-feira. Passei o dia voando de volta para casa, e assisti aos noticiários em todas as pausas, aguardando a divulgação da notícia. Quando vi que foi revelada, cogitei naquele momento em ligar para Marie. Eu sabia que muita coisa aconteceria e não queria aumentar a carga. Quando minha mulher me apanhou no aeroporto, perguntou se eu ligara para Marie. Expliquei meus motivos, e ela me encarou e disse: "Se a situação fosse invertida, ele teria me ligado?". Pat era esse tipo de homem. Imediatamente peguei o telefone. [...]
>
> A Estrela de Prata e o Coração Púrpura ganhos por Pat serão entregues a Marie numa cerimônia privada. A Estrela de Prata é uma das maiores condecorações desta nação. O Coração Púrpura é concedido por ferimentos recebidos em combate. Se você cai vítima de uma emboscada, pouco pode fazer para aumentar suas chances de sobrevivência, sendo uma delas escapulir daquele ponto de embosca-

> da o mais rápido possível. Um dos veículos do comboio de Pat não conseguiu escapar. Ele tomou a decisão. Mandou seus soldados apearem, enfrentando o inimigo morro acima para conquistar sua posição elevada tática. Com isso, seus companheiros no veículo atingido puderam cair fora daquele alvo. Ele diretamente salvou suas vidas com aquela ação. Pat se sacrificou para que seus companheiros pudessem viver.

"Eu, como todos no público, fiquei muito emocionado ouvindo o jovem oficial da Marinha falar", escreveu Dannie Tillman, recordando o discurso fúnebre de White em *Boots on the ground by dusk*. "Foi a primeira pessoa a nos dar um relato da morte de Pat." Os detalhes que White revelou sobre os momentos finais de Pat trouxeram a Dannie uma pequena dose de paz, ela disse, que estava ausente desde que a família ficara sabendo de sua morte, onze dias antes.

Na conclusão da cerimônia, três Rangers em trajes militares formais marcharam até os pais de Marie e Pat, presenteando cada um com uma bandeira americana dobrada. O soldado que entregou a bandeira a Dannie foi Russell Baer. Naquela noite, os Tillman convidaram White e Baer para uma reunião de seus amigos no chalé de Dannie em New Almaden. O pai de Pat pediu que Baer compartilhasse suas lembranças do tiroteio. Foi um momento constrangedor para o jovem Ranger. Ele contou aos Tillman o máximo de detalhes possível, sem violar a ordem de não revelar que Pat fora atingido por seus colegas Rangers, o que evidentemente levou todos a acreditarem que Pat fora morto pelo Talibã.

Mais tarde, Baer ficou furioso porque o Exército o obrigara a mentir para a família e os amigos de Pat. "Eu acabara de entregar aos pais as bandeiras", ele disse. "Vi o olhar em seus rostos. Alguns dias antes, os sujeitos com quem eu trabalhava haviam matado Pat e outro soldado, ferido mais dois, e atirado contra mim, e eu fui impedido de contar aquilo." Ao receber a ordem de voltar ao Fort Lewis no dia seguinte, ele decidiu descumpri-la, e foi para a casa dos avós em Livermore. Quando Baer não se apresentou para serviço, o subtenente do Segundo Batalhão de Rangers ligou várias vezes para seu telefone celular e deixou recados ameaçadores. "Ele me chamou de desertor", diz Baer. "Disse que eu era o pior Ranger de todos os tempos. Fiquei sentado na casa dos meus avós, fitando uma parede, sem retornar as ligações."

No dia seguinte à cerimônia em memória de Pat, o capitão Richard Scott entregou o relatório final de sua investigação 15-6 da morte de Tillman ao tenente-coronel Bailey. A investigação de Scott concluiu, entre outras coisas, que:

- "A liderança desempenhou um papel crítico e contribuiu muito para o incidente que matou o especialista Pat Tillman."
- "No momento em que estava se aproximando da crista de montanha onde forças amigas estavam posicionadas, a Unidade 2 não estava recebendo fogo inimigo. Na verdade, a Unidade 2 nunca recebeu efetivamente fogo inimigo durante todo o contato com o inimigo. [...] É evidente que os líderes da Unidade 2 não conseguiram controlar positivamente seus sistemas de armas e seus Rangers."
- "Negligência flagrante" foi um fator na morte de Tillman, e o quartel-general deveria prosseguir a investigação para descobrir se houve intenção criminosa.

O relatório de Scott subiu pela cadeia de comando até o coronel Nixon e o tenente-coronel Bailey e depois desapareceu. Em resposta a perguntas reiteradas sobre o seu paradeiro, o Exército simplesmente respondeu: "Ele não existe". Nixon mais tarde explicaria aos investigadores que, por acreditar que o inquérito fosse "deficiente", não o considerou uma "investigação concluída" e nunca assinou o relatório final de Scott. Oficialmente, portanto, a investigação nunca aconteceu. Nixon opinou que, em retrospecto, "o capitão Scott não tinha experiência para investigar o assunto". Em 8 de maio, Nixon nomeou o tenente-coronel Ralph Kauzlarich — o substituto de Nixon, oficial administrativo do 75º Regimento de Rangers — para que iniciasse uma nova investigação 15-6 no nível do regimento.

Após a cerimônia memorial em San Jose, Kevin e Marie retornaram à sua casa com vista para Puget Sound. Embora se esforçassem para suportar o dia a dia, nenhum deles estava preparado para enfrentar o vazio desesperador deixado pela ausência de Pat.

No Afeganistão, os Ovelhas Negras do Segundo Pelotão continuaram funcionando como uma unidade de combate, mesmo com Pat morto e Uthlaut e

Lane convalescendo de seus ferimentos no hospital do Exército. "Apesar do que aconteceu", diz o sargento Bradley Shepherd, "ainda era o início de nossa mobilização, e estávamos em território inimigo. O Exército precisava que estivéssemos aptos ao combate. Tentaram fazer com que esquecêssemos os acontecimentos e nos concentrássemos nas missões que tínhamos pela frente."

"Eles tiveram que voltar a confiar uns nos outros", Jade Lane detalha. "Isso é necessário por lá. Uma guerra estava em andamento. Os caras tinham que proteger uns ao outros. Tinham que realizar seus serviços. Acho que voltaram àquela rotina bem rápido e continuaram em frente. Mas para alguns de nós aquilo simplesmente não era possível."

Na noite de 22 de maio, exatamente um mês após a morte de Pat, os Ovelhas Negras retornaram do Afeganistão para o Fort Lewis. Numa noite de sábado, Kevin não precisava estar na base, mas foi até lá saudar seus companheiros na chegada. "Estávamos felizes por estar em casa", diz Shepherd. "Os caras estavam rindo e fazendo brincadeiras, ansiosos por tomar um porre, e Kevin estava de pé ao lado da recepção do esquadrão, logo depois da entrada, e nunca esquecerei seu olhar quando chegamos. Dava para ler seu pensamento: 'Pat está morto, e vocês aí na maior alegria'. Ele estava magoado e contrariado, e eu entendo por quê. A lembrança me persegue até hoje."

Kevin foi para casa e não voltou a ver nenhum dos Ovelhas Negras até a manhã de segunda-feira, quando se apresentou para serviço. Fez exercícios físicos com Ashpole e Elliott sem conhecer o papel deles na morte de Pat, e depois ajudou os colegas do pelotão a organizar seus apetrechos e limpar suas armas. Em torno das onze horas, o sargento Jeffrey Jackson, o líder de esquadrão de Kevin, informou-lhe que Tommy Fuller, o primeiro-sargento da Companhia Alfa, queria vê-lo em sua sala.

Com o retorno do Segundo Batalhão de Rangers ao Fort Lewis, o tenente-coronel Bailey percebeu que tinha um problema grave. Faltava mais de um ano para o contrato de Kevin expirar, e ele passaria aqueles meses com muitos soldados que conheciam as circunstâncias da morte de Pat. Alguns daqueles soldados estavam contrariados com a ordem de mentir. Culpa, raiva e álcool provavelmente fariam com que soltassem a língua.

De acordo com o depoimento de Bailey, ele telefonou para seu chefe, o coronel Nixon, e disse: "Senhor, [...] estamos de volta, e não posso separar aqueles sujeitos. Quer dizer, temos seiscentos Rangers. Todo mundo sabe da história. Isso vai acabar transpirando. Gostaria de tomar a iniciativa de contar a ele".

Sem exceção, todos os coronéis e generais interrogados pelos investigadores — inclusive Bailey — insistiram em que, desde o momento em que Pat foi morto, queriam imediatamente notificar a família de Tillman de que seu filho fora vítima de fogo amigo. Mas cada oficial alegou que se sentiu obrigado a aguardar a realização de uma investigação minuciosa para não contar "à família algo que não fosse verdade", nas palavras de Nixon, "e obter a verdade levou um tempo considerável". Todos eles pareciam estar lendo o mesmo roteiro claramente insincero, recitando uma série de racionalizações em causa própria, visando justificar o que foi de fato um esforço deliberado de enganar não apenas a família de Tillman, mas também o público norte-americano — o alvo real da campanha de desinformação.

Cada um dos oficiais supramencionados testemunhou sob juramento que jamais houve alguma dúvida de que Tillman tinha sido morto por fogo amigo. A investigação de Scott, que confirmou o fratricídio, foi completada em 8 de maio e depois obliterada, desaparecendo da face da Terra. A investigação de Kauzlarich, que asseverou inequivocamente que "a morte do cabo Tillman foi o resultado de fratricídio", ficou pronta em 16 de maio, mas foi mantida sob forte sigilo, tratada como se representasse uma grave ameaça à segurança nacional.

Apesar da declaração juramentada de Nixon, é difícil compreender como, por meio de sigilo obsessivo, documentos falsificados e destruição de provas, pretendiam proteger a família de uma impressão falsa de como Pat morrera. Os indícios disponíveis mostram que o 75º Regimento de Rangers envolveu-se numa conspiração elaborada para enganar deliberadamente a família, e que funcionários de alto escalão da Casa Branca e do Pentágono apoiaram o embuste. Como salienta o depoimento de Bailey, a única razão pela qual o Exército enfim decidiu confessar tudo foi o fato de que Kevin estava prestes a descobrir a verdade por si próprio.

Quando Bailey reconheceu que já não era mais possível manter segredo, o primeiro-sargento Fuller recebeu ordem de levar a notícia a Kevin. Após ser convocado à sala de Fuller, Kevin sentou-se e ouviu o suboficial mais graduado da Companhia Alfa explicar que Pat "pode ter sido morto" pelos Rangers de seu próprio pelotão, mas suas palavras não foram entendidas. "Simplesmente não fazia nenhum sentido", Kevin testemunhou. Ele havia sido informado de que Pat estava "correndo morro acima e fora alvejado. [...] Mas não passou por minha cabeça que ele fora vítima de seus próprios colegas. [...] Quer dizer, de jeito nenhum passou por minha cabeça. [...] Achei que ele tivesse sido morto pelo inimigo".

Kevin saiu da sala de Fuller chocado. Ele acabara de passar a manhã trabalhando com os soldados que foram responsáveis pela morte de seu irmão, e eles tinham agido como se tudo estivesse normal. "Fiz meu treinamento físico com duas das pessoas que mataram Pat", Kevin testemunhou, "e depois tomei café com o líder do pelotão que acabou sendo dispensado — dizendo a ele: 'Ei, você fez um bom serviço lá' — sem a menor ideia do que realmente acontecera naquela primeira parte, de modo que fiquei tentando animar o líder do pelotão."

Kevin foi para casa e contou a Marie o que acabara de lhe ser revelado. Um dia depois, Bailey foi até a casa deles e comunicou oficialmente que o fogo amigo fora a causa da morte de Pat. Bailey, Kevin e Marie então fizeram planos de viajar a San Jose para que Kevin pudesse informar seus pais pessoalmente na sexta-feira, 28 de maio, à noite. Bailey assegurou a Kevin e Marie que nenhuma informação seria divulgada à mídia até que o resto da família Tillman tivesse sido notificada.

Kevin foi informado do fogo amigo pelo primeiro-sargento da Companhia Alfa na segunda-feira, 24 de maio. Então por que Bailey esperou até a noite do dia 28 para notificar os pais de Tillman? A espera, embora desconcertante, tem uma explicação: a decisão de Bailey e Nixon de revelar os fatos preventivamente pegou o Pentágono e a Casa Branca de surpresa, deixando apreensivas aquelas instituições. O gabinete de Rumsfeld queria um tempo para formular um plano que minimizasse o estrago, antes que a notícia fosse liberada à imprensa. Para isso, decidiu-se que não haveria nenhuma revelação pública até sábado, 29 de maio — o início do fim de semana do Memorial Day, quando poucos repórteres estariam em seus postos e poucos americanos estariam prestando atenção às notícias.

Em 28 de maio, uma videoconferência numa rede militar segura procurou criar uma estratégia para anunciar o fratricídio. Participaram Bryan Brown, o general de quatro estrelas que comandava o USSOC, o vice-almirante Eric Olson, subcomandante do USSOC; o tenente-general Kensinger, comandante do USAsoc; o tenente-general James Lovelace, representando o secretário do Exército; o general de divisão R. Steven Whitcomb, chefe do estado-maior do CENTCOM; uma série de coronéis; ao menos um advogado; e Lawrence Di Rita, o número dois do Pentágono, que era amigo pessoal de Rumsfeld. Conquanto o cargo oficial de Di Rita fosse subsecretário da Defesa para relações públicas, suas responsabilidades no Pentágono eram consideravelmente maiores do que apenas servir como secretário de imprensa de Rumsfeld. Na verdade, a relação de Di Rita com Rumsfeld era mais ou menos análoga à relação de Lewis "Scooter" Libby com Dick Cheney, ou à relação de Karl Rove com o presidente. Di Rita era um protagonista de peso no governo Bush.

A discussão subsequente entre Di Rita e as altas patentes militares foi tensa. A maior divergência envolveu a escolha de um porta-voz que se apresentasse ante as câmeras da televisão e anunciasse que o Exército havia fuzilado seu herói. O general Brown queria que alguém do gabinete de Rumsfeld desempenhasse esse papel, mas Di Rita imediatamente rejeitou a ideia. Parte de sua função era assegurar que as impressões digitais de Rumsfeld fossem removidas de cenas de crimes como aquela, e ele não deixaria que alguém associado ao seu chefe aparecesse dentro de um raio de duzentos quilômetros daquele escândalo. Di Rita determinou que um general uniformizado fosse o portador das más novas. Como Tillman era um Ranger que havia sido morto por colegas Rangers, e o Regimento de Rangers não conseguira controlar o fogo amigo, a tarefa coube a Kensinger, o oficial de mais alta patente da cadeia de comando dos Rangers. "Eles quiseram manter, senhor, as outras organizações longe daquilo", um coronel que estava presente explicou a um investigador. Todos concordaram que em nenhuma hipótese Kensinger responderia a perguntas da mídia após fazer o anúncio. O comunicado à imprensa foi marcado para a manhã seguinte, em Fort Bragg, Carolina do Norte.

Na tarde da sexta-feira, antes do comunicado, Dannie Tillman chegou em casa vinda do trabalho e encontrou em sua secretária eletrônica um recado de Billy House, um repórter do *Arizona Republic*, o jornal de Phoenix, pedindo que ela ligasse de volta. Quando ela retornou a ligação, House perguntou o que ela achava da notícia, que acabara de receber de uma fonte do Exército, de que a morte de Pat podia ter sido causada por fogo amigo. Tendo sido informada repetidamente de que Pat fora alvejado pelo Talibã, Dannie desligou o telefone na cara do jornalista, aturdida. A notícia vazara à imprensa antes que Dannie fosse avisada.

Mais tarde naquela noite, Kevin ligou para Steve White, o SEAL da Marinha com quem ele e Pat haviam feito amizade no Iraque, para contar que Pat fora vítima de fratricídio. Quando White soube que havia sido usado para fazer propaganda, ele testemunhou, "fiquei chocado". Disse que se sentia traído por "minhas Forças Armadas. [...] Eu sou o sujeito que contou ao país como ele morreu, basicamente, naquela cerimônia memorial, e aquilo era falso. Não fica bem para mim".

Às 9h15 da manhã seguinte, Kensinger postou-se, rigidamente, diante da mídia noticiosa reunida no Fort Bragg e recitou suas frases, que haviam passado pelo crivo de Di Rita:

> Bom dia. Gostaria de fazer uma breve declaração sobre os acontecimentos em torno da morte do cabo Pat Tillman em 22 de abril no Afeganistão. Não responderei a perguntas. Uma investigação militar do Comando Central norte-americano sobre as circunstâncias da morte em 22 de abril do cabo Pat Tillman foi concluída. Embora não se tenha chegado a uma descoberta ou falha específica, os resultados da investigação indicam que o cabo Tillman provavelmente morreu como resultado de fogo amigo, enquanto sua unidade estava engajada no combate às forças inimigas. [...] Lamentamos a perda de vida resultante desse trágico acidente. Nossos pensamentos e nossas orações permanecem com a família Tillman. Obrigado a todos por estarem aqui nesta manhã.

Por insistência de seus superiores, a declaração que Kensinger recebeu para ler afirmava que "Tillman *provavelmente* morreu como resultado de fogo amigo", embora a investigação oficial fosse inequívoca em sua constatação de que o fratricídio fora a causa da morte.

Após a entrevista coletiva à imprensa, os gestores de percepções do Pentágono se cumprimentaram mutuamente por limitarem o dano. Um coronel do Exército observou num e-mail que a "história causará impacto hoje e perderá força depois do fim de semana". Um oficial de relações-públicas do CENTCOM respondeu, em tom encorajador, que um ataque recente na Arábia Saudita ajudaria a "diluir um pouco o episódio".

O breve e insincero anúncio de Kensinger naquela manhã de sábado acabaria sendo a única declaração pública, emitida por qualquer autoridade da Casa Branca ou do Pentágono, reconhecendo que Tillman havia sido morto por soldados americanos, e não por insurgentes inimigos, como o mundo havia sido ativamente levado a acreditar.

Trinta e quatro

Nas semanas anteriores, a família Tillman começara a se conformar com a morte de Pat. Aí veio a revelação do fogo amigo, que fez com que se sentissem como se ele tivesse sido morto novamente. Uma pequena consolação foi a notícia de que uma investigação fora concluída — a investigação 15-6 do tenente-coronel Kauzlarich. A família foi convidada a ir a Fort Lewis em 16 de junho de 2004 para ser informada pelo coronel Nixon e pelo tenente-coronel Bailey das conclusões da investigação. Quando o pai de Pat pediu uma cópia do relatório antes do encontro para fundamentar suas perguntas, o Exército se recusou a fornecê-la antecipadamente.

A reunião durou três horas. Bailey fez uma apresentação de PowerPoint para explicar como o tiroteio fatal se desenrolara. Quando os Tillman perguntaram se os soldados responsáveis pela morte de Pat seriam submetidos à corte marcial, Bailey respondeu que não sabia. Bailey e Nixon tampouco deram respostas satisfatórias à maioria das outras perguntas da família. Ao final da reunião, os Tillman receberam tardiamente cópias do relatório 15-6, que apenas levantou dúvidas ainda mais preocupantes.

Quando o Exército anunciou as medidas disciplinares que haviam sido tomadas em resposta à morte de Pat, os Tillman ficaram aturdidos. O major Dustin Hodne e o capitão William Saunders receberam nada além de uma repreensão por escrito por "não terem controlado adequadamente as unidades subordinadas". O segundo-sargento Greg Baker foi rebaixado de patente e dispensado por descumprir os padrões — ou seja, foi expulso dos Rangers e enviado para o Exército normal. Os três atiradores de metralhadora do Humvee de Baker — Trevor Alders, Steve Elliott e Stephen Ashpole — também foram expulsos dos Rangers para o Exército normal. O tenente David Uthlaut, o líder do pelotão, foi expulso dos Rangers e recebeu uma repreensão verbal de Bailey por "abandono do dever". Por sua participação, Bailey foi promovido de tenente-coronel para a patente de coronel e Nixon tornou-se general de brigada. Tudo isso foi considerado pela família Tillman como uma afronta desprezível a Pat.

Alguns soldados do Segundo Pelotão também discordaram das punições. Houve um consenso de que Uthlaut acabou servindo de bode expiatório. "Todo mundo acha que Uthlaut foi tratado injustamente", diz Jade Lane. "Eles dispensaram o líder do pelotão por dividi-lo, embora ele não quisesse fazer aquilo. Mas como ele era responsável pelo pelotão como um todo, foi chutado dos Rangers. Se o Exército tivesse de decidir entre punir um tenente-coronel no quartel-general ou um tenente em campo, claro que sobraria para o tenente. A corda sempre se rompe do lado mais fraco."

Lane diz que houve discordância entre os colegas do pelotão sobre as punições impostas a Baker e aos atiradores:

> Alguns caras acharam: "Foi um acidente. Ninguém tem culpa". Bem, acho que todos perceberam que foi um acidente. Eles não atiraram em Pat e no soldado das FMA de propósito. Mas alguns de nós sentimos que os atiradores foram responsáveis por suas ações, e que o Exército deveria tê-los responsabilizado mais. Não estou dizendo que deveriam ir para a prisão. Mas uma simples dispensa por descumprir os padrões — isso é um tapa na cara. Você pode receber uma dispensa por descarregar acidentalmente sua arma, ou por não aparecer na formação, ou por responder mal a um oficial. Você pode receber uma dispensa por ser multado no trânsito. Quer dizer que o Exército dá a mesma punição pela morte de duas pessoas inocentes? A punição não é compatível com o crime.

Apesar das sanções leves impostas a Greg Baker, Trevor Alders, Stephen Ashpole e Steve Elliott, os quatro soldados protestaram de forma veemente quando souberam que tinham sido expulsos dos Rangers, insistindo em que a dispensa pelos fratricídios de Tillman e Farhad era draconiana. As maiores objeções vieram de Trevor Alders, o atirador da SAW que, de acordo com os indícios disponíveis, disparou as balas que tiraram a vida de Tillman. Em 4 de junho, Alders apresentou uma carta de cinco páginas e meia em espaço simples na qual insistia em que nada fizera de errado e implorava que o 75º Regimento de Rangers reconsiderasse a punição. "Acredito que minhas ações foram a coisa certa no momento certo, pois eu não sabia da força amiga ali perto", ele escreveu.

> Insisto em fazer minha defesa diante daqueles que estão decidindo o meu destino, porque não considero justa a dispensa por descumprir os padrões. [...] Uma coisa que torna isso tão duro é que alguém que não conhece a mim e às pessoas com quem trabalho está tomando esta decisão quanto à minha carreira e vida. [...] Pergunto por que um jovem Ranger que faz tudo que lhe ensinam para ter sucesso no campo de batalha está sendo dispensado. [...] Baseei-me nas informações à minha disposição naquele momento específico para tomar a decisão naquele tiroteio. Terá sido por minha culpa que a área de operação para a outra metade do meu grupo não foi indicada desde que mudamos a rota no início de nosso movimento? [...] Não creio que eu deva ser dispensado da unidade que adoro, à qual tanto me dediquei e pela qual tanto me sacrifiquei. [...] Se eu for transferido do Regimento por isso acho que não terá sido feita justiça. [...] Sou o homem menor em tudo isso, com apenas 64 quilos e 1,65 metro de altura, e se a culpa maior recair sobre mim, não vejo saída, porque se minha [cadeia de comando] não me apoia por ter feito o que me ensinaram, quem apoiará? Não me esforcei para igualar e superar meus colegas para ser simplesmente dispensado e privado de minha honra de guerreiro. [...] Dei tudo de mim em todas as minhas ações nessa unidade. [...] Agora alguém quer me arrancar o coração. [...] Espero que, após lerem esta carta, levem em consideração tudo que afirmei quando chegar a hora de tomar sua decisão. Rezo a Deus, Todo-Poderoso, para que a justiça seja feita e meu destino seja honroso. Rangers, Assumam a Liderança!*

O tema da carta de Alders parecia ser que a vítima principal da tragédia não fora Pat Tillman ou Sayed Farhad, e sim o próprio Trevor Alders.

* No original, "*Rangers Lead The Way!*", lema dos Rangers. (N. T.)

* * *

No domingo, 19 de setembro de 2004, durante o intervalo de um jogo de futebol americano entre os New England Patriots e os Arizona Cardinals disputado em Tempe, os Cardinals homenagearam Pat com uma cerimônia, durante a qual Marie, Richard e os pais de Pat adentraram o campo e se postaram na linha de cinquenta jardas. Marie recebeu aplausos sinceros quando expressou seu agradecimento à multidão pelo apoio imenso que a família Tillman recebera do time. Uma enorme camiseta dos Cardinals com o número 40 foi desenrolada nas arquibancadas. No telão o presidente George W. Bush fez um breve tributo em vídeo a Pat, mas a multidão recebeu o discurso enlatado com um coro ruidoso de vaias, aparentemente acreditando que o gesto não era inspirado por um respeito genuíno por Tillman, e sim por Bush estar em desvantagem na maioria das pesquisas de opinião e só faltarem 44 dias para a eleição presidencial.

Como o Exército havia traído tão completamente a confiança de Dannie Tillman, e como ela chegara à conclusão de que estavam mais interessados em soterrar a verdade do que em iluminá-la, logo após o tributo dos Cardinals ela compilou uma longa lista de perguntas a que a investigação 15-6 do coronel Kauzlarich não respondera satisfatoriamente. Depois enviou as perguntas a John McCain, o senador representante do Arizona, o estado natal de Pat, juntamente com um pedido formal de que ele a ajudasse a obter as informações que buscava.

A natureza da angústia sentida pelo enlutado quando um marido, filho ou irmão é morto em combate varia de pessoa para pessoa, mas é quase sempre devastadora. Quando a causa da perda é o fogo amigo, o tormento tende a crescer ainda mais. Não é incomum os familiares dos mortos serem esmagados pela dor e mergulharem num estado de desespero que os deixa passivos e paralisados. Seria conveniente para o Exército, o Pentágono e a Casa Branca que os Tillman sucumbissem de forma submissa à sua dor, permitindo que o incidente desaparecesse discretamente no passado, oculto em meio ao longo rol de outras tragédias da guerra. Se era isso que essas instituições esperavam, elas subestimaram a tenacidade de Dannie Tillman. Transformando sua dor em determinação, ela resolveu tomar todas as providências necessárias para descobrir o que realmente acontecera com seu filho e por que o Exército mentira para sua família e a nação. Depois disso, ela pretendia responsabilizar os culpados.

Graças à sua perseverança, em 8 de novembro — seis dias depois de George W. Bush ser eleito para um segundo mandato como presidente — Kensinger designou o general de brigada Gary Jones, o comandante das Forças Especiais do Exército, para conduzir mais uma investigação 15-6 a fim de responder às novas perguntas levantadas pela família Tillman. De novo, porém, o Exército estava sendo investigado por si mesmo.

Como parte do inquérito, em 13 de novembro o general Jones entrevistou Kauzlarich. Quase no fim do interrogatório, Kauzlarich defendeu-se de uma série de deficiências apontadas por Dannie Tillman em sua investigação. "Ninguém naquela família está satisfeito com as respostas que estão sendo dadas", ele reclamou.

"Por que você acha que a família não está satisfeita?", Jones perguntou.

Kauzlarich explicou que, pouco antes de o Segundo Batalhão de Rangers enviar os restos mortais de Pat do Afeganistão para casa, estava organizando uma cerimônia de repatriação quando um sargento o abordou e disse: "Ei, senhor. Kevin Tillman não quer um capelão envolvido nessa cerimônia de repatriação". Quando Kauzlarich, um cristão evangélico, indagou o motivo, o sargento respondeu: "Bem, evidentemente ele e seu irmão são ateus. Eles foram criados assim".

Ao que Kauzlarich protestou zangado: "Bem, você pode dizer ao especialista Tillman que esta cerimônia não diz respeito a ele, diz respeito a todos na Força Tarefa Conjunta que estão se despedindo do seu irmão, de modo que haverá um capelão e haverá orações".

Pat havia explicitado claramente os seus desejos a esse respeito, além de seus pontos de vista sobre religião, vida e morte em diversas ocasiões. Durante seu período na Terra, enquanto servia no Iraque ele escreveu no diário que queria "fazer o bem, influenciar vidas, mostrar a verdade e o certo". Acreditava na importância de ter "fé em si mesmo" e aspirar a "um bem geral livre de pretensões religiosas. [...] Nunca temi a morte em si, nem dei a mínima para o que acontece 'depois'. Cruzarei aquela ponte quando chegar lá. Minhas preocupações estão voltadas para o 'agora' e para me tornar o homem que tenciono ser. [...] Acho que entendo aquela fé religiosa que torna o santo corajoso e forte. Só que minha força está em outro lugar — está em mim mesmo. [...] Não temo o que possa me aguardar, embora esteja igualmente confiante em que não existe nada aguardando".

Antes de servir no Iraque, Pat preenchera um documento padrão do Exército anotando as suas preferências quanto ao funeral para o caso de sua morte, no qual declarou inequivocamente que não queria que um capelão ou um sacerdote civil oficiasse nenhuma cerimônia memorial eventualmente realizada, e que todas as providências referentes à sua morte ou funeral deveriam ser tomadas por Marie. Na última linha do documento, que perguntava se ele tinha "alguma instrução especial", Pat escreveu em letra de forma: "Não quero que as Forças Armadas tenham nenhum envolvimento direto com meu funeral".

O fato de que nem Pat, nem Marie, nem qualquer dos outros Tillman quiseram um capelão militar para rezar formalmente no funeral de Pat era incompreensível para Kauzlarich. "Aqueles que são cristãos conseguem lidar com a fé e o fato de que existe uma vida após a morte, um céu ou coisa semelhante", ele testemunhou para Jones. "Não sei ao certo no que eles acreditam ou como conseguem conviver com a ideia da morte. Assim, na minha opinião pessoal, senhor, é por isso que eu acho que eles nunca ficarão satisfeitos."

Kauzlarich continuou especulando sobre a relação entre os pontos de vista dos Tillman sobre a religião e sua insatisfação com as investigações, durante uma entrevista subsequente ao jornalista Mike Fish, publicada on-line no site da ESPN:

KAUZLARICH: Ocorreram numerosos casos lastimáveis de fratricídio, e os pais têm basicamente dito: 'Tudo bem, foi um trágico acidente'. E eles aceitam o fato. Portanto, este é... sei lá, esse pessoal tem tido dificuldade para aceitar a coisa. Pode ser por causa de suas crenças religiosas. [...] Então, quando você morre, quero dizer, existe supostamente uma vida melhor, certo? Bem, se você é ateu e não acredita em nada, quando morre, o que acontece? Nada. Você vira pasto de vermes. Então o filho deles morrer por nada e agora não existir — isso é bem difícil de botar na cabeça. Você sabe? Pois eu não sei, eu não sei como um ateu pensa. Só posso imaginar que isso seria bem difícil.

FISCH: Então você suspeita de que essa é provavelmente uma razão pela qual este assunto vem se arrastando?

KAUZLARICH: Acredito que sim...

FISCH: Certo. O que você acha que deixaria a família satisfeita? [...]

KAUZLARICH: Quer saber? Acho que nada a deixará satisfeita, para ser honesto. Sei lá, talvez eles queiram ver alguma cabeça rolar. Mas isso realmente os deixará satisfeitos? Não, porque não conseguem trazer o filho de volta.

Em 16 de maio de 2007, em carta ao comandante de Kauzlarich, o general de divisão Carter Ham e os congressistas Henry Waxman (Democrata) e Tom Davis (Republicano), do Comitê do Congresso para a Supervisão e Reforma do Governo, declararam: "Acreditamos que essas afirmações foram grosseiras, insultando a família Tillman, e completamente inadequadas para um oficial do Exército e um representante das Forças Armadas norte-americanas que fala à imprensa".

De sua parte, Dannie Tillman informou a Waxman que estava "abismada" com os comentários do tenente-coronel Kauzlarich, que revelavam sua incapacidade de entender a causa da revolta da família.

Em março de 2005, a investigação de Jones foi concluída e aprovada por seus superiores. Essa investigação 15-6 foi bem mais minuciosa do que a de Kauzlarich. Um exame cuidadoso de suas 2099 páginas densas e desconcertantes proporciona uma compreensão razoável de como Tillman foi morto e de como se desenrolou a reação desastrada do Exército ao fratricídio. Mas os indícios escondidos em meio às páginas do relatório não respaldavam as conclusões mais importantes reveladas pelo general Jones, deixando a família Tillman mais insatisfeita e desconfiada do que nunca. Após pedidos insistentes da mãe de Pat, em agosto de 2005 o gabinete do inspetor-geral do Departamento de Defesa anunciou que conduziria uma "revisão de como o Exército lidou com o incidente envolvendo Tillman".

Dezessete meses depois, em 26 de março de 2007, partes dessa revisão — cujo autor foi Thomas F. Gimble, o inspetor-geral interino — foram reveladas ao público. Num momento da investigação de Gimble, perguntou-se ao dr. Craig Mallak, chefe dos médicos legistas das Forças Armadas, que realizou a autópsia de Pat: "Você teria alguma razão para acreditar que não se tratou de fogo amigo? Por exemplo, você acredita que haveria alguma intenção criminosa da parte de alguém?".

Sem hesitar, o dr. Mallak respondeu: "Com certeza. [...] A gente fica desconfiado porque cada versão, inclusive a investigação 15-6 mais atual, não corresponde aos indícios médicos". Uma das incoerências que preocuparam Mallak foi o fato de os três projéteis calibre 223 que mataram Tillman terem atingido sua testa numa área bem compacta, com menos de cinco centímetros de diâmetro. "Perguntei a todos", Mallak testemunhou, "se achavam que conseguiriam [atirar] um grupo de três projéteis tão próximos entre si de um M16 — uma rajada de três projéteis de noventa metros, a 45 metros de distância — e todos disseram que não." Mallak então ofereceu uma hipótese que poderia explicar tamanha proximidade dos ferimentos de Tillman: "Se alguém dissesse: 'Sim, eu girei e uma rajada de três projéteis disparou do meu M16 e eu estava a uns dez metros de distância', eu diria: 'Certo, isto faz sentido'.".

Com base nesse depoimento, a jornalista Martha Mendoza escreveu um artigo para a Associated Press publicado em 27 de julho de 2007, em que informou que Mallak "disse que os orifícios das balas estavam tão próximos que parecia [que Tillman] fora derrubado por um M-16 disparado a apenas uns nove metros de distância". Como era previsível, o artigo de Mendoza provocou uma torrente de especulação de que Tillman havia sido deliberadamente assassinado — especulação que continua grassando entre os teóricos da conspiração. Mas Mallak supusera que as balas que mataram Tillman haviam sido disparadas de um M16 (ou um M4, uma arma bem semelhante) porque ignorava que Trevor Alders estava empunhando uma Arma Automática de Esquadrão (SAW), cuja munição é a mesma do M16 e do M4.

Sem que Mallak (e Mendoza) soubessem, em novembro de 2006, o dr. Robert Bux e o dr. Vincent DiMaio — patologistas forenses considerados entre as maiores autoridades mundiais em ferimentos de armas de fogo — haviam examinado cuidadosamente o relatório e as fotografias da autópsia de Mallak e concluíram: "O padrão dos impactos das balas sugere que os projéteis fizeram parte de uma única rajada de Arma Automática de Esquadrão". Diversos atiradores experientes de SAW, inclusive membros do pelotão de Tillman, confirmaram que não seria especialmente difícil para um atirador de SAW competente acertar três projéteis num alvo de cinco centímetros de diâmetro de uma distância de 40 ou 45 metros, mesmo atirando de um veículo em movimento.

Um aspecto deplorável da histeria desencadeada pelo artigo de Mendoza foi que ele encobriu o fato de que a investigação de Gimble confirmou grande parte das deficiências da investigação 15-6 de Jones apontadas por Dannie Tillman. Gimble descobriu, por exemplo, que a "cadeia de comando do cabo Tillman cometeu erros graves ao informar a morte e [...] é em última análise responsável pelas imprecisões, mal-entendidos e percepções de ocultação que levaram à nossa revisão". Mas Gimble foi crédulo demais ao aceitar os depoimentos de oficiais de alto escalão do Exército de que a cadeia de comando havia agido de boa-fé. Ele viu o problema como pouco mais do que "percepções de ocultação", e não atos deliberados de embuste por parte do Exército. Inexplicavelmente, e conforme ele próprio admitiu, Gimble também não fez nenhum esforço para investigar o papel que seu chefe, Donald Rumsfeld ou a Casa Branca podem ter desempenhado no encobrimento da verdade.

Em 24 de abril, o Comitê do Congresso para a Supervisão e Reforma do Governo, presidido por Henry Waxman, convocou Gimble para explicar as aparentes deficiências de seu inquérito de dois anos em uma audiência intitulada "Informações Enganosas do Campo de Batalha". O deputado John Sarbanes, de Maryland, disse a Gimble: "O senhor fala sobre como a primeira investigação [do capitão Scott] foi deficiente. A segunda investigação [de Kauzlarich] foi deficiente. Depois houve uma terceira investigação [de Jones] que foi deficiente. Não foram seguidos os protocolos que seriam normalmente desencadeados em termos de uma investigação legal de uma morte por fogo amigo [...], já que o comandante do Regimento [coronel Nixon] deixou de notificar o Centro de Segurança do Exército de uma morte suspeita por fogo amigo, conforme exige o regulamento do Exército". Sarbanes estava portanto intrigado com a "estranha credulidade" de Gimble, observando que, quando oficiais do Exército violavam repetidamente os procedimentos e protocolos, "fica difícil acreditar que, após um certo momento, aquilo foi acidental, que não houve nenhum tipo de pressão — se não direta, ao menos uma atmosfera de pressão indireta". Gimble não questionou a observação de Sarbanes.

Além de Gimble, Jessica Lynch, Kevin Tillman, Dannie Tillman, Bryan O'Neal e Steve White depuseram na audiência. Lynch recordou como a casa de sua família "ficou sob o cerco da mídia, todos repetindo a história da menininha da Virgínia Ocidental que foi aprisionada lutando. Não era verdade. [...] O fato é que o povo americano sabe muito bem escolher os seus heróis ideais. Ele não precisa ouvir mentiras elaboradas. [...] A verdade da guerra nem sempre é fácil. A verdade é sempre mais heroica do que as invenções".

Quando chegou a hora de Kevin Tillman depor, ele falou longamente sobre seu irmão mais velho, com uma convicção eletrizante:

> Revelar que a morte de Pat foi um fratricídio teria sido mais um desastre político durante um mês já cheio de desastres políticos, e uma verdade brutal que o público americano com certeza acharia inaceitável. Assim os fatos precisavam ser suprimidos. Uma narrativa alternativa precisava ser forjada. [...]
>
> Mais de um mês após a morte de Pat, quando ficou claro que não seria mais possível continuar com essa mentira, alguns dos fatos foram revelados ao público e à família. O general Kensinger recebeu ordens de contar ao público americano [...] que Pat morreu de fogo amigo, mas com uma distorção premeditada e nefanda. Ele afirmou: "Não houve uma descoberta ou falha específica", e que ele "provavelmente morreu de fogo amigo". Mas *houve* uma falha específica, e não houve nada de provável nos fatos que levaram à morte de Pat. [...]
>
> Depois que a verdade sobre a morte dele foi parcialmente revelada, Pat deixou de ser útil como um garoto-propaganda, e tornou-se estritamente um problema do Exército. Coube-lhes a tarefa de informar nossa família e responder às nossas perguntas. Se tivessem sorte, nossa família sucumbiria silenciosamente à dor, e todo aquele episódio impalatável teria sido varrido para debaixo do tapete. Porém eles calcularam mal a nossa reação.
>
> Através da descomunal força e perseverança de minha mãe, a mulher mais incrível da Terra, nossa família fez com que várias investigações fossem realizadas. Entretanto, embora cada investigação coletasse mais informações, a montanha de indícios nunca foi usada para se chegar a uma conclusão honesta ou mesmo sensata.
>
> O manejo da situação após o tiroteio foi descrito como uma compilação de "passos em falso, imprecisões e erros de julgamento que criaram a percepção de ocultação". [...] Recomendar uma Estrela de Prata antes de ouvir sequer um relato de testemunha ocular não é um passo em falso. Falsificar declarações de soldados para uma Estrela de Prata não é um passo em falso. Trata-se de falsidades intencionais que se enquadram na definição legal de fraude.
>
> Fornecer informações falsas numa cerimônia memorial televisionada nacionalmente não constitui um erro de julgamento. Descartar uma investigação [de Scott] que não se enquadra na conclusão predeterminada não constitui um erro

de julgamento. São atos de embuste. Isto não é uma percepção de ocultação. *É* ocultação.

Claro que Pat não é o único soldado em que a realidade do campo de batalha atingiu a família e o público na forma de uma narrativa falsa. [...]

Nossa família tem perseguido implacavelmente a verdade dessa questão há três anos. Concluímos agora que nossos esforços estão sendo ativamente frustrados por poderes que estão mais [...] interessados em proteger uma narrativa do que em chegar à verdade ou proporcionar justiça.

Por isso pedimos ao Congresso, como representante soberano de todo o povo, que exerça seu poder de investigar as incoerências na morte de Pat, os fatos subsequentes e todos os outros soldados que foram traídos por esse sistema.

Uma verdade que sobreviveu a essas manifestações é que Pat foi, e continua sendo, um grande homem. [...]

Mas o fato de que o Exército e aparentemente outras pessoas tentaram sequestrar sua virtude e seu legado é simplesmente horripilante. O mínimo que este país pode fazer por ele em retribuição é descobrir quem é responsável por sua morte, quem mentiu e quem encobriu os fatos, e quem instigou essas mentiras e se beneficiou com elas. Depois assegurar que a justiça seja aplicada aos culpados.

Pat e esses outros soldados se apresentaram como voluntários para arriscar suas vidas por este país. Qualquer coisa aquém da verdade é uma traição aos valores que todos os soldados que lutaram por esta nação tentaram defender.

Waxman, o presidente do comitê de supervisão, observou:

A família Tillman deseja saber como tudo isto pode ter acontecido. [...] Uma das coisas que tornam as guerras no Afeganistão e no Iraque tão diferentes das guerras anteriores é a disparidade gritante do sacrifício. Para a maioria esmagadora de americanos, essa guerra não trouxe nenhum sacrifício ou inconveniência, mas para um número pequeno de americanos, a guerra tem exigido um sacrifício incrível e constante. Esses soldados e suas famílias pagam tal preço com orgulho e sem queixas. Foi isso que Jessica Lynch e Pat Tillman fizeram, e é o que suas famílias têm feito, mas nosso governo os decepcionou. [...] O mínimo que devemos aos homens e mulheres corajosos que estão lutando por nossa liberdade é a verdade.

Ao final da audiência, Waxman afirmou, frustrado: "O que temos é uma ofensa clara, deliberada e intencional. Por que é tão difícil descobrir quem fez isso?".

Em 31 de julho de 2007, o secretário do Exército, Pete Geren, concedeu uma entrevista coletiva à imprensa no Pentágono para responder a esta e outras perguntas sobre o suposto encobrimento da verdade. Ignorando claros indícios contrários, ele simplesmente afirmou que não houve encobrimento. Embora admitisse "erros e falhas de liderança", insistiu que não houve no Exército "intenção de enganar" ninguém: "Ninguém encontrou provas de uma conspiração do Exército para forjar um herói, enganar o público ou iludir a família Tillman sobre as circunstâncias da morte do cabo Tillman". A percepção de que o Exército resolutamente enganou os Tillman e o público por cinco semanas, Geren assegurou à mídia reunida, resultou de nada mais que uma "falta de compreensão dos regulamentos e da política do Exército em relação ao sigilo.

"É incrível, mas é verdade." Ele insistiu com expressão séria que fora uma mera coincidência que o pessoal do Exército tivesse falsificado documentos, sonegado informações e violado regulamentos "acima e abaixo na cadeia de comando [...] Não houve encobrimento. Houve ações desinformadas por parte de vários soldados, resultando numa perfeita tempestade de erros por muitos soldados".*

Aquela era uma nova orientação. Durante três anos o Exército tinha insistido em que enganara a família Tillman para não contar "algo que não fosse verdade", nas palavras do coronel Nixon. Talvez Geren percebesse que a justificativa de Nixon se assemelhava demais à explicação deplorável de um major do Exército, em 1968, em resposta a perguntas de jornalistas sobre por que fora necessário eliminar a aldeia vietnamita de Ben Ter durante a Ofensiva do Tet: "Tivemos que destruir Ben Ter", explicou o oficial, "para salvá-la".

Por algum motivo, Geren abandonou a lógica insensata do coronel Nixon,

* Geren mesmo assim anunciou a punição de um oficial: o tenente-general Kensinger, que se aposentara do Exército dezoito meses antes, e foi repreendido por mentir sob juramento aos investigadores. Isso levou um repórter a perguntar a Geren: "O senhor descreveu uma litania de erros e falhas estendendo-se por mais de três anos envolvendo um monte de pessoas, mas toda a culpa recai sobre o general Kensinger. [...] Por acaso ele está aposentado. É uma coincidência?". Ao que Geren respondeu: "Acredito que a responsabilidade cessa no general Kensinger".

preferindo defender o encobrimento com um sofisma novo. Segundo o novo raciocínio de Geren, os Rangers constituíam Forças de Operações Especiais, de modo que o pelotão de Tillman estava por definição em missão secreta que precisava ser mantida em sigilo. Isso apesar do fato de ser supostamente uma operação de revista rotineira que havia sido acrescida à viagem do pelotão de volta à BOA Salerno: "Ei, vamos apenas [...] cumprir uma última missão e depois sair", é como o major Hodne descreveu a missão em seu depoimento durante a investigação 15-6 de Jones. Como explicou Hodne, o único motivo do envio dos Ovelhas Negras para Mana foi ticar a aldeia numa lista, liberando a Companhia Alfa para partir para uma nova área de operações.

Na versão de Geren, porém, aquela foi uma missão importante das Operações Especiais, o que significava que era sigilosa. Depois que Tillman foi morto, os soldados do 75º Regimento de Rangers tinham portanto a impressão "de que deviam manter todas as informações em segredo, sem sequer contá-las às suas famílias, até que as investigações fossem concluídas e aprovadas pela autoridade superior".

Mas isso não explica por que, se os Rangers acreditavam que era crucial à "segurança operacional" manter os detalhes da missão em segredo, o Exército não manteve os detalhes sobre a Estrela de Prata concedida a Tillman em sigilo, ou por que o SEAL da Marinha Steve White recebeu um relato do tiroteio fatal para ler na cerimônia memorial de Tillman transmitida em rede nacional. Tal falsidade prejudicou a credibilidade do Exército de forma irremediável aos olhos da família Tillman.

Em 9 de agosto de 2007, nove dias depois de Geren se dirigir à nação, o presidente Bush concedeu uma entrevista coletiva à imprensa na Casa Branca para alardear a assinatura de uma lei intitulada "Iniciativa de Competitividade Americana", sem nenhuma relação com o caso de Pat. Depois, ao responder às perguntas da imprensa, o presidente foi indagado sobre Tillman por Ed Henry, correspondente da CNN:

> HENRY: O senhor fala com frequência sobre cuidar de nossas tropas e honrar seu sacrifício. Mas a família do cabo Pat Tillman acredita que houve ocultação da verdade no caso de sua morte, e alguns dizem que talvez ele tenha sido até assassinado, e não vítima de fogo amigo. Numa audiência na semana passada em Capitol Hill, seu ex-secretário de Defesa, Donald Rumsfeld, e outras altas

autoridades usaram alguma versão de "não me lembro" 82 vezes. Quando foi sua vez de entrar em ação, Pat Tillman abriu mão de uma carreira lucrativa na NFL, serviu ao seu país e prestou o derradeiro sacrifício. Agora o senhor tem a chance de prometer à família que seu governo enfim irá fundo no caso. O senhor pode fazer a promessa à família hoje de que finalmente, após sete investigações, descobrirá o que realmente aconteceu?

BUSH: Bem, em primeiro lugar, posso entender por que a família de Pat Tillman, veja bem, teve tantas emoções profundas, porque um homem que amavam e respeitavam foi morto enquanto servia ao seu país. Sempre admirei o fato de uma pessoa com vida relativamente confortável estar disposta a despir um uniforme e vestir outro a fim de defender os Estados Unidos. E a melhor forma de honrar esse empenho é descobrir a verdade. Estou confiante de que o Departamento de Defesa quer descobrir a verdade também, e nós a mostraremos à família Tillman.

HENRY: Mas, senhor presidente, houve sete investigações e o Pentágono não chegou ao fundo da questão. O senhor poderia nos contar quando foi que, pessoalmente, descobriu que não se tratou de fogo inimigo, e sim fogo amigo?

BUSH: Não sei dizer o momento preciso. Mas, obviamente, no minuto em que eu soube que fatos em que as pessoas acreditavam não eram verdadeiros, minha expectativa foi de que houvesse uma investigação completa que fosse até o fundo.

O presidente deixou de mencionar que, três meses antes, como parte da investigação iniciada pelo Congresso para enfim e definitivamente "ir ao fundo da questão", o deputado Waxman enviara uma carta à Casa Branca solicitando formalmente "todos os documentos recebidos ou gerados por qualquer funcionário do Escritório Executivo do presidente, incluindo o Escritório de Comunicações e o Escritório de Redação de Discursos [...] relacionados ao cabo Tillman" e mandou um pedido semelhante ao Departamento de Defesa. Os destinatários responderam enviando a Waxman mais de 30 mil páginas de material, a maioria meros recortes da imprensa sobre Tillman. E-mails, memorandos e outros documentos que poderiam ter lançado uma luz sobre o encobrimento foram flagrantemente omitidos. Como explicou Emmet T. Flood, consultor jurídico especial do presidente: "Nós não apresentamos certos documentos em resposta ao pedido do Comitê porque envolvem interesses de confidencialidade do Ramo Executivo". Apesar de elogiar o patriotismo e a coragem de Tillman a cada oportunidade, a Casa Branca na verdade usou de todos os meios à sua disposição para obstruir a investigação, pelo Congresso, da morte de Tillman e dos acontecimentos subsequentes, não obstante a afirmação contrária do presidente Bush.

Num relatório divulgado em julho de 2008, o comitê de supervisão de Waxman observou que "a Casa Branca esteve intensamente interessada nos primeiros informes sobre a morte de Tillman", enviando e recebendo cerca de duzentos e-mails referentes a Tillman no dia seguinte à tragédia. Mas depois que o Exército revelou tardiamente ao público americano que ele foi vítima de fratricídio, "a Casa Branca não conseguiu apresentar um único e-mail ou documento referente a qualquer discussão sobre a morte do cabo Tillman por fogo amigo. [...] O interesse intenso que inicialmente caracterizou a reação da Casa Branca e do Departamento de Defesa quanto à morte do cabo Tillman foi seguido de uma falta de curiosidade estranha sobre os informes de fratricídio que surgiam e uma negligência e incompetência incompreensíveis no manuseio dessas informações melindrosas".

Trinta e cinco

Em 25 de abril de 2004, três dias após a morte de Tillman, os Ovelhas Negras do Segundo Pelotão se reuniram na BOA Salerno para conversar e descontrair um pouco. A reunião foi conduzida por um capelão chamado Jeff Struecker, capitão do Exército famoso no Regimento de Rangers e em outros lugares por ter sobrevivido ao tiroteio desastroso de 1993 em Mogadíscio, Somália, descrito no best-seller de Mark Bowden *Falcão negro em perigo*. Vários Rangers estavam perturbados com a morte de Tillman e procuraram a orientação de Struecker.

"Com base em sua experiência na Somália, o capelão Struecker disse que foi bom conversar sobre o que aconteceu ali, em vez de ficar remoendo aquilo", diz Mel Ward, lembrando aquela reunião. "Não sou nem um pouco religioso, mas Pat era um amigo pessoal, e ter que embalá-lo e lidar com seu corpo como fizemos... eu não sabia quais seriam os efeitos a longo prazo. Você vê aqueles coroas no History Channel falando que estiveram na Segunda Guerra Mundial. Um sujeito continua lamentando a morte de um amigo sessenta anos antes. Não quero ser aquele sujeito. Por isso, conversei sobre o que aconteceu, meu pequeno papel naquilo. Os outros fizeram o mesmo."

Ward não julgou nenhum dos outros soldados, nem mesmo os atiradores — não inicialmente. Mas depois ouviu dizer que alguns deles podiam ter se reunido e mudado suas histórias entre a primeira e a segunda investigação. "Normalmente eu não acusaria ninguém que esteve lá", ele diz. "Fogo amigo acontece. Mas se alguém mentiu ou mudou sua história, merece ser enforcado. Seja quem for. Se você mente e encobre o que aconteceu com alguém que deu sua vida, que acreditava tão firmemente na importância de vir até aqui que deixou sua esposa sem marido, então você merece morrer enforcado. Quando comecei a ouvir sobre as falsas recomendações para a medalha, a deturpação dos fatos, a mudança de suas histórias, fiquei muito bravo. A afronta do Exército à família de Pat com os acontecimentos que levaram a esse frenesi da mídia é imperdoável."

Após a morte de Pat, Ward decidiu não se alistar novamente quando seu contrato com os Rangers expirasse. Embora ser um suboficial das Forças de Operações Especiais, segundo ele, "fosse algo para o qual eu tinha um talento natural", os desdobramentos do fratricídio de Tillman o deixaram definitivamente desiludido com a liderança das Forças Armadas. "Desde o momento em que você ingressa no Batalhão dos Rangers", Ward explica,

> colocam na sua cabeça que você sempre fará a coisa certa. Eles não dizem: "Por favor, faça a coisa certa". Dizem "Vamos ferrar você se não fizer a coisa certa". Você cumprirá todos os padrões. Você sempre dirá a verdade. Se fizer alguma merda, está fodido e mal pago. Aí você vê algo como o que estão fazendo com Pat — o que os oficiais do Regimento de Rangers estão fazendo — e deixa de ser tão ingênuo. Nas duas únicas vezes em que pude ver pessoalmente que o Exército podia optar entre a coisa certa e a coisa errada, optaram pela coisa errada. Uma dessas vezes foi o que fizeram com Pat. Aquilo me fez perceber que o Exército faz o que convém ao Exército. Por isso não voltarei a vestir esta farda. Para mim basta.
>
> Se eu tivesse sido morto naquele dia, e não conviesse ao Exército revelar à minha esposa a maneira como eu morri, ninguém jamais saberia o que realmente aconteceu, porque não sou famoso. Não sou Pat. Aquilo não seria uma notícia. Pelo resto de sua vida, minha esposa pensaria que eu tinha sido morto por qualquer que fosse a porra da história que eles decidissem inventar. Eles recomendariam uma série de medalhas como fizeram com ele, e tudo ficaria por isso mesmo.
>
> Acho que minha esposa mereceria saber a verdade sobre como seu marido morrera. E acho que a esposa de Pat merece o mesmo.

A enormidade da perda de Dannie Tillman fez com que ela iniciasse o que se mostrou um esforço inútil para extrair a verdade e justiça do Exército e do governo norte-americanos. A morte de Pat provocou um tipo de reação diferente em Marie Tillman.

"Não achei que pudesse me concentrar na investigação e manter o equilíbrio", Marie explicou em setembro de 2006, ainda tentando lidar com a morte de Pat dois anos e meio após seu falecimento.

> Eu examinava os documentos, imaginava Pat sendo morto, e aquilo me assolava. Eu não conseguia dissociar aquela pessoa que eu amava dos detalhes horrendos nos documentos, e não conseguia viver naquele estado mental. Senti-me muito culpada no início por não conseguir me concentrar em combater as Forças Armadas, mas também percebi que, se seguisse aquele caminho, não sei se conseguiria manter o equilíbrio. Quando Pat morreu, fechei-me em vários aspectos — vivi num lugar bem escuro e tranquilo durante anos e lutei. [...]
>
> Tenho um enorme respeito por Dannie e por como ela lidou com tudo. Tentar obter respostas das Forças Armadas é como bater com a cabeça contra a parede, e ela carregou esse fardo para todos nós. Eu não fui capaz de fazê-lo, mas sou grata por sua força e pelo que ela fez para revelar a verdade e responsabilizar as pessoas. Conhecer Pat e saber como ele vivia sua vida, e depois ver como sua morte foi tratada pelas Forças Armadas e pelo governo é de cortar o coração — vai contra tudo que ele defendeu.

Em maio de 2004, uma semana após a cerimônia em memória de Pat em San Jose, Marie retornou à sua casa alugada com vista para Puget Sound. "Voltei à cidade na segunda ou terça-feira", ela recorda.

> Eu só deveria voltar ao escritório na semana seguinte, mas não tinha o que fazer em casa. Portanto voltei ao trabalho.
>
> Provavelmente nos primeiros meses depois de minha volta, eu ficava sentada na escrivaninha olhando pela janela o dia todo. A empresa para a qual eu trabalhava foi realmente compreensiva. Deixaram que eu voltasse e ficasse sentada ali. Eu não tinha a menor ideia do que deveria fazer em seguida. A vida que eu tivera basicamente acabara. Assim, todas as manhãs, eu acordava às quinze para as cinco, entrava no carro, dirigia até Seattle e no trabalho ficava olhando pela janela.

Chegava em casa às sete da noite, sentava no sofá durante uma hora, conversava com Kevin e ia para a cama. Era isso. E fiz isso durante meses e meses e meses e meses.

Kevin decidiu que permaneceria no Exército até terminar sua obrigação. Em certos aspectos, aquilo facilitou as coisas para mim, e decidi permanecer ali com ele. Ganhei algum tempo antes de precisar tomar qualquer decisão sobre aonde ir.

Kevin completou seu contrato com o Exército em julho de 2005. "Naquela época", diz Marie, "eu sabia que precisava partir. Eu pensava: 'Se eu não partir agora, nunca partirei'. Era isso que eu sentia — que eu simplesmente continuaria fazendo o que vinha fazendo. A casa estava exatamente igual ao dia em que Pat partiu para o Afeganistão. Logo após sua morte, era reconfortante estar ali. Mas a coisa chegou a um ponto em que eu ficava realmente triste por estar ali. Havia uma camada de pó por toda parte, e..." Ela faz uma pausa para se recompor. "E era realmente bem triste. [...] Por isso, embalei todas as coisas e vim para cá."

"Para cá" é a cidade de Nova York, onde Marie encontrou um emprego e um apartamento pequeno no Upper East Side de Manhattan. "Foi ótimo que Kevin e eu tivéssemos o apoio um do outro naquele primeiro ano", ela diz. "Mas depois precisei me afastar. Não dele — eu simplesmente senti a necessidade de me afastar de tudo. Esta foi em parte a razão de minha mudança para cá. A cidade pode ser uma boa distração.

"Todo mundo lida com a dor de diferentes maneiras", Marie observa. "Eu me recolho. Preciso do meu próprio espaço. [...] Às vezes é bom estar com as pessoas que gostavam dele e o conheceram. Mas outras vezes é demais. Eu só sabia que precisava lidar com as coisas do meu jeito."

Em várias ocasiões, as pessoas perguntaram a Marie se ela guardava alguma raiva de Pat por ter se alistado nas Forças Armadas e ido para a guerra. "Nunca fiquei zangada com ele por isso", ela diz. "Você gosta de alguém pelo que ele é; eu não posso ficar zangada com ele por ter se alistado, porque a necessidade de se alistar fazia parte de sua pessoa." Além disso, ela explica, "quando Pat ingressou no Exército, aquilo me deixou mais forte. Definitivamente. Claro que, se ele não tivesse se alistado, ainda estaria vivo. Mas aquilo também me tornou capaz de lidar com sua morte. Devido à maneira de ser de Pat, descobri muitas coisas sobre mim mesma.

"Existia algo em Pat que afetou quase todos que conviveram com ele. Fez com que eu quisesse continuar vivendo de uma forma que o honre. Quero que ele se orgulhe do modo como vivo minha vida e enfrento as coisas. [...] Tenho que admitir: não é fácil. Não é fácil seguir em frente, mas sei que se eu desistisse ele ficaria decepcionado."

Marie decidiu que "a melhor maneira de honrar nosso relacionamento e a vida que Pat e eu tínhamos juntos é não sucumbir à dor, à raiva e a outras emoções negativas, que estão definitivamente aí e podem assumir o controle se você permitir". Com essa finalidade, pouco depois que Pat foi morto, Marie, Alex Garwood, Réka Cseresnyés, Benjamin Hill, Kevin Tillman e Jared Schrieber criaram a Fundação Pat Tillman,* cujo objetivo era preservar o legado de Pat motivando os jovens a aperfeiçoarem a si e a suas comunidades. Marie concordou em presidir a diretoria, cargo que evoluiu, nos anos subsequentes, para um trabalho exigente, em tempo integral, graças ao crescimento rápido da organização.

Para atingir seus objetivos, a fundação patrocinou um curso de dois semestres na Faculdade de Administração W. P. Cary da Arizona State University. Denominado programa Liderança pela Ação, ele se distingue dos programas de liderança de outras universidades, diz Marie, "por seu foco na ação — o que era claramente a essência de Pat. Ele não apenas falava; ele agia com base em suas crenças e tentou exercer um impacto real sobre as coisas que considerava importantes". Entre quinze e vinte "Estudantes Tillman" são aceitos no programa a cada ano, e atualmente Marie está se esforçando para expandi-lo a outras instituições acadêmicas do país.

Para arrecadar recursos, a Fundação Pat Tillman promove duas maratonas de 4,2 milhas (6,8 quilômetros) no mês de abril em Tempe e San Jose; a distância se baseia no número da camisa de Pat quando jogou futebol americano pela Arizona State University: 42. Em 2008, cerca de 15 mil corredores e caminhantes participaram da Pat's Run Tempe e 6 mil da Pat's Run San Jose. "O número de pessoas que participa tem crescido a cada ano", Marie diz. "É incrível."

A fundação recebe centenas de cartas e e-mails relatando como pessoas comuns se inspiraram no exemplo de Pat para enfrentar desafios extraordiná-

* <www.pattillmanfoundation.org>.

rios. Ainda que esses sinais tangíveis do impacto de Pat no mundo sirvam de consolo para Marie, ela admite que sua morte em abril de 2004 deixou um vazio tão imenso que é quase impossível outras pessoas imaginarem o efeito que ainda exerce. "Aquilo deixou um buraco enorme na minha vida", ela diz.

A certa altura, Marie prevê: "A tristeza acabará perdendo a sua força". Um momento depois, com uma certeza estoica, ela acrescenta: "Mas nunca desaparecerá por completo".

PARTE CINCO

"Mas tu, Aquiles, não há ninguém no mundo mais abençoado que tu, e nunca haverá. Outrora, quando vivias, nós os argivos honrávamos a ti como a um deus. Agora que estás aqui embaixo, vejo que reinas sobre os mortos com todo o teu poder; então não te aflijas por haver morrido."
Assim falei ao fantasma, que me retrucou protestando: "Não fales bem da morte a mim, ilustre Odisseu! Preferiria ser um escravo na terra, submisso a outro homem, um pastor errante que luta para sobreviver, a reinar aqui embaixo, sobre todos os mortos".

— HOMERO, *Odisseia*

Pós-escrito

5 de janeiro de 2007. Dezenove quilômetros ao sul da encosta onde Pat Tillman perdeu a vida, uma dúzia de casamatas de sacos de areia se acocoram sobre um afloramento de rocha estratificada envolto pela fumaça de lixo queimando. Trechos de neve suja formam crostas no chão. O fedor de uma latrina transbordante paira no ar. A distância, terrenos agrestes enrugam a paisagem sem fim aparente, suas encostas pontilhadas de pinheiros, juníperos e carvalhos espinhosos e raquíticos.

Esse local sombrio, cercado de emaranhados de arame farpado, está ocupado por um pelotão de soldados de infantaria americanos reforçados por cerca de quarenta soldados do Exército Nacional Afegão. Designado Posto de Observação Quatro — PO4, na forma abreviada — é o acampamento mais ao norte entre quatro criados no alto de morros em torno do perímetro da Base de Operação Avançada Tillman para impedir que seja dominada por forças inimigas. Situado a uns oitocentos metros da fronteira Afeganistão-Paquistão, a chamada Linha Zero, o PO4 proporciona uma visão panorâmica de uma rota usada pela Al-Qaeda e pelo Talibã para infiltrar afegãos de refúgios no Waziristão do Norte — uma das Áreas Tribais Federalmente Administradas do Paquistão. Embora nominalmente governadas pelo Paquistão, na realidade as Áreas Tribais funcionam como Estados autônomos, fora do controle de Islamabad. A partir do Waziristão do Norte, os combatentes sob o comando de Jalaluddin Haqqani atacam a BOA Tillman ou seus postos de observação a cada três ou quatro dias em média.

A maioria desses ataques origina-se dos arredores de uma base de artilharia paquistanesa apelidada de Castelo Cinza pelas tropas americanas, por causa de seus muros de concreto com ameias. Empoleirado no alto de uma colina solitária diante do PO4, do outro lado da fronteira, o Castelo Cinza está tão próximo do acampamento americano que os soldados paquistaneses são visíveis a olho nu ao montarem guarda nos parapeitos. Na noite passada, o PO4 foi atingido por um bombardeio de foguetes talibãs lançados da vizinhança do Castelo Cinza, levando o comandante da BOA Tillman a solicitar uma reunião com seu colega paquistanês a fim de evitarem tais ataques no futuro.

Os dois oficiais, ambos acompanhados de um largo contingente de subordinados e forças de segurança, encaram-se seriamente através da fronteira na manhã após o incidente, fustigados por uma brisa gelada. O major Umar, comandante do 39º Corpo de Fronteira do Paquistão, é um homem elegante e animado, trajando um uniforme imaculadamente passado a ferro e luvas de pelica. Ele inicia o diálogo negando firmemente que o ataque de foguetes se originou do Paquistão. Quando o capitão do Exército norte-americano Scott Horrigan — com traje de camuflagem desgastado pelas batalhas e botas de combate surradas — responde que a análise de azimute das crateras abertas no PO4 não deixam dúvida de que os foguetes foram lançados da posição elevada ao norte do Castelo Cinza, Umar se indigna. "O senhor pode alegar que os ataques vieram do Paquistão", ele declara num inglês perfeito, "mas eu tinha dez patrulhas na área na noite passada e elas não ouviram nada, não viram nada. Nós examinaremos as suas alegações, mas não acredito que qualquer desses ataques tenha vindo de território paquistanês. E, se me permite uma ousadia, não acredito que os inimigos, que esses canalhas, tenham a coragem de usar a minha área para disparar contra posições americanas ou afegãs. Não permitirei isso. [...] Se quaisquer canalhas ousarem vir a esta área, terão que me enfrentar pessoalmente."

Apesar das garantias de Umar, segundo um grande número de indícios coletados pelos agentes de inteligência americano, o Corpo de Fronteira do Paquistão sofreu forte infiltração do Talibã nas Áreas Tribais e as forças paquistanesas têm colaborado passiva e ativamente em numerosos ataques contra tropas americanas e da OTAN — embora o Paquistão seja um suposto aliado dos Estados Unidos e Islamabad tenha recebido mais de 10 bilhões de dólares de Washington desde setembro de 2001 para combater a Al-Qaeda e o Talibã. Duas noites após o encontro entre Umar e Horrigan, o PO4 é atingido por nove outros foguetes inimigos. Durante as três primeiras semanas de janeiro, a BOA é atacada um total de seis vezes por forças inimigas baseadas no Paquistão.

Em 27 de janeiro, os frustrados americanos tiveram outro encontro com os oficiais paquistaneses, dessa vez tomando a medida altamente incomum de convidá-los a percorrer a instalação de radar na BOA Tillman, onde mostraram aos paquistaneses dados sigilosos coletados pelo radar antibateria Q-36 que indicam os locais precisos dentro do Paquistão de onde foram lançados recentes bombardeios de foguetes. Em seguida, o capitão Dennis Knowles expressa sua dúvida de que essas novas provas persuadirão os paquistaneses a tomar alguma providência contra os ataques. "Aposto cinco paus", ele prevê, sem se dar ao trabalho de ocultar a irritação, "que o PO4 será atingido de novo esta noite."

Às 6h15 da noite, uma hora após escurecer, um soldado afegão vê uma luz tremeluzir numa encosta diante do PO4 e dispara alguns projéteis de AK-47 no ponto incandescente. Ato contínuo, um número estimado em cinquenta a sessenta combatentes de Haqqani devolve o fogo de posições a oeste, norte e leste. Nos próximos quinze minutos, uma rajada de balas, granadas-foguete, projéteis de morteiros, foguetes de 107 milímetros e projéteis Howitzer de 105 milímetros rasga sem parar o ar sobre o PO4, e o tiroteio continua a um ritmo menor por mais uma hora antes que o ataque em várias frentes seja repelido e os insurgentes recuem para seus refúgios no Paquistão. Um jovem cabo chamado Harker é atingido na coxa esquerda, o que exige que um helicóptero Black Hawk desça em meio ao fogo cruzado e o evacue para Bagram. Quando a batalha enfim silencia, mais de 13 mil projéteis foram disparados contra o inimigo, matando três talibãs e supostamente ferindo mais dez.

Em abril de 2004, Pat Tillman foi enviado ao Afeganistão como parte de uma campanha para subjugar as forças de Jalaluddin Haqqani e pôr a província de Khost sob o controle do governo eleito do presidente Hamid Karzai. Durante a meia década desde que Tillman pereceu naquela tentativa, nenhum desses objetivos foi atingido — a presença do Talibã e da Al-Qaeda em Khost e na província Paktika adjacente está mais forte agora do que em qualquer outra época desde os primeiros meses da invasão norte-americana em 2001-2002. Os aldeões nessa área hasteiam desafiadoramente a bandeira branca do Talibã em suas casas. A pouco mais de um quilômetro da extremidade leste do desfiladeiro Tillman (nome dado espontaneamente pelos soldados americanos ao cânion onde Pat foi morto), um alto-falante de uma madrassa agitada trombeteia mensagens antiamericanas à comunidade circundante, enquanto meninos aprendem os princípios da jihad dentro dos muros da escola.

Enquanto escrevo estas palavras, no início de 2009, Spera é classificado pelo Exército norte-americano como "território proibido" — significando que está proibido às forças americanas e da OTAN, não do inimigo. O distrito está sob firme controle da Rede de Haqqani, que tem mantido vínculos estreitos com a Al-Qaeda desde que Bin Laden e Haqqani desenvolveram um forte elo pessoal durante a Guerra Soviético-Afegã. Os combatentes de Haqqani vêm adotando meios cada vez mais cruéis de alcançar seus objetivos, inclusive ataques maciços de homens-bomba, assassinato de autoridades e professores locais e a decapitação indiscriminada de aldeões. Apesar de Jalaluddin ainda ser o chefe nominal da organização de Haqqani, a liderança das operações no dia a dia passou para o seu filho, Sirajuddin Haqqani, conhecido como Siraj. De acordo com o tenente-coronel do Exército americano Dave Anders, "É Siraj que está determinando os novos parâmetros de brutalidade associados à alta liderança talibã". O Exército está oferecendo uma recompensa de 5 milhões de dólares por informações que levem à captura ou eliminação de Siraj.

O ressurgimento da insurreição de Talibã/Al-Qaeda não se limita às províncias de Khost e Paktika. Toda a nação mergulhou mais fundo na violência e no caos. O Afeganistão atualmente fornece 95% do ópio usado no comércio global de heroína, e a produção de narcóticos representa metade do Produto Interno Bruto do país. O Talibã fica com uma porcentagem significativa do dinheiro das drogas, que é a fonte básica de receita dos insurgentes, e grande parte do resto vai parar nas mãos de membros do alto escalão do governo de Karzai, degradando ainda mais um governo manchado pela corrupção mesmo antes do renascimento do Talibã. Tendo desperdiçado grande parte da credibilidade de que dispunha entre o povo afegão, Karzai está atualmente à beira do colapso, junto com seu governo. Em 27 de abril de 2008, um grupo de insurgentes de Haqqani fez uma tentativa audaciosa e cuidadosamente planejada de assassinar Karzai, durante a parada militar do Dia Nacional Afegão, no coração de Cabul. Conquanto o presidente escapasse ileso, quatro outras pessoas foram mortas, inclusive um membro do parlamento que estava sentado do lado de Karzai no palanque.

As forças do Talibã e da Al-Qaeda agora se deslocam livremente pelas regiões dos *pashtuns* dos dois lados da fronteira Afeganistão-Paquistão, e grande parte da comunidade de inteligência dos Estados Unidos acredita que Osama bin Laden — ainda à solta — esteja escondido em local seguro do lado paquistanês da Linha Zero. Os ataques contras as forças norte-americanas e da OTAN no Afeganistão aumentaram substancialmente nos últimos três anos. Os insurgentes criaram centenas de bases e campos de treinamento novos nas Áreas Tribais do Paquistão. Seth G. Jones, autor de um estudo muito conceituado para o RAND National Defense Research Institute intitulado *Counterinsurgency in Afghanistan* [Contrainsurgência no Afeganistão], alertou em junho de 2008: "Os Estados Unidos enfrentam hoje uma ameaça da Al-Qaeda comparável à que enfrentaram em 11 de setembro de 2001".

Existe um amplo consenso por todo o espectro político de que a expansão alarmante da insurreição afegã ocorreu porque a preocupação do governo Bush com o Iraque levou a uma estratégia apelidada de "economia de forças" (um eufemismo para "guerra barata") quando se tratou do Afeganistão. Mas os problemas crescentes nesta última frente são atribuíveis a muito mais do que políticas mal concebidas. As maiores ameaças à paz e à estabilidade no Afeganistão estão agora firmemente enraizadas fora de suas fronteiras, no Paquistão, onde o Talibã e a Al-Qaeda encontraram refúgio seguro desde o início de 2002. Graças à natureza intricada, incontrolável e cada vez mais volátil da política paquistanesa, subjugar as forças insurgentes que investem furiosamente dentro do Paquistão representa um dilema tão complexo que não se sabe como os diplomatas e líderes militares americanos poderão tentar atacar o problema ou mesmo achar uma solução.

O caos, nesse ínterim, assola tanto o Paquistão como o Afeganistão, e a onda de sangue está à toda. Em 7 de julho de 2008, na hora do rush matinal em Cabul, a capital afegã, um jihadi detonou um carro-bomba poderoso diante da embaixada indiana, matando mais de cinquenta pessoas, inclusive um adido de defesa indiano, embora a maioria das vítimas fossem cidadãos afegãos comuns que estavam na fila solicitando vistos para viajar à Índia. Os órgãos de inteligência norte-americanos descobriram que o homem-bomba que perpetrou o ataque foi um agente de Haqqani.

Além disso, o *New York Times* informou que o ISI — o poderoso serviço de espionagem do Paquistão — desempenhou um papel ativo no planejamento do atentado contra a embaixada, e que "os escalões superiores do aparelho de segurança do Paquistão" — inclusive o líder do Exército do país, o general Ashfaq Parvez Kayani — sabiam dos planos antes da realização do ataque, mas nada fizeram para impedi-lo. Essa revelação alarmante confirmou as queixas dos soldados norte-americanos nas linhas de frente do Afeganistão há vários anos contra o relacionamento cordial do ISI com o Talibã. De acordo com o *New York Times*, a prova do envolvimento do ISI

> baseou-se em comunicações interceptadas entre os agentes da inteligência paquistanesa e militantes que realizaram o ataque, disseram as autoridades, fornecendo os mais claros indícios até agora de que os agentes da inteligência paquistaneses estão solapando ativamente os esforços americanos de combater militantes na região. As autoridades americanas também disseram que informações novas mostravam que membros do serviço de inteligência paquistanês estavam passando aos militantes cada vez mais informações sobre a campanha americana contra eles, em alguns casos permitindo aos militantes evitar ataques de mísseis americanos das Áreas Tribais do Paquistão.

Dentro das fileiras das Forças Armadas e serviços de inteligência paquistaneses, o apoio ao Talibã não é universal. Algumas unidades do Corpo de Fronteira têm combatido as forças de Haqqani com coragem e determinação. De fato, mais de 1500 soldados paquistaneses foram mortos combatendo os insurgentes nas Áreas Tribais, três vezes o número de americanos que morreram no Afeganistão. Mas mesmo com alguns soldados paquistaneses perdendo a vida na campanha contra o Talibã e a Al-Qaeda, outras unidades militares paquistanesas, bem como poderosas facções dentro do ISI, estão provendo os insurgentes de dinheiro, armas e informações secretas fornecidos ao Paquistão pela CIA e pelas Forças Armadas americanas. Em dezenas de casos documentados, unidades do Corpo de Fronteira paquistanês atiraram contra as forças americanas através da fronteira internacional.

Entre os grupos de insurgentes apoiados pelo ISI, nenhum tem colhido os frutos desse apoio mais que a Rede de Haqqani, o que não surpreende, dado que Jalaluddin Haqqani e o ISI têm mantido um relacionamento íntimo e mutuamente benéfico que remonta a três décadas atrás. Atualmente esse relacionamento é definido por um acordo tácito entre as forças de Haqqani e o ISI: se estas restringem seus ataques a alvos norte-americanos, afegãos e da OTAN e se abstêm de atacar tropas paquistanesas, o Paquistão se abstém de interferir na Rede de Haqqani.

O ISI paquistanês continua auxiliando Haqqani e outros insurgentes islamitas pela mesma razão pela qual a CIA o fez no passado: porque os jihadis funcionam como um exército aliado disposto a empunhar armas contra um inimigo mortal em posse de um arsenal nuclear que o governo de Islamabad não ousa guerrear abertamente. No caso do Paquistão, esse inimigo é a Índia (auxiliada por seu aliado próximo, o Afeganistão), que Islamabad considera uma ameaça à sua segurança ao menos tão grande quanto a que os Estados Unidos viam na União Soviética durante a Guerra Fria. Enquanto os paquistaneses se sentirem ameaçados pela Índia, dificilmente organizarão uma campanha eficaz para erradicar a Rede de Haqqani, a Al-Qaeda e o Talibã de suas Áreas Tribais — um empreendimento que apresentaria desafios impressionantes e riscos tremendos para o atual governo de Islamabad, que é amplamente reconhecido como corrupto e incompetente e só exerce um controle tênue sobre as rédeas do poder.

Ao realizar ataques-relâmpago contra alvos no Afeganistão a partir de acampamentos do outro lado da Linha Zero no Paquistão, o clã de Haqqani e seus partidários estão empregando contra os Estados Unidos precisamente a mesma estratégia empregada vinte anos antes para derrotar os soviéticos por ordem dos Estados Unidos. E, a longo prazo, os insurgentes poderão emergir tão vitoriosos como emergiram em 1989, porque, enquanto o Paquistão lhes der guarida, será impossível os Estados Unidos e seus aliados derrotarem a Al-Qaeda e o Talibã pela força militar, por mais soldados que os Estados Unidos mobilizem no Afeganistão — assim como foi impossível para os soviéticos derrotar os mujahidin, apesar da superioridade esmagadora de seu Exército.

Se a perspectiva de vitória no Afeganistão parece cada vez mais remota para os Estados Unidos, retirar-se de lá não seria melhor. Ambas as opções estão cheias de incerteza, embora a luta no sul da Ásia seja tão incendiária, e esteja tão enredada nos interesses de segurança americanos, que os soldados dos

Estados Unidos possivelmente estarão envolvidos no Afeganistão durante anos, se não décadas. E se os acontecimentos recentes servem de indicador, os americanos provavelmente estarão lutando e morrendo no Paquistão também.

Em julho de 2008, o presidente Bush emitiu ordens secretas às Forças de Operações Especiais para começarem a realizar ataques terrestres unilaterais em território paquistanês sem a aprovação prévia de Islamabad, marcando uma mudança drástica na política norte-americana e desencadeando uma onda de sentimentos antiamericanos violentos em todo o Paquistão. A lógica da estratégia nova era evidente (os paquistaneses pareciam desmotivados a e/ou incapazes de erradicar os refúgios do inimigo de seu território), mas foi perigosíssimo. A ação secreta norte-americana trinta anos atrás no mesmo canto do mundo (que parecia então uma ideia boa) continua tendo repercussões cataclísmicas que eram impossíveis de imaginar naquela época. Por maiores que sejam as vantagens táticas a curto prazo de enviar soldados americanos ao outro lado da Linha Zero para combater a Al-Qaeda e o Talibã, seria ingênuo presumir que tais ações não terão consequências imprevisíveis daqui a trinta anos, algumas das quais podem se mostrar igualmente cataclísmicas. O tiro poderá sair pela culatra.

Como alertou Bruce Riedel em artigo intitulado "Paquistão e terror: o olho do furacão",

> O Paquistão é o país mais perigoso do mundo atualmente. Todos os pesadelos do século XXI se reúnem no Paquistão: proliferação nuclear, tráfico de drogas, ditadura militar e, acima de tudo, terrorismo internacional. O Paquistão é um caso singular de, ao mesmo tempo, vítima e patrocinador do terrorismo. Tem sido o cenário de atos de violência terrorista horrendos, inclusive o assassinato de Benazir Bhutto no final de 2007, e tem sido um dos mais prolíficos Estados patrocinadores do terrorismo na defesa de seus interesses de segurança nacional. Para o próximo presidente americano, não há problema ou país mais crítico com que lidar. [...]

Em seu best-seller de 1992, *O fim da história e o último homem*, Francis Fukuyama previu que a disseminação inexorável da democracia capitalista "significaria o fim das guerras e revoluções sangrentas. Concordando com os objetivos, os homens não teriam mais causas pelas quais lutar. Eles satisfariam suas necessidades mediante a atividade econômica, mas não precisariam mais arriscar suas vidas na batalha". Fukuyama reconheceu que seu futuro auspicioso viria acompanhado de uma ligeira desvantagem: a emasculação da humanidade. A paz mundial geraria "a criatura que supostamente emerge ao fim da história, o *último homem*".

"O último homem" foi um termo sarcástico cunhado por Friedrich Nietzsche em sua obra-prima bombástica *Assim falou Zaratustra*. Na avaliação de Nietzsche, de acordo com Fukuyama, as democracias liberais produziam homens

> compostos inteiramente de desejo e razão, engenhosos em encontrar novos meios de satisfazer um bando de desejos triviais pela maquinação do autointeresse a longo prazo. [...] Não é por acaso que as pessoas nas sociedades democráticas estão preocupadas com o ganho material e vivem num mundo econômico dedicado à satisfação do sem-número de pequenas necessidades do corpo. [...] O último homem no fim da história *sabe* que não vale a pena arriscar a vida por uma causa, pois reconhece que a história está repleta de batalhas inúteis em que os homens lutaram por ser cristãos ou muçulmanos, protestantes ou católicos, alemães ou franceses. A história provou que o que levou os homens a atos desesperados e sacrifícios não passava de preconceitos tolos. Os homens com educação moderna contentam-se em ficar em casa, congratulando-se por sua tolerância e ausência de fanatismo.

Zombando desses "últimos homens" desprezíveis, o Zaratustra de Nietzsche declara: "Assim vocês estufam o peito, mas, infelizmente, ele está vazio". O que levou Fukuyama a rotular tais cordeirinhos de "homens sem peito".

Dado o estado atual de tumulto no sul da Ásia, na África e no Cáucaso, a paz internacional profetizada por Fukuyama não se afigura iminente. Mas sua previsão da predominância do débil americano permanece perturbadoramente exata, de acordo com o historiador Lee Harris. Numa polêmica intitulada *O suicídio da razão*, Harris argumenta:

> O problema não é que Fukuyama está redondamente errado; o problema é que ele está parcialmente certo. Infelizmente para nós, que somos a metade errada.
>
> No Ocidente, estamos perigosamente nos aproximando do *nosso* último ho-

mem. A democracia liberal, entre nós, está atingindo o objetivo que Fukuyama previu para nós: está eliminando os machos dominantes de nosso meio, e a um ritmo vertiginoso. Mas, nas sociedades muçulmanas, o macho dominante continua vivo e bem. Enquanto nos Estados Unidos estamos drogando nossos *alpha boys* com Ritalin,* os muçulmanos estão fazendo de tudo para encorajar seus machos dominantes a serem duros, agressivos e implacáveis. [...] Orgulhamo-nos se nossos filhos ingressam numa boa faculdade; eles se orgulham se seus filhos morrem como mártires.

Livrar sua sociedade dos machos dominantes cheios de testosterona pode trazer paz e tranquilidade. Mas se tem um inimigo que está armando um Exército de *alpha boys* para odiarem você fanaticamente e que juraram destruir você, estará cometendo o suicídio. [...]

O fim da testosterona apenas no Ocidente não culminará no fim da história, mas pode perfeitamente culminar no fim do Ocidente.

A conjectura sombria de Harris com certeza chama a atenção, mas parece tão irreal como a de Fukuyama. Quem conviveu algum tempo com os soldados americanos no Afeganistão ou no Iraque só pode discordar da afirmação dele de que a geração atual de jovens educados no Ocidente sofre de carência de testosterona.

Na verdade, a nossa sociedade produz todos os tipos de homens, em proporções mais ou menos semelhantes às sociedades muçulmanas (e outras): compassivos e cruéis; líderes e seguidores; gênios e bestas quadradas; heróis e covardes; desprendidos e narcisistas. O patriotismo é forte nos Estados Unidos, e os jovens americanos não são menos suscetíveis ao fascínio da aventura marcial do que os homens jovens de outras culturas, inclusive as culturas tribais fanáticas. Daqui a décadas, quando o presidente dos Estados Unidos declarar outra guerra contra algum adversário nacional, um grande número de homens (e certo número de mulheres) sem dúvida acorrerá para se alistar, tão ansiosos por participar da guerra como os americanos que foram aos centros de recrutamento durante os conflitos armados anteriores — independentemente de se a guerra em questão é insensata ou vital à sobrevivência da República.

* Medicamento usado no tratamento do transtorno do déficit de atenção e hiperatividade. (N. T.)

Se o envolvimento dos Estados Unidos em guerras futuras é inevitável, também é inevitável que soldados americanos sejam vítimas de fogo amigo em tais conflitos, pelo simples motivo de que o fratricídio é parte integrante de qualquer guerra. De acordo com a pesquisa mais abrangente das baixas de guerra americanas (fatais e não fatais), 21% das baixas na Segunda Guerra Mundial foram atribuíveis ao fogo amigo, bem como 39% das baixas no Vietnã e 52% das baixas na primeira Guerra do Golfo. Até agora nos conflitos que se desenrolam no Iraque e no Afeganistão, os percentuais de baixas são de 41% e 13%, respectivamente. Todas essas cifras são estimativas conservadoras. Em virtude da subinformação endêmica de casos de fratricídio pelas Forças Armadas, as percentagens reais são inquestionavelmente maiores.

A possibilidade de ser vítima de fogo amigo não parece dissuadir muitos homens e mulheres de se alistarem nas Forças Armadas. Quando se conversa com soldados nas linhas de frente, a maioria aceita o fratricídio como um risco inerente à atividade bélica. Trata-se de um dos muitos riscos profissionais de sua atividade. Como um soldado de infantaria, Pat Tillman entendia que, lá fora, coisas ruins acontecem. Mas ele era um otimista. Um americano típico, ele acreditava que o certo geralmente prevaleceria sobre o errado. Quando prestou juramento à bandeira no verão de 2002, confiava que os responsáveis por enviá-lo à batalha agiriam de boa-fé. Na época, não imaginava que pudessem brincar com sua vida ou deturpar os fatos de sua morte a fim de promover carreiras ou uma agenda política.

Em *Assim falou Zaratustra*, Nietzsche introduziu o conceito do *Übermensch*, o super-homem: uma figura exemplar e transcendente que era o oposto polar do "último homem" ou "homem sem peito". O super-homem é virtuoso, leal, ambicioso e sincero, desdenhoso do dogma religioso e desconfiado da sabedoria consagrada, intensamente engajado na agitação do mundo real. Acima de tudo ele é compassivo — um conhecedor tanto das "alegrias supremas" como das "tristezas abissais". Ele acredita no imperativo moral de defender (com sua vida, se necessário) ideais como verdade, beleza, honra e justiça. É seguro de si. Gosta de correr riscos. Considera o sofrimento salutar, e despreza o caminho da menor resistência.

Nietzsche, não é difícil imaginar, teria reconhecido em Pat Tillman vários atributos do seu super-homem. Entre essas qualidades destacavam-se a masculinidade robusta de Tillman e seu corolário, a disposição de erguer-se e lutar.

Como a história de Tillman se enquadra em certos aspectos na narrativa clássica do herói trágico, e o protagonista dessas histórias sempre possui um defeito trágico, seria tentador encarar a masculinidade dominante de Tillman como seu calcanhar de aquiles, o traço que acabou levando à sua morte.

Seria possível argumentar, porém, que o triste fim que ele encontrou no Afeganistão foi mais precisamente uma decorrência de seu idealismo obstinado — sua insistência em tentar fazer a coisa certa. Neste caso, não foi um defeito trágico que derrubou Tillman, mas uma virtude trágica.

Agradecimentos

Sou profundamente grato a Marie Ugenti Tillman, cujas contribuições a *Onde os homens conquistam a glória* foram inestimáveis. Embora outros membros da família Tillman preferissem não ser entrevistados formalmente para este livro, mesmo assim sou muito grato aos pais de Pat Tillman, Mary e Patrick Tillman, seus irmãos, Kevin e Richard Tillman, e seu tio, Stephen Michael Spalding, pelos esforços incansáveis para descobrir a verdade sobre a morte de Pat. Sem sua determinação em responsabilizar o Exército, grande parte do que se sabe sobre o fratricídio e o subsequente acobertamento da verdade jamais teria sido revelada. Sou especialmente grato a Mary e Kevin, aos quais cabe quase todo o mérito por trazer à luz a verdade. Encorajo quem queira saber mais sobre a vida de Pat a ler o belo e comovente livro de Mary Tillman, *Boots on the ground by dusk: my tribute to Pat Tillman.*

Devo ainda agradecimentos às muitas pessoas da Doubleday, Broadway, Vintage/Anchor e Knopf que me auxiliaram neste projeto nos últimos três anos, principalmente Charlie Conrad, Bill Thomas, Steve Rubin, David Drake, Alison Rich, Kathy Trager, Sonny Mehta, John Fontana, Caroline Cunningham, Bette Alexander, John Pitts, Sonia Nash, Carol Janeway, Deb Foley, Rebecca Gardner, Jenna Ciongoli, Laura Swerdloff, LuAnn Walther, Marty Asher, Amy Metsch, Anne Messitte, Dana Maxson, Russell Perreault, John Siciliano,

Thomas Dobrowolski e Sloane Crosley. Sou grato também ao meu agente John Ware, a Matthew Ericson por ter criado os mapas, e a Ingrid Sterner pela preparação dos originais.

Linda Moore, Bill Briggs, Becky Hall, David Roberts, Sharon Roberts, Pat Joseph, Bill Costello e MaryAnn Briggs leram as primeiras versões do manuscrito e deram sugestões vitais.

O livro beneficiou-se de formas cruciais de conversas que tive com Jade Lane, Russell Baer, Mel Ward, Brad Jacobson, Bradley Shepherd, Jason Parsons, Josey Boatright, Will Aker, o falecido Jared Monti, o falecido Abdul Ghani, Seymour Hersh, Paul Brookes, Ghulam Khalil, Michael Svensson, Abdul Khaliq, Mohammed Akram, Naim, Michael McGovern, Yar Mohammed, Zach Warren, Dennis Knowles, Ron Locklear, Eric Hayes, Scott Horrigan, Frank Adkinson, Allen Moore, John Hawes, Paul Fitzpatrick, Aaron Swain, Ehsan Farzan, Dominic Cariello, Mike Slusher, Alex Garwood, Christine Ugenti Garwood, Benjamin Hill, Jamie Hill, Brandon Hill, Túlio Tourinho, Réka Cseresnyés, Darin Rosas, Carol Rosas, Erin Clarke Bradford, Mike Bradford, Kemp Hare, Scott Strong, Dan Jensen e Carson Sprott.

Durante minhas pesquisas no Afeganistão em 2006 e 2007, recebi ajuda preciosa de Ansar Rahel, Randy Kohlman, Franz Zenz, Eric Zenk, o falecido Joseph Fenty, John Breitsprecker, Tony Bennett, Paul Miovas, Mike Vieira, Ross Berkoff, Christopher Cunningham, Dan Dillow, Hunter Marksberry, John Garner, Matt Gibson, Franklin Woods, Derek James, Jorge Villaverde, Delbert Byers, Mike Howard, Paul Deis, Kevin Boyd, Thomas Marbury Jr., Jason Quash, Brian Serota, Dan Huvane, Matthew Cannon, Doc Devlin, Craig Westberg, Kevin Grant, Lawrence Willams, Brandon Peacock, Keith Macklin, Zach Schultz, Josh Renken, David Beebe, Daniel Linnihan, John Tierney, Mike Hanson, Tracy Less, Stephanie Van Geete, Matt Brown, Bradley Hubble, Todd Lowell, Elissa Hurley, Dan Bean, Ann Lockwood, Charlotte Hildebrand, Tom Baker, Bill Metheny, Cathrin Fraker, Ryan Woolf, Jason Sartori, Peter Parison, Roshan Karokhel, Ahmad Shah Sayeed, Baz Mohammed, Mohamed Azim, Abadkhan Akelzareen, Abdul Gafar, Shah Mahmad, Mohammed Sameh, Tayeb Haidari, Mohammed Zakirulah, Noor Aqa, Mohammed Amin, Heedayat Hedayatullah, Javid Nuristani, Shir Mohammed, Kobus Human e Martin Venter.

Por fornecerem conselhos e apoio a longo prazo, vão aqui meus agradecimentos especiais para Mark Bryant, Tom Hornbein, Harry Kent, Owen Kent, Martin Shapiro, Nancy McElwain, Eric Zacharias, Sam Brower, Tom Sam Steed, Carine McCandless, Sean Penn, Eddie Vedder, Chip Lee, Brian Nuttall, Marilyn Voorhis, Drew Simon, David Wolf, Ashley Humphries, Eric Love, Josie Heath, Margaret Katz, Carly Hare, Leah Sullivan, Carol Krakauer, Karin Krakauer, Wendy Krakauer, Sarah Krakauer, Andrew Krakauer, Tim Stewart, Mel Kohn, Robin Krakauer, Rosie Stewart, Ali Stewart, Shannon Costello, Mo Costello, Ari Kohn, Miriam Kohn, Kelsi Krakauer, A. J. Krakauer, o falecido Ralph Moore e Mary Moore.

Notas

As notas a seguir documentam as fontes principais de cada capítulo. Elas não listam a fonte de cada citação, episódio e fato. As passagens no decorrer do livro que se referem à campanha militar americana em andamento no Afeganistão (inclusive a batalha que custou a vida de Pat Tillman) e à política, história, etnografia, geografia, geologia e botânica do sul da Ásia se basearam em grande parte nas pesquisas que realizei *in loco* no Afeganistão em maio e junho de 2006, e de dezembro de 2006 a fevereiro de 2007. Passei grande parte desse período em regiões remotas das províncias de Konar, Khost, Paktika e Paktia, onde acompanhei tropas da 10ª Divisão de Montanhas, 82ª Divisão Aerotransportada e Destacamento Operacional das Forças Especiais — Alfa 773 do Exército norte-americano; Equipes de Treinamento Integradas à Guarda Nacional do Exército norte-americano; o Exército Nacional Afegão; as Forças Especiais Afegãs, e a Guarda de Segurança Afegã em numerosas missões de combate ao longo da fronteira com o Paquistão.

PRÓLOGO

Os detalhes sobre os acontecimentos de 22 de abril no Distrito de Spera da província de Khost advieram de entrevistas e correspondência com Jade Lane,

Mel Ward, Will Aker, Bradley Shepherd, Russell Baer, Josey Boatright, Brad Jacobson e Jason Parsons, complementadas por depoimentos juramentados publicados em "Army Regulation (AR) 15-6 Investigation — Corporal Pat Tillman", do Comando de Operações Especiais do Exército norte-americano, 10 de janeiro de 2005; "Review of matters related to the death of corporal Pat Tillman, U.S. Army, Report Number IP02007E001, March 26, 2007", do Inspetor-Geral do Departamento de Defesa norte-americano; "Hearing on misleading information from the battlefield", transcrição preliminar, Comitê do Congresso Norte-Americano para a Supervisão e Reforma do Governo, 24 de abril de 2007; e "Misleading information from the battlefield: The Tillman and Lynch episodes", do Comitê do Congresso Norte-Americano para a Supervisão e Reforma do Governo, 17 de julho de 2008. As referências a um artigo da Associated Press de julho de 2007 basearam-se em "New details on Tillman's death", de Martha Mendoza, publicado em 27 de julho de 2007. A referência a comentários feitos por Ann Coulter baseou-se numa coluna que ela escreveu intitulada "2004: highlights and lowlifes", publicada em *Human Events* em 30 de dezembro de 2004. A referência a Ted Rail baseou-se em uma tira que ele publicou em 29 de abril de 2004.

UM

Minhas fontes para o material sobre a juventude de Pat Tillman foram *Boots on the ground by dusk: My tribute to Pat Tillman*, de Mary Tillman; entrevistas e correspondência com Marie Tillman, Benjamin Hill, Jamie Hill e Carson Sprott; os diários de Pat Tillman; e *Fearless*, um filme de 45 minutos sobre Tillman produzido pela Asylum Entertainment para a Outdoor Life Network. Minhas fontes principais para o material sobre o conflito soviético-afegão foram "The CIA's intervention in Afghanistan", uma entrevista de 1998 com Zbigniew Brzezinski publicada em *Le Nouvel Observateur*; "Transcript of Bin Laden's October interview", a transcrição de uma entrevista com Bin Laden feita pelo correspondente da Al-Jazeera Tayseer Alouni em outubro de 2001; *Ghost wars: The secret history of the CIA, Afghanistan, and bin Laden, from the Soviet invasion to September 10, 2001*, de Steve Coll; *Charlie Wilson's war: the extraordinary story of how the wildest man in Congress and a rogue CIA agent changed the history of our time*, de George Crile; *The bear went over the moun-*

tain: Soviet combat tactics in Afghanistan, organizado por Lester W. Grau; *Afghanistan: A military history from Alexander the Great to the fall of the Taliban*, de Stephen Tanner; e "Soviet air power: Tactics and weapons used in Afghanistan", de Denny R. Nelson. A citação de Francis Fukuyama foi retirada de seu ensaio "The end of history?".

DOIS

Minhas fontes para o material sobre a juventude de Pat Tillman foram *Boots on the ground by dusk*; entrevistas e correspondência com Marie Tillman, Benjamin Hill, Jamie Hill e Carson Sprott; e *New Almaden*, de Michael Boulland e Arthur Boudreault. Os detalhes sobre a Base de Operação Avançada Tillman, a Guarda de Segurança afegã e *Pashtunwali* advieram de pesquisas que realizei nas províncias de Konar, Paktia, Paktika e Khost em 2006 e 2007, que incluíram entrevistas com Jared Monti, Aaron Swain, Dennis Knowles, Ron Locklear, Eric Hayes, Ghulam Khalil e Abdul Ghani.

TRÊS

Minhas fontes principais foram *Ghost wars*; *O vulto das torres: A Al-Qaeda e o caminho até o 11/9*, de Lawrence Wright; *The 9/11 Commission report: Final report of the National Commission on Terrorist Attacks upon the United States*; e *Afghanistan: A military history from Alexander the Great to the fall of the Taliban.*

QUATRO

Minhas fontes foram entrevistas e correspondência com Marie Tillman, Benjamin Hill, Jamie Hill e Carson Sprott; artigos publicados no *San Jose Mercury News*; *Boots on the ground by dusk*; e *I've got things to do with my life: Pat Tillman: The making of an American hero*, de Mike Towle.

CINCO

Minhas fontes foram entrevistas e correspondência com Marie Tillman, Darin Rosas, Mike Bradford, Erin Clarke Bradford, Kemp Hare, Scott Strong e Carol Rosas; e *Boots on the ground by dusk.*

SEIS

Minhas fontes foram entrevistas e correspondência com Marie Tillman, Darin Rosas, Mike Bradford, Erin Clarke Bradford, Kemp Hare, Scott Strong, Carol Rosas e Dan Jensen; e *Boots on the ground by dusk*.

SETE

Minhas fontes principais foram *Taliban: Militant Islam, oil, and fundamentalism in Central Asia*, de Ahmed Rashid; *Ghost wars*; *O vulto das torres*; *The 9/11 Commission report*; *Afghanistan: A military history from Alexander the Great to the fall of the Taliban*; *On the road to Kandahar: Travels through conflict in the Islamic world*, de Jason Burke; *I is for infidel: From holy war to holy terror: 18 years inside Afghanistan*, de Kathy Gannon; e "The making of Osama bin Laden from Saudi rich boy to the world's most wanted man", de Jason Burke.

OITO

Minhas fontes foram entrevistas com Marie Tillman; *Boots on the ground by dusk*; *I've got things to do with my life*; e "A cut above", de Tim Layden.

NOVE

Minhas fontes principais foram entrevistas e correspondência com Marie Tillman e Réka Cseresnyés; *Boots on the ground by dusk*; *I've got things to do with my life*; "A cut above"; e artigos publicados no *Arizona Republic*.

DEZ

Minhas fontes principais foram entrevistas e correspondência com Marie Tillman e Frank Bauer; *Boots on the ground by dusk*; *I've got things to do with my life*; e artigos publicados no *Arizona Republic*.

ONZE

Minhas fontes principais foram *Ghost wars*; *O vulto das torres*; *The 9/11 Commission report*; *Charlie Wilson's war*; *Afghanistan cave complexes, 1979-2004: Mountain strongholds of the mujahideen, Taliban & Al-Qaeda*, de Mir Bahmanyar; e *Osama bin Laden: America's enemy in his own words*, organizado por Randall B. Hamud.

DOZE

Minhas fontes principais foram entrevistas e correspondência com Marie Tillman, Benjamin Hill e Brandon Hill; e artigos publicados no *Arizona Republic.*

TREZE

Minhas fontes principais foram entrevistas e correspondência com Marie Tillman, Christine Ugenti Garwood e Alex Garwood; os diários de Pat Tillman; e *I've got things to do with my life.*

CATORZE

Minhas fontes principais foram os diários de Pat Tillman; *The 9/11 Commission Report*; *Ghost wars*; e *O vulto das torres.*

QUINZE

Minhas fontes principais foram entrevistas e correspondência com Marie Tillman e Frank Bauer; decisão da Suprema Corte 00-949, *Bush v. Gore*; "Conflicts of interest in Bush v. Gore: Did some justices vote illegally?", de Richard K. Neumann Jr.; "My all-pro team", de Paul Zimmerman; *The 9/11 Commission report*; e *Against all enemies: inside America's war on terror*, de Richard Clarke.

DEZESSEIS

Minhas fontes principais foram entrevistas e correspondência com Marie Tillman e Pat Murphy; "True hero athlete", de Gwen Knapp; *The 9/11 Commission report*; *Against all enemies*; *The one percent doctrine: Deep inside America's pursuit of its enemies since 9/11*, de Ron Suskind; e *Angler: The Cheney vice presidency*, de Barton Gellman.

DEZESSETE

Minhas fontes principais foram entrevistas e correspondência com Marie Tillman; *The one percent doctrine*; *Afghanistan: A military history from Alexander the Great to the fall of the Taliban*; *Special Operations Forces in Afghanistan:*

Afghanistan, 2001-2007, de Leigh Neville; *Kill bin Laden: A Delta Force commander's account of the hunt for the world's most wanted man*, de Dalton Fury; *Messages to the world: The statements of Osama bin Laden*, organizado por Bruce Lawrence; *Jawbreaker: The attack on bin Laden and Al-Qaeda*, de Gary Berntsen; *Not a good day to die: The untold story of Operation Anaconda*, de Sean Naylor; "U.S. Special Operations Command 20th Annniversary History: 1987-2007"; "Excerpts from Usama Bin Ladin's 'Will'"; "The long hunt for Osama", de Peter Bergen; e "The failing campaign to kill Jalaluddin Haqqani", de Marc W. Herold.

DEZOITO

Minhas fontes principais foram entrevistas e correspondência com Marie Tillman, Frank Bauer, Christine Ugenti Garwood e Alex Garwood; e *Boots on the ground by dusk*.

DEZENOVE

Minhas fontes principais foram entrevistas e correspondência com Marie Tillman e Túlio Tourinho; os diários de Pat Tillman; e "Misleading information from the battlefield: The Tillman and Lynch episodes".

VINTE

Minhas fontes principais foram entrevistas e correspondência com Marie Tillman e Túlio Tourinho; e os diários de Pat Tillman.

VINTE E UM

Minhas fontes principais foram entrevistas e correspondência com Marie Tillman, Russell Baer, Jade Lane e Jason Parsons; os diários de Pat Tillman; uma transcrição do segundo debate presidencial Gore-Bush realizado em 11 de outubro de 2000; *The one percent doctrine*; e *Fiasco: the American military adventure in Iraq*, de Thomas E. Ricks.

VINTE E DOIS

Minhas fontes principais foram os diários de Pat Tillman; "Attack on the 507th Maintenance Company, 23 March 2003; An Nasiriyah, Iraq: Executive Summary", divulgado pelo Exército norte-americano; "Misleading information from the battlefield: The Tillman and Lynch episodes"; *Fiasco*; *Cobra II: The inside story of the invasion and occupation of Iraq*, de Michael R. Gordon e Bernard E. Trainor; "She was fighting to the death; details emerging of W. Va. Soldier's capture and rescue", de Susan Schmidt e Vernon Loeb; e "Iraq media guy rebuilds Qatar at the garden", de Ben Smith.

VINTE E TRÊS

Minhas fontes principais foram os diários de Pat Tillman; "Investigation of suspected friendly fire incident near An Nasiriyah, Iraq, 23 March 03", um relatório do Comando Central norte-americano; *Ambush Alley: The most extraordinary battle of the Iraq War*, de Tim Pritchard; *Marines in the Garden of Eden*, de Richard S. Lowry; *An Nasiriyah: The fight for the bridges*, de Gary Livingston; *The great war for civilisation: The conquest of the Middle East*, de Robert Fisk; *Generation kill: Devil Dogs, Iceman, Captain America, and the new face of American war*, de Evan Wright; *Cobra II*; e "A deadly day for Charlie Company", de Rich Connell e Robert J. Lopez.

VINTE E QUATRO

Minhas fontes principais foram os diários de Pat Tillman; "Investigation of suspected friendly fire incident near An Nasiriyah, Iraq, 23 March 03"; *Ambush Alley*; *Marines in the Garden of Eden*; *An Nasiriyah: The fight for the bridges*; *Generation Kill*; *Cobra II*; e "A deadly day for Charlie Company".

VINTE E CINCO

Minhas fontes principais foram os diários de Pat Tillman; "Investigation of suspected friendly fire incident near An Nasiriyah, Iraq, 23 March 03"; "A-10 friendly fire investigation completed", um comunicado à imprensa do Comando Central norte-americano; "CENTCOM Operation Iraqi Freedom briefing 23 March 2003"; "Defense Department briefing transcript, 25 March 2003"; "Secretary Rumsfeld Media Availability en route to Chile", uma transcrição de notícias do Departamento de Defesa norte-americano, 18 de novembro de 2002; "Nine marines killed, 12 soldiers missing", uma reportagem da Fox News; "The truth about Jessica", de John Kampfner; e "The man who sold the war", de James Bamford.

VINTE E SEIS

Minhas fontes principais foram entrevistas e correspondência com Marie Tillman, Russell Baer, Jade Lane, Mel Ward, Aaron Swain e Frank Bauer; os diários de Pat Tillman; *Nuremberg diary*, de G. M. Gilbert; *Osama bin Laden: America's enemy in his own words*; e *Boots on the ground by dusk.*

VINTE E SETE

Minhas fontes principais foram entrevistas e correspondência com Marie Tillman, Josey Boatright e Réka Cseresnyés; os diários de Pat Tillman; e *Boots on the ground by dusk.*

VINTE E OITO

Minhas fontes principais foram os diários de Pat Tillman; entrevistas e correspondência com Brad Jacobson, Bradley Shepherd, Jason Parsons, Russell Baer, Josey Boatright, Will Aker, Jade Lane e Mel Ward; "Afghan offensive: grand plans hit rugged reality", de Syed Saleem Shahzad; "Army Regulation (AR) 15-6 Investigation — Corporal Pat Tillman"; "Review of matters related to the death of corporal Pat Tillman"; "Hearing on misleading information from the battlefield"; e "Misleading information from the battlefield: The Tillman and Lynch episodes".

VINTE E NOVE

Minhas fontes principais foram entrevistas e correspondência com Brad Jacobson, Bradley Shepherd, Jason Parsons, Russell Baer, Josey Boatright, Will Aker, Jade Lane e Mel Ward; "Afghan offensive: grand plans hit rugged reality"; "Army Regulation (AR) 15-6 Investigation — Corporal Pat Tillman"; "Review of matters related to the death of corporal Pat Tillman"; "Hearing on misleading information from the battlefield"; e "Misleading information from the battlefield: The Tillman and Lynch episodes".

TRINTA

Minhas fontes principais foram entrevistas e correspondência com Brad Jacobson, Bradley Shepherd, Jason Parsons, Russell Baer, Josey Boatright, Will Aker, Jade Lane e Mel Ward; "Army Regulation (AR) 15-6 Investigation —

Corporal Pat Tillman"; "Review of matters related to the death of corporal Pat Tillman"; "Hearing on misleading information from the battlefield"; e "Misleading information from the battlefield: The Tillman and Lynch episodes".

TRINTA E UM

Minhas fontes principais foram entrevistas e correspondência com Brad Jacobson, Bradley Shepherd, Jason Parsons, Russell Baer, Josey Boatright, Will Aker, Jade Lane e Mel Ward; "Army Regulation (AR) 15-6 Investigation — Corporal Pat Tillman"; "Review of matters related to the death of corporal Pat Tillman"; "Hearing on misleading information from the battlefield"; e "Misleading information from the battlefield: The Tillman and Lynch episodes".

TRINTA E DOIS

Minhas fontes principais foram entrevistas e correspondência com Marie Tillman, Alex Garwood, Christine Ugenti Garwood, Seymour Hersh e Russell Baer; *Boots on the ground by dusk*; "The hidden general", de Michael Hirsh e John Barry; "Final autopsy examination report: Patrick D. Tillman", do Office of the Armed Forces Medical Examiner; uma transcrição de uma entrevista entre o dr. Craig Mallak e um agente especial do Escritório do Inspetor-Geral, Departamento de Defesa; "Army Regulation (AR) 15-6 Investigation — Corporal Pat Tillman"; "Review of matters related to the death of corporal Pat Tillman"; "Hearing on misleading information from the battlefield"; e "Misleading information from the battlefield: The Tillman and Lynch episodes".

TRINTA E TRÊS

Minhas fontes principais foram entrevistas e correspondência com Marie Tillman, Jade Lane, Russell Baer, Bradley Shepherd, Mel Ward, Will Aker e Seymour Hersh; *Boots on the ground by dusk*; *The terror presidency: Law and judgment inside the Bush administration*, de Jack L. Goldsmith; *Torture and truth: America, Abu Ghraib, and the war on terror*, de Mark Danner; *Chain of command: The road from 9/11 to Abu Ghraib*, de Seymour Hersh; "The general's report", de Seymour Hersh; "Army Regulation (AR) 15-6 Investigation — Corporal Pat Tillman"; "Review of matters related to the death of corporal Pat Tillman"; "Hearing on misleading information from the battlefield"; and "Misleading information from the battlefield: The Tillman and Lynch episodes".

TRINTA E QUATRO

Minhas fontes principais foram entrevistas e correspondência com Marie Tillman, Jade Lane, Russell Baer, Bradley Shepherd, Mel Ward, Will Aker e Brad Jacobson; *Boots on the ground by dusk* "An un-American tragedy", de Mike Fish; "Final autopsy examination report: Patrick D. Tillman"; uma transcrição de uma entrevista entre o dr. Craig Mallak e um agente especial do Escritório do Inspetor-Geral; "New details on Tillman's death", de Martha Mendoza; "Army Regulation (AR) 15-6 Investigation — Corporal Par Tillman"; "Review of matters related to the death of corporal Pat Tillman"; "Hearing on misleading information from the battlefield"; "Misleading information from the battlefield: The Tillman and Lynch episodes"; "Information regarding the death of Pat Tillman", um comunicado à imprensa do Escritório do Subsecretário da Defesa; e "President Bush discusses American competitiveness initiative during press conference", uma transcrição da Casa Branca.

TRINTA E CINCO

Minhas fontes foram entrevistas e correspondência com Marie Tillman e Mel Ward.

PÓS-ESCRITO

Coletei grande parte do material deste capítulo durante visitas ao Afeganistão em 2006 e 2007. No decorrer de minhas viagens falei com Dennis Knowles, Ron Locklear, Eric Hayes, Allen Moore, Frank Adkinson, Scott Horrigan, Abbdul Ghani e Matt Brown. Outras fontes incluem *Counterinsurgency in Afghanistan*, de Seth G. Jones; "Afghan, coalition forces disrupt insurgent network", de Timothy Dineen; "C.I.A. outlines Pakistan links with militants", de Mark Mazzetti e Eric Schmitt; "Bush said to give orders alllowing raids in Pakistan", de Eric Schmitt e Mark Mazzetti; "Taliban commander is face of rising threat", de Carlotta Gall; "India vindicated by Pakistan charge", de Madhur Singh; "Right at the edge", de Dexter Filkins; *O fim da história e o último homem*, de Francis Fukuyama; *The suicide of reason: Radical Islam's threat to the West*, de Lee Harris; "Pakistan and terrror: The eye of the storm", de Bruce Riedel; e *Assim falou Zaratustra*, de Friedrich Nietzsche.

Bibliografia

"Army Regulation (AR) 15-6 Investigation — Corporal Pat Tillman". Comando de Operações Especiais do Exército norte-americano, 10 de janeiro de 2005.

"A-10 Friendly Fire Investigation Completed". Comunicado à imprensa, Comando Central norte-americano, 29 de março de 2004. Comunicado número 04-03-51.

"Attack on the 507th Maintenance Company, 23 March 2003; An Nasiriyah, Iraq: Executive Summary". Exército norte-americano.

Bacevich, Andrew. *The limits of power: The end of American exceptionalism*. Nova York: Metropolitan Books, 2008.

Bahmanyar, Mir. *Afghanistan cave complexes, 1979-2004: Mountain strongholds of the mujahideen, Taliban & Al-Qaeda*. Oxford: Osprey, 2004.

_____. *Shadow warriors: A history of the U.S. Army Rangers*. Oxford: Osprey, 2005.

Bamford, James. "The man who sold the war: meet John Rendon, Bush's general in the propaganda war". *Rolling Stone*, 17 de novembro de 2005.

Bergen, Peter L. "The long hunt for Osama". *Atlantic Monthly*, outubro de 2004.

_____. *The Osama bin Laden I know*. Nova York: Free Press, 2006.

Berntsen, Gary. *Jawbreaker: The attack on bin Laden and Al-Qaeda*. Nova York: Three Rivers Press, 2006.

bin Laden, Osama. "Excerpts from Usama Bin Ladin's 'Will.'" *Al-Majallah*, 27 de outubro de 2002. Tradução inglesa do Foreign Broadcast Information Service. <www.fas.org/irp/world/para/ubl-fbis.pdf>

Boulland, Michael e Arthur Boudreault. *New Almaden*. Charleston, S.C.: Arcadia, 2006.

Bourke, Joanna. *An intimate history of killing: Face-to-face killing in twentieth-century warfare*. Nova York: Basic Books, 1999.

Bowden, Mark. *Black Hawk down: A story of modern war*. Nova York: Penguin Books, 2000.
Bryant, Russ. *To be a U.S. Army Ranger*. St. Paul: Zenith Press, 2003.
Bryant, Russ e Susan Bryant. *Weapons of the U.S. Army Rangers*. St. Paul: Zenith Press, 2005.
Burke, Jason. "The making of Osama bin Laden from Saudi rich boy to the world's most wanted man". *Observer*, 1º de novembro de 2001.
_____. *On the road to Kandahar: Travels through conflict in the Islamic world*. Nova York: Thomas Dunne, 2006.
"CENTCOM Operation Iraqi Freedom Briefing 23 March 2003". Transcrição de notícias, Comando Central norte-americano, 23 de março de 2003.
Chayes, Sarah. *The punishment of virtue: inside Afghanistan after the Taliban*. Nova York: Penguin Press, 2006.
Chomsky, Noam. *Failed states: the abuse of power and the assault on democracy*. Nova York: Metropolitan Books, 2006.
"The CIA's intervention in Afghanistan: interview with Zbigniew Brzezinski". Tradução inglesa de Bill Blum. *Le Nouvel Observateur*, 15-21 de janeiro de 1998. <www.globalresearch.ca/articles/BRZI10A.html>
Clarke, Richard. *Against all enemies: Inside America's war on terror*. Nova York: Free Press, 2004.
Coll, Steve. *The Bin Ladens: An Arabian family in the American century*. Nova York: Penguin Press, 2008.
_____. "Deluded". *New Yorker*, 3 de abril de 2006.
_____. *Ghost wars: The secret history of the CIA, Afghanistan, and bin Laden, from the Soviet invasion to September 10, 2001*. Nova York: Penguin Press, 2004.
Connell, Rich e Robert J. Lopez. "A deadly day for Charlie Company". *Los Angeles Times*, 26 de agosto de 2003.
Coulter, Ann. *How to talk to a liberal (if you must): The world according to Ann Coulter*. Nova York: Three Rivers Press, 2005.
_____. "2004: highlights and lowlifes". *Human Events*, 30 de dezembro de 2004.
Crile, George. *Charlie Wilson's war: The extraordinary story of how the wildest man in Congress and a rogue CIA agent changed the history of our times*. Nova York: Grove Press, 2003.
Danner, Mark. *Torture and truth: America, Abu Ghraib, and the war on terror*. Nova York: New York Review of Books, 2004.
"Defense Department Briefing Transcript, 25 March 2003". Transcrição de notícias do Departamento de Defesa norte-americano.
Dineen, Timothy. "Afghan, coalition forces disrupt insurgent network". Comunicado à imprensa, Combined Joint Task Force-82 Public Affairs Office.
Emerson, Ralph Waldo. *Self-reliance and other essays*. Nova York: Dover, 1993.
Ewans, Martin. *Afghanistan: A short history of its people and politics*. Nova York: Perennial, 2002.
Fearless. Produzido por Asylum Entertainment. Outdoor Life Network. 22 de outubro de 2005.
Filkins, Dexter. *The forever war*. Nova York: Knopf, 2008.
_____. "Right at the edge". *New York Times Magazine*, 7 de setembro de 2008.

Fish, Mike. "An un-American tragedy". ESPN.com. <sports.espn.go.com/espn/eticket/story?page:tillman part1>

Fisk, Robert. *The great war for civilisation: The conquest of the Middle East*. Nova York: Vintage, 2007.

Fukuyama, Francis. "The end of history?", *National Interest*, verão de 1989.

_____. *O fim da história e o último homem*. Rio de Janeiro: Rocco, 1992.

Fury, Dalton. *Kill bin Laden: A Delta Force commander's account of the hunt for the world's most wanted man*. Nova York: St. Martin's Press, 2008.

Gall, Carlotta. "Taliban commander is face of rising threat". *New York Times*, 17 de junho de 2008.

Gannon, Kathy. *I is for infidel: From holy war to holy terror: 18 years inside Afghanistan*. Nova York: PublicAffairs, 2005.

Garamone, Jim e David Mays. "Afghan, coalition forces battle Taliban, narcotics, emphasize training". Serviço à imprensa das Forças Armadas, 19 de outubro de 2007.

Gellman, Barton. *Angler: The Cheney vice presidency*. Nova York: Penguin Press, 2008.

George W. Bush et al., petitioners v. Albert Gore Jr. et al. Suprema Corte dos Estados Unidos, nº 00-949, 12 de dezembro de 2000.

Gilbert, G. M. *Nuremberg diary*. Nova York: Da Capo Press, 1995.

Goff, Stan. "The fog of fame". *CounterPunch*, 9 de agosto de 2007. <www.counterpunch.org/goff08092007.html>

Goldsmith, Jack L. *The terror presidency: Law and judgment inside the Bush administration*. Nova York: W. W. Norton, 2007.

Gordon, Michael R. e Bernard E. Trainor. *Cobra II: The inside story of the invasion and occupation of Iraq*. Nova York: Pantheon, 2006.

Graham, Stephen. "Pakistan vows to 'Weed Our' pro-Taliban agents". Associated Press, 1º de agosto de 2008.

Grau, Lester W., org. *The bear went over the mountain: Soviet combat tactics in Afghanistan*. Washington, D.C.: National Defense University Press, 1996.

Grossman, Dave. *On killing: The psychological cost of learning to kill in war and society*. Boston: Back Bay Books, 1996.

Hamilton, Edith. *The Greek way*. Nova York: W. W. Norton, 1993.

Hamud, Randall B., org. *Osama bin Laden: America's enemy in his own words*. San Diego: Nadeem, 2005.

Harris, Lee. *The suicide of reason: Radical Islam's threat to the West*. Nova York: Basic Books, 2007.

"Hearing on misleading information from the battlefield". Transcrição preliminar, Comitê do Congresso Norte-Americano para a Supervisão e Reforma do Governo, 24 de abril de 2007. <oversight.house.gov/story.asp?ID=1242>

Hedges, Chris. "A culture of atrocity". *Truthdig*, 18 de junho de 2007. <www.truthdig.com/report/item/20070618_a_culture_of_atrocity/>

Herold, Marc W. "The failing campaign to kill Jalaluddin Haqqani". *Cursor*, 18 de janeiro de 2002. <www.cursor.org/stories/jalaluddin.htm>

Hersh, Seymour M. *Chain of command: The road from 9/11 to Abu Ghraib*. Nova York: HarperCollins, 2004.

_____. "The general's report". *New Yorker*, 25 de junho de 2007.

Hirsh, Michael e John Barry. "The hidden general". *Newsweek*, 26 de junho de 2006.

Homero. *Ilíada*. Rio de Janeiro: Ediouro, 2002.

_____. *Odisseia*. Rio de Janeiro: Ediouro, 2001.

Hosseini, Khaled. *O caçador de pipas*. Rio de Janeiro: Nova Fronteira, 2005.

"Information regarding the death of Pat Tillman". Escritório do Subsecretário da Defesa (Relações Públicas), 31 de julho de 2007.

"Investigation of suspected friendly fire incident near An Nasiriyah, Iraq, 23 March 03". Comando Central norte-americano, 6 de março de 2004.

Jalali, Ali Ahmad e Lester W. Grau. *Afghan guerrilla warfare: In the words of the mujahideen fighters*. St. Paul: MBI, 2001.

Johns, Dave. "The crimes of Saddam Hussein". *FRONTLINE/World*. <www.pbs.org/frontlineworld/stories/iraq501/events_uprising.html>

Jones, Seth G. *Counterinsurgency in Afghanistan*. Santa Monica, Calif.: RAND National Defense Research Institute, 2008.

"Justice Scalia on the record". CBS News, *60 Minutes*, 27 de abril de 2008. <www.cbsnews.com/stories/2008/04/24/60minutes/printable4040290.shtml>

Kampfner, John. "The truth about Jessica". *Guardian*, 15 de maio de 2003.

Keegan, John. *A history of warfare*. Nova York: Vintage, 1994.

Knapp, Gwen. "True hero athlete". *San Francisco Chronicle*, 4 de maio de 2004.

Kreager, Derek A. "Unnecessary roughness? Youth sports, peer networks, and male adolescent violence". <faculty.washington.edu/matsueda/UR2.pdf>

Lawrence, Bruce, org. *Messages to the world: The statements of Osama bin Laden*. Londres: Verso, 2005.

Layden, Tim. "A cut above". *Sports Illustrated*, 8 de dezembro de 1997.

Leeson, Francis L. *Frontier legion: With the Khassadars of North Waziristan*. West Sussex, U.K.: Leeson Archive, 2003.

Livingston, Gary. *An Nasiriyah: The fight for the bridges*. North Topsail Island, N.C.: Caisson Press, 2003.

Lowry, Richard S. *Marines in the Garden of Eden*. Nova York: Berkley Caliber, 2006.

Mazzetti, Mark e David Rhode. "Amid policy disputes, Qaeda grows in Pakistan". *New York Times*, 30 de junho de 2008.

Mazzetti, Mark e Eric Schmitt. "C.I.A. outlines Pakistan links with militants". *New York Times*, 30 de julho de 2008.

Mendoza, Martha. "New details on Tillman's death". Associated Press, 27 de julho de 2007.

"Misleading information from the battlefield: The Tillman and Lynch episodes". Relatório do Comitê do Congresso Norte-Americano para a Supervisão e Reforma do Governo, 17 de julho de 2008.

Naylor, Sean. *Not a good day to die: The untold story of Operation Anaconda*. Nova York: Berkley Caliber, 2005.

Neiman, Susan. *Moral clarity: A guide for grown-up idealists*. Nova York: Harcourt, 2008.

Nelson, Denny R. "Soviet air power: Tactics and weapons used in Afghanistan". *Air University Review*, jan.-fev. de 1985.

Neumann, Richard K., Jr. "Conflicts of interest in Bush v. Gore: Did some justices vote illegally?" *Georgetown Journal of Legal Ethics* (primavera de 2003).

Neville, Leigh. *Special Operations Forces in Afghanistan: Afghanistan, 2001-2007*. Oxford: Osprey, 2008.

Nietzsche, Friedrich. *Assim falou Zaratustra*. São Paulo: Civilização Brasileira, 1998.

The 9/11 Commission report: Final report of the National Commission on Terrorist Attacks upon the United States. Nova York: W. W. Norton, 2004.

"Nine marines killed, 12 soldiers missing". Fox News, 24 de março de 2003. <www.foxnews.com/story/0,2933,81921,00.html>

Oren, Michael B. *Power, faith, and fantasy: America in the Middle East, 1776 to the present*. Nova York: W. W. Norton, 2007.

"Oversight committee holds hearing on Tillman, Lynch incidents". Comitê do Congresso Norte-Americano para a Supervisão e Reforma do Governo, 110º Cong., 24 de abril de 2007.

Packer, George. *The assassins' gate: America in Iraq*. Nova York: Farrar, Straus and Giroux, 2005.

Piper, Joan L. *A chain of events: The government cover-up of the Black Hawk incident and the friendly-fire death of Lt. Laura Piper*. Washington, D.C.: Brassey's, 2001.

Poole, H. John. *Tactics of the Crescent Moon: Militant Muslim combat methods*. Emerald Isle, N.C.: Posterity Press, 2004.

"President Bush discusses American competitiveness initiative during press conference". Casa Branca, Escritório do Secretário de Imprensa, 9 de agosto de 2007.

Pressfield, Steven. *The Afghan campaign*. Nova York: Doubleday, 2006.

Pritchard, Tim. *Ambush Alley: The most extraordinary battle of the Iraq War*. Nova York: Presidio Press, 2005.

Rail, Ted. *The cartoon*, 29 de abril de 2004. <www.gocomics.com/rallcom/2004/05/03/>

Rand, Jonathan. *Fields of honor: The Pat Tillman story*. Nova York: Chamberlain Bros., 2004.

Rashid, Ahmed. *Taliban: Militant Islam, oil, and fundamentalism in Central Asia*. New Haven, Conn.: Yale Nota Bene, 2001.

"Review of matters related to the death of Corporal Pat Tillman, U.S. Army, Report Number IP02007E001, March 26, 2007". Inspetor-Geral, Departamento de Defesa norte-americano.

Ricks, Thomas E. *Fiasco: The military adventure in Iraq*. Nova York: Penguin Press, 2006.

Riedel, Bruce. "Pakistan and terror: The eye of the storm". *Annals of the American Academy of Political and Social Science* 618, julho de 2008.

Robinson, Linda. *Masters of chaos: The secret history of the Special Forces*. Nova York: Public-Affairs, 2004.

Scheuer, Michael. *Imperial hubris: Why the West is losing the war on terror*. Washington, D.C.: Potomac Books, 2005.

Schmidt, Susan e Vernon Loeb. "'She was fighting to the death'; details emerging of W. Va. soldier's capture and rescue". *Washington Post*, 3 de abril de 2003.

Schmitt, Eric e Mark Mazzetti. "Bush said to give orders allowing raids in Pakistan". *New York Times*, 11 de setembro de 2008.

Schroen, Gary C. *First in: An insider's account of how the CIA spearheaded the war on terror in Afghanistan.* Nova York: Presidio Press, 2005.

"The Second Gore-Bush Presidential Debate". 11 de outubro de 2000. Commission on Presidential Debates. <www.debates.org/pages/trans2000b.html>

"Secretary Rumsfeld Media Availability en route to Chile". Transcrição de notícia, Departamento de Defesa norte-americano; 18 de novembro de 2002.

Shahzad, Syed Saleem. "Afghan offensive: grand plans hit rugged reality". *Asia Times Online*, 20 de março de 2004. <www.atimes.com/atimes/South_Asia/FC20Df02.html>

Shay, Jonathan. *Achilles in Vietnam: Combat trauma and the undoing of character.* Nova York: Touchstone, 1995.

Singh, Madhur. "India vindicated by Pakistan charge". *Time*, 1º de agosto de 2008.

Smith, Ben. "Iraq media guy rebuilds Qatar at the garden". *New York Observer*, 26 de outubro de 2003.

Smith, Gary. "Remember his name". *Sports Illustrated*, 11 de setembro de 2006.

Suskind, Ron. *The one percent doctrine: Deep inside America's pursuit of its enemies since 9/11.* Nova York: Simon & Schuster, 2006.

Tanner, Stephen. *Afghanistan: A military history from Alexander the Great to the fall of the Taliban.* Cambridge, Mass.: Da Capo Press, 2002.

Tillman, Mary. *Boots on the ground by dusk: My tribute to Pat Tillman.* Com Narda Zacchino. Nova York: Modern Times, 2008.

Towle, Mike. *I've got things to do with my life: Pat Tillman: The making of an American hero.* Chicago: Triumph Books, 2004.

"Transcript of Bin Laden's October interview". CNN.com/World. 5 de fevereiro de 2002. <archives.cnn.com/2002/WORLD/asiapef/south/02/05/binladen.transcriptlindex.html>

"U.S. Special Operations Command 20th Anniversary History: 1987-2007". Comando de Operações Especiais norte-americano.

"Widow of slain marine calls his death 'murder', denounces killers for not following rules of war". NBC30 Connecticut News, 26 de março de 2003.

Wright, Evan. *Generation kill: Devil Dogs, Iceman, Captain America, and the new face of American war.* Nova York: Berkley Caliber, 2004.

Wright, Lawrence. *O vulto das torres: A Al-Qaeda e o caminho até o 11/9.* São Paulo: Companhia das Letras, 2007.

Zimmerman, Paul. "My all-pro team". Sports Illustrated, 3 de janeiro de 2001. <sportsillustratted.cnn.com/inside~game/dr_z/news/2001/01/03/drz_insider/>

Índice remissivo

ESTA OBRA FOI COMPOSTA EM MINION PELO ESTÚDIO O.L.M./ FLAVIO PERALTA
E IMPRESSA EM OFSETE PELA GEOGRÁFICA SOBRE PAPEL PÓLEN SOFT DA SUZANO
PAPEL E CELULOSE PARA A EDITORA SCHWARCZ EM MARÇO DE 2011